U0213480

机械加工常用测量技术手册

刘森 主编

金盾出版社

内 容 提 要

　　本手册介绍了机械加工常用的测量工具和测量方法,对现行国家标准《产品几何技术规范(GPS)》中有关极限与配合、几何公差、表面结构等内容作了详细解释,并附有大量典型零件的极限配合与测量技巧。主要内容包括:常用量具,产品几何技术规范(GPS),技术测量,典型零件的极限配合与测量,尺寸链,实用测量技巧等。

　　本手册的特点是将常用量具的使用、产品几何技术规范(GPS)的解释,以及测量方法和技巧汇集于一册书中,便于从事机械加工业的工人和技术人员快速查阅,也适合机械加工类企业资料室和院校图书馆收藏。

图书在版编目(CIP)数据

机械加工常用测量技术手册/刘森主编 . -- 北京:金盾出版社,2013.7

　　ISBN 978-7-5082-8387-6

　　Ⅰ.①机… Ⅱ.①刘… Ⅲ.①金属切削—技术测量—技术手册 Ⅳ.①TG8-62

中国版本图书馆 CIP 数据核字(2013)第 094880 号

金盾出版社出版、总发行

北京太平路 5 号(地铁万寿路站往南)
邮政编码:100036　电话:68214039　83219215
传真:68276683　网址:www.jdcbs.cn
封面印刷:北京精美彩色印刷有限公司
正文印刷:北京万友印刷有限公司
装订:北京万友印刷有限公司
各地新华书店经销
开本:850×1168 1/32　印张:15.875　字数:472 千字
2013 年 7 月第 1 版第 1 次印刷
印数:1~5 000 册　定价:50.00 元

(凡购买金盾出版社的图书,如有缺页、
倒页、脱页者,本社发行部负责调换)

前　　言

　　随着市场经济不断发展和完善,全球经济一体化已成为必然的趋势。只有性能符合国际标准的产品,才能在市场中占有一席之地,为市场所接受。产品的几何技术规范(GPS)是符合国际标准 ISO 的技术标准,包括极限与配合、几何公差和表面结构三大类几何技术规范。本手册对 GPS 标准做了大量释译,可帮助读者尽快理解、准确执行主要现行标准。GPS 标准的推广和应用,对促进我国经济发展具有重要的意义。

　　技术测量是检验、判断产品几何技术特征是否符合规范的最终手段。《机械加工常用测量技术手册》是基于 GPS 标准现行最新版本编写的,参照了我国 40 余个相关国家标准和行业标准,为读者提供了较全面、规范的测量知识和技术。书中还收录了大量实用测量技巧,针对机械加工中经常遇到的选用测量方法、确定测量精度、控制测量误差等实际问题,做了详细的讲解,对于从事机械加工业的工人、技术人员都有较高的参考价值。

　　本书由刘森主编,参加编写的还有张灏、吴复宇、陈继荣、陈英年、居永梅、李春华、栾庭森、赵怀志、张京华、耿玉岐、常淑芳、盛桂芬，特邀请郝秀云主审。鉴于《产品几何技术规范(GPS)》尚在推广应用初始阶段，难免会受传统观念的影响，致使出现不当之处，敬请读者予以批评指正。

作　者

目　　录

1 常用量具

1.1 概　　述

1.1.1 常用量具的种类

机械加工中常用量具有通用量具和专用量具两大类,常用量具的种类及主要功能见表1-1。

表1-1　常用量具的种类及主要功能

量具类型	量具名称	主要功能
通用量具	卡尺、千分尺、指示表、角度尺、坐标检测设备	用于测定零件单一要素(线尺寸或角度)测量值
专用量具	卡规、塞规、螺纹规、圆弧规、粗糙度样板、塞尺、其他专用量具	判断零件是否符合规定要求

1.1.2 常用量具的适用标准

大多数量具采用 GB,个别的采用 JB 或其他行业标准。主要适用标准如下:

(1)基准器标准　测量基准器有平板、方箱和 V 形铁架,目前适用的标准有:

GB/T 22095—2008 铸铁平板;

JJG 194—1992　中华人民共和国国家计量检定规程　方箱;

JB/T 8047—2007　V 形块架。

(2)卡尺类标准

GB/T 21389—2008　游标、带表和数显卡尺;

GB/T 21388—2008　游标、带表和数显深度卡尺;

GB/T 21390—2008   游标、带表和数显高度卡尺。

（3）千分尺类标准

GB/T 1216—2004   外径千分尺；

GB/T 8061—2004   杠杆千分尺；

GB/T 1217—2004   公法线千分尺；

GB/T 1218—2004   深度千分尺；

GB/T 10932—2004   螺纹千分尺；

GB/T 8177—2004   两点内径千分尺；

GB/T 6314—2004   三爪内径千分尺。

（4）指示表类标准

GB/T 1219—2008   指示表；

GB/T 18761—2007   电子显示指示表；

GB/T 8122—2004   内径指示表；

GB/T 8123—2007   杠杆指示表。

（5）其他标准

GB/T 6092—2004   直角尺；

GB/T 6315—2008   游标、带表和数显万能角度尺；

GB/T 3934—2003   普通螺纹量规   技术条件；

GB/T 1957—2006   光滑极限量规   技术条件；

GB/T 6060.2—2006   表面粗糙度比较样块   磨、车、镗、铣、插及刨加工表面；

JB/T 7980—1999   半径样板；

GB/T 22523—2008   塞尺。

1.2   测量基准器

    工件的检测，一般将工件置于基准器具上进行，只有在机械加工过程中，停车检测已加工表面（工艺过程检测）可以例外。测量基准器主要包括平板、方箱和 V 形块架。

1.2.1   平板

    平板是机械测量中最常用的基准定位器具，多用铸铁制成。常用铸铁平板的规格和精度等级见表 1-2。

表 1-2　常用铸铁平板的规格和精度等级（摘自 GB/T 22095—2008）

简　　　图	规　　　格				
	平板规格（长×宽）/(mm×mm)	平面度公差值/μm			
		0 级	1 级	2 级	3 级
	250×250	3.5	7	15	30
	400×250	5.0	10	20	39
	400×400	4.5	9	17	34
	630×400	5.0	10	20	49
	630×630	5.0	10	21	42
	1000×630	6.0	12	24	49
	1000×1000	7.0	14	28	56
	1600×1000	8.0	16	33	66
	2500×1600	11.5	23	46	92

注：①平板精度共有 0、1、2、3 四级，以 0 级精度最高，3 级最低。
　　②0、1、2 级平板作为测量基准面；3 级平板用作划线平台。
　　③用涂色法检验经刮研平板每边 25mm 平面内的斑点数为：1 级平板不少于 25 个；2 级平板不少于 20 个；3 级平板不少于 12 个；0 级平板在以涂色法补充检查时，斑点数同 1 级平板要求。

1.2.2　方箱

　　方箱主要用于测量工件平行度、垂直度和划线时支撑工件。方箱一般用铸铁制成，外形为正方形或长方形。常用方箱的规格及精度等级见表 1-3。

1.2.3　V 形块架

　　V 形块架主要于轴类零件加工或检测时做紧固定位的辅助器具。常用 V 形块架的四种结构类型见表 1-4。

表 1-3　常用方箱的规格及精度等级(摘自 JJG 194—1992)

简图	规格(边长)/mm	工作面的平面度/μm			工作面的垂直度、平行度及 V 形槽对底面的平行度偏差/μm		
		1 级	2 级	3 级	1 级	2 级	3 级
	100	3.5	7	15	7	15	30
	160	4.0	9	17	8	18	35
	200	4.5	10	20	9	20	40
	250	5.0	11	22	10	22	45
	315	5.5	12	25	11	25	50
	400	6.5	15	30	13	30	60
	500	—	17	35	—	35	70

注:方箱的精度等级以 1 级最高,3 级最低。

表 1-4　常用 V 形块架的四种结构类型(引自 JB/T 8047—2007)

结构简图	特　点
 螺孔 I 型	体积较大,需借助于螺孔来移动,属于 0 级精度的 V 形块架,V 形槽夹角为 90°

续表 1-4

结构简图	特　点
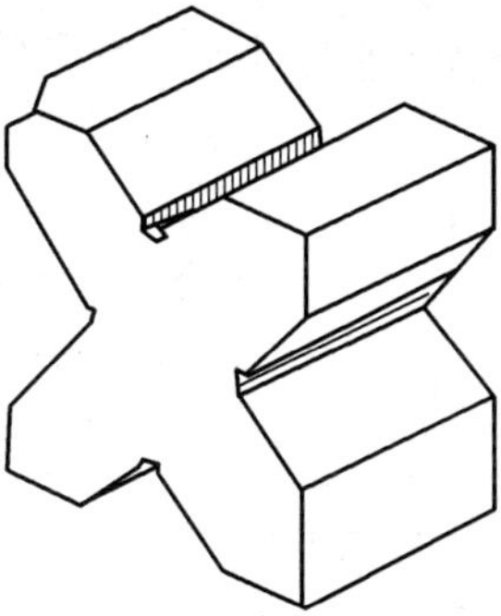 　Ⅱ型	具有 4 个可供选用的 V 形工作面,所有 V 形槽夹角均为 90°
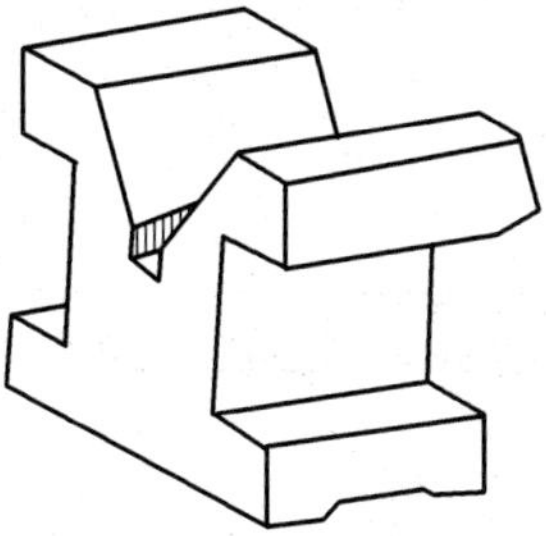 　Ⅲ型	只有单一 V 形槽面,槽面夹角为 90°
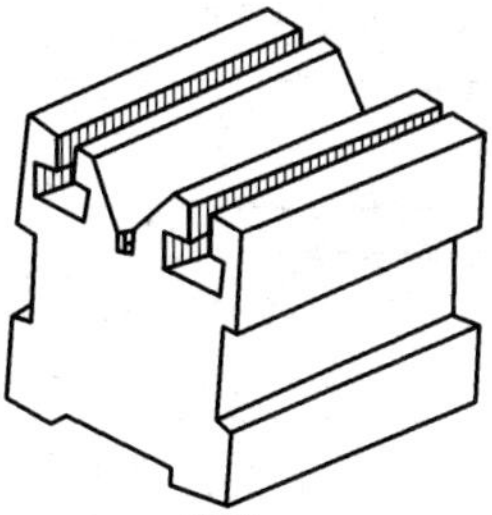 　Ⅳ型	V 形槽面夹角有 90°、60°、72°、108° 和 120° 五种

1.3 卡 尺

常用的卡尺分为游标卡尺、带表卡尺和电子数显卡尺三种类型。卡尺的类型见表1-5。

表 1-5 卡尺的类型(摘自 GB/T 21389—2008)

卡尺类型	示例图
游标卡尺 (简称卡尺)	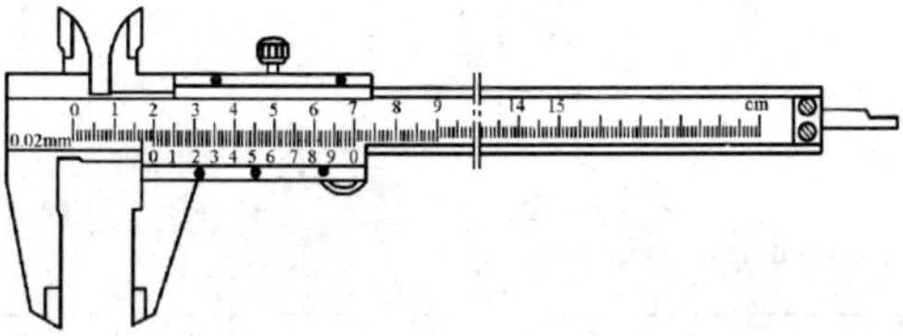
带表卡尺	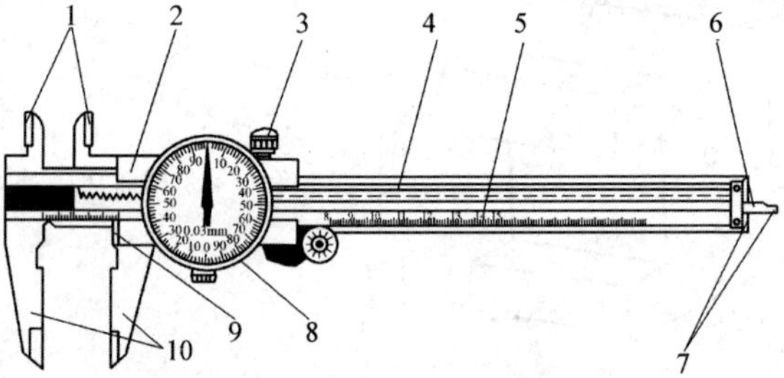 1. 刀口内量爪 2. 游框(尺框) 3. 固定螺钉 4. 尺身 5. 主标尺 6. 测深直尺 7. 测深直尺测量面 8. 指示表 9. 毫米读数部位 10. 外量爪
电子数 显式卡尺	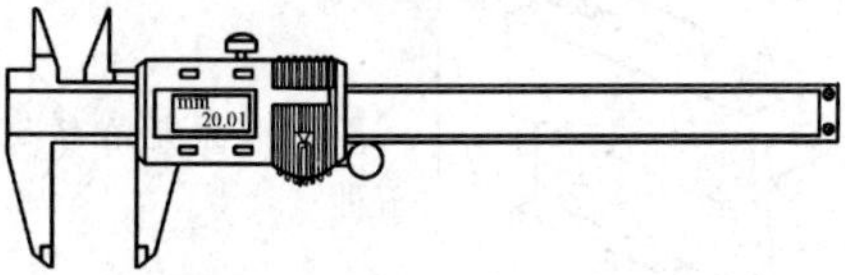

GB/T 21389—2008 游标、带表和数显卡尺适用于分度值(分辨力)为 0.01mm、0.02mm、0.05mm 和 0.10mm,测量范围 0~4000mm 的游标卡尺、带表卡尺和数显卡尺。

1.3.1 游标卡尺

（1）游标卡尺的结构形式和规格　游标卡尺有四种不同的结构,分别称为Ⅰ型、Ⅱ型、Ⅲ型和Ⅳ型游标卡尺。常用游标卡尺的外形结构如图1-1所示。

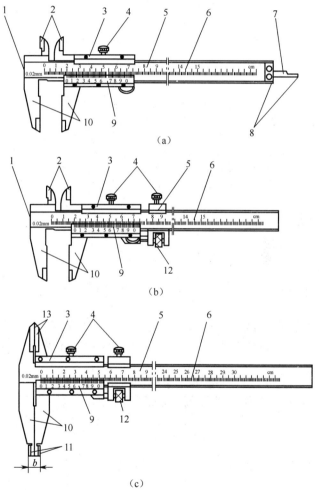

（a）

（b）

（c）

图1-1　常用游标卡尺的外形结构

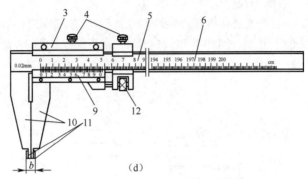

续图 1-1　常用游标卡尺的外形结构

(a)Ⅰ型　　(b)Ⅱ型　　(c)Ⅲ型　　(d)Ⅳ型

1. 尺身端面　2. 刀口内量爪　3. 游框(尺框)　4. 紧固螺钉　5. 尺身
6. 主标尺　7. 测深直尺　8. 测深直尺测量面　9. 游标尺　10. 外量爪
11. 圆弧内量爪　12. 微动装置　13. 刀口外量爪

　　Ⅰ型游标卡尺可以用于测量内、外径和深度,称为三用卡尺,其通用性较广。

　　Ⅱ型游标卡尺为两用卡尺,适用于测量内、外径。

　　Ⅲ型游标卡尺为双面游标卡尺,适用测量内、外径。测内径时需将内量爪距离 b 加到读数上。

　　Ⅳ型游标卡尺为单面游标卡尺,只用于测量内径。测量读数应加上量爪距离 b。

　　国家标准规定游标卡尺的分辨力(分度值)为 0.02mm,0.05mm 和 0.1mm 三种,标称范围(测量范围)在 0～4000mm,游标卡尺的规格见表 1-6。

表 1-6　游标卡尺的规格

卡尺类型	测量范围/mm	分度值(分辨力)/mm	测量不准确度(示值误差)/mm
Ⅰ型	0～125	0.02	±0.02
	0～150	0.02	±0.02
		0.05	±0.05
		0.10	±0.10

续表 1-6

卡尺类型	测量范围/mm	分度值(分辨力)/mm	测量不准确度(示值误差)/mm
Ⅱ型	0～200	0.02	±0.03
		0.05	±0.05
		0.10	±0.10
	0～300	0.02	±0.04
		0.05	±0.08
		0.10	±0.10
Ⅲ型	0～200	0.02	±0.03
		0.05	±0.05
		0.10	±0.10
	0～300	0.02	±0.04
		0.05	±0.08
		0.10	±0.10
Ⅳ型	0～500	0.02	±0.05
		0.05	±0.08
		0.10	±0.10

注:Ⅲ型 b 值为 10mm;Ⅳ型 0～500mm 的 b 值为 10mm 或 20mm。

(2)游标卡尺的读数方法

①测量值(mm)的整数部分为主尺上与游标尺"0"刻线左侧最靠近的刻度值。

②测量值小于 mm 部分的数值为游标尺上与主尺某一条刻线完全对齐时那条游标刻线所示的测量值。

③上述两数之和即为该次测量的数值。

游标卡尺读数示例见表 1-7。

表 1-7 游标卡尺读数示例

图　　例	整数/mm	小数/mm	读数/mm
	32	0.55	32.55

续表 1-7

图　　例	整数/mm	小数/mm	读数/mm
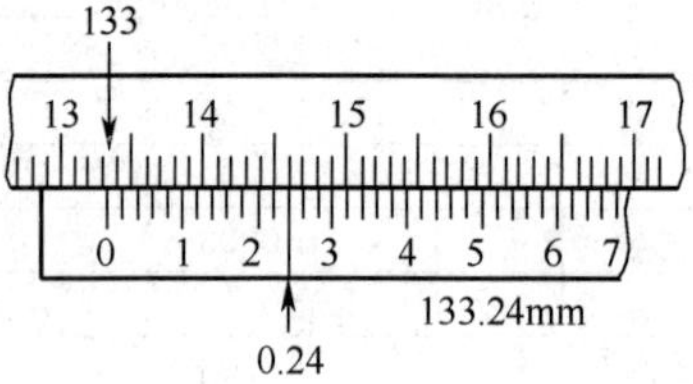	133	0.24	133.24
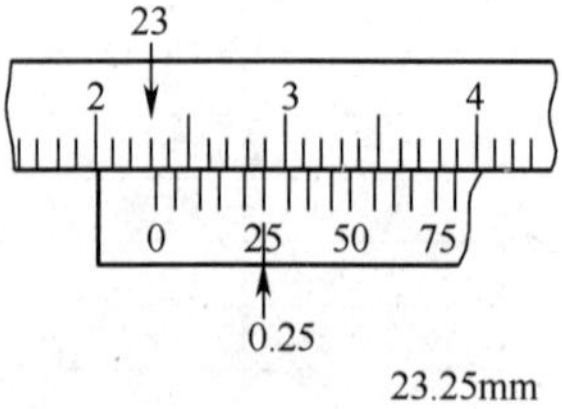	23	0.25	23.25
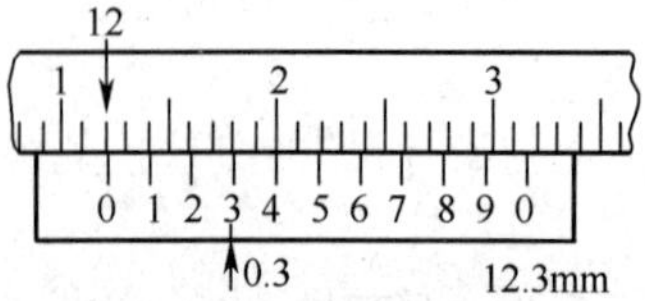	12	0.3	12.3

(3)使用游标卡尺的注意事项　使用游标卡尺的注意事项见表 1-8。

表 1-8　使用游标卡尺的注意事项

项目	要　　求
外观检查	①卡尺刻度线和数字清晰; ②无锈蚀、磕碰、断裂、划伤等缺陷; ③轻工推(拉)尺框时,尺框在尺身上移动平稳,无阻滞或松动现象,紧定螺钉锁紧可靠; ④测量面无毛刺,手感光滑

续表1-8

项目	要　　求
两测量面间隙检查	用干净布条或棉丝(沾少许酒精)擦净两外量爪的测量面,然后将外量爪两测量面合并后对光观察,无漏光,即说明两测量完全贴合,符合要求;若两测量面之间露出一条光线,则说明间隙已大于0.01mm;漏光呈"八"字形,说明两测量面不平行。出现如图所示间隙时,游标卡尺应送修后方能使用 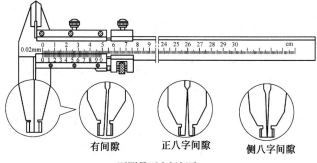 　　　有间隙　　　　　　正八字间隙　　　　　侧八字间隙 两测量面之间间隙
校对"0"位	推动尺框,使外量爪两测量面紧密接触后,观察游标尺上的"0"刻线与主尺上"0"刻线,游标尺尾刻线(最右端一根刻线)与主尺上相应的刻线是否都对齐。两者都对齐,说明"0"位准确,否则说明"0"位不准确。"0"位不准确的卡尺不能使用。下图所示为"0"位准确的情形 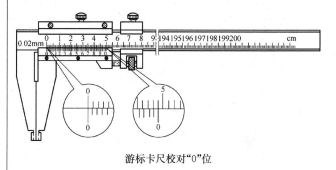 游标卡尺校对"0"位

续表 1-8

项目	要　　求
内、外测爪的正确使用	①尽量不要只用量爪尖部的测量面进行测量,以减少测量误差,如图(a)、(b)所示 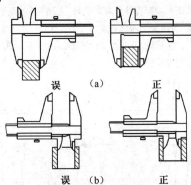 ②测量外尺寸时,应先将外量爪之间距离调整到大于被测尺寸,然后轻推游框框,使外测量爪接触到测量面后,拇指加少许推力,同时轻轻摆动卡尺找到最小尺寸点,然后再读数,测量外尺寸要领如图(c)所示。 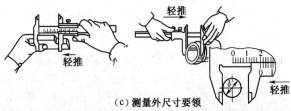 ③测量内尺寸时,应先将两个内测爪之间的距离调整到小于被测尺寸,然后轻拉游标框,使两个内测爪接触到测量面后,拇指加少许拉力,同时轻轻摆动卡尺找到最大尺寸点,然后读数,测量内尺寸要领如图(d)所示。 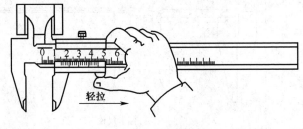

图(a)、(b)说明:误　(a)　正；误　(b)　正

(c) 测量外尺寸要领

(d) 测量内尺寸要领

续表 1-8

项目	要　求
内、外测爪的正确使用	④使用Ⅰ型游标卡尺测量深度时,保持深度尺与凹槽端面垂直,如图(e)所示,卡尺尺身不得歪斜,如图(f)、(g)所示,为避免凹槽圆角对测量结果的影响,应将深度尺下端缺口一面紧靠被工件之侧面,如图(h)、(i)所示。 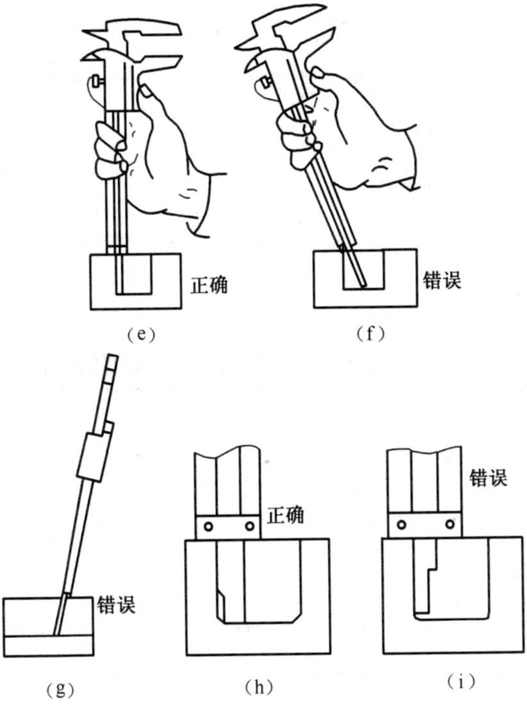 用Ⅰ型游标卡尺测量深度要领
维护与保养	①测量时,不要用力过大,以免造成测量误差或损伤测量面; ②测量时尽量保持卡尺与工件温度一致,以保证测量值的准确性; ③不得把卡尺作为卡板、扳手使用; ④用完后用干净棉丝擦干净,放入专用盒内保存; ⑤不准用砂纸、砂布等硬物擦卡尺; ⑥非专业修理人员不得拆卸卡尺

1.3.2　深度游标卡尺

深度游标卡尺主要用于测量工件的深度。深度游标卡尺的结构如图 1-2 所示。常用深度游标卡尺的规格见表 1-9。

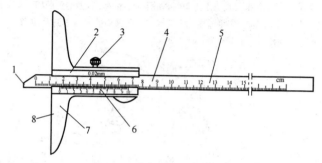

图 1-2　深度游标卡尺的结构

1. 测量面　2. 尺框　3. 紧固螺钉　4. 尺身
5. 主标尺　6. 游标尺　7. 基座(尺座)　8. 基准面

表 1-9　常用深度游标卡尺的规格

测量范围/mm	示值误差/mm		
	分度值为 0.02mm	分度值为 0.05mm	分度值为 0.10mm
0～150	±0.02	±0.05	±0.10
>150～200	±0.03	±0.05	
>200～300	±0.04	±0.08	
>300～500	±0.05	±0.08	

深度游标卡尺的测量方法与 I 型游标卡尺测深度部分相同。使用之前,深度游标卡尺需校准"0"位,用平板校对深度游标卡尺的"0"位如图 1-3 所示。

1.3.3　高度游标卡尺

高度游标卡尺主要用来测量工件的高度,也可用于测量工件的形状和位置公差尺寸或用于划线。

(1)高度游标卡尺的结构　高度游标卡尺结构如图 1-4 所示。

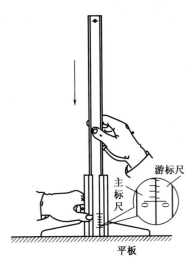

图1-3 用平板校对深度游标卡尺的"0"位

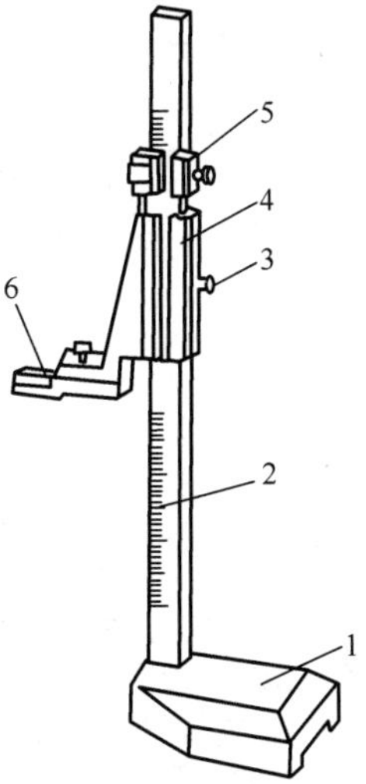

图1-4 高度游标卡尺的结构
1. 底座 2. 尺身 3. 紧固螺钉
4. 尺框 5. 微动装置 6. 量爪

(2)高度游标卡尺的规格 高度游标卡尺的规格见表1-10。

表1-10 高度游标卡尺的规格

测量范围/mm	示值误差/mm	
	分度值为 0.02mm	分度值为 0.05mm
0～150	±0.02	±0.05
>150～200	±0.03	±0.05
>200～300	±0.04	±0.08
>300～500	±0.05	±0.08
>500～1000	±0.07	±0.10

(3)高度游标卡尺的使用 高度游标卡尺的测量原理和读数方法与游标卡尺相同。高度游标卡尺的基本操作方法见表1-11。

表 1-11　高度游标卡尺的基本操作方法

项目	简　　图	要　　点
校对"0"位	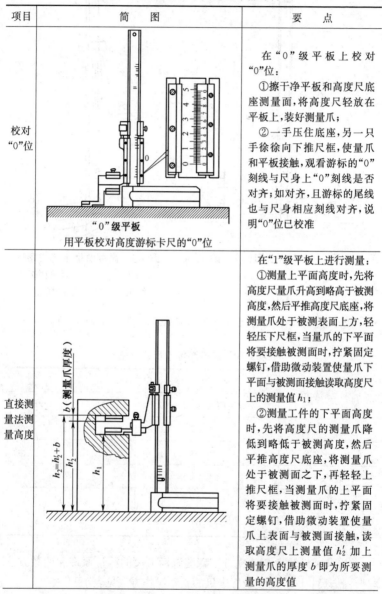 "0"级平板 用平板校对高度游标卡尺的"0"位	在"0"级平板上校对"0"位： 　　①擦干净平板和高度尺底座测量面，将高度尺轻放在平板上，装好测量爪； 　　②一手压住底座，另一只手徐徐向下推尺框，使量爪和平板接触，观看游标的"0"刻线与尺身上"0"刻线是否对齐；如对齐，且游标的尾线也与尺身相应刻线对齐，说明"0"位已校准
直接测量法测量高度		在"1"级平板上进行测量： 　　①测量上平面高度时，先将高度尺量爪升高到略高于被测高度，然后平推高度尺底座，将测量爪处于被测表面上方，轻轻压下框，当量爪的下平面将要接触被测面时，拧紧固定螺钉，借助微动装置使量爪下平面与被测面接触读取高度尺上的测量值 h_1； 　　②测量工件的下平面高度时，先将高度尺的测量爪降低到略低于被测高度，然后平推高度尺底座，将测量爪处于被测面之下，再轻轻上推尺框，当测量爪的上平面将要接触被测面时，拧紧固定螺钉，借助微动装置使量爪上表面与被测面接触，读取高度尺上测量值 h_2' 加上测量爪的厚度 b 即为所要测量的高度值

续表 1-11

项目	简　　图	要　　点
比较法测量高度	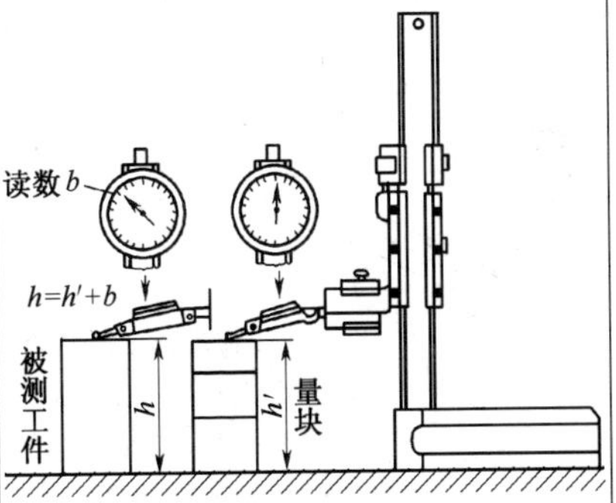	在"1"级平板上进行测量： ①在尺框上安装一个杠杆百分表头,根据要测的高度选取一组量块,研合成标准尺寸 h',然后用量块对好杠杆百分表的零位； ②移动高度尺,使杠杆百分表的测头与被测量面接触；读出百分表的指示值(正或负值)该值即是被测工件高出(正值)或低于(负值)量块的尺寸；被测工件的实际尺寸 $h=$ 量块尺寸 h' ＋杠杆百分表读数 b。此时高度尺仅起表架作用
平行度和平面度的测量	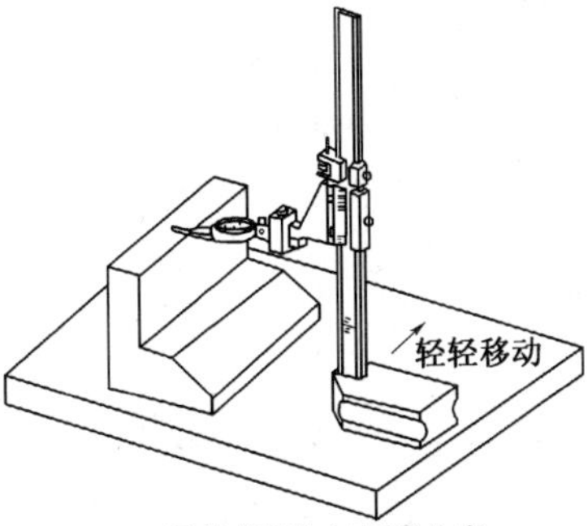 用高度尺加杠杆百分表测量工件两平面的平行度	在"1"级平板上进行测量： ①根据被测量工件的高度,将高度尺的尺框固定在适当的位置,使杠杆百分表测头与被测量面的一端接触,并施加一定测量力,然后将表针对零； ②将高度尺移动到被测量面另一端,读出表针指示值,该值为被测量面两端的高度差；高度差与两测量点间的距离之比即为被测面以底平面为基准的平行度的数值； ③若将高度尺底座徐徐沿一直线方向移动至另一端,表针指示的最大值与最小值之差即为该被测量面的平面度

图中标注：读数 b　　$h=h'+b$　　被测工件　　量块　　轻轻移动

续表 1-11

项　目	简　　图	要　　点
搬动与保管	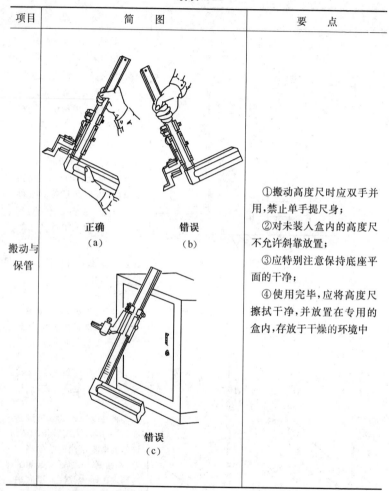 正确　　　　错误 （a）　　　　（b） 错误 （c）	①搬动高度尺时应双手并用,禁止单手提尺身; ②对未装入盒内的高度尺不允许斜靠放置; ③应特别注意保持底座平面的干净; ④使用完毕,应将高度尺擦拭干净,并放置在专用的盒内,存放于干燥的环境中

1.3.4　齿厚游标卡尺

齿厚游标卡尺是专门用于检测齿厚的量具。对于无法测量圆柱齿轮公法线的情况（如大模数齿轮、锥齿轮、内齿圈等）,通常采用测量固定弦齿厚的办法来判断齿形加工是否符合图样的规定。齿厚游标卡尺的结构、规格和使用方法见表 1-12。

表 1-12 齿厚游标卡尺的结构、规格和使用方法(摘自 GB/T 6316—1996)

结构简图	测量范围 (m 数)/mm	使用方法
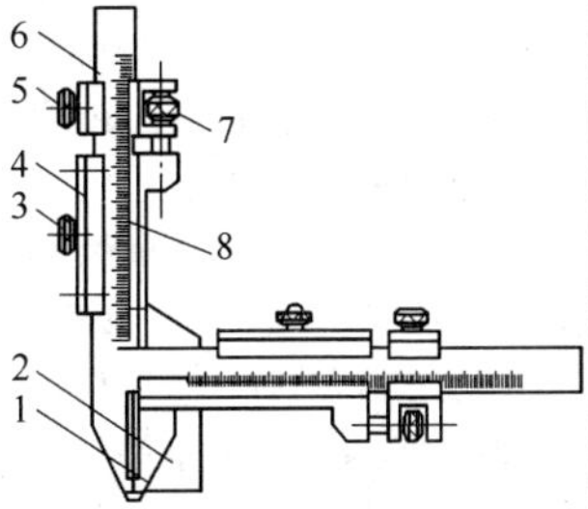 1. 齿厚尺框　2. 齿高尺 3、5. 紧固螺钉　4. 齿高尺尺框 6. 尺身　7. 微动装置　8. 游标	1~16 1~25 5~32 10~50	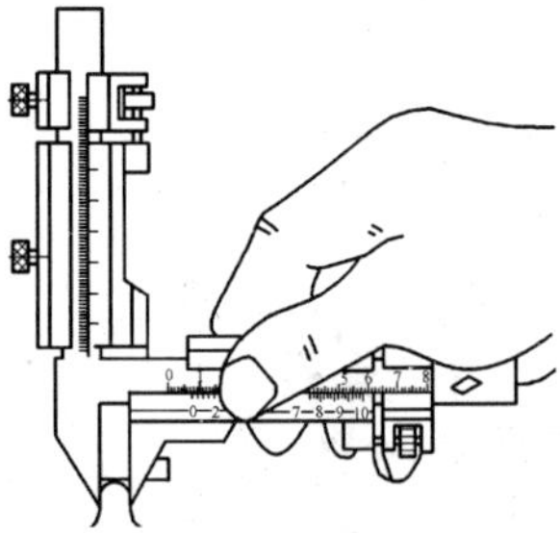 应根据所测齿轮的弦齿高调整好齿高尺,再移动齿厚尺框测量弦齿厚

1.3.5 带表卡尺

带表卡尺是通过机械传动系统将两测量爪的相对位移转变为指示表针的回转运动,利用主尺上的刻度和指示表,对两测量爪测量面的相对移动后的距离进行读数的长度测量工具。

(1)带表卡尺的规格　Ⅰ、Ⅱ、Ⅲ和Ⅳ型游标卡尺都可制成带表式的,指示表的分度值有 0.01mm、0.02mm 和 0.05mm 三种。带表卡尺的规格见表 1-13。

表 1-13 带表卡尺规格

测量范围/mm	示值误差/mm	
	指示表的分度值为 0.01 和 0.02 时	指示表的分度值为 0.05 时
0~150	±0.02	±0.05
0~200	±0.03	±0.05
0~300	±0.04	±0.08
测深为 20	±0.02	±0.05

(2)带表卡尺的读数方法　带表卡尺的读数方法见表 1-14。

表1-14　带表卡尺的读数方法

步骤	简　图	要　求
校对"0"位	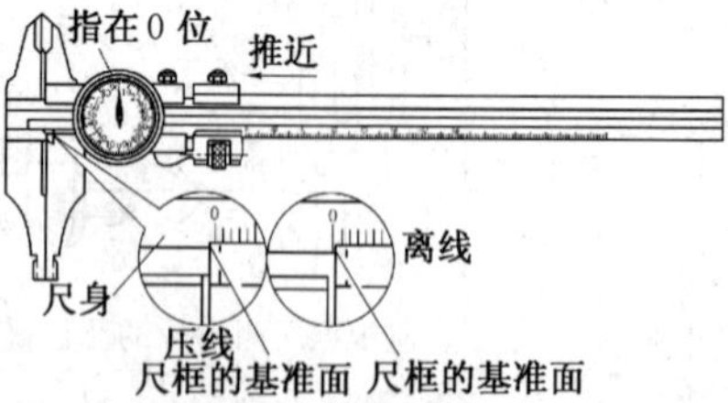 　指在0位　推近 尺身　离线 压线 尺框的基准面　尺框的基准面 带表卡尺的压线与离线	①推动尺框,使两量爪紧密接触,指示表针指"0",此时尺框基准端面与尺身"0"刻线对齐,说明该尺"0"位正确,否则称为压线或离线,如左图所示; ②出现压线时,应轻轻拉动尺框,使尺框基准端与尺身的"0"线对齐;再转动指示表盘,使指针对"0",即示为调节为双对零,卡尺可使用; ③出现离线时,应轻轻推动尺框,使尺框基准端与尺身"0"线对齐,再转动表盘,使指针对"0"
读数	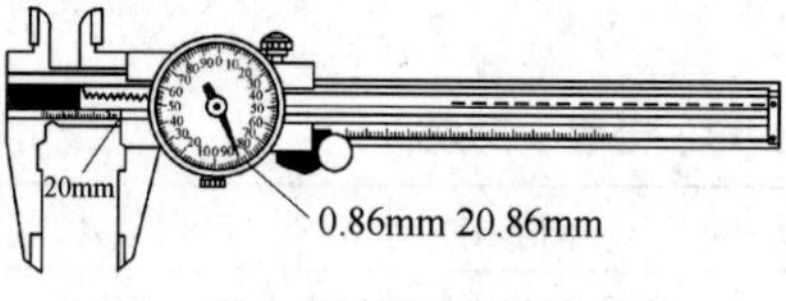 20mm　0.86mm 20.86mm 带表卡尺的读数示例	①读取主尺上露出游标框最近的刻度值,即是mm的整数值,如图所示为20mm; ②读取指示表针所指的小数部分,图中指示表分度值为0.02mm,示值范围为1mm,故指针所指86格表示小数部分为0.86mm; ③上述两项之和为游标卡尺的读数20.86mm

1.3.6　带表深度卡尺

(1)带表深度卡尺的规格　带表深度卡尺的规格见表1-15。

表 1-15 带表深度卡尺的规格

结构简图	测量范围/mm	示值误差	
		指示表分度值为0.01和0.02	指示表分度值为0.5
	0～150	±0.02	±0.05
	>150～200	±0.03	±0.05
	>200～300	±0.04	±0.08
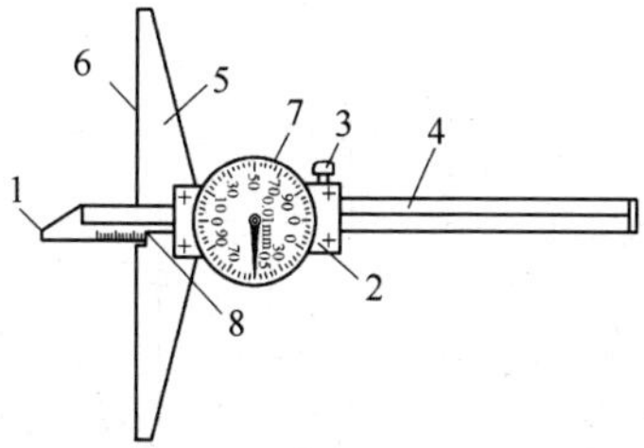 1. 测量面 2. 尺框 3. 紧固螺钉 4. 尺身 5. 基座 6. 基准面 7. 指示表 8. 读数部分	>300～500	±0.05	±0.10

（2）带表深度卡尺读数方法 带表深度卡尺读数步骤（含双对"0"）与表 1-14 带表卡尺的读数步骤与方法相同。

1.3.7 带表高度卡尺

带表高度卡尺用于测量精度较高的工件,其使用方法与普通高度游标卡尺相同,读数步骤与方法同带表卡尺,见表 1-14。

1.3.8 数显卡尺

（1）数显卡尺的规格 数显卡尺通过机械-电子装置将两测量爪相对移动的距离直接显示在电子显示器上,以便直接读数,避免了游标卡尺读数时的视差;有些类型的产品设置了上、下极限尺寸(公差带)自动判断和提示功能,更便于对工件的检查和测量,此外,还可以通过与打印机、储存器连接,实现自动打印和储存。容栅式数显卡尺是目前使用最多的一种数显卡尺。数显卡尺的规格见表 1-16。

（2）数显卡尺的使用方法 数显卡尺的一般使用方法与普通卡尺相同。数显卡尺的使用方法见表 1-17。

表1-16　数显卡尺的规格

简　　图	测量范围/mm	分辨率/mm	重复精度/mm	示值误差/mm
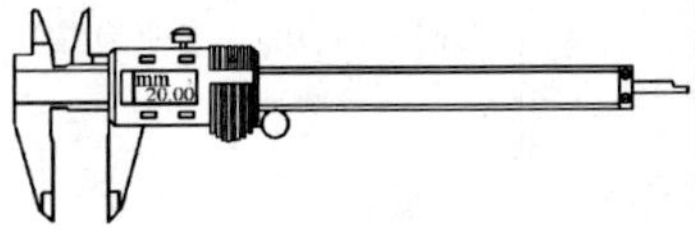 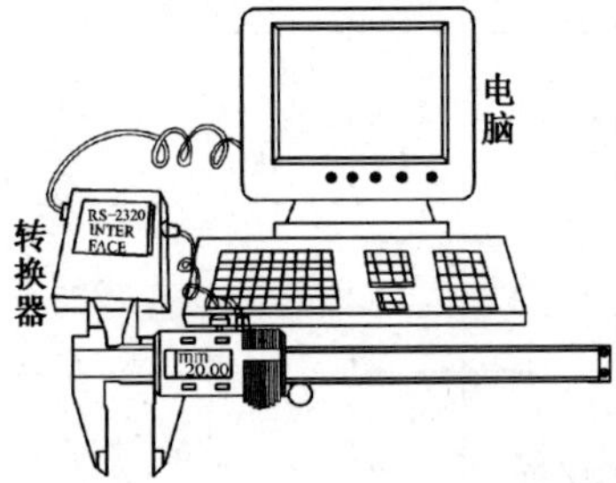 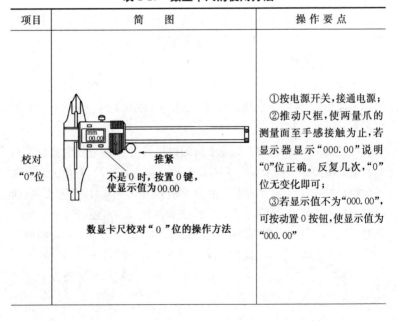	0～150			
	0～300	0.01	0.01	±0.03
	0～500			±0.04

电脑

转换器

表1-17　数显卡尺的使用方法

项目	简　　图	操作要点
校对"0"位	推紧 不是0时,按置0键, 使显示值为00.00 **数显卡尺校对"0"位的操作方法**	①按电源开关,接通电源; ②推动尺框,使两量爪的测量面至手感接触为止,若显示器显示"000.00"说明"0"位正确。反复几次,"0"位无变化即可; ③若显示值不为"000.00",可按动置0按钮,使显示值为"000.00"

续表 1-17

项目	简　图	操作要点
只显示测量偏差的方法	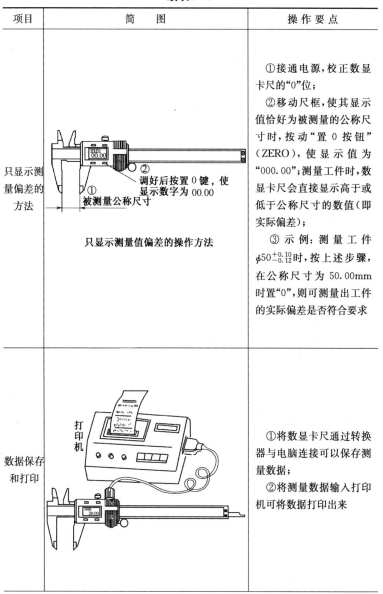 调好后按置 0 键，使显示数字为 00.00 被测量公称尺寸 **只显示测量值偏差的操作方法**	①接通电源，校正数显卡尺的"0"位； ②移动尺框，使其显示值恰好为被测量的公称尺寸时，按动"置 0 按钮"（ZERO），使显示值为"000.00"；测量工件时，数显卡尺会直接显示高于或低于公称尺寸的数值（即实际偏差）； ③ 示例：测量工件 $\phi 50^{+0.10}_{-0.12}$ 时，按上述步骤，在公称尺寸为 50.00mm 时置"0"，则可测量出工件的实际偏差是否符合要求
数据保存和打印	打印机	①将数显卡尺通过转换器与电脑连接可以保存测量数据； ②将测量数据输入打印机可将数据打印出来

续表 1-17

项目	简　图	操作要点
公制、英制转换		在具有公制、英制转换功能的数显卡尺上，可通过按钮（in/mm）将数据转换成所需单位的数值； ①使用环境要求：温度0℃～40℃；相对湿度<80%； ②禁止强光照射显示屏，防止油、水等浸入电子部件，存放地无强磁场； ③显示数字不断闪动时，应更换电池。长时不用，应将电池取出； ④移动游框速度要慢，不超过1.5mm/s，以免影响测量结果；测量时，应掌握好测量力并尽可能使其稳定。数字显示稳定后再读数

1.3.9　特殊用途卡尺

用于测量特殊工件或特殊部位尺寸的卡尺统称为特殊用途卡尺。常用的特殊用途卡尺见表1-18。

表 1-18　常用的特殊用途卡尺

名称	简　图	用　途
圆管尺身游标卡尺	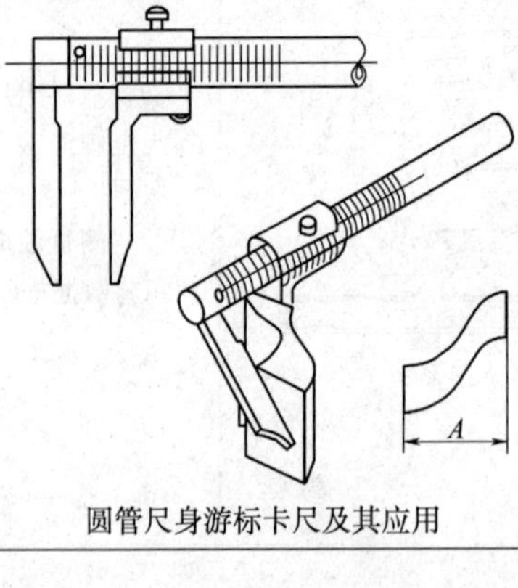 圆管尺身游标卡尺及其应用	利用套在圆管形尺身上，可自由旋转360°的游标框作用，测量处于各种位置两个平面、线、点之间的距离

续表 1-18

名称	简 图	用 途
不等长测量爪游标卡尺	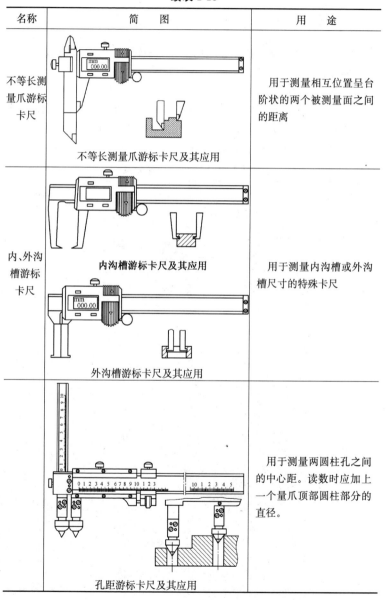不等长测量爪游标卡尺及其应用	用于测量相互位置呈台阶状的两个被测量面之间的距离
内、外沟槽游标卡尺	内沟槽游标卡尺及其应用 外沟槽游标卡尺及其应用	用于测量内沟槽或外沟槽尺寸的特殊卡尺
	孔距游标卡尺及其应用	用于测量两圆柱孔之间的中心距。读数时应加上一个量爪顶部圆柱部分的直径。

1.4 千 分 尺

千分尺是利用螺旋传动原理把螺杆的旋转运动转化成直线位移来进行测量的"测微量具"。

千分尺的分度值为 0.01mm，即百分之一毫米，并非千分之一毫米。千分尺只是习惯称呼（只有杠杆千分尺的分度值可达 0.001mm）。

千分尺按读数方式有普通千分尺、带表千分尺和数显千分尺三种类型。千分尺按用途分类见表 1-19。

表 1-19　千分尺按用途分类

种类	结构简图	用　途
外径 千分尺	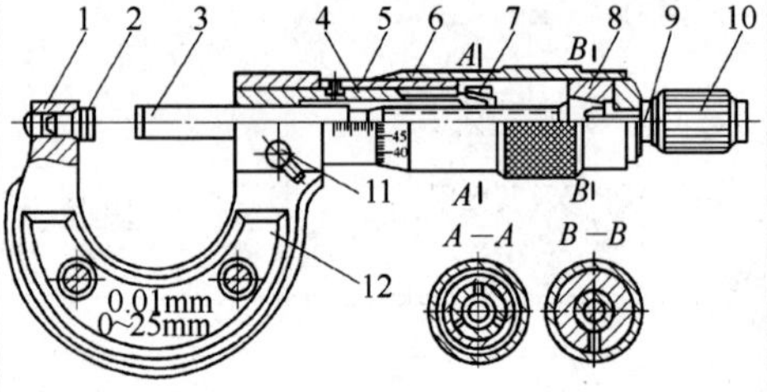 1. 尺架　2. 固定测砧　3. 微分螺杆 4. 螺纹轴套　5. 固定套管　6. 微分筒　7. 调节螺母　8. 接头　9. 垫圈　10. 测力装置 11. 锁紧手柄　12. 护板（隔热板）	测量工件的外径
杠杆 千分尺	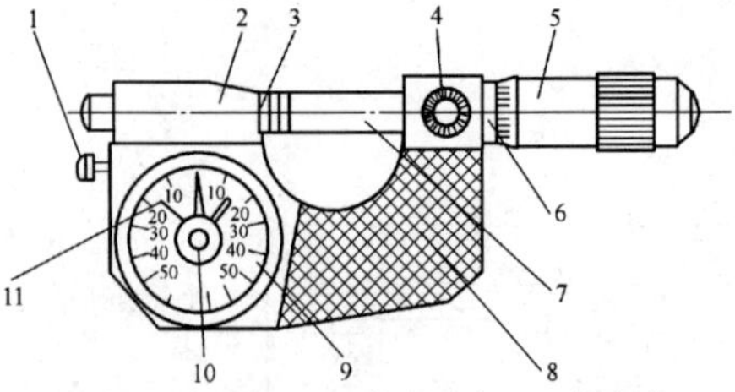 1. 按钮　2. 尺架　3. 活动测砧　4. 锁紧装置 5. 微分筒　6. 固定套管　7. 测微螺杆 8. 隔热板　9. 指示表　10. 调"0"机构 11. 公差指示针	测量工件的外径 （分度值有 0.001mm 和 0.002mm 两种）

续表 1-19

种类	结 构 简 图	用　途
尖头千分尺	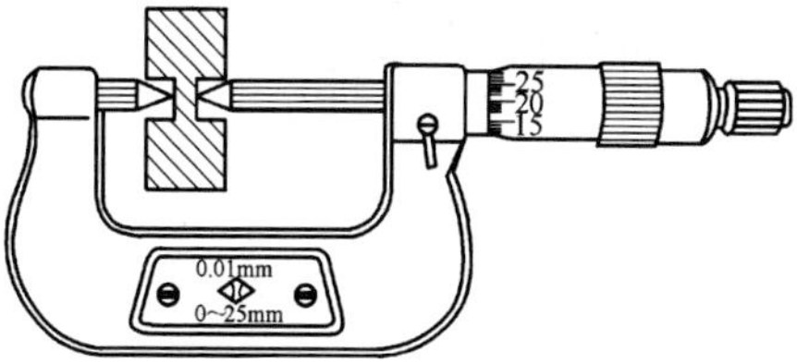 尖头千分尺的外形结构及其应用	用于测量普通外径千分尺无法深入的脖状工件的尺寸或沟、槽的深度
壁厚千分尺	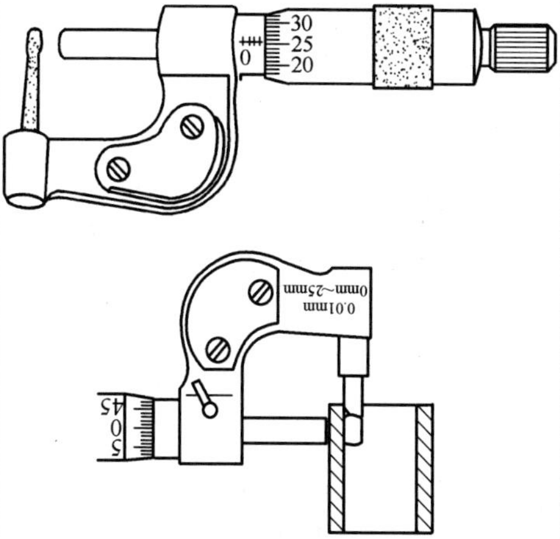 Ⅱ型壁厚千分尺的外形及应用	用于测量筒状(管状)工件的壁厚
公法线千分尺	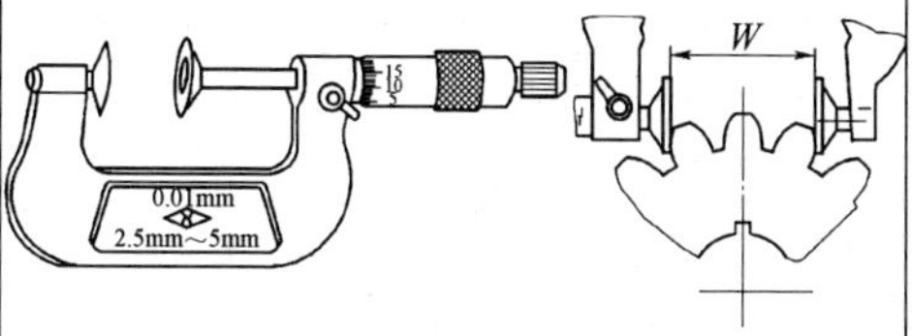 公法线千分尺的外形结构及其应用	测量齿轮的公法线长度

续表 1-19

种类	结构简图	用途
螺纹千分尺	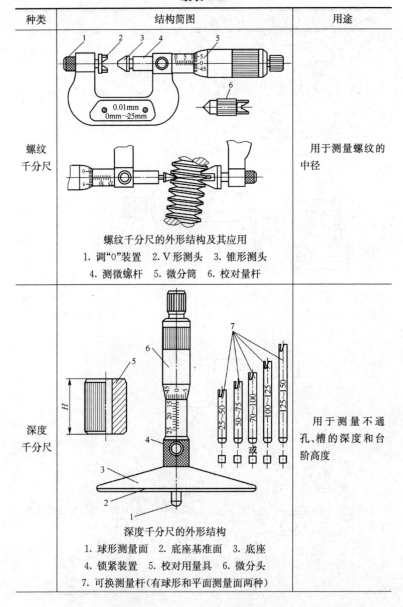 螺纹千分尺的外形结构及其应用 1. 调"0"装置 2. V 形测头 3. 锥形测头 4. 测微螺杆 5. 微分筒 6. 校对量杆	用于测量螺纹的中径
深度千分尺	深度千分尺的外形结构 1. 球形测量面 2. 底座基准面 3. 底座 4. 锁紧装置 5. 校对用量具 6. 微分头 7. 可换测量杆(有球形和平面测量面两种)	用于测量不通孔、槽的深度和台阶高度

续表 1-19

种类	结构简图	用途
内径 千分尺	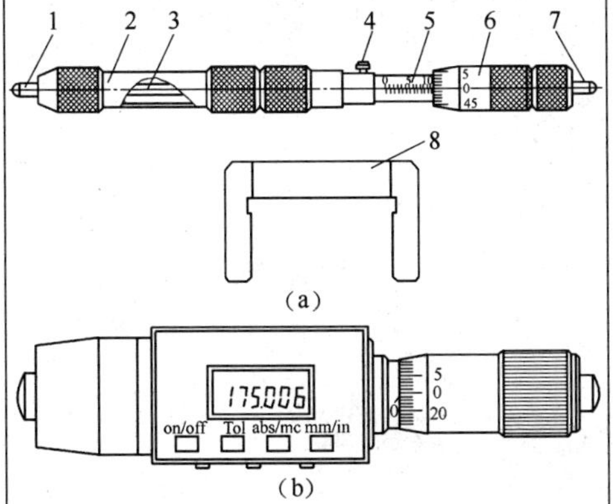 （a） （b） 内径千分尺的外形结构 （a）普通机械型　（b）数显型 1. 固定测头　2. 接长杆　3. 心杆　4. 锁紧装置 5. 固定套管　6. 测微头（微分筒） 7. 活动测头　8. 校对量具	用于测量孔径、 两个内端面之间的 距离。
内测 千分尺	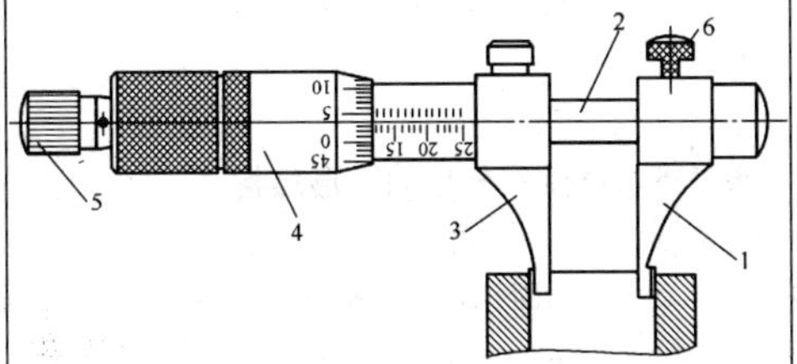 普通内测千分尺的外形结构及应用 1. 活动量爪　2. 导向管　3. 固定量爪 4. 测微头　5. 测力装置　6. 锁紧装置	用于测量孔径

1.4.1　外径千分尺

(1)外径千分尺的结构形式　外径千分尺的外形结构如图 1-5 所示。

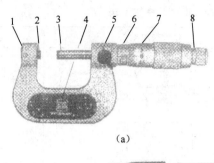

（a）

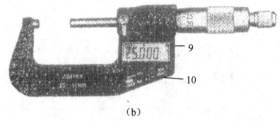

（b）

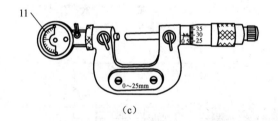

（c）

图 1-5　外径千分尺的外形结构

（a）普通式　（b）电子数显　（c）带表式

1. 尺架　2. 固定测砧　3. 活动测砧紧固套筒　4. 护板　5. 锁紧装置　6. 固定套筒
7. 微分筒（测微头）　8. 测力装置　9. 显示器（计数器）　10. 功能按键　11. 指示表

（2）外径千分尺的规格　量程为 25mm，测微螺杆螺距为 0.5mm 的外径千分尺的规格见表 1-20。

（3）外径千分尺的读数方法

①普通外径千分尺的读数原理及方法。千分尺固定套筒上有一条纵向刻线，其上、下方各有一排均匀间距为 1mm 的刻线，但上、下两排刻线相互错开 0.5mm，即上、下两排刻线之间的间距为 0.5mm。读数

表 1-20 外径千分尺的规格(引自 GB/T 1216—2004)

测量范围/mm	分度值/mm	精度等级	备注
0～25、25～50、50～75、75～100、100～125、125～150、150～175、175～200、200～225、225～250、250～275、275～300、300～325、325～350、350～375、375～400、400～425、425～450、450～475、475～500、500～600、600～700、700～800、800～900、900～1000。	0.01	0、1、2 三级,0 级精度最高。	1)测量上限大于 25mm 的外径千分尺附有校对量杆。 2)测量范围在 500mm 以上的,称为大型外径千分尺。

时,上排位为整数 mm 值,下排为小数 0.5mm 值。测微螺杆的螺距为 0.5mm,微分筒转一周,将在固定套筒上沿轴向位移 0.5mm(即上、下排相邻刻线之间一格的距离)。微分筒的分为 50 格,每格代表仅轴向位移为 0.5/50＝0.01mm。

测量读数由整数部分与小数部分之和组成。整数指示线即整数部分由微分筒棱边所压的固定套筒上排刻度的整数值(即 mm 的整数倍);小数部分数值应视微分筒"0"刻线的具体位置。普通外径千分尺读数示例见表 1-21。

表 1-21 普通外径千分尺读数示例

状态	简图	特征	整数/mm	小数/mm	读数/mm
1	12+0=12(mm) (a)	整数指示线刚好压在固定套筒上排刻成的某一条线上,微分筒"0"刻线对准小数指示线	12	0.00	12.00
2	11+0.50=11.50(mm) (b)	整数指示线刚好压在固定套筒下排某一刻线上,微分套筒"0"刻线对准小数指示线	11	0.50	11.50

续表 1-21

状态	简图	特征	整数/mm	小数/mm	读数/mm
3	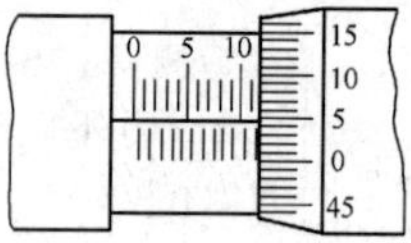 11+0.05=11.05(mm) (c)	整数指示线在上排刻线之后与下排相邻刻线之前时,小数部分为微分筒上正对准小数指示线的刻度数值。	11	0.05	11.05
4	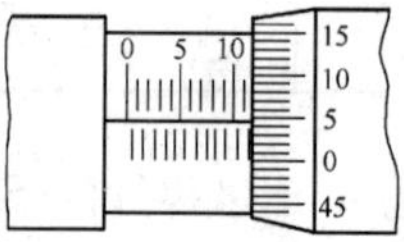 11+0.55=11.55(mm) (d)	整数指示线在上排刻线之前与下排相邻刻线之后时,小数部分为微筒"0"刻线对准小数指示线的刻度值加上0.5mm	11	0.5+0.05	11.55
4	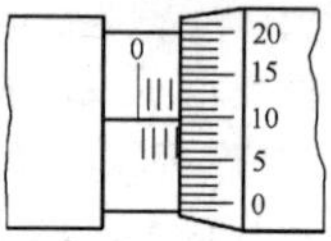 3+0.60=3.60(mm) (e)		3	0.5+0.10	3.60
5	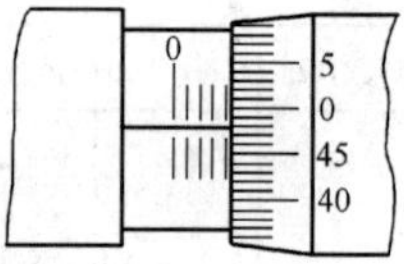 4+0.98=4.98(mm) (f)	小数指示线处于微分筒两刻线之间,小数最后一位数应进行估算	4	0.50+0.48	4.98

②带表千分尺的读数方法。带表式千分尺一般用表示测量偏差数值来表示的。其调节方法与带表游标卡相似。

③数显千分尺读数方法。数显式千分尺可以显示器上直接读数,或者输入打印机直接打印出测量数据。

(4)使用外径千分尺注意事项　外径千分尺使用注意事项见表1-22。

表 1-22 外径千分尺使用注意事项

项目	要 求
外观检查	①用棉丝将千分尺的各部位擦拭干净; ②仔细检查各部位,确定无划伤、锈蚀以及影响使用性能的缺陷
千分尺 性能检查	①用绸子擦净固定测砧的测量面和活动测砧的测量面; ②转动棘轮(测力装置),要求轻快灵活地带动微分筒旋转,测微螺杆移动平稳,在全量程范围内微分筒与固定套筒之间无摩擦; ③用锁紧装置把测微螺杆紧固后,棘轮能带动微分筒灵活地转动、测微螺杆移动平稳、无卡住现象、微分筒与固定套筒之间无摩擦,锁紧测微螺杆后,棘轮能发出"咔、咔"声,至此,被检查的千分尺符合要求
校对和调整"0"位	①直接校对"0"位 　　对于测量范围为 0~25mm 的外径千分尺,可直接校对"0"位,具体步骤如下: 　　将两个测量面擦拭干净后,旋转微分筒,当两个测量面即将接触时,开始轻轻旋转棘轮使两测量面相接触,待发出"咔、咔"声后,即可读数;若此时微分筒上"0"刻线与固定套筒的基线重合,微分筒端面也恰好与固定套筒的"0"刻线的边缘相切,则认为零位准确。否则,零位不准确应经调整后,才能使用;直接校对"0"位如(a)图所示。 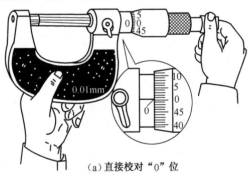 （a）直接校对"0"位 ②间接校对"0"位 　　对于测量范围大于 25mm 的外径千分尺,应用校对量杆或量块校对"0"位,具体步骤如下: 　　将校对量杆或量块作为被测工件,用需要校对"0"位的千分尺进行测量,若测得数值与校对量杆或量块实际标定长度尺寸数值相同,说明该千分尺的"0"位准确;用量块间接校对"0"位如(b)图所示;

续表 1-22

项目	要　　求
校对和调整"0"位	 （b）用量块间接校对"0"位 ③调整"0"位的方法 　若校对"0"位时发现零位不准确,应进行调整。千分尺的"0"位调整一般由专用计量人员来进行; 　调整时,要用千分尺附带的专用扳勾插入固定套筒的调整孔内(位于固定套筒"0"刻线背面),扳动固定套筒转过一定角度,使其基线与微分筒"0"刻线重合,并使微分筒的端面与固定套筒的"0"刻线的右边缘恰好相切,然后再把后盖旋紧,松开锁紧装置;之后,再次对千分尺校对"0"位,检查是否调好"0"位,如未调整好,可再次进行上述调整,直到"0"位准确为止(如果固定套筒上有紧固螺钉,应先将其松开,才可以用专用扳手拨动固定套筒,待调整完成之后,再将螺钉紧固)
确定千分尺的精度和测量温度范围	①按测量范围,选用千分尺的规格和精度 0 级精度千分尺,适用于测量公差等级为 IT8～IT9;1 级精度千分尺,适用于测量公差等级为 IT9～IT10,2 级精度千分尺,适用于测量公差等级为 IT10～IT11; 　②确定测量工件允许温差范围,工件测量的标定温度为 20℃;千分尺精度越高,允许温差越小,以尺寸在 18～50mm 为例,0 级精度千分尺,允许温差为 6℃、1、2 级精度千分尺,允许温差为 8℃,相应的测量环境温度分别在 14℃～26℃和 12℃～28℃
正确使用千分尺	①手持千分尺应握在千分尺的护板(隔热板)处,防止手温影响测量准确度; 　②注意千分尺的基本操作步骤:旋动微分筒,使两测量面之间的距离调整到略大于被测尺寸后,将千分尺的两个测量面送入到被测量位置;旋转微分筒,使两测量面将要接触被测量点时,开始旋转棘轮,使两测量面密切接触被测点,听到"咔、咔"声说明测量已经到位,可以读取测量值了; 　③使用较小测量范围千分尺时,可一人用两手同时操作,一只手握住尺架护板,另一只手操作微分筒和棘轮;

续表 1-22

项目	要 求
正确使用 千分尺	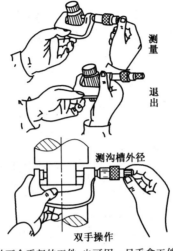 双手操作 ④对于较小并可合手起的工件,也可用一只手拿工件,另一只手的无名指和小指夹住尺架压在掌心中,食指和拇指旋转微分筒(不用棘轮)进行测量; 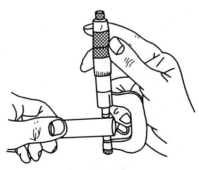 单手操作 对于测量工件数量较多时,可将千分尺固定在专用尺架上,一只手拿工件,另一只手操作微分筒。由于无法使用棘轮,故要求有较熟练的操作技能;

续表 1-22

项目	要　　求
正确使用千分尺	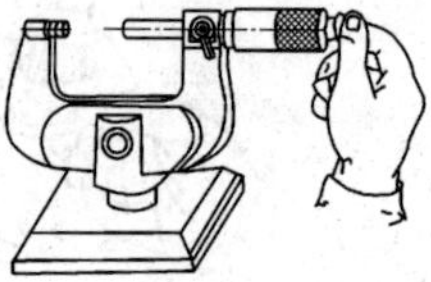 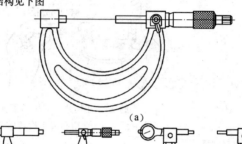 利用支架 　⑤测量范围在 500mm 以上的千分尺,一般要由两人相互配合操作,一人稳定尺身,另一人操作微分筒和棘轮并读数;大型外径千分尺有固定测砧大型外径千分尺和可换或可调测砧大型外径千分尺两种,其外形结构见下图 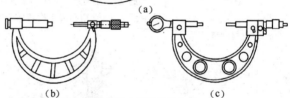 (a) (b)　　　　　(c) 固定测砧大型外径千分尺 (a)钢板支架 (b)钢管支架 (c)带表钢板支架 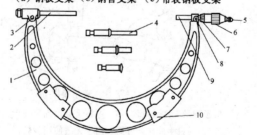 可换或可调测砧大型外径千分尺 1.尺架　2.测砧　3.测砧紧固螺钉　4.可调测砧　5.测力装置　6.微分筒　7.固定套筒　8.锁紧装置　9.测微螺杆　10.隔热板

续表 1-22

项目	要　　求
维护与保养	①使用千分尺应轻拿轻放,不能磕碰; ②不允许用砂纸或金刚砂擦磨测量杆上的污锈; ③不允许在微分筒和固定套筒之间加酒精、煤油、柴油、凡士林及普通机油,更不允许把千分尺浸泡在上述油类或冷却液中。如发现被上述液体浸入,应尽快用汽油洗净,加上特种轻质润滑油; ④要时刻保持千分尺的清洁,不可放在脏处; ⑤不使用时,应用清洁软布擦干净,放回到包装盒中;大型外径千分尺要平放在特制的包装盒内,以免变形

1.4.2　杠杆千分尺

　　杠杆千分尺由一把外径千分尺和一个指示表组合而成,与普通外径千分尺不同的是它的两个测量面都可以与尺架做相对移动。结构如表 1-19 中所示。测量时,测微螺杆的测量面将被测工件推向活动测砧,并使活动测砧移动,拨动杠杆齿轮机构,在表盘上指示出测量读数。

　　GB/T 8061—2004 规定杠杆千分尺测微头分度值有 0.01mm、0.001mm、0.002mm、0.005mm 四种,量程为 25mm,指示表分度值为 0.001mm 或 0.002mm,测量上限不应大于 100mm。

　　(1)杠杆千分尺的规格　杠杆千分尺的规格见表 1-23。

表 1-23　杠杆千分尺的规格

测量范围/mm	指示表分度值/mm	指示表示值范围/mm	综合示值误差/mm
0～25 和 25～50	0.001	±0.03	±0.002
	0.002	±0.06	±0.003
50～75 和 75～100	0.001	±0.03	±0.003
	0.002	±0.06	±0.004

　　(2)使用杠杆千分尺的注意事项　杠杆千分尺的测量精度较高,主要用于相对测量。使用杠杆千分尺的注意事项见表 1-24。

表 1-24　使用杠杆千分尺的注意事项

项　　目	要　　求
使用前的检查	①对杠杆千分尺各部位外观检查,应无缺陷; ②自由状态时,显示表指针应在表盘左侧;按下按钮(拨叉)时,指针应均匀转动;松开按钮时,指针应回原位
校对"0"位	①测量范围为 0～25mm 的杠杆千分尺校对"0"位方法与普通千分尺相同;因结构复杂,发现 0 位不准确时,不可自行调整,应由专业人员校正; ②测量范围大于 25mm 的杠杆千分尺校对"0"位时,由于量杆或量块存在允许的误差,不一定能做到双对"0"的要求,如使用量杆尺寸为 $75_{-0.0015}^{\ \ 0}$ 校正 75～100mm 杠杆千分尺"0"位时,当千分尺测微头的"0"位对好后,指示表针不一定在 0 刻线处,而是在 0～−0.0015 某一刻度上。这种情况是被允许的
测量工件尺寸的实际偏差	①用量块把杠杆千分尺调整到其指示表的指针指到"0"刻线处,然后用锁紧装置把测微螺杆锁位。按动按钮,使活动测砧移开,取下量块,按钮复位待用; ②测量时,先按动按钮,使活动测砧移开,然后将两个测量面移到被测工件的测量位置上,再拨动几次按钮,指针停稳后读取表上的读数,该读数即为工件的实际偏差(可正、可负); ③测量完毕后,先拨动按钮,使两测砧离开被测工件表面,再松开按钮复原
设置上、下极限偏差值检测一批同一尺寸的工件是否合格	要测量一批同一尺寸的工件时,可根据被测尺寸的上、下极限偏差,调整指示表两个指针的位置;测量时,只要指针处于两个指针范围之间,说明工件尺寸合格;反之为不合格产品
维护与保养	杠杆千分尺的保养方法与普通外径千分尺基本相同,但不要过多拨动按钮;不要随意打开护板;严禁往杠杆一齿轮传动机构内注油

(3)使用杠杆千分尺测量示例 使用杠杆千分尺测量轴 $\phi 20^{-0.007}_{-0.016}$ 的步骤见表 1-25。

表 1-25 使用杠杆千分尺测量轴 $\phi 20^{-0.007}_{-0.016}$ 的步骤

步骤	要　　求
选择杠杆千分尺的规格	根据被测尺寸 $\phi 20^{-0.007}_{-0.016}$，其公称尺寸为 20mm，故选用量程为 0～25mm，分度值为 0.002mm 的杠杆千分尺
选择校对量块	选一块公称尺寸为 20mm 的量块来校对千分尺；该量块的检定证书给出其实际尺寸为 19.9997mm，修正值为 0.0003mm
用量块调整杠杆千分尺	用绸子将千分尺的两个测量面和量块工作面擦拭干净，按表 1-24 对"0"要求，使用测量面与量块接触，并使指示表的指针指在"0"上，将测微螺杆锁紧，再拨动按钮几次，如指针都稳定地停在"0"处，说明千分尺已调好
调整极限偏差指针位置	打开指示表蒙子，将右边的指针拨至上极限偏差值 -0.007mm，左边指针拨至下极限偏差值 -0.016mm，之后将表蒙子盖好
测量	先拨动按钮，使千分尺两个测量面移到被测工件的测量位置，再拨动几次按钮，待指针稳定后，开始读数，若指针在两偏差指针之间，工件合格。

1.4.3 公法线千分尺

GB/T 1217—2004 规定公法线长度千分尺适用于测量模数大于等于 1mm 的齿轮的公法线，其分度值为 0.01mm、0.001mm、0.002mm、0.005mm 测量上限不大于 200mm。常用公法线千分尺的规格见表 1-26。

表 1-26 常用公法线千分尺的规格

测量范围/mm	分度值/mm	示值误差/mm
0～10、25～50		±0.004
50～75、75～100	0.01	±0.005
100～125、125～150		±0.006

1.4.4　螺纹千分尺

GB/T 10932—2004 规定螺纹千分尺分度值为 0.01mm、0.001mm、0.002mm、0.005mm，量程为 25mm，测量上限不大于 200mm。部分螺纹千分尺的规格见表1-27。

表 1-27　部分螺纹千分尺的规格

测量范围/mm	分度值/mm
0～25、25～50、50～75 75～100、100～125、125～150	0.01

1.4.5　深度千分尺

GB/T 1218—2004 规定深度千分尺分度值为0.01mm、0.001mm、0.002mm、0.005mm，量程 25mm，测量上限不应大于 300mm。

(1)深度千分尺的规格　深度千分尺的规格见表1-28。

表 1-28　深度千分尺的规格

测量范围/mm	分度值/mm	示值误差/mm
0～10、25～50、 50～75、75～100	0.01	±0.005

(2)使用深度千分尺的注意事项　深度千分尺的用途与深度游标卡尺相同，适用于测量尺寸精度较高的不通孔、槽的深度和台阶的高度。使用深度千分尺的注意事项见表1-29。

表 1-29　使用深度千分尺的注意事项

项目	要　　求
使用前的检查	检查外观和各部位的相互作用，检查方法同外径千分尺

续表 1-29

项目	要　　求
校对"0"位	①0～25mm 深度千分尺校对"0"位时,选用一块 2 级平晶(或 0 级平尺或 0 级研磨平板代替)将其工作面擦干净,并将千分尺的基准面和测量面擦拭干净;将千分尺的基准面贴在平晶的工作面上,左手压住底座,右手慢慢地旋转微分筒,使其测量面与平晶的工作面接触,接触好以后,观看"0"位是否准确,对"0"位的有关要求同外径千分尺的相关内容; ②大于 25mm 深度千分尺校对"0"位时,要用校对量具(也可用量块代替)来进行,把千分尺的基准面贴在校对量具上进行校对"0"位。如图所示 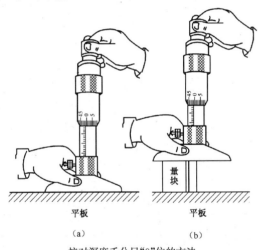 校对深度千分尺"0"位的方法 (a)测量范围为 0～25mm 深度千分尺的校对方法 (b)测量范围为大于 25mm 深度千分尺的校对方法

1.4.6　内径千分尺

(1)内径千分尺的种类　常用的内径千分尺有两点内径千分尺和三爪内径千分尺两种。

两点内径千分尺按 GB/T 8177—2004 规定适用于分度值为 0.01mm、0.001mm、0.002mm、0.005mm,测量上限不应大于 6000mm

的内孔孔径的测量(符合阿贝原则)。三爪内径千分尺按 GB/T 6314—2004 规定,适用于分度值为 0.01mm、0.001mm、0.002mm、0.005mm,测量上极限不应大于 300mm 内孔孔径的测量。相比之下,后者宜用于测量较小孔径。内径千分尺的规格见表 1-30。

表 1-30　内径千分尺的规格

类型	测量范围/mm	分度值/mm	示值误差/mm
内径千分尺	50～250、50～600、100～1225 100～1500、100～5000、 150～1250、150～2000、 250～2000	0.01	1)量程＜100mm 时,示值误差±0.006mm 2)量程≥100mm 时,示值误差±0.008mm
三爪内径千分尺	6～8、8～10、10～12、 11～14、14～17、17～20、 20～25、25～30、30～35	0.01 0.005	

注:测量范围的变化通过更换不同长度的接杆来实现。

(2)使用内径千分尺的注意事项　由于结构的限制,被测内径都必须在 50mm 以上,由于没有测力装置,使用较长的接杆时会因变形而造成一定的误差,加上不容易找准被测孔的最佳测量位置等原因,难以获得精确的测量结果。一般用于测量公差等级在 10 级以下的内尺寸。使用内径千分尺注意事项见表 1-31。

表 1-31　使用内径千分尺注意事项

项目	要　　求
使用前检查	检查内径千分尺外观和各部位相互作用,检查方法和标准同外径千分尺
校正"0"位	校对内径千分尺的"0"位要用专用的校对卡规(内径千分尺的附件): ①按内径千分尺测量范围选择合适的校对卡规; ②擦净内径千分尺的两端测量面和校对卡规的两个工作面; ③旋转微分筒,将内径千分尺的测量范围调整到略小于校对卡规的公称尺寸,将千分尺的固定测头压在校对卡规的一个工作面上,左手扶住该测量头和校对卡规,再将活动测头移入校对卡规内。此时右手一面轻轻地朝前后和上下摆动活动测头,一面慢慢旋转微分筒,找出最小点,此时,千分尺上显示的读数与校对卡规尺寸相同时,说明内径千分尺"0"位准确,如图所示;

续表 1-31

项目	要　　求
校正"0"位	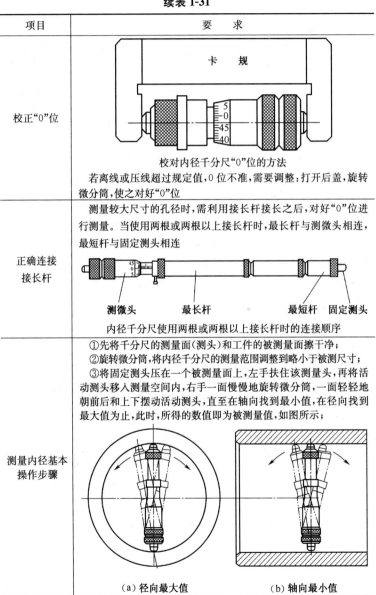 校对内径千分尺"0"位的方法 若离线或压线超过规定值,0 位不准,需要调整:打开后盖,旋转微分筒,使之对好"0"位
正确连接接长杆	测量较大尺寸的孔径时,需利用接长杆接长之后,对好"0"位进行测量。当使用两根或两根以上接长杆时,最长杆与测微头相连,最短杆与固定测头相连 测微头　　　最长杆　　　　最短杆　固定测头 内径千分尺使用两根或两根以上接长杆时的连接顺序
测量内径基本操作步骤	①先将千分尺的测量面(测头)和工件的被测量面擦干净; ②旋转微分筒,将内径千分尺的测量范围调整到略小于被测尺寸; ③将固定测头压在一个被测量面上,左手扶住该测量头,再将活动测头移入测量空间内,右手一面慢慢地旋转微分筒,一面轻轻地朝前后和上下摆动活动测头,直至在轴向找到最小值,在径向找到最大值为止,此时,所得的数值即为被测量值,如图所示; （a）径向最大值　　　　　　（b）轴向最小值

续表 1-31

项　目	要　　　求
测量内径基本操作步骤	④对于深孔,则应分别在几个轴向截面和径向截面内测量,根据测得数值进行分析,可以确定柱体几何形状误差
操作注意事项	①由于没有测力装置,全凭手的感觉来控制。当千分尺水平时,若松开手,千分尺在其自身的重力作用下慢慢下滑说明测量合适; ②注意被测面曲率半径不应小于内径千分尺测量面圆弧的曲率半径。千分尺测量下限为 50mm 和 75mm 时,测量面的曲率半径≥20mm; ③注意温度的影响; ④对于较长的内径千分尺处于水平方向测量时,要防止其重力影响造成变形带来的误差

（3）三爪内径千分尺　三爪内径千分尺用于测量较小尺寸光滑圆柱孔直径。三爪千分尺的三个量爪均匀分布在同一圆周截面内,可同时伸缩移动。其附加接长杆是为测量深孔用的。三爪内径千分尺结构如图 1-6 所示。

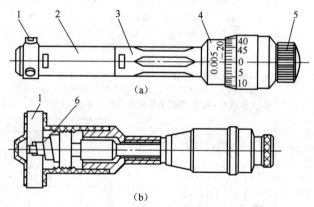

图 1-6　三爪内径千分尺结构
(a)小型三爪式外形　(b)测量爪内部结构(螺旋体式)
1. 测量爪(3 个)　2. 测量头　3. 连接杆
4. 测微头　5. 测力装置　6. 螺旋体及测微螺杆

　　使用三爪内径千分尺之前,首先要对其进行校对。校对时先将环规(三爪内径千分尺的附件)的内孔和三爪内径千分尺的三个测量爪擦干净,然后将三爪内径千分尺的测量范围调至略小于校对环规直径,将三爪内径千分尺伸入环规中。左手扶住三爪内径千分尺的连杆,右手旋动三爪内径千分尺的测力装置,同时前后、左右轻轻摆动三爪内径千分尺,使三量爪的测量面与环规孔壁紧密接触,当测力装置发出"咔、咔"声后,即可读数,若该读数与环规尺寸相同,说明该三爪内径千分尺准确度符合要求。

　　用三爪内径千分尺测量孔径的操作过程与上述用环规校对其准确度的过程完全相同。测量时应在三爪内径千分尺三个测量爪与孔壁正确接触位置时进行读数,切不可将三爪内径千分尺退出再读数,如图1-7所示。

1.4.7　内测千分尺

　　JB/T 10006—1999 规定内测千分尺的分度值为0.01mm,测量范围至150mm。

　　内测千分尺有普通机械式和电子数显式两大类。

　　内测千分尺主要用于测量孔径或内沟槽等尺寸,其用法与深度千分尺基本相同。

　　(1)内测千分尺的结构形式　内测千分尺的外形结构如图1-8所示。

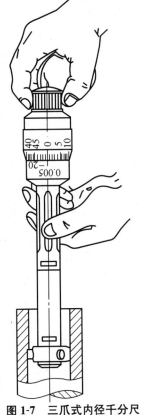

图 1-7　三爪式内径千分尺的校对和测量操作方法

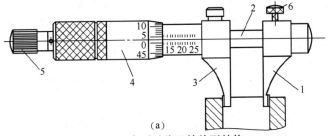

(a)

图 1-8　内测千分尺的外形结构

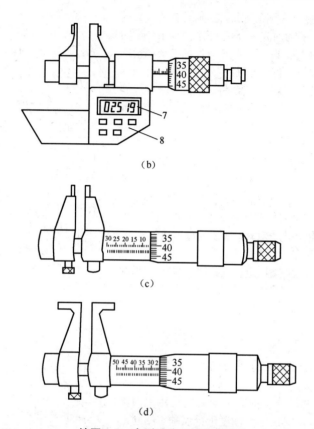

续图 1-8　内测千分尺的外形结构

(a)普通机械式　(b)电子数显式　(c)测小孔径专用　(d)测内沟槽尺寸专用

1. 活动量爪　2. 导向管　3. 固定量爪

4. 测微头　5. 测力装置　6. 锁紧装置　7. 显示器　8. 功能键

(2)内测千分尺的规格　内测千分尺的规格见表 1-32。

表 1-32　内测千分尺的规格

测量范围/mm	分度值/mm	示值误差/mm
5～30、25～50、5～30、50～75、…、175～200	0.01	±0.008

（3）使用内测千分尺的注意事项 使用内测千分尺的注意事项，见表 1-33。

表 1-33 使用内测千分尺的注意事项

项目	要 求
校对"0"位	使用专用环规对内测千分尺进行"0"位校对（与三爪内径千分尺校对相同）
基本操作方法	测量时，左手拇指和食指捏住固定量爪根部，小指和无名指托住活动量爪的根部，右手旋转微分筒；当量爪的测量面将要与被测量面接触时，改用测力装置使量爪与被测量面接触，听到"咔、咔"声时即可读数； 读数时，应注意读数方法正好和外径千分尺相反

1.5 指 示 表

指示表类量具是"带指示表的机械量仪"的总称，其读数方式有指针式和数字显示式两大类。前者为机械式指示表，后者为电子数显式指示表，如图 1-9 所示。

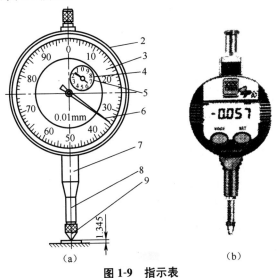

图 1-9 指示表

(a)机械式百分表 (b)电子数显式百分表

指示表一般都装夹在带有专用底座（磁性）的支架上使用。百分表装夹在专用支架上如图1-10所示。

根据用途和机构不同，指示表类量具一般分为百分表、千分表、内径百分表、内径千分表、杠杆式百分表等几种。

国家标准 GB/T 1219—2008 指示表适用于分度值为 0.10mm、0.01mm，量程不超过 100mm；分度值为 0.002，量程不超过 10mm；分度值为 0.001mm，量程不超过 5mm 的指示表。

1.5.1　百分表

（1）百分表的结构　百分表是将测量杆的直线位移，通过机械传动系统转变为指针在表盘上的角位移进行读数的长度测量工具，采用齿条-齿轮传动的机械式百分表的外形结构如图1-11。

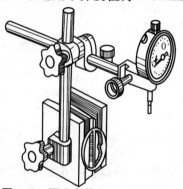

图1-10　百分表装夹在专用支架上

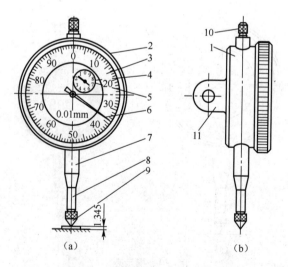

图1-11　机械式百分表的外形结构

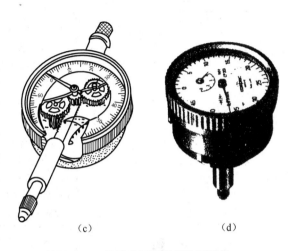

(c)   (d)

续图 1-11　机械式百分表的外形结构

(a)外形图　(b)侧面图　(c)机械传动结构(齿条-齿轮结构)　(d)端面式

1. 表体　2. 表圈　3. 表盘　4. 转数指示盘　5. 转速指针　6. 指针

7. 套筒　8. 测量杆　9. 测量头　10. 挡帽　11. 耳环(有的品种没有此部件)

(2)百分表的规格　目前,多数在用百分表的分度值为 0.01mm,量程分为 0~3mm、0~5mm 和 0~10mm 三种规格,每种规格的百分表又有三个精度等级,百分表的规格见表 1-34。

表 1-34　百分表的规格

精度等级	测量范围/mm			示值变动性 /μm	回程误差 /μm	适用于公差等级 IT
	0~3	0~5	0~10			
0	±9	±11	±14	±3	±4	7~8
1	±14	±17	±21	±3	±6	7~9
2	±20	±25	±30	±5	±10	8~10

(3)百分表的使用　百分表的使用见表 1-35。

表 1-35　百分表的使用

项　目	简　　图	要　　求
测 量 之前 的 检 查 和 清 洁 工作		对用于测量基准的平板（台）表面、百分表座底平面、被测工件的表面进行清理检查，不得有毛刺、碰伤或脏物附着在其上
对 测 量位 置 进 行粗调		根据工件被测部位和尺寸，对装表支架的位置进行粗调，建议采用磁性百分表座安装百分表后，测量头处于被测表面附近
检 查 和调节百分表头各相对活动部分使其处于使用可靠状态	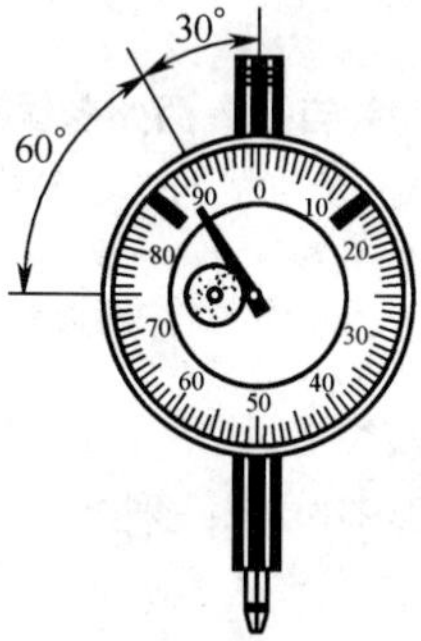 （a）  （b）	①测量杆处于自由状态时，指针应位于"0"位反时针方向30°～90°之间，如图（a）所示，否则应送检修； ②检查百分表的稳定性，用两个手指捏住测量杆上端的挡帽，轻轻提拉1～2mm 几次，看每次表针是否都能回到原位，如图（b）所示；

续表 1-35

项目	简 图	要 求
检查和调节百分表头各相对活动部分使其处于使用可靠状态	 	③检查百分表指针和转数指针的位置,当转数指针指示在整转数时,指针偏离"0"位应不大于 15 个刻度,如图(c)所示; ④检查百分表测量杆的行程: 0~3mm 范围的百分表,测量杆的行程至少应超过工作行程终点 0.3mm 如图(d)所示;0~5mm 和 0~10mm 的百分表,测量杆的行程至少应超过工作行程终点 0.5mm
使用百分表测量前的准备	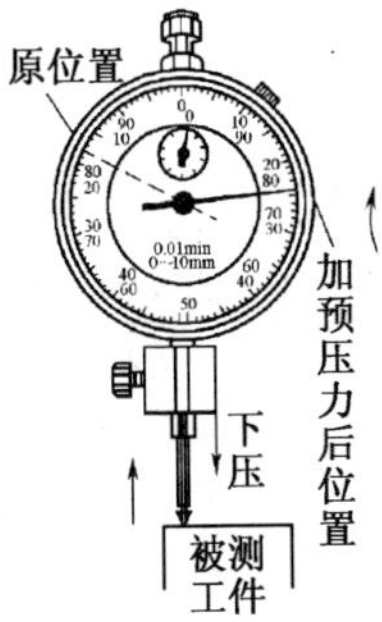 	①检查完百分表并符合要求后,将其固定在支架上(图 1-10);用夹持套筒固定百分表时,夹紧力要适当,夹紧后,不允许再转动百分表; ②调整百分表测量头的位置,使其与被测量面接触,并有一定的预压力,即要求测量头与被量面接触后,表针顺时针方向转过半圈或一圈为宜;然后,再提放表杆帽,若指针仍回到原先位置,即认为百分表夹夹安装完毕,可用于测量,如图(a)所示; ③转动百分表盘,使"0"位刚好对准稳定后的指针位置,以便于作相对测量读数如图(b)所示

续表 1-35

项 目	简 图	要 求
读 数 方法	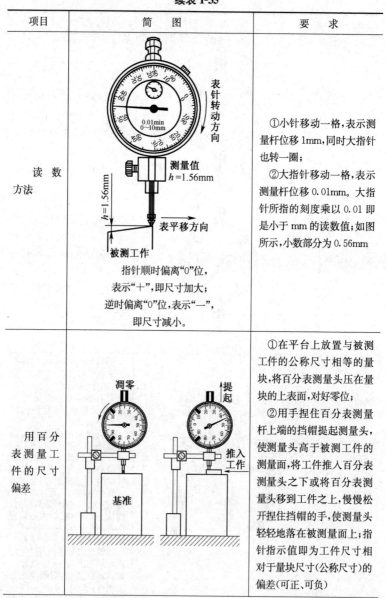 表针转动方向 测量值 $h=1.56\text{mm}$ 0.01min 0~10mm $h=1.56\text{mm}$ 表平移方向 被测工作 指针顺时偏离"0"位，表示"+"，即尺寸加大；逆时偏离"0"位，表示"-"，即尺寸减小。	①小针移动一格，表示测量杆位移 1mm，同时大指针也转一圈； ②大指针移动一格，表示测量杆位移 0.01mm。大指针所指的刻度乘以 0.01 即是小于 mm 的读数值；如图所示，小数部分为 0.56mm
用百分表测量工件的尺寸偏差	凋零　　　提起 推入工作 基准	①在平台上放置与被测工件的公称尺寸相等的量块，将百分表测量头压在量块的上表面，对好零位； ②用手捏住百分表测量杆上端的挡帽提起测量头，使测量头高于被测工件的测量面，将工件推入百分表测量头之下或将百分表测量头移到工件之上，慢慢松开握住挡帽的手，使测量头轻轻地落在被测量面上；指针指示值即为工件尺寸相对于量块尺寸(公称尺寸)的偏差(可正、可负)

续表 1-35

项目	简 图	要 求
用百分表测量几何误差	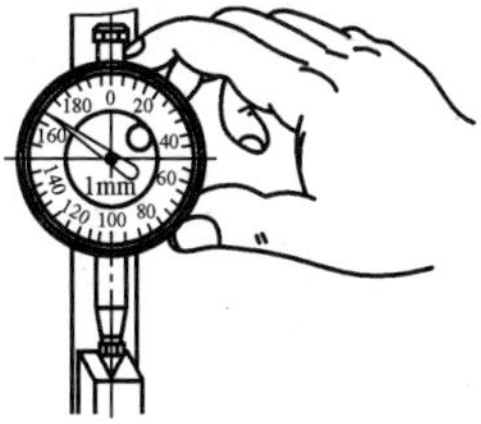 （a）调整百分表"0"位 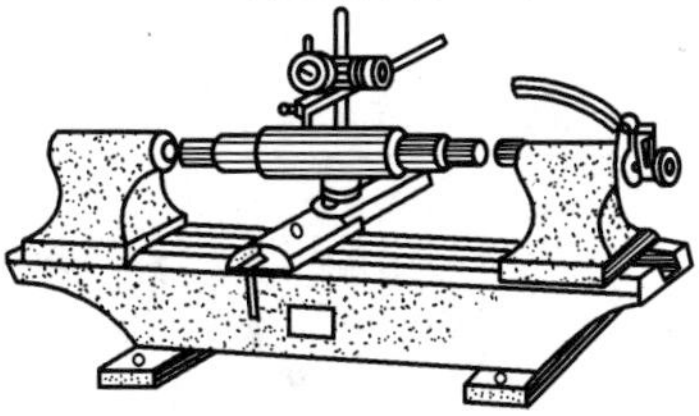 （b）测量轴的径向圆跳动量	①如图（a）所示，调整好百分表"0"位； ②测量轴的径向圆跳动量如图（b）所示，将百分表夹装在磁性表座上，测量头垂于轴线，拨动磁性表座按钮，使之吸固在小拖板上，并转动轴一周，读出表盘的最大读数（正）和最小读数（负），两者绝对值之和即为该轴的径向圆跳动误差； ③若将小拖板沿水平方向移动，可读出在轴的全长上的最大读数与最小读数，其读数差则为该母线的直线度误差
其他注意事项	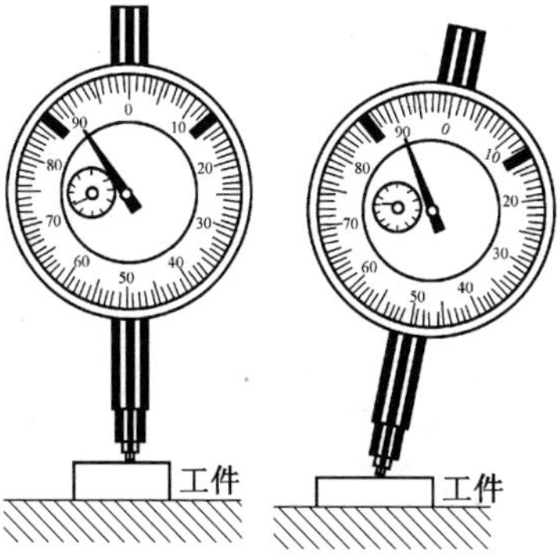 正确　　　错误 （a）使用百分表测量平面	①百分表测量杆应垂直于被测量面不得倾斜，如图（a）、（b）所示； ②正确选用测量头形状：用平测量头测球形表面；用球面测量头测平面或圆柱面；用尖形测量头测凹面或形状复杂的表面； ③测量时，测量杆行程不得超过其测量范围； ④避免振动和磕碰； ⑤表架放置要牢靠；

续表 1-35

项目	简　图	要　求
其他注意事项	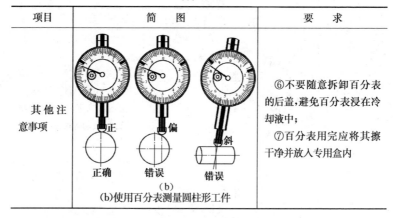 正确　　　错误　　　错误 (b) (b)使用百分表测量圆柱形工件	⑥不要随意拆卸百分表的后盖，避免百分表浸在冷却液中； ⑦百分表用完应将其擦干净并放入专用盒内

1.5.2　千分表

机械式千分表的工作原理、主要结构、使用方法和注意事项与百分表基本相同，不同点主要是千分表的分度值小、精度更高。其次，千分表在测量时其测量头一定要朝下，否则将出现附加误差，最后要注意千分表使用环境温度为 20℃。机械式千分表如图 1-12 所示。

常用千分表的规格见表 1-36。

图 1-12　机械式千分表

表 1-36　常用千分表的规格

测量范围 /mm	示值分段误差			示值总误差 /μm	回程误差 /μm	示值变动性 /μm
	任意 0.05mm	任意 0.02mm	初始 1.0mm			
0～1	±2.0	±3.0	—	±4.0	±2.0	±0.3
0～2	±2.5	±3.0	±5.0	±6.0	±2.0	±0.3
0～3	±2.5	±3.5	±5.0	±8.0	±2.5	±0.3
0～5	±2.5	±3.5	±5.0	±9.0	±2.5	±0.5

1.5.3　数显百分表和数显千分表

数显百分表和数显千分表的外形与普通机械式不同点是其表盘为数

字显示器和几个按键,而不是刻度盘和指针。数显百分表和数显千分表可以直接读数,且具有数值转换、数据保存和传输等功能。

数显百分表和数显千分表的使用和维护方法与机械式基本相同,调"0"更为方便,测量范围有 0～5mm、0～30mm 和 0～50mm 等。数显百分表的示值误差不超过±0.03mm;数显千分表的示值误差不超过±(0.003～0.009)mm。

1.5.4　内径百分表

按照 GB/T 8122—2004 内径指示表的分辨力有 0.01mm 和 0.001mm 两种,前者俗称内径百分表。内径百分表是一个通过杠杆改变了测量杆方向(90°)的百分表。内径百分表主要用于测量光滑孔的内径尺寸和尺寸偏差,尤其适于测量深孔的内径。

(1)内径百分表的结构形式　内径百分表由表头和表架两部分组成,内径百分表如图 1-13 所示。

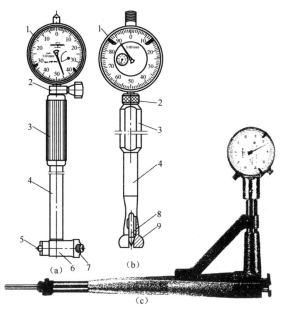

图 1-13　内径百分表
(a)带定位中心式　(b)涨簧式　(c)大量程内径百分表
1. 百分表　2. 锁母　3. 手柄　4. 表杆　5. 固定(可换)测头
6. 主体　7. 活动测头　8. 顶杆　9. 涨簧测头

(2)内径百分表的规格　常用内径百分表的规格见表1-37。

表1-37　常用内径百分表的规格

测量范围/mm	分度值/mm	内径百分表的误差				
6～10、10～18、18～35、35～50、50～100、50～160、100～160、160～250	0.01	测量范围/mm	示值总误差/μm	相邻误差/μm	定中心误差/μm	示值变动性/μm
		6～18	±12	±5	±3	±3
		>18～50	±15	±5		
		>50	±18	±6		

(3)内径百分表的使用　内径百分表的使用方法见表1-38。

表1-38　内径百分表的使用方法

项目	简图	要求
安装百分表和测量头	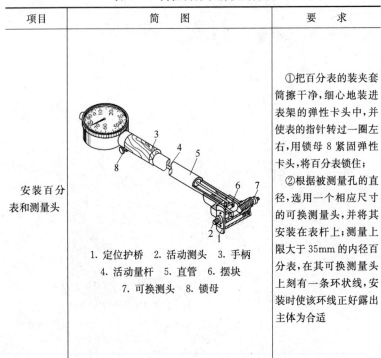1. 定位护桥　2. 活动测头　3. 手柄 4. 活动量杆　5. 直管　6. 摆块 7. 可换测头　8. 锁母	①把百分表的装夹套筒擦干净,细心地装进表架的弹性卡头中,并使表的指针转过一圈左右,用锁母8紧固弹性卡头,将百分表锁住; ②根据被测量孔的直径,选用一个相应尺寸的可换测量头,并将其安装在表杆上;测量上限大于35mm的内径百分表,在其可换测量头上刻有一条环状线,安装时使该环线正好露出主体为合适

续表 1-38

项 目	简 图	要 求
校对"0"位	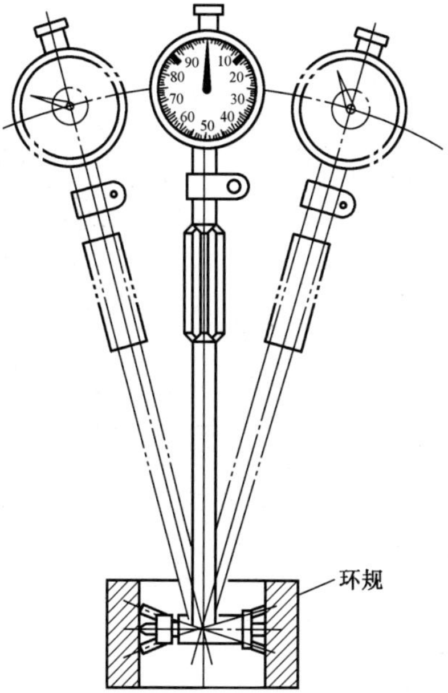 用环规校对内径百分表"0"位的方法	①采用环规或外径千分尺作为校对"0"位基准; ②将测头、定位护桥和环规的工作面擦拭干净,然后用手按动几次活动测头,百分表灵敏度和示值变动符合要求后,即可开始校对"0"位; ③用左手握住手柄,右手按下定位护桥,把活动测头压下,然后将它放入环规内,摆动几次,找出指针的拐点,然后转动百分表刻度盘,使"0"刻度与指针的拐点处相重合;然后,再摆动几次手柄,指针每次均返回到"0"位处,说明"0"位已对准,将内径百分表从环规内取出,待用
内径百分表测量方法		①将已对好"0"位的内径百分表放入被测量孔,摆动几次手柄,观察指针拐点位置。如果拐点位置与"0"位重合,说明孔径与校对环规的直径尺寸相同;指针顺时针方向离开"0"位,说明孔径大于环规直径,其差值为指针偏转的刻度值;指针逆时离开"0"位,说明孔径小于环规直径;

续表 1-38

项目	简　　图	要　　求
内径百分表测量方法		②在同一径向截面上几个不同方向上进行孔径测量,所得最大值与最小值之差,即表示该截面的圆度误差; ③在不同的几个径向截面进行测量,将所得数值进行比较,可以表示该孔的圆柱度误差
使用内径百分表其他注意事项		同百分表

1.5.5　杠杆百分表

杠杆百分表又称为"靠表"。它是将杠杆测头的角位移,通过机械传动系统转变为指针在表盘上的角位移来进行读数的长度测量工具。杠杆百分表主要用作相对测量,如测量工件的形状和位置误差等。

(1)杠杆百分表的结构形式　杠杆百分表有机械式和数字显示式两大类,常用的杠杆百分表如图 1-14 所示。

杠杆百分表表盘的刻线类型有三种:

①0-40-0,其测量范围为±0.4mm;

②0-50-0,其测量范围为±0.5mm;

③0-100-0,其测量范围为±1mm。

(2)杠杆百分表的使用　杠杆百分表的使用见表 1-39。

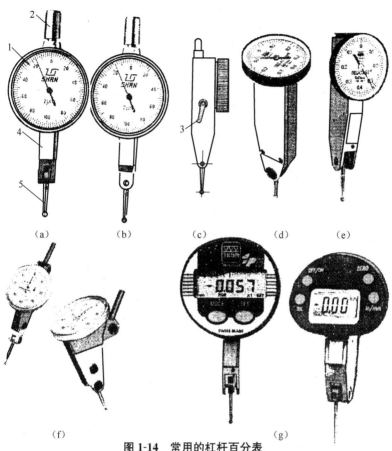

图1-14　常用的杠杆百分表

(a)正压式　(b)侧面式　(c)侧面图　(d)端面式

(e)正压式的另一种安装方式　(f)其他形式　(g)数字式

1. 表盘　2. 夹持柄　3. 换向器　4. 表体　5. 测头

表1-39　杠杆百分表的使用

项目	简　　图	要求
杠杆百分表的检查与安装		①外观上无影响使用性能的缺陷；

续表 1-39

项 目	简 图	要 求
杠杆百分表的检查与安装	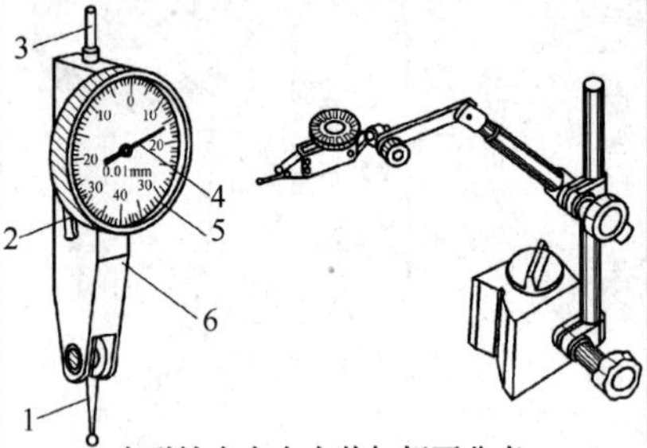 **在磁性表座上安装杠杆百分表** 1. 杠杆测头　2. 扳手　3. 夹持杆 4. 指针　5. 表圈　6. 表体	②测杆和指针移动平稳、灵活； ③自由状态时，指针应位于从"0"开始反时针方向45°～90°； ④测头的手感光滑； ⑤将杠杆百分表装夹在表座中，夹紧后不允许再转动表体
校 对 "0"位	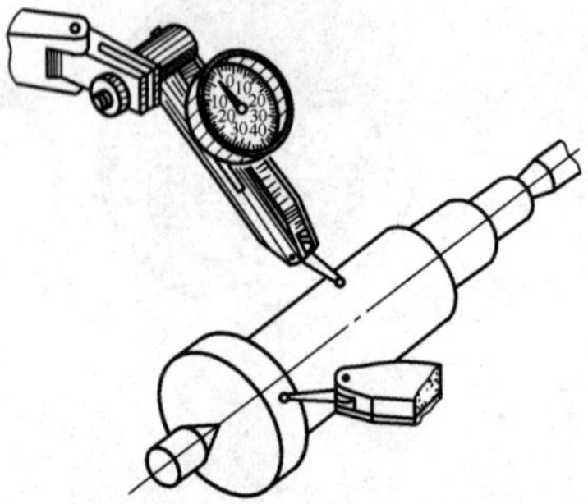 **测量工件径向圆跳动前校对"0"位**	将杠杆百分表装夹在表架上后，使表的测头与被测量面某一位置接触，调整好表架，使指针转到该表面测量范围的中部，紧固表架，转动表盘使"0"刻度与表针重合；然后，退出表架使之脱离接触，再推进表架，至原接触点处，若"0"线与表针仍重合，说明校对"0"位正确
用杠杆百分表测量几何误差		①测量工件表面的直线度： 如图(a)所示，将杠杆百分表装夹在高度游标卡尺上，对好"0"位，缓慢平移高度尺的底座，使测头在被测量表面沿直线方向移动，全过程中最大读数与最小读数之差即为被测平面的直线度(也可以用在同一方向测量若干点的方法来替代)

续表 1-39

项目	简 图	要求
用杠杆百分表测量几何误差	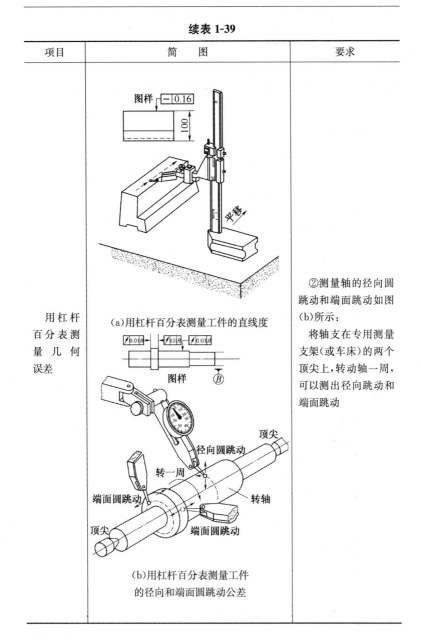（a)用杠杆百分表测量工件的直线度 （b)用杠杆百分表测量工件的径向和端面圆跳动公差	②测量轴的径向圆跳动和端面跳动如图(b)所示： 将轴支在专用测量支架(或车床)的两个顶尖上,转动轴一周,可以测出径向跳动和端面跳动

1.6 角 度 尺

用于测量或检验工件角度的量仪称为角度尺。常用的角度尺有直角尺和万能角度尺两类。

1.6.1 直角尺

直角尺的适用标准为 GB/T 6092—2004。

(1)直角尺的类型 直角尺为 90°角尺,主要用于检验工件的垂直度及工件相对位置的垂直。划线时,也时常采用直角尺。

直角尺的结构形式有宽座型、矩形、刀口形、圆柱形等。尤以宽座角尺最为常用。常用角尺的外形如图 1-15 所示。

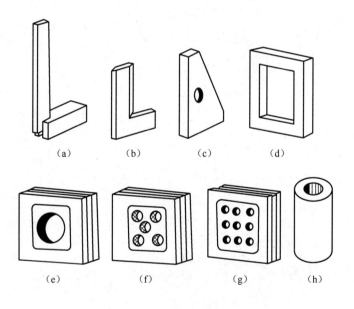

图 1-15 常用直角尺的外形

(a)宽座角尺 (b)刀口形角尺 (c)三角形角尺 (d)矩形角尺

(e)Ⅰ型方形角尺 (f)Ⅱ型方形角尺 (g)Ⅲ型方形角尺 (h)圆柱形角尺

(2)宽座角尺的规格　宽座角尺的规格见表1-40。

表1-40　宽座角尺的规格(摘自 GB/T 6092—2004)

高度/mm	精度等级	用途
100、160、200、250、315、400、500、630、800、1000	00 级 0 级	检测精密量具
	1 级	检测精密工件
	2 级	检测一般工件

(3)宽座角尺的使用方法　宽座角尺的使用方法见表1-41。

表1-41　宽座角尺的使用方法

项目	简　图	要　求
使用前的检查		检查各工作面和边缘,无被磕碰、锈蚀,无磁性、裂纹、毛刺。擦干净待用
基本测量方法	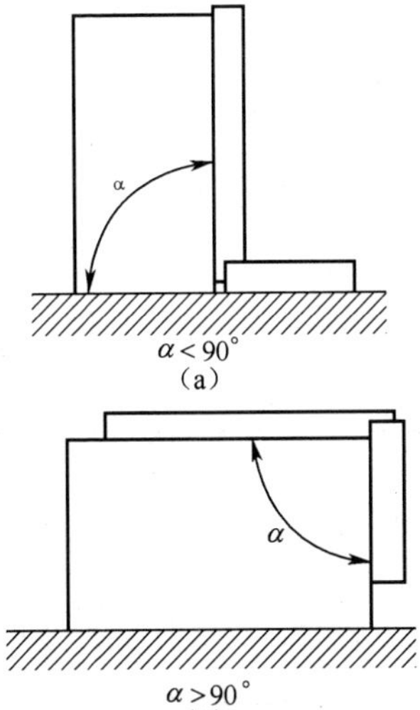 α<90° (a) ／ α>90° (b)	①检查内角时,用直角尺的两个外边;检查外角时,用在角尺的两个内边,如图所示; ②测量时,要使直角尺一条边贴住两个被测面中的一个面(或基准面),并轻轻压住,然后再使另一边与剩余的被测面接触,用透光法检查所测角度是否为90°

续表 1-41

项　目	简　　图	要　　求
用直角尺检测两平面的垂直度	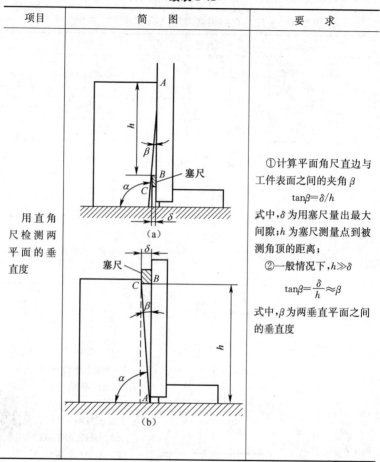	①计算平面角尺直边与工件表面之间的夹角 β $\tan\beta = \delta/h$ 式中，δ 为用塞尺量出最大间隙；h 为塞尺测量点到被测角顶的距离； ②一般情况下，$h \gg \delta$ $\tan\beta = \dfrac{\delta}{h} \approx \beta$ 式中，β 为两垂直平面之间的垂直度

1.6.2　万能角度尺

万能角度尺的适用标准为 GB/T 6315—2008。

（1）万能角度尺的类型　传统的万能角度尺是利用游标读数原理来直接测量工件角度的量仪。数显式角度尺则是近年来应用日趋广泛的角度测量仪器。常用万能角度尺如图 1-16 所示。

（2）万能角度尺的规格　万能角度尺的规格见表1-42。

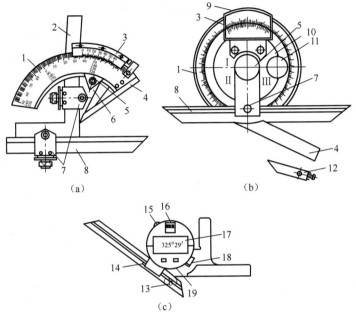

（a）

（b）

（c）

图1-16　常用万能角度尺

（a）Ⅰ型万能角度尺　（b）Ⅱ型万能角度尺　（c）数显式万能角度尺

1. 主尺　2. 直角尺　3. 游标　4. 基尺　5. 制动头　6. 扇形板　7. 卡块　8. 直尺
9. 放大镜　10. 圆盘　11. 微动装置　12. 附加直尺　13. 标尺　14. 标尺锁紧按钮
15. 微调装置　16. SR232端口　17. 多功能显示器　18. 锁紧装置　19. 电池盖

表1-42　万能角度尺的规格

类型	游标分度值	测量范围	直尺测量面	其他测量面	示值误差	
			公称尺寸/mm		分度值2′	分度值5′
Ⅰ	2′,5′	0～320°	≥150	≥50	±2′	±5′
Ⅱ	5′	0～360°	200,300	≥50	±5′	

(3)万能角度尺的使用　万能角度尺的使用见表1-43。

表1-43　万能角度尺的使用

项目	简　图	要　求
校对"0"位	见图 1-16(a)	旋动微动装置使基尺与直角尺和直尺三者接触于一点,基尺与直尺贴紧(无漏光),看游标"0"线与主尺"0"线是否重合,如重合,说明零位正确。否则要调整; 调整方法:把游标背面两个螺钉松开,移动游标尺,使其"0"线与主尺"0"线重合
读数方法	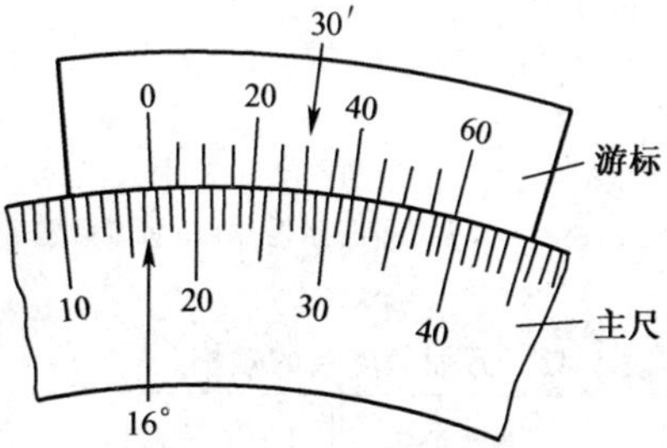 16°30′ 万能角度尺的读数示例	①游标"0"线左边主尺上最靠近一条刻线的数值为被测角度数的整数值,如图示为16°; ②游标上与主尺刻线相对齐的一条刻线,表示被测角度数的分(′);图中所示为30′; ③上述两项相加即为被测角的度数,图中为16°30′; ④若用Ⅰ型万能角度尺 90°~180°,被测角度等于 90°+角度读数;180°~270°时,被测角度等于 180°+角度读数;270°~320°时,被测角度等于 270°+角度读数

续表 1-43

项 目	简 图	要 求
根据被测角度大小调整万能角度尺	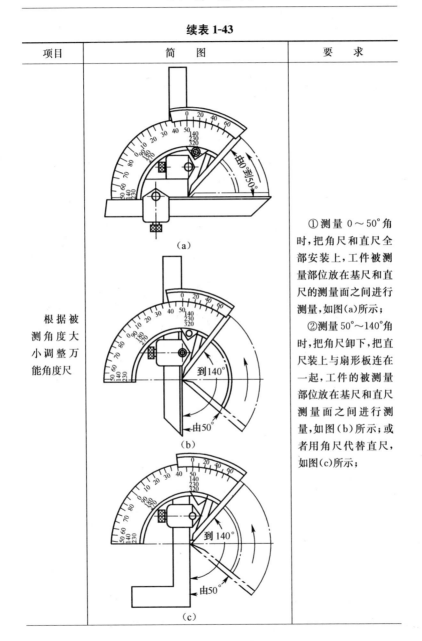	①测量 0～50°角时,把角尺和直尺全部安装上,工件被测量部位放在基尺和直尺的测量面之间进行测量,如图(a)所示; ②测量50°～140°角时,把角尺卸下,把直尺装上与扇形板连在一起,工件的被测量部位放在基尺和直尺测量面之间进行测量,如图(b)所示;或者用角尺代替直尺,如图(c)所示;

续表 1-43

项目	简图	要求
根据被测角度大小调整万能角度尺	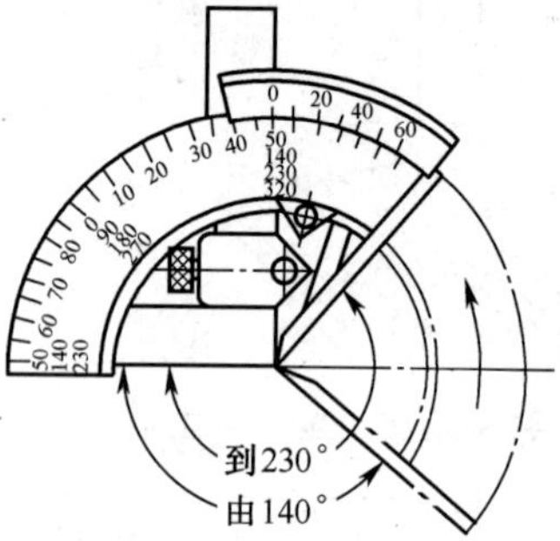 （d） 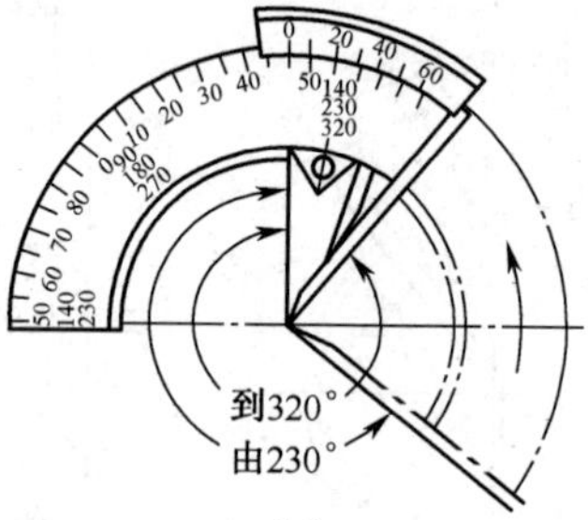 （e）	③测量 140°～230°角时，只装角尺，使直角顶点与基尺顶点对齐，工件被测量部位放在基尺和直角短边之间测量，如图（d）所示； ④测量 230°～320°角时，卸下角尺、直尺和卡块，只留下扇形板和主尺工件被测量部位放在基尺和扇形板测量面之间进行测量，如图（e）所示
使用与保养		①测量时，角度尺两个测量面与被工件表面在全长上保持良好的接触； ②防止角度尺发生磕碰，安装角尺和直尺时，避免卡块螺钉压在测量面上； ③使用完毕后，应松开各紧固件，取下直尺和角尺，擦净涂防锈油，放入专用盒内保存

(4)万能角度尺测量示例 用万能角度尺测量工件角度示例如图1-17所示。

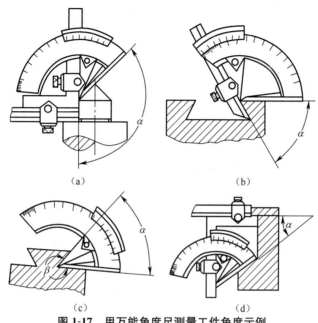

（a） （b）

（c） （d）

图1-17 用万能角度尺测量工件角度示例

(a)测量外角示例之一 (b)测量内角示例之一
(c)测量内角示例之二 (d)测量外角示例之二

1.7 坐标测量机

机械零部件,经常需要测量各相关面或线之间的位置度或误差。利用前面所述的通用测量器具可以得到所需的数值,但只能满足一般要求。对于高精度的测量,传统的量具则无能为力,需要借助于更为精密的光电测量仪进行测量。如利用坐标测量机进行测量,可得到更为精确的结果。坐标测量机有二坐标测量机和三坐标测量机两类。

1.7.1 二坐标测量机

(1)二坐标测量机的组成　图 1-18 所示为 U-SOOPE 2010B 型非接触式二坐标测量机。该机是由机械测量系统和微型计算机组成的。

该机的测量系统由精密光栅系统、高分辨率工业 CCD 摄像测量系统、高品质测量物镜,以及透射光、反射光和侧面光照系统构成,透过完备的通用几何测量软件连接到工业电脑上,形成功能齐全、适用范围广、操作简便的通用坐标测量仪,是万能投影仪、显微镜的升级换代产品。

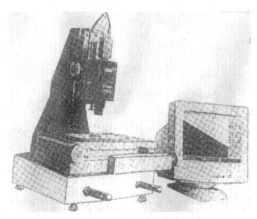

图 1-18　U-SCOPE 2010B 型
非接触式二坐标测量机

(2)主要功能　该测量仪的主要功能有:自动瞄准、自动测圆、自动测距、峰谷扫描,明(暗)中心坐标自动计算、柔性定位、坐标变换、组合元素、元素及坐标系的存取和形位误差的测量。

(3)主要技术指标

①测量范围　　　　$200mm \times 100mm$

②被测工件的质量　$\leqslant 15kg$

③综合误差　　　　单轴$(2.5+L/100)\mu m$

　　　　　　　　　平面$(3.5+L/100)\mu m$,L 为被测长度(mm)

④环境条件　　　　温度$(20\pm2)℃$;湿度 $45\%\sim65\%$。

1.7.2 三坐标测量机

（1）三坐标测量机的组成 图 1-19 所示为 UCMS866 型复合式三坐标测量机，也是由机械系统、测量系统和微机系统组成的。其中工作台可以前后移动、测量系统可在横梁上左、右移动同还可以上下移动，形成三坐标体系统，其检测功能更完善。

（2）主要功能 该机将现代光学测头、机械式测头及激光扫描测头集成于同一台测量机上，可完成几乎所有几何测量任务。可实现对工件自动扫描寻边、表面点自动聚焦采集、自动测圆、自动对比。对微小尺寸、薄片及刀口轮廓和不能接触的工件、工件表面图形、字符的测量具有独特的优越性，可完成对任何曲面的扫描测量。

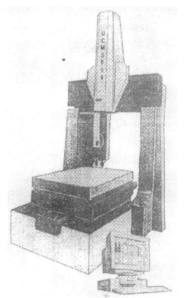

图 1-19 UCMS866 型复合式三坐标测量机

（3）主要技术指标

①测量范围　　　　800mm×600mm×600mm

②被测工件的质量　≤350kg（花岗岩工作台）
　　　　　　　　　　≤30kg（玻璃工作台）

③综合误差　　　　$E=(3.5+L/100)\mu m$，L 为被测长度（mm）

④环境条件　　　　温度（20±2）℃；湿度 45%～65%

1.8　专用量具

专用量具是指那些只能测量一个量，仅适用于一个测量对象的量具。专用量具的结构简单，不一定成系列化和标准化，有能力的企业可以自行制造。

专用量具中有很大一部分被称为"量规",如螺纹量规和光滑极限量规。按用途不同,量规又有工作量规、验收量规和校对量规之分。工作量规主要用于各工序操作者测量本工序中的某一尺寸;验收量规用于检验所有产品中的某一尺寸是否符合图样要求;校对量规主要用于校正测量仪具的"0"点。

专用量具一般不能得到准确的测量值,而是用来检验相关量是否符合要求,即其偏差是否在公差范围之内。如是,则认为该产品的某个尺寸合格;否则,该产品不合格。故又称其为"极限"量规。因此,专用量具一般都会按被测工件的公称尺寸和公差带的数值,设置两对测量面。其中一对测量面之间的距离为被测工件的合格尺寸(在公差带以内的尺寸),称之为"通端"或"过端";另一对测量面之间的距离为超过被检查工件合格尺寸的尺寸(超过公差范围),称为"止端"。

"量规"适用标准有 GB/T 1957—2006《光滑极限量规　技术条件》和 GB/T 3934—2003《普通螺纹量规　技术条件》两个。

1.8.1　卡规

检查外尺寸(如轴径、长度)的极限量规称为卡规。卡规的通端尺寸是被测工件的"上极限尺寸",卡规的止端尺寸是被测工件的"下极限尺寸"。卡规的过端和止端尺寸与被测尺寸的关系如图1-20所示。

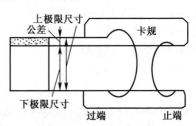

图 1-20　卡规的过端和止端尺寸与被测尺寸的关系

(1)常用卡规的类型　卡规是用来检查外尺寸是否合格的专用光滑极限量具。常用卡规的结构形式如图 1-21 所示。

单头卡规的通端与过端处于同侧,使用时一般不会搞错;双头卡规为了清楚地辨认其通端和止端,一般在止端两外角做成 45°倒角,或用文字注明止、通端卡口。

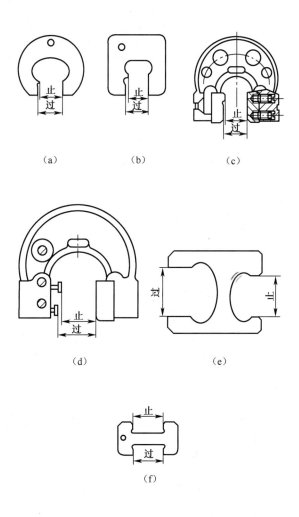

图 1-21 常用卡规的结构形式

(a)马蹄形单头卡规 (b)方形单头卡规 (c)铸造的镶嵌口单头卡规

(d)可调卡规 (e)方形双头卡规 (f)H形双头卡规

（2）卡规的使用方法　　卡规的使用方法见表 1-44。

表 1-44　卡规的使用方法

		要　　求
用卡规检查圆柱形工件的直径	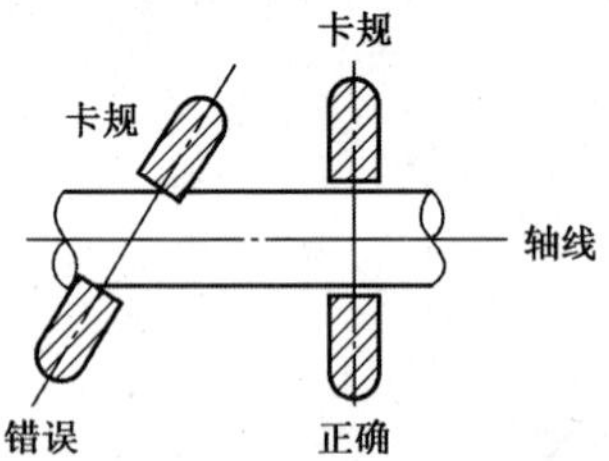 （a） 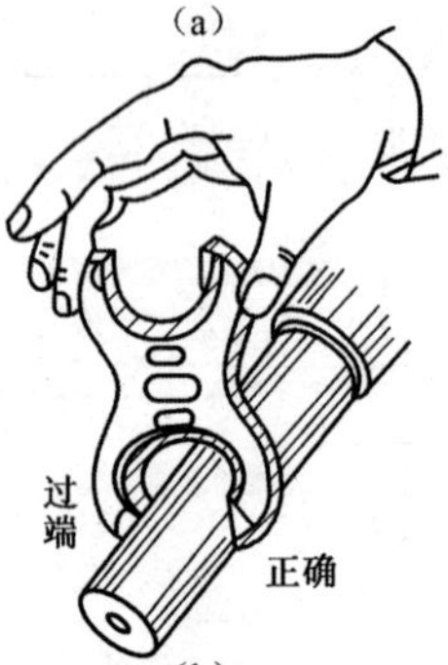 （b） 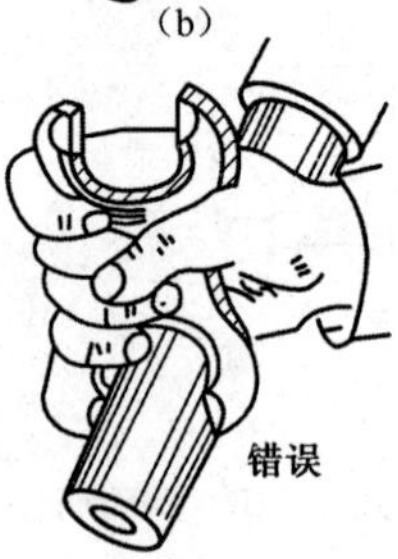 （c）	①用马蹄形卡规检查圆柱形工件的直径； ②用过端检查时，轴应水平放置，卡规从轴上方放入，使卡规板面与轴线垂直，如图（a）所示，靠卡规自重从轴的外圆滑过去，不能用手压卡规滑过，如图（b）所示； ③用止端依照②所述步骤检查，止端不能滑过，说明该轴直径在公差范围之内、合格；不允用力将止端推滑过轴表面（图 b）；

续表 1-44

	要 求
用卡规检查圆柱形工件的直径	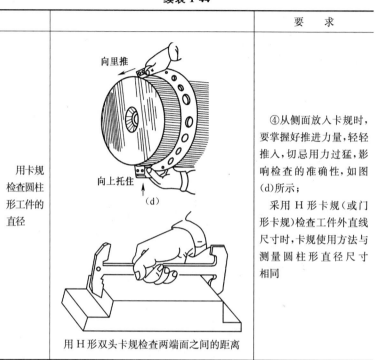④从侧面放入卡规时,要掌握好推进力量,轻轻推入,切忌用力过猛,影响检查的准确性,如图(d)所示; 采用 H 形卡规(或门形卡规)检查工件外直线尺寸时,卡规使用方法与测量圆柱形直径尺寸相同

向里推

向上托住

(d)

用 H 形双头卡规检查两端面之间的距离

1.8.2 塞规

检查内尺寸(如孔径)的极限量规称为塞规。塞规的通端尺寸是被测尺寸的"下极限尺寸",塞规的止端尺寸是被测尺寸的"上极限尺寸",塞规的过端和止端尺寸与被测尺寸的关系如图 1-22 所示。

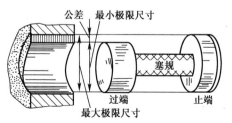

公差　最小极限尺寸

塞规

过端　止端

最大极限尺寸

图 1-22　塞规的过端和止端尺寸与被测尺寸的关系

（1）塞规的种类和结构形式　塞规是用于检查内尺寸的光滑极限量规,按其所测量内尺寸的形状和大小,可以有多种不同的结构,常用检查内尺寸的量规如图 1-23 所示。

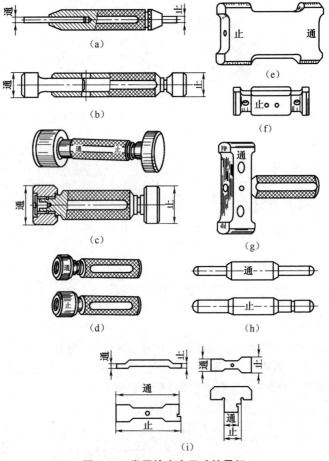

图 1-23　常用检查内尺寸的量规
（a）针式塞规　（b）锥柄测头圆柱塞规　（c）双头套式塞规　（d）单头套式塞规
（e）板状非全形塞规　（f）带护板的非全形塞规　（g）带手柄的非全形塞规
（h）球端杆规（量棒）　（i）键宽、深量规

(2)检查圆柱孔内径的塞规使用方法　用塞规检查圆柱孔内径的方法见表1-45。

表1-45　用塞规检查圆柱孔内径的方法

步骤	简　图	要　　求
识别塞规的止、通端		通过以下方式识别： ①用字母"T"表示通端，用字母"Z"表示止端； ②在止端一头手柄上车出一个环形槽； ③通端工作长度比止端长出 1/3～1/2
使用前的检查		①塞规工作面不得有锈迹、毛刺、划痕、黑斑等缺陷； ②检查塞规上的标志与图样标注尺寸（含公差带）是否相符； ③检查塞规合格证是否在规定的使用周期之内
使用塞规检查注意事项	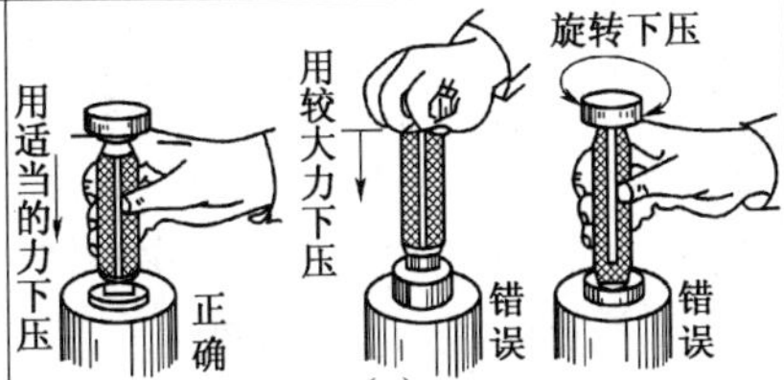 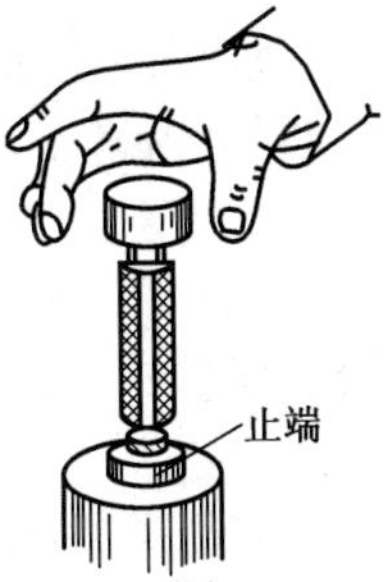	①将被测圆孔擦拭干净后，将通端对准圆孔，轻轻地将塞规推入孔中，然后拉出；若此时手感用力不大（顺畅）说明孔的内径尺寸在公差范围之内；若须用较大的力才能推进和拉力，说明孔径尺寸在公差下限附近；若靠自重塞规就能滑入孔内，说明孔径处于公差带的上限附近了；操作示意如图(a)所示； ②将止端对准圆孔，若不能进入，说明孔径未超过公差带上限，合格；若能进入，说明孔径超过了公差带上限，不合格；如图(b)所示；

续表 1-45

步骤	简　　图	要　　求
使用塞规检查注意事项	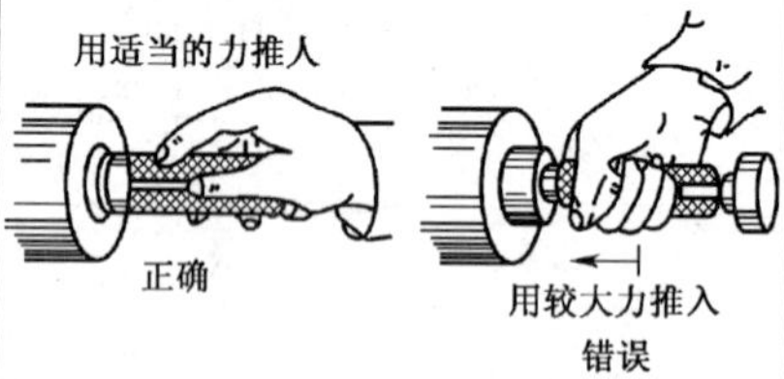 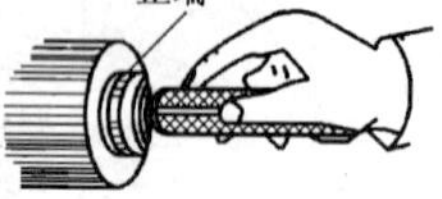 用适当的力推人 正确　　　用较大力推入 错误 (c) 止端 (d)	③检查通孔时,要求通端在孔的全长上通过;止端在孔的两头都不通过为合格,如图(c)、(d)所示; ④通端推入圆孔时,塞规轴线不得歪斜,应保持其与圆孔轴线重合(同轴); ⑤塞规塞入孔后,不许转动; ⑥不允许检查刚刚加工完的圆孔,应待工件温度降至室温时,再行检查,若不填用塞规检查刚刚加工完的孔时,工件冷却将塞规卡住,不能强行拉拔塞规,最好将工件加热,使其尺寸加大,以便顺畅拉出塞规

　　(3)检查圆锥孔内径和锥度用的光滑塞规的使用方法　检查圆锥孔内径和锥度用的光滑塞规被称作圆锥塞规,其外形如图 1-24 所示。圆锥塞规的大端有一个台阶形缺口或两条环形刻线,缺口间距 m 表示内外锥面配合轴向允许的变动量。圆锥塞规的使用方法见表1-46。

　　(4)检查圆锥轴直径和锥度用的光滑环规的使用方法　检查圆锥轴直径和锥度用的光滑套规称为圆锥环规,其外形如图 1-25 所示。在环规的小端,有半个端面缩进去一段 m,形成台阶形缺口,m 值即是内外锥面配合轴向允许的变动量。圆锥环规的使用方法见表 1-47。

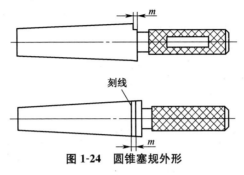

图 1-24 圆锥塞规外形

表 1-46 圆锥塞规的使用方法

项 目	简　图	要　求
使用前的检查		用干净棉丝将圆锥塞规工作表面擦拭干净，其外观不得有划伤，碰伤等缺陷； 对被测工件内锥孔亦应进行清洁处理，并置于室温环境中待检测
检查圆锥孔直径和锥度	合格 工件　圆锥孔大 工件　圆锥孔小 圆锥塞规的使用方法	将圆锥塞规轻轻塞入锥孔中直至不能再推入为止，若锥孔大口端面刚好处于塞规缺口或两环线之间，且塞规在锥孔内无晃动现象，表示被检锥孔孔径、锥度和长度都符合要求；否则说明孔径过大或过小，都是不合格的

续表 1-46

项目	简　图	要　求
用涂色法检查圆锥孔加工情况	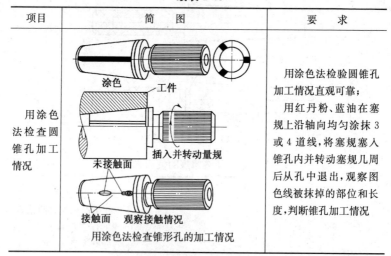涂色　工件 未接触面 插入并转动量规 接触面　观察接触情况 用涂色法检查锥形孔的加工情况	用涂色法检验圆锥孔加工情况直观可靠； 　用红丹粉、蓝油在塞规上沿轴向均匀涂抹3或4道线,将塞规塞入锥孔内并转动塞规几周后从孔中退出,观察图色线被抹掉的部位和长度,判断锥孔加工情况

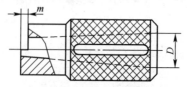

图 1-25　圆锥环规外形

表 1-47　圆锥环规的使用方法

项目	简　图	要　求
使用前的检查		用干净棉丝将圆锥环规内孔擦拭干净,内锥孔表面不得有划痕、锈迹等缺陷;对被测工件的外锥面亦应进行清洁处理,并置于室温环境中待检测

续表 1-47

项目	简 图	要 求
用环规检查圆锥轴直径和锥度	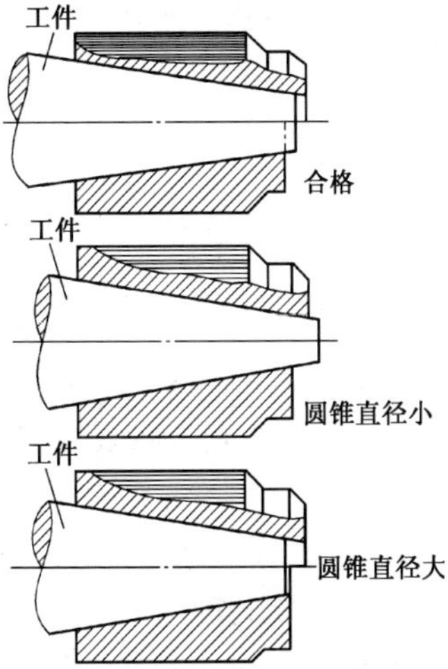 工件 合格 工件 圆锥直径小 工件 圆锥直径大 圆锥环规的使用方法	将环规轻轻套入被测圆锥轴上,直至不能再套入为止,若圆锥轴的小端面刚好在套规缺口长度范围之间,且套规无晃动感,说明圆锥轴的轴径、锥度和长度合格;否则为不合格
用涂色法检查圆锥轴的加工情况		用涂色法检查圆锥轴的加工情况方法与检验圆锥孔相类似,只是要将涂料涂在圆锥轴上,作相应的转动操作后,退出环规,观察圆锥轴表面涂色或被抹的均匀程度,从而判断圆锥轴表面的加工情况

1.8.3　螺纹量规

　(1)螺纹量规的种类和结构形式　螺纹量规可分为螺纹塞规和螺纹环规两大类,前者用于检查内螺纹,后者用于检查外螺纹。两者都属于对螺纹进行综合检验的量具。此外,用于检验螺纹牙型角和螺距的量具则称为螺纹样板。常用螺纹量规的外形如图 1-26 所示。

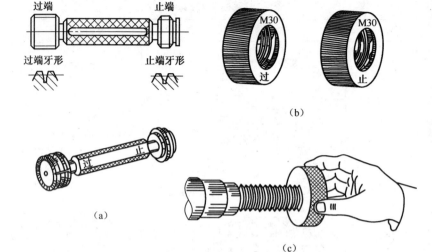

图 1-26 常用螺纹量规的外形

(a)双头螺纹塞规   (b)单头螺纹环规   (c)用螺纹环规检查外螺纹

(2)螺纹量规的使用方法   螺纹量规的使用方法见表 1-48。

表 1-48   螺纹量规的使用方法

项目	要 求
用螺纹塞规检查内螺纹	螺纹塞规的通端能顺利旋入和旋出被测螺纹孔,而止端不能旋入时,说明该螺纹孔合格;若通端不能旋入,说明内螺纹直径偏小;若止端也能旋入螺孔,说明内螺纹直径偏大。后两种情况都是不合格的
用螺纹环规检查外螺纹	螺纹环规过端能顺利旋入和旋出被检螺纹,而止端不能旋入,说明该外螺纹合格;若过端不能旋入,说明外螺纹直径偏大;若止端也能旋入,说明外螺纹直径偏小。后两种情况都是不合格的

(3)螺纹样板的使用   螺纹样板由多个标准螺纹牙形样板组成,每个样板上标注着各自的螺距。常用的有公制和英制两种螺纹样板。

螺纹样板常用于较为粗略的检验,特别是在车床上加工螺纹时使用较普遍。螺纹样板的使用方法见表 1-49。

表 1-49 螺纹样板的使用方法

项目	简图	要求
检测螺距与牙形角	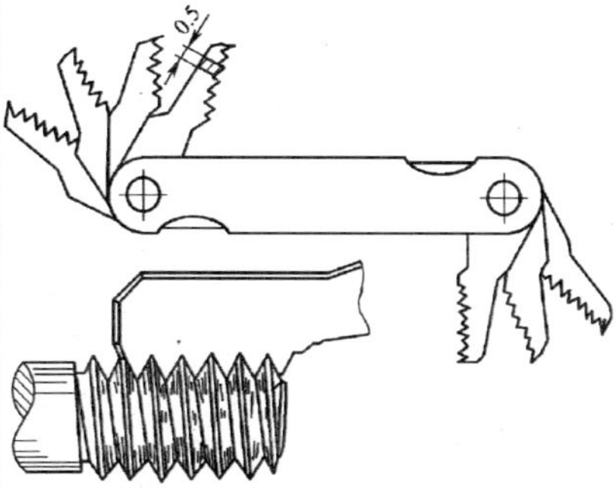	①选一片与图样标明的螺距相同的样板,在被检验的螺纹(内、外螺纹均可)上试卡,如完全吻合,说明被测螺距合格;否则,说明实际螺距与图样要求不符; ②选一片与图样标明的螺距相同的样板,在被检验的螺纹上试卡,如果完全吻合,且无透光现象,说明被测螺纹的牙形正确;否则,有透光现象,说明牙形不正确,应重新选用正确的刀具

1.8.4 半径样板(R 规)

检查圆弧角半径尺寸是否合格的量规称作半径样板(或称 R 规),所采用的标准为 JB/T 7980—1999。

(1)半径样板的结构形式 半径样板分为检查凸形圆弧和检查凹形圆弧的两种结构形式。前者为凹形样板,后者为凸形样板,两者均是用 0.5mm 不锈钢板制成,并按不同的半径范围组成一套样板供选用。半径样板外形如图 1-27 所示。成套半径样板的规格见表 1-50。

(2)半径样板的使用方法 用半径样板检查圆弧角时,先选择与被检圆弧角半径公称尺寸相同的样板,将其靠紧被检圆弧角,要求样板

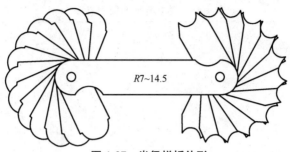

图 1-27 半径样板外形

表 1-50 成套半径样板的规格 （mm）

样板组 半径范围	样板半径尺寸															
1～6.5	1	1.25	1.5	1.75	2	2.25	2.5	2.75	3	3.5	4	4.5	5	5.5	6	6.5
7～14.5	7	7.5	8	8.5	9	9.5	10	10.5	11	11.5	12	12.5	13	13.5	14	14.5
15～25	15	15.5	16	16.5	17	17.5	18	18.5	19	19.5	20	21	22	23	24	25

平面与被测圆弧垂直,用透光法查看样板与被测圆弧角接触情况,完全不透光为合格;如果有透光现象,说明被检圆弧角的弧度不符合要求。半径样板的使用方法如图 1-28 所示。

1.8.5 表面粗糙度样块

表面粗糙度样块是专门用来比对工件已加工表面的粗糙度是否符合要求的板块。在确定工件表面粗糙等级时,完全取决于检验人员凭肉眼比对的结果。对于极重要的工件,这种比对方法判断会引起争议,需要用更精密的检测仪来检定。表面粗糙度样块符合 GB/T 6060.2—2006 的规定。

(1)样板块组的结构 一套完整的粗糙度样块包括车、磨、镗、铣、刨、插等多种加工方式的样块。每种加工方式的样块又按粗糙度的几种常用级别排列若干块,供比对时选用。一组粗糙度样块(板)如图 1-29所示。

(2)各种表面粗糙度样块的制造标准 不同加工表面粗糙度样块的制造标准见表 1-51。

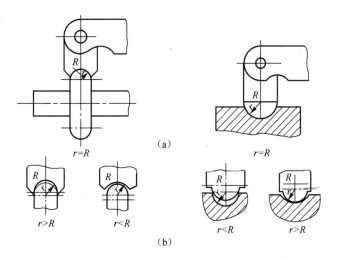

图 1-28 半径样板的使用方法

(a)合格 (b)不合格

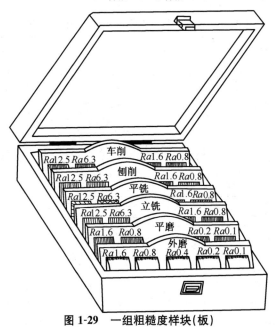

图 1-29 一组粗糙度样块(板)

表 1-51 不同加工表面粗糙度样块的制造标准

国家标准名称	适用比对表面
GB/T 6060.1—2006《表面粗糙比较样块 铸造表面》	铸造表面
GB/T 6060.2—2006《表面粗糙度比较样块 磨、车、镗、铣、插、刨加工表面》	适用于切削加工表面
GB/T 6060.3—2006《表面粗糙度比较样块 电火花加工表面》	电火花加工表面
GB/T 6060.4—2006《表面粗糙度比较样块 抛光加工表面》	抛光加工表面

（3）机械加工表面粗糙度的 Ra 值　机械加工表面粗糙度的 Ra 值及尺寸规格见表 1-52。

表 1-52 机械加工表面粗糙度的 Ra 值及尺寸规格

粗糙度参数公称值/μm		制 造 方 法		样块表面每边的最小尺寸/mm
	磨	车、镗、铣	插、刨	
Ra	0.025	—	—	20
	0.05	—	—	
	0.1	—	—	
	0.2	—	—	
	0.4	0.4	—	
	0.8	0.8	0.8	
	1.6	1.6	1.6	
	3.2	3.2	3.2	
	—	6.3	6.3	30
	—	12.5	12.5	
	—	—	25	50

(4)粗糙度样块的使用方法　使用粗糙度样块比对检验的方法见表 1-53。

表 1-53　使用粗糙度样块比对检验的方法

项目	简图	要求
选择样块		所选用的粗糙度样块与被检工件表面的材质、加工方法、加工纹理应相同。
用视觉法检验工件表面的粗糙度	 外磨 *Ra*1.6 *Ra*0.8 *Ra*0.4 *Ra*0.2 *Ra*0.1 外磨加工后的轴 用视觉法检验加工件粗糙度	①比对时，样块与被检工件应放在同一自然条件下(光线、温度、湿度等相同)进行，通过检验员的视角，观察被检工件与所对比的粗糙度样块是否一致或不低于样块水平；用手垂直于加工纹理方向的移动触感判断纹理是否均匀一致； ②对于 *Ra* 在 1.6～0.8μm 的表面，需用 5 倍以上放大镜观察比对，必要时要采用显微镜

1.8.6　塞尺

塞尺又称厚薄规，是专门用来测量两个平面之间的微小距离(间隙)的。常用的塞尺如图 1-30 所示。塞尺的规格及组成由 GB/T 22523—2008 确定。

塞尺是由若干不同厚度的尺片合装在一起的。每把塞尺有 13、14、17、20、21 片不等。尺片的厚度最小为 0.02mm，最大的 1mm，各片的厚度数值都标注在各自的尺片表面上，便于选用。所需的厚度也可以用几片塞尺叠加而成来满足使用要求。使用塞尺注意以下几点：

①使用塞尺时用力要适当，方向要合适，不可将较厚的塞尺片强行

塞入较小间隙之中。

②检查某一间隙是否大于规定值时,将符合规定的最大值的塞尺(一片或叠加后的几片)去塞该间隙,如果不能塞入,则为合格,能塞入则为不合格。

③测量实际间隙尺寸时,用不同厚度的塞尺片去试探塞入被测间隙中,刚好能插入,手感不松不紧者时,该片的厚度即为被测间隙的尺寸。

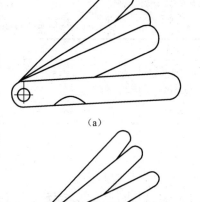

(a)

(b)

图 1-30　塞尺

(a)A 型塞尺　(b)B 型塞尺

1.8.7　测量转轴用的专用支架

在实际测量中,单独测量一根转轴的各项尺寸,用两个 V 形铁将其支起即可进行。在测量轴的几何误差时,采用专用支架才能得到理想的效果。转轴在专用支架上可以自由转动,还可以沿轴向移动百分表架,以便作轴向测量。测量转轴用专用支架如图 1-31 所示。在没有专用支架的情况下,利用车床主轴、尾座顶尖,以及大小拖板完全可以对转轴进行几何公差的测量,不过此时应顾及车床自身精度的影响。

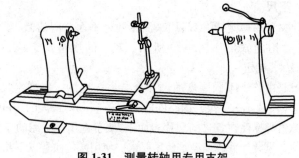

图 1-31　测量转轴用专用支架

2 产品几何技术规范(GPS)

任何机械产品都具有一定的质量要求,如材料的理化性能、产品结构的几何特征和尺寸等。规定产品的质量等级及其相应的标准,是实施对产品质量检验的前提。

产品几何技术规范(GPS)是国家对产品几何要素的规范。它包括极限与配合规范、几何公差规范和表面结构规范。新的国家标准 GPS 更体现与 ISO 标准接轨,使产品更适合国际需求,是全球经济一体化的必然趋势。

2.1 极限与配合

极限与配合是以机械产品的"尺寸"为核心的技术规范,其最终的目标是规范产品(零件)在机器上与其他零件的相互配合形式,从而规范零件相应的尺寸范围,并得以在图样上正确地标注,为加工、检验提供必要的法定依据。

2.1.1 极限与配合国家标准

中华人民共和国国家质量监督检验检疫总局、中国国家标准化管理委员会于 2009 年 3 月 16 日发布,并于 2009 年 11 月 01 日实施的产品几何技术规范(GPS)极限与配合的国家标准主要包括:GB/T 1800.1—2009、GB/T 1800.2—2009、GB/T 1801—2009 和 GB/T 1804—2000。

①GB/T 1800.1—2009 产品几何技术规范(GPS) 极限与配合第 1 部分:公差、偏差和配合的基础。

GB/T 1800.1—2009 是极限与配合第 1 部分。该标准是公差、偏差和配合的基础。它代替了原国家标准 GB/T 1800.1—1997、GB/T 1800.2—1998 和 GB/T 1800.3—1998。新标准对部分术语作了修改,如将"基本尺寸"改为"公称尺寸"、"上偏差"和"下偏差"分别改为"上极限偏差"和"下极限偏差"等。

GB/T 1800.1—2009 规定了极限与配合制的基本术语和定义、公差、偏差和配合的代号表示及标准公差值、基本偏差值。下列文件中的条款通过 GB/T 1800.1—2009 的引用成为本标准的条款：

GB/T 18780.1—2002 产品几何量技术规范（GPS）　几何要素第 1 部分：基本术语和定义；

GB/T 18780.2—2003 产品几何量技术规范（GPS）　几何要素第 2 部分：圆柱面和圆锥面的提取中心线、平行平面的提取中心面、提取要素的局部尺寸；

GB/T 19765—2005 产品几何量技术规范（GPS）　产品几何技术规范和检验的标准参考温度；

GB/Z 20308—2006 产品几何技术规范（GPS）总体规划。

②GB/T 1800.2—2009 产品几何技术规范（GPS）　极限与配合第 2 部分：标准公差等级和孔、轴极限偏差表。

GB/T 1800.2—2009 是极限与配合第 2 部分。该标准规定了标准公差等级和孔、轴的极限偏差表，代替了 GB/T 1800.4—1999 极限与配合　标准公差等级和孔、轴的极限偏差表。

③GB/T 1801—2009 产品几何技术规范（GPS）极限与配合　公差带和配合的选择。

GB/T 1801—2009 规定了公称尺寸至 3150mm 的孔、轴公差带和配合的选择。该标准代替了 GB/T 1801—1999。

④GB/T 1804—2000 一般公差　未注公差线性尺寸和角度尺寸的公差。

2.1.2　极限与配合常用术语

（1）尺寸要素　由一定大小的线性尺寸或角度尺寸确定的几何形状称为尺寸要素。例如，零件上具有某一直径的圆柱形即是圆柱形尺寸要素。尺寸要素是可以通过测量器具提取所需线性尺寸的几何形状。

（2）轴和孔

①轴。通常指工件的圆柱形外尺寸要素（即圆柱形外表面），也包

括非圆柱形的外尺寸要素(由二平行平面或切面形成的被包容面)。

②孔。通常指工件的圆柱形内尺寸要素(即圆柱形内表面),也包括非圆柱形的内尺寸要素(由两平行平面或切面形成的包容面)。

轴和孔也可以从加工时,其线性特征尺寸 A_s 的变化趋势来认识。加工时,线性尺寸 A_s 由大变小的称为轴;反之,为孔,孔和轴的定义如图 2-1 所示。

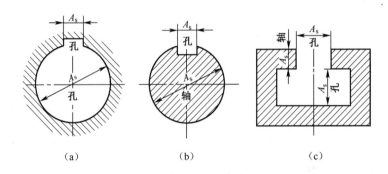

（a）　　　　　（b）　　　　　（c）

图 2-1　孔和轴的定义
(a)圆柱形内表面和键槽　(b)圆柱形外表面和键槽　(c)凹槽和凸槽

(3)尺寸　以特定单位表示线性尺寸的数位称为尺寸。

①公称尺寸。由图样规范确定的理想形状要素的尺寸称为公称尺寸。公称尺寸一般由设计确定,是确定公差等级、公差数值和偏差差值的依据。孔和轴的公称尺寸分别用代号 D 和 d 表示。

②极限尺寸。尺寸要素允许的尺寸的两个极端称为极限尺寸。尺寸要素允许的最大尺寸称为上极限尺寸,用 D_{max} 或 d_{max} 表示;尺寸要素允许的最小尺寸称为下极限尺寸,用 D_{min} 或 d_{min} 表示。极限尺寸也是由设计确定的。

③实际尺寸。实际尺寸是提取要素局部尺寸的俗称,是零件加工后通过测量(用两点法相对测量)获得的尺寸。由于存在测量误差和零件形状偏差,所以实际尺寸只是近似于真实的尺寸。若以 D_a、d_a 表示

真实尺寸,则零件该尺寸合格的条件为:

$$D_{\min}\leqslant D_a\leqslant D_{\max};$$

$$d_{\min}\leqslant d_a\leqslant d_{\max}$$

（4）零线　在极限与配合图解中,表示公称尺寸的一条直线,以其为基准确定偏差和公差。公称尺寸、上极限尺寸和下极限尺寸的图解如图2-2所示。

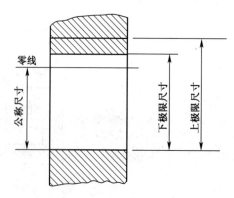

图2-2　公称尺寸、上极限尺寸和下极限尺寸的图解

通常,零线沿水平方向绘制,正偏差位于其上,负偏差位于其下。公差带图解如图2-3所示。

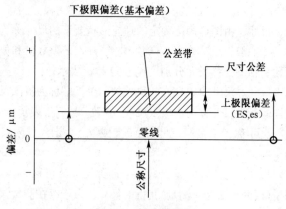

图2-3　公差带图解

(5)偏差 某一尺寸减其公称尺寸所得的代数差称为偏差。偏差可正,可负。

①上极限偏差。上极限尺寸减其公称尺寸所得的代数差称为上极限偏差(在以前的版本中,上极限偏差被称为上偏差)。孔和轴的上极限偏差代号分别为 ES 和 es。

$$ES=D_{max}-D;es=d_{max}-d$$

②下极限偏差。下极限尺寸减其公称尺寸所得的代数差,称为下极限偏差(在以前的版本中,下极限偏差被称为下偏差)。孔和轴的下极限偏差的代号分别为 EI 和 ei。孔、轴基本偏差系列如图 2-4 所示。

$$EI=D_{min}-D;ei=d_{min}-d$$

③基本偏差。确定公差带相对零线位置的那个极限偏差称为基本偏差。基本偏差可以是上极限偏差也可以是下极限偏差,一般以最靠近零线的那个极限偏差作为基本偏差。国家标准规定了孔和轴的基本偏差各 28 种,分别用大、小写字母表示。

孔的基本偏差代号为 A,B…ZC;轴的基本偏差代号为 a,b…zc。其中,基本偏差 H 代表基准孔,h 代表基准轴,基准孔、基准轴的基本偏差都与零线重合。

④实际偏差。实际尺寸减其公称尺寸所得的代数差称为实际偏差,它是提取要素的局部偏差。孔和轴的实际偏差分别用符号 E_a 和 e_a 表示,则

$$E_a=D_a-D;e_a=d_a-d$$

合格条件为

$$EI \leqslant E_a \leqslant ES;ei \leqslant e_a \leqslant es$$

⑤极限偏差在图样上的标注。具有一定公称尺寸 D,且已确定了上极限偏差(ES、es)、下极限偏差(EI,ei),在图样上标注符号位置为 D_{EI}^{ES} 或 d_{ei}^{es},如 $\phi 30_{-0.041}^{+0.020}$ 表示公称尺寸为 30mm 的孔(或轴),其上极限偏差为+0.020mm,下极限偏差为−0.041mm。上极限尺寸 $D_{max}=D+ES=30mm+0.020mm=30.020mm$,下极限尺寸 $D_{min}=D+EI=30mm+(-0.041)mm=29.959mm$。

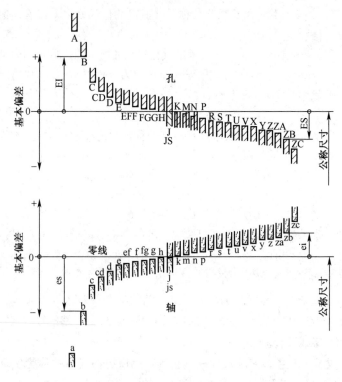

图 2-4　孔、轴基本偏差系列

（6）尺寸公差（简称公差）　上极限尺寸减下极限尺寸之差，或上极限偏差减下极限偏差之差称为尺寸公差。它是允许尺寸的变动量，是一个没有符号的绝对值。公差用符号 T 表示，以 T_h 和 T_s 分别表示孔和轴的公差，则

$$T_h = D_{max} - D_{min} = ES - EI;$$

$$T_s = d_{max} - d_{min} = es - ei$$

①标准公差（IT）。GB/T 1806.1—2009 极限与配合制中所规定的任一公差称为标准公差。标准公差分为 20 级，分别用 IT01、IT0、IT1、…、IT18 表示。其中，IT01 最高，依次降低，IT18 最低。

②标准公差等级。在极限与配合制中,同一公差等级(例如IT7)对所有公称尺寸的一组公差被认为具有同等精确程度。一般情况下,随公称尺寸加大,其标准公差数值也增大。尽管所有尺寸段的公差数值各不相同,但它们仍然同属于同一公差等级,即具有同一精度等级。

③公差带。在公差带图解中,由代表上极限偏差和下极限偏差或上极限尺寸和下极限尺寸的两条直线所限定的一个区域称为公差带。它是由公差大小和其相对零线的位置(基本偏差)来确定。

公差带代号由公称尺寸、基本偏差和标准公差等级组成,如52H7,其中52为公称尺寸,H为基本偏差代号,7为标准公差等级(省去字母IT)。

(7)配合 公称尺寸相同的、并且相互结合的孔和轴公差带之间的关系,称为配合。

①配合的类型。配合的类型有间隙配合、过盈配合和过渡配合三种。三种配合的种类及特点见表2-1。

②配合公差。组成配合的孔与轴的公差之和称为配合公差,它是允许间隙或过盈的变动量。用T_f表示。

间隙配合公差表示允许间隙的变动量:

$$T_f = X_{max} - X_{min} = T_h + T_s$$

过盈配合的公差表示允许过盈的变动量:

$$T_f = |Y_{max} - Y_{min}| = T_h + T_s$$

过渡配合的公差表示过渡配合允许变动量:

$$T_f = |X_{max} - Y_{max}| = T_h + T_s$$

配合公差是依据使用要求确定的,在满足使用条件之下,应安排零件选用较大的公差,以降低制造难度。

③配合的基准制。配合基准制有基孔制和基轴制两种,配合基准制见表2-2。

表 2-1 三种配合的种类及特点

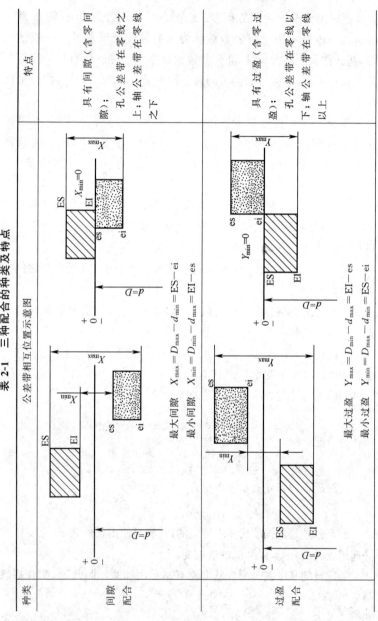

种类	公差带相互位置示意图	特点
间隙配合	最大间隙 $X_{max}=D_{max}-d_{min}=ES-ei$ 最小间隙 $X_{min}=D_{min}-d_{max}=EI-es$	具有间隙（含零间隙）；孔公差带在零线之上；轴公差带在零线之下
过盈配合	最大过盈 $Y_{max}=D_{min}-d_{max}=EI-es$ 最小过盈 $Y_{min}=D_{max}-d_{min}=ES-ei$	具有过盈（含零过盈）；孔公差带在零线以下；轴公差带在零线以上

续表 2-1

种类	公差带相互位置示意图	特点
过渡配合	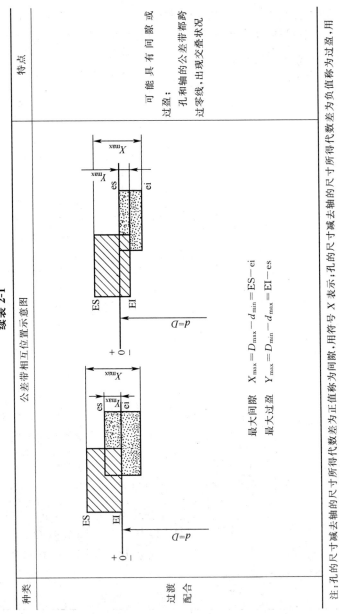 最大间隙 $X_{max} = D_{max} - d_{min} = ES - ei$ 最大过盈 $Y_{max} = D_{min} - d_{max} = EI - es$	可能具有间隙或过盈；孔和轴的公差带都跨过零线，出现交叠状况

注：孔的尺寸减去轴的尺寸所得代数差为正值称为间隙，用符号 X 表示；孔的尺寸减去轴的尺寸所得代数差为负值称为过盈，用符号 Y 表示。

④配合的表示。配合用相同的公称尺寸后跟孔、轴公差带表示。孔、轴公差带写成分数形式,分子为孔的公差带,分母为轴的公差带,如 52H7/g6 或 $52\dfrac{H7}{g6}$。

表 2-2　配合基准制

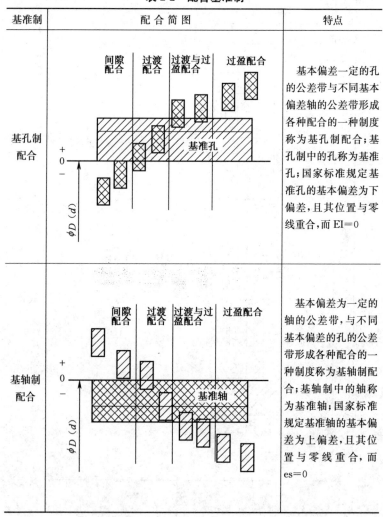

基准制	配 合 简 图	特点
基孔制配合		基本偏差一定的孔的公差带与不同基本偏差轴的公差带形成各种配合的一种制度称为基孔制配合;基孔制中的孔称为基准孔;国家标准规定基准孔的基本偏差为下偏差,且其位置与零线重合,而 EI=0
基轴制配合		基本偏差为一定的轴的公差带,与不同基本偏差的孔的公差带形成各种配合的一种制度称为基轴制配合;基轴制中的轴称为基准轴;国家标准规定基准轴的基本偏差为上偏差,且其位置与零线重合,而 es=0

(8)计算示例 尺寸代号 $\phi25^{+0.021}_{0}$ mm 的基准孔与三种不同尺寸的轴 $\phi25^{-0.020}_{-0.033}$ mm、$\phi25^{+0.041}_{+0.028}$ mm、$\phi25^{+0.015}_{+0.002}$ mm 配合的计算示例见表 2-3。

表 2-3　计算示例

项目	孔 $\phi25^{+0.021}_{0}$	轴 $\phi25^{-0.020}_{-0.033}$	孔 $\phi25^{+0.021}_{0}$	轴 $\phi25^{-0.041}_{-0.028}$	孔 $\phi25^{+0.021}_{0}$	轴 $\phi25^{-0.015}_{-0.002}$
公称尺寸 D	$\phi25$	$\phi25$	$\phi25$	$\phi25$	$\phi25$	$\phi25$
上极限偏差 ES	$+0.021$	-0.020	$+0.021$	$+0.041$	$+0.021$	$+0.015$
下极限偏差 EI(ei)	0	-0.033	0	$+0.028$	0	$+0.002$
公差 $T_h(T_s)$	0.021	0.013	0.021	0.013	0.021	0.013
上极限尺寸	$\phi25.021$	$\phi24.980$	$\phi25.021$	$\phi25.041$	$\phi25.021$	$\phi25.015$
下极限尺寸	$\phi25.000$	$\phi24.967$	$\phi25.000$	$\phi25.028$	$\phi25.000$	$\phi25.002$
最大间隙 X_{max}	$+0.054$				$+0.019$	
最小间隙 X_{min}	$+0.020$					
最大过盈 Y_{max}			-0.041		-0.015	
最小过盈 Y_{min}			-0.007			
配合公差 T_f	0.034		0.034		0.034	
配合类别	间隙配合		过盈配合		过渡配合	

2.1.3　标准公差等级和孔、轴极限偏差

(1)标准公差

①标准公差等级。公称尺寸至 500mm 的标准公差为 20 个,分别用代号 IT01、IT0、IT1~IT18 表示。其中 IT01 最高,依次降低,IT18 最低。公称尺寸 500~3150mm,规定了 IT1~IT18 级标准公差等级。

②标准公差表。国家标准 GB/T 1800.1—2009 规定不同等级标准公差值的计算公式,对各个公称尺寸分别计算出相应的公差值,制成相应的表格。

公称尺寸至 500mm IT01、IT0 的标准公差数值见表 2-4;公称尺寸至 3150mm IT1 至 IT18 的标准公差数值见表 2-5。

公称尺寸 500～3150mm 的公差数值可参阅 GB/T 1800.1—2009。

表 2-4　IT01 和 IT0 的标准公差数值(摘自 GB/T 1800.1—2009)

公称尺寸 /mm		标准公差等级	
		IT01	IT0
大于	至	公差/μm	
—	3	0.3	0.5
3	6	0.4	0.6
6	10	0.4	0.6
10	18	0.5	0.8
18	30	0.6	1
30	50	0.6	1
50	80	0.8	1.2
80	120	1	1.5
120	180	1.2	2
180	250	2	3
250	315	2.5	4
315	400	3	5
400	500	4	6

③查表示例。利用表 2-5,查出公称尺寸为 30mm、50mm 和 60mm 的 IT7 级公差值如下:

公称尺寸 30mm 处于"大于 18 至 30"尺寸段,查得其 IT7 级标准公差为 0.021mm;

公称尺寸 50mm 处于"大于㉚至 50"尺寸段,查得其 IT7 级标准公差为 0.025mm;

表2-5 IT1 至 IT18 的标准公差数值（摘自 GB/T 1800.1—2009）

公称尺寸/mm 大于	至	标准公差等级																	
		IT1	IT2	IT3	IT4	IT5	IT6	IT7	IT8	IT9	IT10	IT11	IT12	IT13	IT14	IT15	IT16	IT17	IT18
		μm											mm						
—	3	0.8	1.2	2	3	4	6	10	14	25	40	60	0.1	0.14	0.25	0.4	0.6	1	1.4
3	6	1	1.5	2.5	4	5	8	12	18	30	48	75	0.12	0.18	0.3	0.48	0.75	1.2	1.8
6	10	1	1.5	2.5	4	6	9	15	22	36	58	90	0.15	0.22	0.36	0.58	0.9	1.5	2.2
10	18	1.2	2	3	5	8	11	18	27	43	70	110	0.18	0.27	0.43	0.7	1.1	1.8	2.7
18	30	1.5	2.5	4	6	9	13	21	33	52	84	130	0.21	0.33	0.52	0.84	1.3	2.1	3.3
30	50	1.5	2.5	4	7	11	16	25	39	62	100	160	0.25	0.39	0.62	1	1.6	2.5	3.9
50	80	2	3	5	8	13	19	30	46	74	120	190	0.3	0.46	0.74	1.2	1.9	3	4.6
80	120	2.5	4	6	10	15	22	35	54	87	140	220	0.35	0.54	0.87	1.4	2.2	3.5	5.4
120	180	3.5	5	8	12	18	25	40	63	100	160	250	0.4	0.63	1	1.6	2.5	4	6.3
180	250	4.5	7	10	14	20	29	46	72	115	185	290	0.46	0.72	1.15	1.85	2.9	4.6	7.2
250	315	6	8	12	16	23	32	52	81	130	210	320	0.52	0.81	1.3	2.1	3.2	5.2	8.1

续表 2-5

公称尺寸/mm		标准公差等级																	
大于	至	IT1	IT2	IT3	IT4	IT5	IT6	IT7	IT8	IT9	IT10	IT11	IT12	IT13	IT14	IT15	IT16	IT17	IT18
							μm									mm			
315	400	7	9	13	18	25	36	57	89	140	230	360	0.57	0.89	1.4	2.3	3.6	5.7	8.9
400	500	8	10	15	20	27	40	63	97	155	250	400	0.63	0.97	1.55	2.5	4	6.3	9.7
500	630	9	11	16	22	32	44	70	110	175	280	440	0.7	1.1	1.75	2.8	4.4	7	11
630	800	10	13	18	25	36	50	80	125	200	320	500	0.8	1.25	2	3.2	5	8	12.5
800	1000	11	15	21	28	40	56	90	140	230	360	560	0.9	1.4	2.3	3.6	5.6	9	14
1000	1250	13	18	24	33	47	66	105	165	260	420	660	1.05	1.65	2.6	4.2	6.6	10.5	16.5
1250	1600	15	21	29	39	55	78	125	195	310	500	780	1.25	1.95	3.1	5	7.8	12.5	19.5
1600	2000	18	25	35	46	65	92	150	230	370	600	920	1.5	2.3	3.7	6	9.2	15	23
2000	2500	22	30	41	55	78	110	175	280	440	700	1100	1.75	2.8	4.4	7	11	17.5	28
2500	3150	26	36	50	68	96	135	210	330	540	860	1350	2.1	3.3	5.4	8.6	13.5	21	33

注：①基本尺寸大于 500m 的 IT1 至 IT5 的标准公差数值为试行的。

②基本尺寸小于或等于 1mm 时，无 IT14 至 IT18。

公称尺寸 60mm 处于"大于 50 至 80"尺寸段,查得其 IT7 级标准公差为 0.03mm。

（2）**基本偏差** 公差带大小由标准公差数值确定,公差带的位置则由基本偏差确定。孔、轴的极限偏差中距离零线最近的极限偏差称为基本偏差。以下极限偏差作为基本偏差时,其公差带就位于零线以上;以上极限偏差作为基本偏差时,其公差带就位于零线以下。

①基本偏差的种类及代号。GB/T 1800.1—2009 已将基本偏差标准化了。国家标准对孔和轴分别规定了 28 种基本偏差,分别用拉丁字母及其组合为代号表示。大写字母用于表示孔的基本偏差,小写字母用于表示轴的基本偏差。孔和轴的基本偏差代号及其相对于零线位置分布情况如图 2-4 表示。

②基本偏差系列特征。孔的基本偏差系列中,从 A 到 H 的基本偏差为下极限偏差;从 J 到 ZC 的基本偏差为上极限偏差。

轴的基本偏差系列中,从 a 到 h 的基本偏差为上极限偏差;从 j 到 zc 的基本偏差为下极限偏差。

从 A 到 H(a 到 h),其基本偏差绝对值逐步减小,至 H(h)时为零,即 H 的下极限偏差 $EI=0$,h 的上极限偏差 $es=0$。从 J 到 ZC(j 到 zc),其基本偏差的绝对值逐渐加大。

JS(js)的公差带对称配置在零线两侧,上极限偏差和下极限偏差均可作为基本偏差。

③基本偏差数值。孔的基本偏差值见表 2-6,轴的基本偏差值见表 2-7。

④查表应用示例。利用表 2-6、表 2-7 确定尺寸代号 $\phi50H7$ 孔和 $\phi50f8$ 的数值。确定基本偏差:

$\phi50H7$,查表 2-6,在公称尺寸段为 $>40\sim50$,基本偏差 H 为下极限偏差 EI,基本偏差值为 0。该孔的上极限偏差 $ES=EI+IT7$。

$\phi50f8$,查表 2-7,在公称尺寸段为 $>40\sim50$,基本偏差为上极限偏差 es,且 $es=-0.025mm$。该轴的下极限偏差 $ei=es-IT8$。

表 2-6 孔的基本偏差值(GB/T 1800.1—2009)

基本偏差/μm

公称尺寸/mm	下极限偏差 EI 所有的公差等级												上极限偏差 ES								
	A	B	C	CD	D	E	EF	F	EG	G	H	JS	J 6	J 7	J 8	K ≤8	K >8	M ≤8	M >8	N ≤8	N >8
≤3	+270	+140	+60	+34	+20	+14	+10	+6	+4	+2	0	±IT/2	+2	+4	+6	0	0	−2	−2	−4	−4
>3~6	+270	+140	+70	+46	+30	+20	+14	+10	+6	+4	0	±IT/2	+5	+6	+10	−1+Δ	—	−4+Δ	−4	−8+Δ	0
>6~10	+280	+150	+80	+56	+40	+25	+18	+13	+8	+5	0	±IT/2	+5	+8	+12	−1+Δ	—	−6+Δ	−6	−10+Δ	0
>10~14	+290	+150	+95	—	+50	+32	—	+16	—	+6	0	±IT/2	+6	+10	+15	−1+Δ	—	−7+Δ	−7	−12+Δ	0
>14~18	+290	+150	+95	—	+50	+32	—	+16	—	+6	0	±IT/2	+6	+10	+15	−1+Δ	—	−7+Δ	−7	−12+Δ	0
>18~24	+300	+160	+110	—	+65	+40	—	+20	—	+7	0	±IT/2	+8	+12	+20	−2+Δ	—	−8+Δ	−8	−15+Δ	0
>24~30	+300	+160	+110	—	+65	+40	—	+20	—	+7	0	±IT/2	+8	+12	+20	−2+Δ	—	−8+Δ	−8	−15+Δ	0
>30~40	+310	+170	+120	—	+80	+50	—	+25	—	+9	0	±IT/2	+10	+14	+24	−2+Δ	—	−9+Δ	−9	−17+Δ	0
>40~50	+320	+180	+130	—	+80	+50	—	+25	—	+9	0	±IT/2	+10	+14	+24	−2+Δ	—	−9+Δ	−9	−17+Δ	0
>50~65	+340	+190	+140	—	+100	+60	—	+30	—	+10	0	±IT/2	+13	+18	+28	−2+Δ	—	−11+Δ	−11	−20+Δ	0
>65~80	+360	+200	+150	—	+100	+60	—	+30	—	+10	0	±IT/2	+13	+18	+28	−2+Δ	—	−11+Δ	−11	−20+Δ	0
>80~100	+380	+220	+170	—	+120	+72	—	+36	—	+12	0	±IT/2	+16	+22	+34	−3+Δ	—	−13+Δ	−13	−23+Δ	0
>100~120	+410	+240	+180	—	+120	+72	—	+36	—	+12	0	±IT/2	+16	+22	+34	−3+Δ	—	−13+Δ	−13	−23+Δ	0
>120~140	+460	+260	+200	—	+145	+85	—	+43	—	+14	0	±IT/2	+18	+26	+41	−3+Δ	—	−15+Δ	−15	−27+Δ	0
>140~160	+520	+280	+210	—	+145	+85	—	+43	—	+14	0	±IT/2	+18	+26	+41	−3+Δ	—	−15+Δ	−15	−27+Δ	0
>160~180	+580	+310	+230	—	+145	+85	—	+43	—	+14	0	±IT/2	+18	+26	+41	−3+Δ	—	−15+Δ	−15	−27+Δ	0
>180~200	+660	+340	+240	—	+170	+100	—	+50	—	+15	0	±IT/2	+22	+30	+47	−3+Δ	—	−17+Δ	−17	−31+Δ	0
>200~225	+740	+380	+260	—	+170	+100	—	+50	—	+15	0	±IT/2	+22	+30	+47	−3+Δ	—	−17+Δ	−17	−31+Δ	0
>225~250	+820	+420	+280	—	+170	+100	—	+50	—	+15	0	±IT/2	+22	+30	+47	−3+Δ	—	−17+Δ	−17	−31+Δ	0
>250~280	+920	+480	+300	—	+190	+110	—	+56	—	+17	0	±IT/2	+25	+36	+55	−4+Δ	—	−20+Δ	−20	−34+Δ	0
>280~315	+1050	+540	+330	—	+190	+110	—	+56	—	+17	0	±IT/2	+25	+36	+55	−4+Δ	—	−20+Δ	−20	−34+Δ	0
>315~355	+1200	+600	+360	—	+210	+125	—	+62	—	+18	0	±IT/2	+29	+39	+60	−4+Δ	—	−21+Δ	−21	−37+Δ	0
>355~400	+1350	+680	+400	—	+210	+125	—	+62	—	+18	0	±IT/2	+29	+39	+60	−4+Δ	—	−21+Δ	−21	−37+Δ	0
>400~450	+1500	+760	+440	—	+230	+135	—	+68	—	+20	0	±IT/2	+33	+43	+66	−5+Δ	—	−23+Δ	−23	−40+Δ	0
>450~500	+1650	+840	+480	—	+230	+135	—	+68	—	+20	0	±IT/2	+33	+43	+66	−5+Δ	—	−23+Δ	−23	−40+Δ	0

注:JS 偏差等于 ±IT/2。

续表 2-6

公称尺寸/mm	基本偏差/μm 上极限偏差 ES												Δ/μm					
	P~ZC ≤7	R	S	T	U	V	X	Y	Z	ZA	ZB	ZC	3	4	5	6	7	8
	P					>7											0		
≤3	−6	−10	−14	—	−18	—	−20	—	−26	−32	−40	−60	0	0	0	0	0	0
>3~6	−12	−15	−19	—	−23	—	−28	—	−35	−42	−50	−80	1	1.5	1	3	4	6
>6~10	−15	−19	−23	—	−28	—	−34	—	−42	−52	−67	−97	1	1.5	2	3	6	7
>10~14	−18	−23	−28	—	−33	—	−40	—	−50	−64	−90	−130	1	2	3	3	7	9
>14~18	−18	−23	−28	—	−33	−39	−45	—	−60	−77	−108	−150	1	2	3	3	7	9
>18~24	−22	−28	−35	—	−41	−47	−54	−65	−73	−98	−136	−188	1.5	2	3	4	8	12
>24~30	−22	−28	−35	−41	−48	−55	−64	−75	−88	−118	−160	−218	1.5	2	3	4	8	12
>30~40	−26	−34	−43	−48	−60	−68	−80	−94	−112	−148	−200	−274	1.5	3	4	5	9	14
>40~50	−26	−34	−43	−54	−70	−81	−95	−114	−136	−180	−242	−325	1.5	3	4	5	9	14
>50~65	−32	−41	−53	−66	−87	−102	−122	−144	−172	−226	−300	−400	2	3	5	6	11	16
>65~80	−32	−43	−59	−75	−102	−120	−146	−174	−210	−274	−360	−480	2	3	5	6	11	16
>80~100	−37	−51	−71	−92	−124	−146	−178	−214	−258	−335	−445	−585	2	4	5	7	13	19
>100~120	−37	−54	−79	−104	−144	−172	−210	−254	−310	−400	−525	−690	2	4	5	7	13	19
>120~140	−43	−63	−92	−122	−170	−202	−248	−300	−365	−470	−620	−800	3	4	6	7	15	23
>140~160	−43	−65	−100	−134	−190	−228	−280	−340	−415	−535	−700	−900	3	4	6	7	15	23
>160~180	−43	−68	−108	−146	−210	−252	−310	−380	−465	−600	−780	−1000	3	4	6	7	15	23
>180~200	−50	−77	−122	−166	−236	−284	−350	−425	−520	−670	−880	−1150	3	4	6	9	17	26
>200~225	−50	−80	−130	−180	−258	−310	−385	−470	−575	−740	−960	−1250	3	4	6	9	17	26
>225~250	−50	−84	−140	−196	−284	−340	−425	−520	−640	−820	−1050	−1350	3	4	6	9	17	26
>250~280	−56	−94	−158	−218	−315	−385	−475	−580	−710	−920	−1200	−1500	4	4	7	9	20	29
>280~315	−56	−98	−170	−240	−350	−425	−525	−650	−790	−1000	−1300	−1700	4	4	7	9	20	29
>315~355	−62	−108	−190	−268	−390	−475	−590	−730	−900	−1150	−1500	−1900	4	5	7	11	21	32
>355~400	−62	−114	−208	−294	−435	−530	−660	−820	−1000	−1300	−1650	−2100	4	5	7	11	21	32
>400~450	−68	−126	−232	−330	−490	−595	−740	−920	−1100	−1450	−1850	−2400	5	5	7	13	23	34
>450~500	−68	−132	−252	−360	−540	−660	−820	−1000	−1250	−1600	−2100	−2600	5	5	7	13	23	34

在 >7 级的相应数值上增加一个 Δ 值

注：①基本尺寸小于 1mm 时，各级的 A 和 B 及大于 8 级的 N 均不采用。
②JS 的数值：对 IT7~IT11，若 IT 的数值（μm）为奇数，则取 JS=$\pm\frac{IT-1}{2}$。
③特殊情况：当基本尺寸大于 250mm 而小于 315mm 时，M6 的 ES 等于 −9，不等于 −11。

表 2-7 轴的基本偏差值(GB/T 1800.1—2009)

基本偏差/μm

公称尺寸/mm	上极限偏差 es（所有公差等级）											js	j			k	
	a	b	c	cd	d	e	ef	f	fg	g	h		5~6	7	8	4~7	≤3>7
≤3	-270	-140	-60	-34	-20	-14	-10	-6	-4	-2	0		-2	-4	-6	0	0
>3~6	-270	-140	-70	-46	-30	-20	-14	-10	-6	-4	0		-2	-4	—	+1	0
>6~10	-280	-150	80	-56	-40	-25	-18	-13	-8	-5	0		-2	-5	—	+1	0
>10~14	-290	-150	-95	—	-50	-32	—	-16	—	-6	0		-3	-6	—	+1	0
>14~18	-290	-150	-95	—	-50	-32	—	-16	—	-6	0	偏差等于 ±IT/2	-3	-6	—	+1	0
>18~24	-300	-160	-110	—	-65	-40	—	-20	—	-7	0		-4	-8	—	+2	0
>24~30	-300	-160	-110	—	-65	-40	—	-20	—	-7	0		-4	-8	—	+2	0
>30~40	-310	-170	-120	—	-80	-50	—	-25	—	-9	0		-5	-10	—	+2	0
>40~50	-320	-180	-130	—	-80	-50	—	-25	—	-9	0		-5	-10	—	+2	0
>50~65	-340	-190	-140	—	-100	-60	—	-30	—	-10	0		-7	-12	—	+2	0
>65~80	-360	-200	-150	—	-100	-60	—	-30	—	-10	0		-7	-12	—	+2	0
>80~100	-380	-220	-170	—	-120	-72	—	-36	—	-12	0		-9	-15	—	+3	0
>100~120	-410	-240	-180	—	-120	-72	—	-36	—	-12	0		-9	-15	—	+3	0
>120~140	-460	-260	-200	—	-145	-85	—	-43	—	-14	0		-11	-18	—	+3	0
>140~160	-520	-280	-210	—	-145	-85	—	-43	—	-14	0		-11	-18	—	+3	0
>160~180	-580	-310	-230	—	-145	-85	—	-43	—	-14	0		-11	-18	—	+3	0
>180~200	-660	-340	-240	—	-170	-100	—	-50	—	-15	0		-13	-21	—	+4	0
>200~225	-740	-380	-260	—	-170	-100	—	-50	—	-15	0		-13	-21	—	+4	0
>225~250	-820	-420	-280	—	-170	-100	—	-50	—	-15	0		-13	-21	—	+4	0
>250~280	-920	-480	-300	—	-190	-110	—	-56	—	-17	0		-16	-26	—	+4	0
>280~315	-1050	-540	-330	—	-190	-110	—	-56	—	-17	0		-16	-26	—	+4	0
>315~355	-1200	-600	-360	—	-210	-125	—	-62	—	-18	0		+18	-28	—	+4	0
>355~400	-1350	-680	-400	—	-210	-125	—	-62	—	-18	0		+18	-28	—	+4	0
>400~450	-1500	-760	-440	—	-230	-135	—	-68	—	-20	0		-20	-32	—	+5	0
>450~500	-1650	-840	-480	—	-230	-135	—	-68	—	-20	0		-20	-32	—	+5	0

续表 2-7

基本偏差/μm　下极限偏差 ei　所有公差等级

公称尺寸/mm	m	n	p	r	s	t	u	v	x	y	z	za	zb	zc
≤3	+2	+4	+6	+10	+14	—	+18	—	+20	—	+26	+32	+40	+60
>3~6	+4	+8	+12	+15	+19	—	+23	—	+28	—	+35	+42	+50	+80
>6~10	+6	+10	+15	+19	+23	—	+28	—	+34	—	+42	+52	+67	+97
>10~14	+7	+12	+18	+23	+28	—	+33	—	+40	—	+50	+64	+90	+130
>14~18						—		+39	+45	—	+60	+77	+108	+150
>18~24	+8	+15	+22	+28	+35	—	+41	+47	+54	+62	+73	+98	+136	+188
>24~30						+41	+48	+55	+64	+75	+88	+118	+160	+218
>30~40	+9	+17	+26	+34	+43	+48	+60	+68	+80	+94	+112	+148	+200	+274
>40~50						+54	+70	+81	+97	+114	+136	+180	+242	+325
>50~65	+11	+20	+32	+41	+53	+66	+87	+102	+122	+144	+172	+226	+300	+405
>65~80				+43	+59	+75	+102	+120	+146	+174	+210	+274	+360	+480
>80~100	+13	+23	+37	+51	+71	+91	+124	+146	+178	+214	+258	+335	+445	+585
>100~120				+54	+79	+104	+144	+172	+210	+256	+310	+400	+525	+690
>120~140	+15	+27	+43	+63	+92	+122	+170	+202	+248	+300	+365	+470	+620	+800
>140~160				+65	+100	+134	+190	+228	+280	+340	+415	+535	+700	+900
>160~180				+68	+108	+146	+210	+252	+310	+380	+465	+600	+780	+1000
>180~200	+17	+31	+50	+77	+122	+166	+236	+284	+350	+425	+520	+670	+880	+1150
>200~225				+80	+130	+180	+258	+310	+385	+470	+575	+740	+960	+1250
>225~250				+84	+140	+196	+284	+340	+425	+520	+640	+820	+1050	+1350
>250~280	+20	+34	+56	+94	+158	+218	+315	+385	+475	+580	+710	+920	+1200	+1500
>280~315				+98	+170	+240	+350	+425	+525	+650	+790	+1000	+1300	+1700
>315~355	+21	+37	+62	+108	+190	+268	+390	+475	+590	+730	+900	+1150	+1500	+1900
>355~400				+114	+208	+294	+435	+530	+650	+820	+1000	+1300	+1650	+2100
>400~450	+23	+40	+68	+126	+232	+330	+490	+595	+740	+920	+1100	+1450	+1850	+2400
>450~500				+132	+252	+360	+540	+660	+820	+1000	+1250	+1600	+2100	+2600

注：1. 基本尺寸小于 1mm 时，各级的 a 和 b 均不采用。2. js 的数值，对 IT7～IT11，若 IT 的数值（μm）为奇数，则取 js = $\pm\dfrac{IT-1}{2}$。

确定 IT7、IT8 的数值:

ϕ50IT7 和 ϕ50IT8 可由表 2-5 查得:公称尺寸 50,IT7=0.025mm;公称尺寸 50,IT8=0.039mm。

确定 ES、ei:

$$ES=EI+IT7=0+0.025=+0.025$$

$$ei=es-IT8=(-0.025)-0.039=-0.064$$

于是有:ϕ50H7=$\phi50^{+0.025}_{0}$,ϕ25f8=$\phi25^{-0.025}_{-0.064}$

(3)公差带

①公差带代号的标注。公差带代号由公称尺寸、基本偏差代号和公差等级组成,如 ϕ50M6 表示公称直径为 50mm、基本偏差为 M、公差等级为 6 级的孔,ϕ70h7 表示公称直径为 70mm,基本偏差为 h,公差等级为 7 级的轴。在图样上标注公差带有三种方法:

a. 在公称尺寸后加注公差带符号,如 ϕ40g6、ϕ80H5 等。

b. 在公称尺寸后加注出所要求的上、下极限偏差,如 $\phi100^{+0.015}_{0}$;

c. 在公称尺寸后同时加注公差带符号和相应的上、下极限偏差,如 ϕ100H5($^{+0.015}_{0}$)。

实际上,以第 2 种方式应用较普遍。

②公差带。国家标准规定了公称尺寸≤50mm 的轴和孔的公差带代号,按 GB/T 1801—2009 规定如下:

一般、常用和优先选用的轴的公差带如图 2-5 所示。轴的公差带共有一般公差带 119 种,其中 59 种为常用公差带(方框内),13 种为优先公差带(圆圈中)。

一般、常用和优先选用的孔的公差带如图 2-6 所示。孔的公差带共有一般公差带 105 种,其中 44 种为常用公差带(方框内),13 种为优先选用公差带(圆圈中)。

(4)配合

①配合的代号。配合的代号由孔、轴公差带的组成,以分数形式表示。分子为孔的公差带代号,分母为轴的公差带代号,如 H7/f6 或 $\frac{H7}{f6}$。

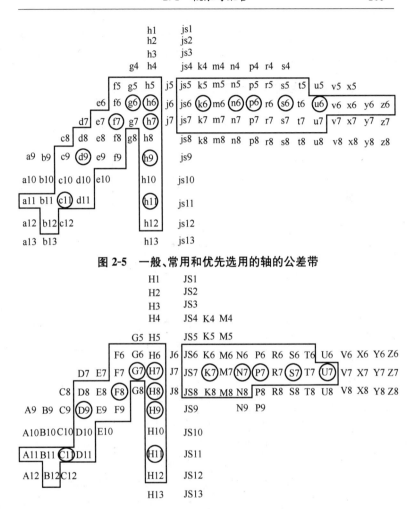

图 2-5 一般、常用和优先选用的轴的公差带

图 2-6 一般、常用和优先选用的孔的公差带

②配合的标注形式。配合的标注形式有三种：

a. 在公称尺寸后面标注配合代号，如 $\phi 30H7/f6$；

b. 在公称尺寸后面标注出配合代号中孔、轴的极限偏差值，如

$$\phi 30 \frac{+0.021}{0} \frac{0}{-0.020} ;$$
$$-0.033$$

c. 在公称尺寸后面同时标注配合代号以及孔和轴的极限偏差值，如 $\phi 30 \frac{\text{H7}\left(^{+0.021}_{0}\right)}{\text{f6}\left(^{-0.020}_{-0.033}\right)}$。

图 2-7 为三种配合的标注形式。实际上，第一种标注方式在装配图中应用较为普遍。

图 2-7　配合的标注形式

③基孔制和基轴制配合的形成。国家标准规定基孔制的形成和基轴制的形成分别见表 2-8 和表 2-9。

表 2-8　基孔制的形成

孔的基本偏差	轴的基本偏差		
	间隙配合	过渡配合	过盈配合
H	a～h	js,j,k,m,n	p～zc
	间隙依次减小至零	最大过盈依次加大	过盈依次加大

表 2-9　基轴制的形成

轴的基本偏差	孔的基本偏差		
	间隙配合	过渡配合	过盈配合
h	A～H	JS,J,K,M,N	P～ZC
	间隙依次减小至零	最大过盈依次加大	过盈依次加大

除非有特殊需要采用混合配合形式，一般均应按表 2-8、表 2-9 选用基孔制或基轴制配合。

④国家标准中规定的常用、优先配合。GB/T 1801—2009 对基孔制配合规定了常用配合 59 种、优先配合 13 种，基孔制常用、优先配合见表 2-10。此标准对基轴制配合规定了常用配合 47 种、优先配合 13 种，基轴制常用、优先配合见表 2-11。设计人员应优先选用优先配合，其次选择常用配合。

表2-10　基孔制常用、优先配合（GB/T 1801—2009）

（注：间隙配合对应 a～h；过渡配合对应 js～n；过盈配合对应 p～z）

基准孔	轴 a	b	c	d	e	f	g	h	js	k	m	n	p	r	s	t	u	v	x	y	z
H6						$\frac{H6}{f5}$	$\frac{H6}{g5}$	$\frac{H6}{h5}$	$\frac{H6}{js5}$	$\frac{H6}{k5}$	$\frac{H6}{m5}$	$\frac{H6}{n5}$	$\frac{H6}{p5}$	$\frac{H6}{r5}$	$\frac{H6}{s5}$	$\frac{H6}{t5}$					
H7						$\frac{H7}{f6}$	$\frac{H7}{g6}$▲	$\frac{H7}{h6}$▲	$\frac{H7}{js6}$	$\frac{H7}{k6}$▲	$\frac{H7}{m6}$	$\frac{H7}{n6}$▲	$\frac{H7}{p6}$▲	$\frac{H7}{r6}$	$\frac{H7}{s6}$▲	$\frac{H7}{t6}$	$\frac{H7}{u6}$▲	$\frac{H7}{v6}$	$\frac{H7}{x6}$	$\frac{H7}{y6}$	$\frac{H7}{z6}$
H8					$\frac{H8}{e7}$	$\frac{H8}{f7}$▲		$\frac{H8}{h7}$▲	$\frac{H8}{js7}$	$\frac{H8}{k7}$	$\frac{H8}{m7}$	$\frac{H8}{n7}$	$\frac{H8}{p7}$	$\frac{H8}{r7}$	$\frac{H8}{s7}$	$\frac{H8}{t7}$	$\frac{H8}{u7}$				
H8				$\frac{H8}{d8}$	$\frac{H8}{e8}$	$\frac{H8}{f8}$	$\frac{H8}{g7}$	$\frac{H8}{h8}$													
H9			$\frac{H9}{c9}$	$\frac{H9}{d9}$▲	$\frac{H9}{e9}$	$\frac{H9}{f9}$		$\frac{H9}{h9}$▲													
H10			$\frac{H10}{c10}$	$\frac{H10}{d10}$				$\frac{H10}{h10}$													
H11	$\frac{H11}{a11}$	$\frac{H11}{b11}$	$\frac{H11}{c11}$▲	$\frac{H11}{d11}$				$\frac{H11}{h11}$▲													
H12		$\frac{H12}{b12}$						$\frac{H12}{h12}$													

注：1. $\frac{H6}{n5}$、$\frac{H7}{p6}$ 在基本尺寸小于或等于3mm和 $\frac{H8}{r7}$ 在小于或等于100mm时，为过渡配合。

2. 有黑色三角标示的配合为优先配合。

表2-11　基轴制常用、优先配合(GB/T 1801—2009)

基准轴	A	B	C	D	E	F	G	H	孔 JS	K	M	N	P	R	S	T	U	V	X	Y	Z
	间隙配合								过渡配合				过盈配合								
h6						$\frac{F6}{h5}$	$\frac{G6}{h5}$	$\frac{H6}{h5}$	$\frac{JS6}{h5}$	$\frac{K6}{h5}$	$\frac{M6}{h5}$	$\frac{N6}{h5}$	$\frac{P6}{h5}$	$\frac{R6}{h5}$	$\frac{S6}{h5}$	$\frac{T6}{h5}$					
h6						$\frac{F7}{h6}$	$\frac{G7}{h6}$	▲$\frac{H7}{h6}$	$\frac{JS7}{h6}$	▲$\frac{K7}{h6}$	$\frac{M7}{h6}$	▲$\frac{N7}{h6}$	▲$\frac{P7}{h6}$	$\frac{R7}{h6}$	▲$\frac{S7}{h6}$	$\frac{T7}{h6}$	▲$\frac{U7}{h6}$				
h7					$\frac{E8}{h7}$	▲$\frac{F8}{h7}$		▲$\frac{H8}{h7}$	$\frac{JS8}{h7}$	$\frac{K8}{h7}$	$\frac{M8}{h7}$	$\frac{N8}{h7}$									
h8				$\frac{D8}{h8}$	$\frac{E8}{h8}$	$\frac{F8}{h8}$		$\frac{H8}{h8}$													
h9				▲$\frac{D9}{h9}$	$\frac{E9}{h9}$	$\frac{F9}{h9}$		▲$\frac{H9}{h9}$													
h10				$\frac{D10}{h10}$				$\frac{H10}{h10}$													
h11	$\frac{A11}{h11}$	$\frac{B11}{h11}$	▲$\frac{C11}{h11}$	$\frac{D11}{h11}$				▲$\frac{H11}{h11}$													
h12		$\frac{B12}{h12}$						$\frac{H12}{h12}$													

注:框中有黑三角的为优先配合。

由标准规定的配合可以看出,孔、轴标准公差的等级以 IT8 为界。IT8 的孔可以与同级的或高一级的轴的配合(例如 H8/h7、F8/h7);高于 IT8 的孔均采用与高一级的轴配合(例如 K7/h6);低于 IT8 的孔均采用同级配合(例如 H9/d9)。主要有从孔、轴的工艺等价性考虑,因为在常用尺寸段中高于 IT8 的轴比孔好加工;低于 IT8 的孔、轴加工难易程度相当。

在实际生产中,如因特殊需要或其他的充分理由,也允许采用非基准制的配合,即非基准孔和非基准轴的配合,如 G8/m7、F7/n6 等,这种配合,习惯上称混合配合。

(5)其他相关内容

①标准温度。国家标准 GB/T 1800.1—2009 中规定的标准温度为 20℃。国家标准规定的标准公差值、基本偏差值是在标准温度下的数值。对零件的测量要在标准温度下进行,如果偏离标准温度要对测量结果进行修正。

②一般公差——线性和角度尺寸的未注公差。对于加工工艺能保证精度的尺寸在图样上可不标注其尺寸公差,从而简化制图。这样的尺寸称为未注公差尺寸。未注公差尺寸是有公差的,只是未标注。国家标准 GB/T 1804—2000 对于一般公差作了具体的规定,适用于线性尺寸、角度尺寸要素的相互位置尺寸的未标注公差。

③线性尺寸的极限偏差数值见表 2-12。

表 2-12　线性尺寸的极限偏差数值(GB/T 1804—2000)　　　(mm)

公差等级	尺寸分段							
	0.5~3	>3~6	>6~30	>30~120	>120~400	>400~1000	>1000~2000	>2000~4000
f(精密级)	±0.05	±0.05	±0.1	±0.15	±0.2	±0.3	±0.5	—
m(中等级)	±0.1	±0.1	±0.2	±0.3	±0.5	±0.8	±1.2	±2
c(粗糙级)	±0.2	±0.3	±0.5	±0.8	±1.2	±2	±3	±4
v(最粗级)	—	±0.5	±1	±1.5	±2.5	±4	±6	±8

④倒圆半径与倒角高度尺寸的极限偏差数值见表 2-13。

表 2-13　倒圆半径与倒角高度尺寸的极限

偏差数值(GB/T 1804—2000)　　　　　　(mm)

公差等级	尺寸分段			
	0.5~3	>3~6	>6~30	>30
f(精密级)	±0.2	±0.5	±1	±2
m(中等级)				
c(粗糙级)	±0.4	±1	±2	±4
v(最粗级)				

⑤角度尺寸的极限偏差数值见表 2-14。

表 2-14　角度尺寸的极限偏差数值(GB/T 1804—2000)

公差等级	长度分段				
	≤10	>10~50	>50~120	>120~400	>400
f(精密级)	±1°	±30′	±20′	±10′	±5′
m(中等级)					
c(粗糙级)	±1°30′	±1°	±30′	±15′	±10′
v(最粗级)	±3°	±2°	±1°	±30′	±20′

注:角度尺寸的长度按角度的短边长度确定,对于圆锥角按圆锥素线长度确定。

同一尺寸的一般公差的数值远大于同一尺寸的标准公差值。选用某一精度等级时要在图样上标注出来,如选择 m 级时可在零件图的标题栏上方或技术要求中标注出:未注公差按GB/T 1804—m。

2.1.4　极限与配合的选择

(1)配合制的选择　配合制的选择原则见表 2-15。

(2)公差等级的选择

①公差等级的应用。根据应用场合,可选用相应的公差等级。公差等级的应用见表 2-16。

表 2-15　配合制的选择原则

配合制	选用的主要依据
优先选用 基孔制配合	优先选用基孔制的主要依据是从工艺上考虑,采用标准的定径刀具(如拉刀)加工出的孔的尺寸及偏差是不变的,而调节轴的偏差的加工工艺较简单(如外圆磨),改变轴的偏差较容易;基孔制的经济性较好,只要结构材料允许,一般都应采用基孔制
优先选用基 轴制配合	优先选用基轴制,主要从结构特殊性考虑,如在同一公称尺寸轴上,与其他零件配合时,同时存在两处(或两处以上)不同的配合类型时,从工艺上考虑,应以轴作为基准,调整与之配合的零件的孔的偏差,以达到不同的配合类型是合理的。内燃机中的活塞销与连杆、活塞之间的配合是采用基轴制的典型实例,如图所示 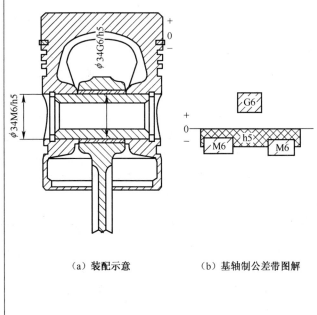 　　（a）装配示意　　　　　　　　　（b）基轴制公差带图解

续表 2-15

配合制	选用的主要依据
根据标准件选择基准制	设计零件与标准件相配合时,基准制应依标准件而定;例如滚动轴承的外圆与孔的配合应选基轴制;滚动轴承内圈与轴的配合为基孔制;在配合处标注时,只标非标准件的公差带,如图所示 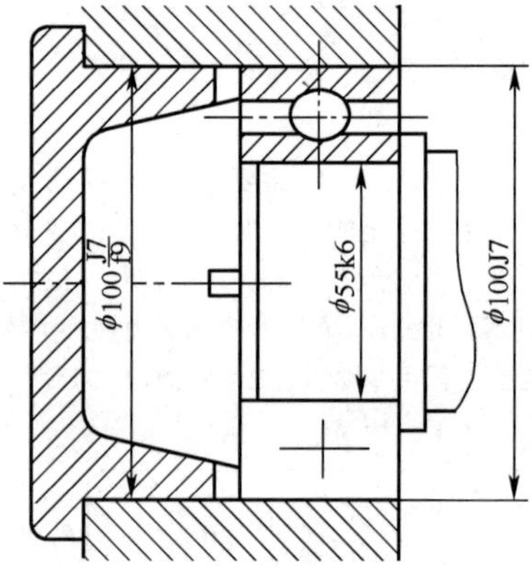 滚动轴承与孔、轴配合的标注
选用混合制配合(非基准制配合)	为满足特殊需要,采用非基准孔和非基准轴的配合称为非基准配合;如滚动轴承端盖与孔的配合,由于孔的公差带根据与滚动轴承外圈采用基轴制配合已经确定,如上图中 $\phi100\text{J7}$,端盖与孔之间的配合精度要求较低,因此可采用间隙配合如 $\phi100\,\dfrac{\text{J7}}{\text{f9}}$,此即是混合制配合的典型用处

②公差等级的主要应用范围见表 2-17。

③各种加工方法的合理加工精度。根据所选公差精度最终确定加工方法时,应了解各种加工方法可能达到的合理加工精度等级。各种加工方法的合理加工精度见表 2-18。

表2-16 公差等级的应用

应用场合			公差等级IT																			
			01	0	1	2	3	4	5	6	7	8	9	10	11	12	13	14	15	16	17	18
量规	量块																					
	高精度																					
	低精度																					
配合尺寸	个别精密配合																					
	特别重要	孔																				
		轴																				
	精密配合	孔																				
		轴																				
	中等精密	孔																				
		轴																				
	低精度配合																					
非配合尺寸																						
原材料尺寸																						

表 2-17　公差等级的主要应用范围

公差等级	主要应用范围
IT01~IT1	一般用于精密标准量块；IT1也用于检验IT6和IT7级轴用量规的校对量规
IT2~IT7	用于检验工件IT5~IT16的量规的尺寸公差
IT3~IT5（孔为IT6）	用于精度要求很高的重要配合；例如机床主轴与精密滚动轴承的配合，发动机活塞销与连杆孔和活塞孔的配合；配合公差很小，对加工要求很高，应用较少
IT6（孔为IT7）	用于机床、发动机和仪表中的重要配合；例如机床传动机构中的齿轮与轴的配合，轴与轴承的配合，发动机中活塞与气缸、曲轴与导套的配合等；配合公差较小，一般精密加工能够实现，在精密机械中广泛应用
IT7、IT8	用于机床和发动机中不太重要的配合，也用于重型机械、农业机械、纺织机械、机车车辆等的重要配合；例如机床上操纵杆的支承配合，发动机活塞环与活塞环槽的配合，农业机械中齿轮与轴的配合等；配合公差中等，加工易于实现，在一般机械中广泛应用
IT9、IT10	用于一般要求或长度精度要求较高的配合；某些非配合尺寸的特殊需要，例如飞机机身的外壳尺寸，由于质量限制，要求达到IT9或IT10
IT11、IT12	多用于各种没有严格要求，只要求便于连接的配合；例如螺栓和螺孔、铆钉和孔等的配合
IT12~IT18	用于非配合尺寸和粗加工的工序尺寸上；例如手柄的直径，壳体的外形和壁厚等尺寸，以及端面之间的距离等

表 2-18　各种加工方法的合理加工精度

加工方法	公差等级 IT																			
	01	0	1	2	3	4	5	6	7	8	9	10	11	12	13	14	15	16	17	18
研磨	━	━	━	━	━	━	━													
珩磨					━	━	━	━	━											
圆磨						━	━	━	━	━										
平磨							━	━	━	━										
金刚石车							━	━	━											
金刚石镗							━	━	━											
拉削							━	━	━	━										
铰孔								━	━	━	━	━								
精车精镗									━	━	━	━								
粗车												━	━	━						
粗镗												━	━	━						
铣										━	━	━	━							
刨,插										━	━	━	━							
钻削												━	━	━	━					
冲压												━	━	━	━	━				
滚压,挤压												━	━							
锻造															━	━	━	━		
砂型铸造																━	━	━		
金属型铸造															━	━	━			
气割																				━

（3）配合的选择　当配合基准制、公差等级确定之后，配合的选择实际上就是确定配合的类别和非基准件的基本偏差代号。国家标准推荐的配合见表 2-10 和表 2-11。

①配合类别的选择。配合类别的选择主要是依据孔、轴配合的相互运动关系要求、装配拆卸要求和工作要求而定。配合类别的选择方向见表 2-19。

表 2-19　配合类别的选择方向

相互运动情况	配合处的装配要求与使用要求		配合选择
配合件之间无相对运动	要传递扭矩	要精确同轴 永久结合	过盈配合
		要精确同轴 可拆结合	过渡配合或基本偏差为 H(h)间隙配合，但传递扭矩时要加紧固件（销、键或螺钉等）
		不需要求精确同轴	间隙配合要加紧固件
	不需要传递扭矩		过渡配合或轻的过盈配合
配合件之间有相对运动	只有移动		基本偏差为 H(h)，G(g) 等间隙配合
	转动或移动，往复运动		基本偏差为 A(a)～F(f) 等间隙配合

②非基准件基本偏差的选择。在确定配合类别之后，可按基孔制选择轴的基本偏差，或按基轴制选择孔的基本偏差，以实现所确定的配合类别。非基准件基本偏差的特点及应用说明见表 2-20。

表 2-20　非基准件基本偏差的特点及应用说明

配合	基本偏差	特点及应用说明
间隙配合	a(A),b(B)	可得到特别大的间隙，应用很少，主要用于工作时温度高、热变形大的零件的配合，如发动机中活塞与缸套的配合为 H9/a9
	c(C)	可得到很大的间隙，一般用于工作条件较差（如农业机械）、工作时受力变形大及装配工艺性不好的零件的配合。也适用于高温工作的间隙配合，如内燃机排气阀杆与导管的配合为 H8/c7

续表 2-20

配合	基本偏差	特点及应用实例
间隙配合	d(D)	与 IT7～IT11 对应,适用于较松的间隙配合(如滑轮、空转的带轮与轴的配合),以及大尺寸滑动轴承与轴颈的配合(如涡轮机、球磨机等的滑动轴承)。活塞环与活塞槽的配合可用 H9/d9
	e(E)	与 IT6～IT9 对应,具有明显的间隙,用于大跨距及多支点的转轴与轴承的配合,以及高速、重载的大尺寸轴与轴承的配合,如大型电机、同内燃机主要轴处的配合为 H8/e7
	f(F)	多与 IT6～IT8 对应,用于一般转动的配合,受温度影响不大,采用普通润滑油的轴与滑动轴承的配合,如齿轮箱、小电动机、泵等的转轴与滑动轴承的配合为 H7/f6
	g(G)	多与 IT5、IT6、IT7 对应,形成配合的间隙较小,用于轻载精密装置中的转动配合,用于插销的定位配合,滑阀、连杆销等处的配合,钻套孔多用 G
	h(H)	多与 IT4～IT11 对应,广泛用于无相对转动的配合,一般的定位配合。若没有温度、变形的影响,也可用于精密滑动轴承,如车床尾座孔与滑动套筒的配合为 H6/h5
过渡配合	js(JS)	多用于 IT4～IT7 具有平均间隙的过渡配合,用于略有过盈的定位配合,如联轴节、齿圈与轮毂的配合,滚动轴承外圈与外壳孔的配合多用 JS7。一般用手或木槌装配
	k(K)	多用于 IT4～IT7 具有平均间隙接近零的配合,用于定位配合,如滚动轴承的内、外圈分别与轴颈、外壳孔的配合。用木槌装配
	m(M)	多用于 IT4～IT7 具有平均过盈较小的配合,用于精密定位的配合,如涡轮的青铜缘与轮毂的配合为 H7/m6
	n(N)	多用于 IT4～IT7 具有平均过盈较大的配合,很少形成间隙,用于加键传递较大扭矩的配合,如冲床上齿轮与轴的配合。用槌子或压力机装配
过盈配合	p(P)	用于小过盈配合,与 H6 或 H7 的孔形成过盈配合。而与 H8 的孔形成过渡配合。碳钢和铸铁制零件形成的配合为标准压入配合,如绞车的绳轮与齿圈的配合为 H7/p6。合金钢制零件的配合需要小过盈时,可用 p 或 P
	r(R)	用于传递大扭矩或受冲击负荷而需要加键的配合,如涡轮与轴的配合为 H7/r6。H8/r8 的配合在基本尺寸<100 mm 时,为过渡配合

续表 2-20

配合	基本偏差	特点及应用实例
过盈配合	s(S)	用于钢和铸件零件的永久性和半永久性结合,可产生相当大的结合力,如套环压在轴、阀座上用 H7/s6 配合
	t(T)	用于钢和铸件零件的永久性结合,不用键可传递扭矩,需用热套法或冷轴法装配,如联轴节与轴的配合为 H7/t6
	u(U)	用于大过盈配合,最大过盈需验算。用热套法进行装配。如火车轮毂和轴的配合为 H6/u5
	u(V),x(X) y(Y),z(Z)	用于特大过盈配合,目前使用的经验和资料很少。必须经实验后才能应用。一般不推荐

③配合代号的确定。在非基准件基本偏差确定后,配合的代号即可显示,如采用 6 级精度基孔制间隙配合,非基准件——轴的基本偏差选 f5,则其配合代号为 H6/f5。一般情况下,所选的非基准件基本偏差可能有许多个,最后要依据国家标准中推荐的常用、优先配合进行适当的修正。尺寸至 500mm 基孔制常用和优先选用配合的特征及应用见表 2-21。

表 2-21　尺寸至 500 mm 基孔制常用和优先选用配合的特征及应用

配合类别	配合特征	配合代号	应　　用
间隙配合	特大间隙	H11/a11,H11/b11,H12/b12	用于高温或工作时要求大间隙的配合
	很大间隙	(H11/c11),H11/d11	用于工作条件较差、受力变形大和为便于装配而需要大间隙的配合和高温工作的配合
	较大间隙	H9/c9,H10/c10,H8/d8,(H9/d9),H10/d10,H8/e7 H8/e8,H9/e9	用于高速重载的滑动轴承或大直径的滑动轴承,也可用于大跨距或多支点支承的配合
	一般间隙	H6/f5,H7/f6,(H8/f7),H8/f8,H9/f9	用于一般转速的间隙配合。当温度影响不大时,广泛应用于普通润滑油润滑的支承处
	较小间隙	(H7/g6),H8/g7	用于精密滑动零件或缓慢间歇回转的零件的配合部位
	很小间隙和零间隙	H6/g5,H6/h5,(H7/h6),(H8/h7),H8/h8,(H9/h9),H10/h10,(H11/h11),H12/h12	用于不同精度要求的一般定位件的配合和缓慢移动和摆动零件的配合

续表 2-21

配合类别	配合特征	配合代号	应 用
过渡配合	绝大部分有微小间隙	H6/js5,H7/js6,H8/js7	用于易于装拆的定位配合或加紧固件后可传递一定静载荷的配合
	大部分有微小间隙	H6/k5,(H7/k6),H8/k7	用于稍有振动的定位配合,加紧固件可传递一定的载荷的配合,装拆方便,可用木槌敲入
	大部分有微小过盈	H6/m5,H7/m6,H8/m7	用于定位精度要求较高且能抗振的定位配合。加键可传递较大的负荷,可用铜锤敲入或小压力压入
	绝大部分有微小过盈	(H7/n6),H7/n7	用于精确定位或紧密组件的配合。加键能传递大力矩或冲击性载荷,只在大修时拆卸
	绝大部分有较小过盈	H8/p7	加键后能传递很大扭矩,且承受振动和冲击的配合,装配后不拆卸
过盈配合	轻型	H6/n5,H6/p5,(H7/p6),H6/r5,H7/r6,H8/r7	用于精确的定位配合。一般不能靠过盈传递力矩。要传递力矩须加紧固件
	中型	H6/s5,(H7/s6),H8/s7,H6/t5,H7/t6,H8/t7	不需加紧固件就可传递较小力矩和轴向力。加紧固件后可承受转大载荷或动载荷的配合
	重型	(H7/u6),H8/u7,H7/v6	不需加紧固件就可传递较大力矩和动载荷的配合。要求配合件的材料有较高的强度
	特重型	H7/x6,H7/y6,H7/z6	能传递和承受很大的力矩和动载荷的配合,须经试验后方可应用

注:①括号内的配合为优先配合。

②国家标准规定的44种基轴制配合的应用与本表的同名配合相同。

(4)极限与配合选择的一般顺序 极限与配合选择的最终结果是将零件全部尺寸正确地标注在图样上,作为制定工艺流程和加工工艺的依据,同时,又是对零件尺寸检验的标准。零件的极限与配合选择的一般顺序大致如下:

①根据零件所承受荷载进行承载能力的计算,从而确定零件主要承载截面的公称尺寸 D 或 d。

②根据零件的工作要求和工艺性能,确定相同公称尺寸的配合件之间的配合:基准制、配合类型、配合代号,如 $\phi50H6/f5$。

③根据公称尺寸的大小,结合加工工艺性选择标准公差精度等级,如 IT6 等。

④查阅相差资料,确定公差数值、基本偏差代号及数值,计算出相应尺寸的上、下极限偏差,并按规定将它标注在图样上,如 $\phi80^{+0.03}_{0}$。作为加工,检验标准。

2.2　几 何 公 差

2.2.1　几何公差国家标准

几何公差以往称为形位公差,属于产品几何技术规范(GPS)。几何公差国家标准包括:

①GB/T 1182—2008　几何公差形状、方向、位置和跳动公差标注。

GB/T 1182—2008 规定了对工件形状、方向、位置和跳动公差的基本要求和标注的方法。该标准代替原国标 GB/T 1182—1996,同时对有关术语作了修改,如以"导出要素"取代"中心要素",以"组成要素"取代"轮廓要素",以"提取要素"取代"测得要素"等。

②GB/T 1958—2004 形状和位置公差　检测规定。

GB/T 1958—2004 规定了形状误差和位置误差(简称形位误差)的检测原则、检测条件、评定方法及检测方案。该标准代替原国标 GB 1958—1980,同时对有关概念作了相应的修改,如以"被测提取要素"取代"被测实际要素"、以"拟合要素"取代"理想要素"、以"提取中心线"取代"实际轴线"、以"提取中心面"取代"实际中心面"。在计量方面,将"读数"改为"示值"、"极限测量总误差"和"测量精度"改为"测量不确定度"。

③GB/T 4249—2009 公差原则。

GB/T 4249—2009 规定了公差原则。该标准代替原国标 GB/T

4249—1996,并对原标准中的术语及定义作了修订。

④GB/T 1184—1996 形状和位置公差　未注公差值。

⑤GB/T 16671—2009 最大实体要求、最小实体要求和可逆要求。

2.2.2　几何公差的标注

(1)几何公差的几何特征、符号和附加符号　几何公差包括形状公差、方向公差、位置公差和跳动公差。

①几何特征符号见表 2-22。

表 2-22　几何特征符号(GB/T 1182—2008)

公差类型	特征项目	符号	有无基准要求
形状公差	直线度	—	无
	平面度	▱	无
	圆度	○	无
	圆柱度	⌭	无
	线轮廓度	⌒	无
	面轮廓度	⌓	无
方向公差	平行度	//	有
	垂直度	⊥	有
	倾斜度	∠	有
	线轮廓度	⌒	有
	面轮廓度	⌓	有
位置公差	位置度	⊕	有或无
	同心度 (用于中心点)	◎	有
	同轴度	◎	有
	对称度	=	有

续表 2-22

公差类型	特征项目	符号	有无基准要求
位置公差	线轮廓度	⌒	有
	面轮廓度	⌒	有
跳动公差	圆跳动	↗	有
	全跳动	↗↗	有

②附加符号见表 2-23。

表 2-23　附加符号(GB/T 1102—2008)

被测要素	（图示）	自由状态条件 (非刚性零件)	Ⓕ
基准要素	A　　A	全周轮廓	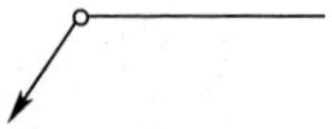 （图示）
		包容要求	Ⓔ
基准目标	$\dfrac{\phi 2}{A1}$	公共公差带	CZ
		小径	LD
理论正确尺寸	50	大径	MD
延伸公差带	Ⓟ	中径、节径	PD
		线素	LE
最大实体要求	Ⓜ	不凸起	NC
最小实体要求	Ⓛ	任意横截面	ACS

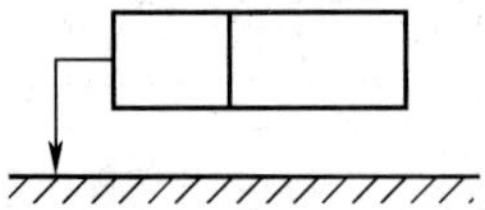

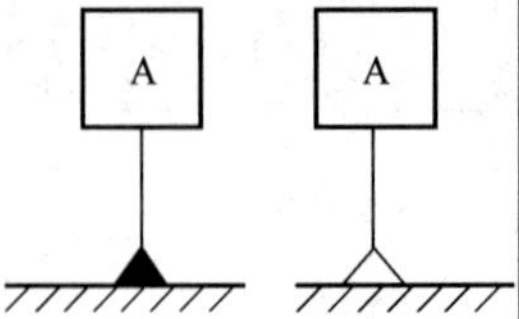

注:①GB/T 1182—1996 中基准符号为 Ⓐ̄。

②如需标注可逆要求,可采用符号 Ⓡ。

（2）**公差框格的标注**　用公差框格标注几何公差时，公差要求标注在划分成两格或多格的矩形框格内。各格自左至右顺序标注以下内容：

①几何公差特征符号；

②公差值，以线性尺寸表示量值。如果是圆形或圆柱形公差带，公差值前应加符号"ϕ"；圆球形公差带，应加符号"$S\phi$"；

③用一个字母表示单个基准，用几个字母表示基准体系或公共基准。

从公差框格的一端引出指引线，箭头指向被测要素，即表明对该要素的几何公差要求，公差框格的标注如图 2-8 所示。

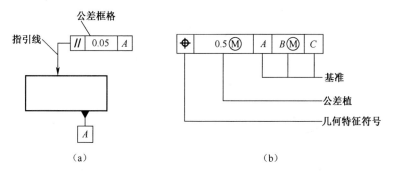

图 2-8　公差框格的标注

（3）**被测要素的标注**　要素是工件上的特定部位，如点、线或面。要素可以是组成要素（如圆柱体的外表面），也可以是导出要素（如中心线、轴或中心平面）。

组成要素是能够直接感触到的要素，是能用测量仪器直接从中提取（测量）要素的几何参数的。组成要素俗称为轮廓要素，更易于理解。

导出要素虽然也是客观存在的，但不能感触到它，而是由相应的组成要素（轮廓要素）的对称关系而确定的。导出要素曾被称为中心要素。

被测要素是给出几何公差的要素。

①被测要素为轮廓线或轮廓面时，几何公差框格的指引线箭头与

尺寸线明显错开。轮廓要素几何公差标注如图 2-9 所示。

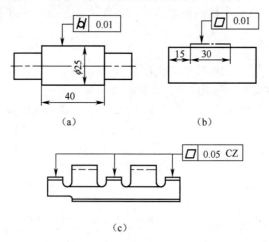

（c）

图 2-9   轮廓要素几何公差标注

（a）圆柱度公差带适用于 φ25 圆柱面全长   （b）平面度公差带仅适于局部 30mm 范围

（c）平面度公差带适于断续三表面,且用"CZ"表示三平面应位于同一平面,

具有同一公差带。"CZ"为公共公差带符号。

②被测要素为中心要素时,几何公差框格的指引箭头与尺寸线对正,中心要素几何公差标注如图 2-10 所示。

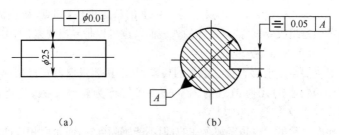

图 2-10   中心要素几何公差标注

（a）φ25 轴线直线度公差 φ0.01mm   （b）两槽面中心面对轴线对称度

（4）基准要素的标注   用来确定被测要素方向或位置的要素称为基准要素。

①单一基准要素的标注。以零件上一个要素作为基准的称单一基准要素。有以单一轮廓要素或以单一中心要素为基准两种情形,单一基准要素如图 2-11 所示。

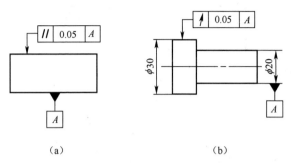

(a)   (b)

图 2-11 单一基准要素

(a)基准为底平面 (b)基准为 $\phi20$ 轴线

②组合基准要素的标注。以两个或两个以上要素组成的、作为单一基准使用的称为组合基准(公共基准)。图 2-12 所示为组合基准要素,被测中心线对于 $\phi20$、$\phi15$ 两轴线共同组成的公共轴线的同轴度公差为 $\phi0.01$mm。

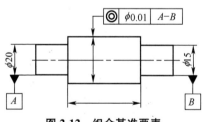

图 2-12 组合基准要素

③多基准组合体系的标注。由零件上三个要素建立起空间相互垂直的三个平面所构成的基准体系称为多基准组合体系(三基面体系),通过理论正确尺寸,确定被测要素的理想位置。多基准组合体系如图 2-13 所示。

图 2-13(a)所示的位置度公差要求中,同时使用了 A、B、C 三个基准。该基准是以 A、B、C 三个基准表面建立起来的空间互相垂直的基体。图 2-13(b)所标注的位置度公差按孔的功能要求通孔 $\phi15$ 轴线必

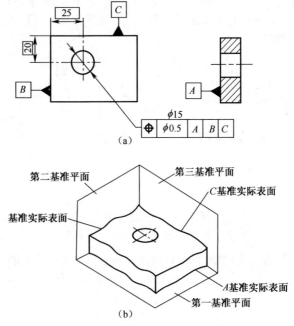

图 2-13　多基准组合体系

须与 A 基准面垂直,其理论正确位置由基准 B、C 按理论正确尺寸 $\boxed{25}$、$\boxed{20}$ 控制,位置度公差带为以理论正确的轴线位置为中心,直径为 $\phi0.5\text{mm}$ 的圆柱区域。

三基面体系也可以由两个基准要素组成,但其中一个基准要素必须是轴线。由基准轴线建立三基面体系如图 2-14 所示。图中位置度公差基准要素为 A、B,实质上构成了三基准面体系。轴线 A 为两相互垂直平面的交线,建立起第 1、2 基准平面;再以垂直于第 1、2 基准平面的平面 B,建立了第 3 基准平面。即该两基准 A、B 已构成了三基准面体系。

④基准目标的标注。指定基准要素上某些点、线或局部表面作为基准时,这些被指定的点、线、局部表面称为基准目标。基准目标的标注如图 2-15 所示。

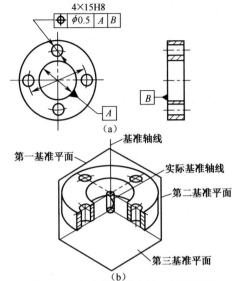

（a）

（b）

图 2-14　由基准轴线建立三基面体系

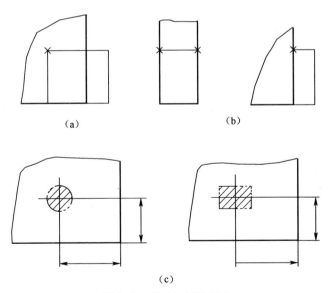

（a）　　　　　　　　　　　（b）

（c）

图 2-15　基准目标的标注

当基准目标为点时,用"×"表示,如图(a)。当基准目标为线时,用细实线表示,并在棱边上加"×",如图(b)。当基准目标为局部表面时,用双点画线给出该局部表面的圆形,并画上与水平呈45°的细实线如图(c)。

用基准目标符号标注基准如图 2-16 所示。图中对 φ20mm 孔轴线给出的位置度公差要求,基准由 A、B、C 三个基准要素上指定的基准目标所建立起的三基面体系。基准 A 由顶面上 A1、A2、A3 三处直径为5mm 小圆所确定的第 1 基准平面;基准 B 由前端面上 B1、B2 所确定的与第 1 基准平面垂直的第 2 基准平面;基准 C 由左侧面 C1 点所确定的同时与第 1、第 2 基准平面垂直的第 3 基准面。零件加工和检验均应以给定的基准目标定位。

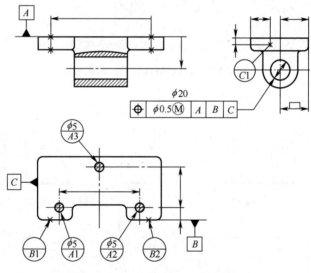

图 2-16   用基准目标符号标注基准

(5)单一要素和关联要素的标注   仅对要素本身给出几何公差要求的要素称为单一要素。单一要素的要求与其他要素无关。如图 2-10(a)中要求轴线的直线度为 φ0.01mm,其直线度与其他要素无关联。该轴线即是单一要素。同样,图 2-10(b)所示局部平面也是单一要素。

对其他要素有功能(方向、位置)要求的要素称为关联要素。如图 2-12 中,被测圆柱轴线对基准轴线 A-B 有同轴度要求,图 2-11(a)表示上表面对下表面的平行度有要求。有同轴度、平行度要求的都是关联要素。

凡是有基准代号标注的要素都是关联要素,无基准代号的为单一要素。

(6)附加符号的标注　对被测要素给出的几何公差有附加要求时,应在公差值后面加注相应规定的附加符号。常见附加要求的标注如下:

①延伸公差带的标注。将几何公差的公差带延伸到被测要素实体之外,以满足零件特殊功能要求的一种公差带设置方法称为延伸公差带。

延伸公差带主要用于控制螺栓联接孔的位置精度、控制两轴线在任意方向的垂直相交精度和控制两个方向对称的位置精度。

采用延伸公差带时,应在几何公差框格中的公差值右侧加注符号 ⓟ,还要用双点画线给出公差带延伸部分,且需用带 ⓟ 字在前的尺寸标注延伸尺寸。

图 2-17 所示为螺纹孔轴线的延伸公差。图(a)表示对 M30 内螺纹孔轴线位置度公差 $\phi0.2$ 延伸至孔端面以上 27mm(被连接盖板厚度),轴线应与端面垂直,距基准面 B 为 40mm。图(b)表示,螺孔实际轴线的延长线控制在延伸公差带 $\phi0.2$ 圆柱内,就不会产生安装时的干涉现象,如图(c)所示。

图 2-18 所示为两相互垂直轴线间的延伸公差带的标注。图(a)表示 $\phi40$mm 孔的轴线与公共基准 A-B 垂直相交,ϕt 为实际线的位置位于 ϕt 的圆柱之内。但由于 $\phi40$ 需安装的零件(如锥齿轮)已外伸出 $\phi40$ 的实体之外距实体下端面 L_1 之处,故需将位置公差 ϕt 延伸至公共轴线 A-B 处,才能保证安装技术要求如图(b)所示。

②螺纹几何公差的标注。螺纹几何公差是控制其轴线与其他要素的位置精度的。图 2-19 为螺纹几何公差标注。

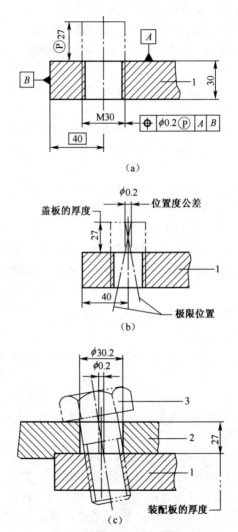

图 2-17　螺纹孔轴线的延伸公差

1. 箱体　2. 盖板　3. 螺钉

以螺纹中径轴线作为被测要素或基准要素时,指引线箭头或基准符号应直接与螺纹尺寸线对齐,不需另加说明,如图 2-19(a);

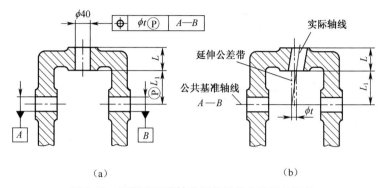

（a）   （b）

图 2-18   两相互垂直轴线间的延伸公差带的标注

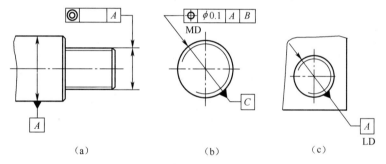

（a）   （b）   （c）

图 2-19   螺纹几何公差标注

以螺纹大径轴线作为被测要素或基准要素时,应在框格下方或基准方格下方加注符号"MD",如图 2-19(b)；

以螺纹小径轴作为被测要素或基准时,应在框格下方或基准方格下方加注符号"LD",如图 2-19(c)。

③齿轮和花键几何公差的标注。齿轮和花键几何公差要求,可以分别以其节径、大径(外齿轮的齿顶圆直径,内齿轮的齿根圆直径)或小径(外齿圆齿根圆直径、内齿轮齿顶圆直径)的轴线作为被测要素或基准要素,齿轮和花键的几何公差标注如图 2-20 所示。

以齿轮和花键节径轴线作为被测要素或基准要素时,应在框格下方或基准下方加注"PD"如图 2-20(a)；

以大径轴线作为被测要素或基准要素时,应加注"MD",如

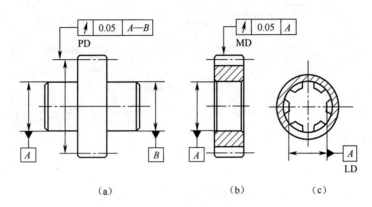

图 2-20　齿轮和花键的几何公差标注

图2-20(b);

　　以小径轴线作为被测要素或基准要素时,应加注"LD",如图2-20(c)。

　　④最大实体要求的标注。最大实体要求用规范的附加符号Ⓜ表示,可以单独标注在相应公差值或基准字母后面,如 $\boxed{\oplus}\boxed{\phi 0.04 Ⓜ}\boxed{A}$, $\boxed{\oplus}\boxed{\phi 0.04}\boxed{AⓂ}$ 、 $\boxed{\oplus}\boxed{\phi 0.04 Ⓜ}\boxed{AⓂ}$,具体含义见"公差原则"。

　　⑤最小实体要求的标注。最小实体要求用规范的附加符号Ⓛ表示,可以单独标注在相应公差值或基准字母后面,如 $\boxed{\oplus}\boxed{\phi 0.5 Ⓛ}\boxed{A}$, $\boxed{\oplus}\boxed{\phi 0.5}\boxed{AⓁ}$ 、 $\boxed{\oplus}\boxed{\phi 0.5 Ⓛ}\boxed{AⓁ}$,

其含义见"公差原则"。

　　⑥包容要求的标注。对于采用包容要求的单一尺寸要素,应在其尺寸偏差或公差带代号之后加注符号Ⓔ,包容要求的标注如图 2-21 所示,其含义见"公差原则"。

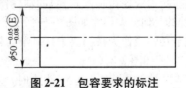

图 2-21　包容要求的标注

⑦公共公差带的标注。同时控制多个被测要素的同一公差带称为公共公差带。

图 2-22 所示为公共公差带的标注,三个被测平面的平面度公差为0.05mm。标注时,需在公差值后加注"CZ",并引出多条指引线,分别指向各被测要素。

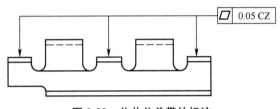

图 2-22 公共公差带的标注

(7)几何公差的标注原则

①大多数情况下,零件要素的几何公差可由机床和工艺保证,不需要在图样上给出,只有在高于所保证的精度时,才需要给出几何公差要求;

②图上所给出的几何公差带,适用于整个被测要素,否则应注明被测要素的范围;

③几何公差带给定的方向,就是公差带的宽度和直径方向,应垂直于被测要素;

④图样上给定的尺寸、形状、位置公差要求,如不加注任何附加符号,均视为遵守独立原则。

⑤图样上给定的几何公差要求,均系由零件的功能确定的,是产品性能、质量的保证,生产中必须对给出的几何公差要求进行检验。

2.2.3 形状公差

单一要素所允许的变动全量称为形状公差。销轴形状公差带如图2-23 所示,其外圆柱面素线为单一要素,理想形状为一几何直线,加工后所得的实际要素称为单一实际要素。单一提取要素偏离理想要素,在全长 L 上不超过一个规定值 t,如图 2-23(b)所示,销轴才能满足使用功能。这个规定值 t 即是圆柱素线允许的变动全量(直线度公差)。

根据零件各要素的不同几何特征,形状公差分为直线度、平面度、圆度、圆柱度、线轮廓度和面轮廓度。最后两种,在有基准要求时,转化

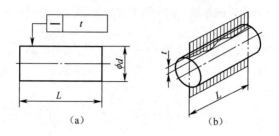

（a）　　　　　　　　　　　（b）

图 2-23　形状公差带

为关联要素,属于方向或位置公差。

（1）**直线度公差**　允许零件单一直线要素变动全量称为直线度公差。直线度的符号为"—"。

①直线度的公差带。零件上的直线要素,不论是组成要素(轮廓线)还是导出要素(轴线),只要对其平直程度有要求时,都可以用直线度公差加以控制。如:平面上的素线、圆柱面或圆锥面的素线和轴线、平面与平面相交的棱线等可标注直线度公差要求。

a. 给定平面直线度公差。如图 2-24 所示,圆锥表面素线直线度公差带为给定平面直线度公差的示例。图中所示被测素线为圆锥表面素线,它是给定的轴向剖面与圆锥面的交线。该素线处于轴向剖面内。直线度公差为 0.005mm,其公差带如图 2-24(b)所示,即在轴剖面内,间距等于公差值 0.005mm 的两平行直线所限定的区域。

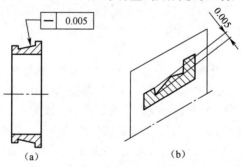

（a）　　　　　　　　　　　（b）

图 2-24　圆锥表面素线直线度公差带

图 2-25 所示为某导轨表面的平面素线两个方向的直线度公差带示例。沿纵向的直线度公差为 0.1mm,沿横向的直线度公差为 0.05mm,两个方向直线公差带如图 2-25(b)所示。

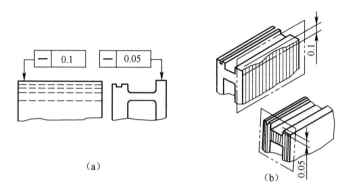

（a）

（b）

图 2-25 平面素线两个方向的直度度公差带

b. 给定方向直线度公差。图 2-26 为给定一个方向直线度的公差带。刀口尺的刃部是两平面相交的棱线,作为直线度误差检测基准用的刃口要求沿其测量方向有很高精度,直线度公差为 0.005,如图(b)所示其公差带是在给定方向上,间距等于公差值 0.005mm 的两平行平面所限定的区域。

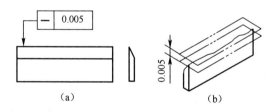

（a）

（b）

图 2-26 给定一个方向直线度的公差带

c. 任意方向直线度公差。图 2-27 为任意方向直线度的公差带。图 2-27(a)所示圆柱的轴线在任意方向的直线度公差均为 0.02mm,公差值标注符号为 $\phi 0.02$。如图(b)所示其公差带为直径等于公差值

$\phi 0.02\text{mm}$ 的圆柱面所限定的区域。

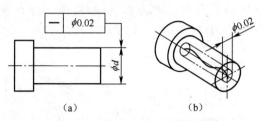

（a）　　　　　　　　　　（b）

图 2-27　任意方向直线度的公差带

②直线度公差值。国家标准 GB/T 1184—1996 规定的直线度、平面度公差值见表 2-24。

表 2-24　直线度、平面度公差值

主参数 L /mm	公差等级											
	1	2	3	4	5	6	7	8	9	10	11	12
	公差值/μm											
$\leqslant 10$	0.2	0.4	0.8	1.2	2	3	5	8	12	20	30	60
>10~16	0.25	0.5	1	1.5	2.5	4	6	10	15	25	40	80
>16~25	0.3	0.6	1.2	2	3	5	8	12	20	30	50	100
>25~40	0.4	0.8	1.5	2.5	4	6	10	15	25	40	60	120
>40~63	0.5	1	2	3	5	8	12	20	30	50	80	150
>63~100	0.6	1.2	2.5	4	6	10	15	25	40	60	100	200
>100~160	0.8	1.5	3	5	8	12	20	30	50	80	120	250
>160~250	1	2	4	6	10	15	25	40	60	100	150	300
>250~400	1.2	2.5	5	8	12	20	30	50	80	120	200	400
>400~630	1.5	3	6	10	15	25	40	60	100	150	250	500
>630~1000	2	4	8	12	20	30	50	80	120	200	300	600
>1000~1600	2.5	5	10	15	25	40	60	100	150	250	400	800
>1600~2500	3	6	12	20	30	50	80	120	200	300	500	1000
>2500~4000	4	8	15	25	40	60	100	150	250	400	600	1200
>4000~6300	5	10	20	30	50	80	120	200	300	500	800	1500
>6300~10000	6	12	25	40	60	100	150	250	400	600	1000	2000

③直线度公差值的选择。按标准选取公差值时,首先要依据主参数 L,L 指的是被测要素的全长。直线度公差值主参数如图 2-28 所示。

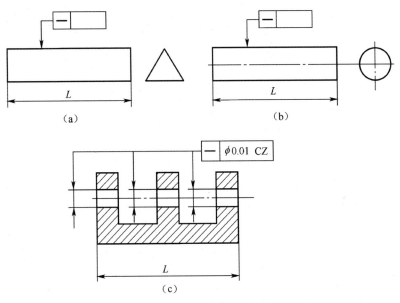

图 2-28　直线度公差值主参数 L

常用加工方法可达到的直线度、平面度公差等级见表 2-25。

表 2-25　常用加工方法可达到的直线度、平面度公差等级

加工方法		直线度、平面度公差等级											
		1	2	3	4	5	6	7	8	9	10	11	12
车	粗											○	○
	细									○	○		
	精					○	○	○	○				
铣	粗											○	○
	细										○	○	
	精						○	○	○	○			

续表 2-25

加工方法		直线度、平面度公差等级											
		1	2	3	4	5	6	7	8	9	10	11	12
刨	粗											○	○
	细									○	○		
	精							○	○	○			
磨	粗									○	○		
	细							○	○	○			
	精		○	○	○	○							
研磨	粗				○	○							
	细			○									
	精	○	○										
刮研	粗						○	○					
	细				○	○							
	精	○	○	○									

根据主参数 L 和公差等级由表 2-24 查出相应的公差值。例如,用磨床磨外圆,可使其轴线的直线度达到 7 级,若外圆的全长为 60mm,则其轴线的直线度公差值为 $12\mu m=0.012mm$。直线度公差标注如图 2-29 所示。

除此之外,还应考虑到零件实际使用要求等其他因素,综合衡量来确定直线度公差值(本书后面有专门的介绍)。

(2)平面度公差　允许实际表面对理想平面的变动全量称为平面度公差。平面度的符号为"□"。

图 2-29　直线度公差标注

①平面度公差带。零件上各种平面,不论其所处位置、外形轮廓如何不同,其几何特性是完全相同的。平面度公差带只有一种形式,即间距等于公差值 t 的两平行平面所限定的区域。对平面度的要求可能出

现三种形式：

a. 对整个被测要素的平面度公差要求。整个被测要素平面度公差带如图 2-30 所示。支架底面是支承面，对其提出整个底面平面度公差为 0.02mm 的要求。相应的公差带为间距等于公差值 0.02mm 的两平行平面所限定的区域，如图 2-30(b)所示。

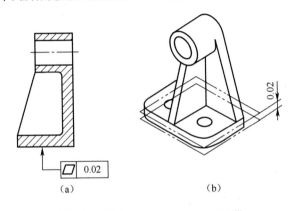

图 2-30　整个被测要素平面度公差带

b. 对被测要素局部区域附加要求的公差带。图 2-31 所示为对被测要素局部附加要求的平面度公差带。图 2-31(a)标注方式表示该平板整个上表面的平面度公差为 0.05mm。同时，对于任意一个 200mm×200mm 的局部范围内的平面度公差为 0.02mm。整个公差带由两部分构成：沿整个被测表面间距等于公差值 0.05mm 两平行平面所限定的区域，在任意 200mm×200mm 范围内间距等于公差值 0.02mm 两平行平面限定的区域，如图 2-31(b)所示。

c. 共面要求的公差带。共面要求的公差带如图 2-32 所示。零件上若干个要素保持在同一平面上的精度要求称为共面要求。共面要求标注时，需在公差值后附加"CZ"字样，如图 2-32(a)所示。该要求表示多个被测要素应保持在同一平面上，其平面度公差为 0.02mm，公差带为在所有被测要素范围内，间距等于公差值 0.02mm 的两平行平面所限定的区域，如图 2-32(b)所示。

②平面度公差值。表 2-24 给出了平面度公差值供选用。

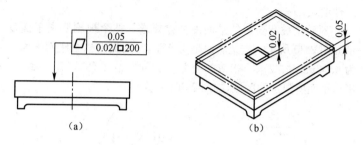

图 2-31　被测要素局部附加要求的平面度公差带

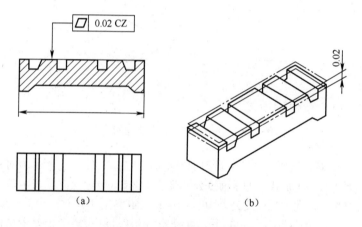

图 2-32　共面要求的公差带

③平面度公差值的选择。以被测要素的最大长度(或最大直径)作为主要参数 L 或按共面要求以被测要素间最大间距作为主要参数 L。平面度公差值主要参数 L 如图 2-33 所示。

根据表 2-25 常用加工方法可能达到的平面度公差等级确定平面度的公差等级;根据 L 值和公差等级由表 2-24 中可查出相应的平面度公差值。例如:要素最大尺寸 $L=100mm$;采用精铣加工,平面公差等级可达 8 级;则由表 2-24 查出平面度公差值为 0.025mm。据此,平面度公差标注如图 2-34 所示。

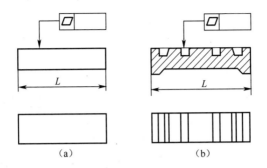

图 2-33 平面度公差值主要参数 L

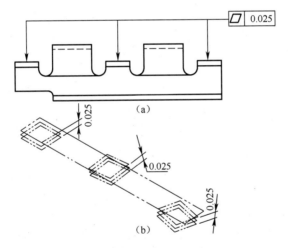

图 2-34 平面度公差标注

（3）圆度公差 在同一横面上,提取(实际)圆周对于理想圆所允许的最大变动量称为圆度。圆度的符号为"○"。

①圆度公差带。圆度公差用于控制回转件正截面上轮廓形状误差。圆度公差带只有一种形式,即在给定横截面内、半径差等于公差值 t 的同心圆所限定的区域。圆度公差常用于控制旋转件的轴颈或孔的形状误差,以保持配合间隙的均匀性。图 2-35 所示为圆度公差带,公

差值为 0.01mm。

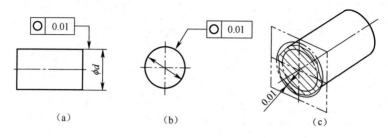

图 2-35　圆度公差带

(a)、(b)圆度公差标注　(c)公差带

②圆度公差值。国家标准规定的圆度、圆柱度公差值见表 2-26,它取决于主参数(d 或 D)和公差等级。

表 2-26　圆度、圆柱度公差值

主参数 $d(D)$ /mm	公　差　等　级												
	0	1	2	3	4	5	6	7	8	9	10	11	12
	公差值/μm												
≤3	0.1	0.2	0.3	0.5	0.8	1.2	2	3	4	6	10	14	25
>3~6	0.1	0.2	0.4	0.6	1	1.5	2.5	4	5	8	12	18	30
>6~10	0.12	0.25	0.4	0.6	1	1.5	2.5	4	6	9	15	22	36
>10~18	0.15	0.25	0.5	0.8	1.2	2	3	5	8	11	18	27	43
>18~30	0.2	0.3	0.6	1	1.5	2.5	4	6	9	13	21	33	52
>30~50	0.25	0.4	0.6	1	1.5	2.5	4	7	11	16	25	39	62
>50~80	0.3	0.5	0.8	1.2	2	3	5	8	13	19	30	46	74
>80~120	0.4	0.6	1	1.5	2.5	4	6	10	15	22	35	54	87
>120~180	0.6	1	1.2	2	3.5	5	8	12	18	25	40	63	100
>180~250	0.8	1.2	2	3	4.5	7	10	14	20	29	46	72	115
>250~315	1.0	1.6	2.5	4	6	8	12	16	23	32	52	81	130
>315~400	1.2	2	3	5	7	9	13	18	25	36	57	89	140
>400~500	1.5	2.5	4	6	8	10	15	20	27	40	63	97	155

常用加工方法可达到的圆度、圆柱度公差等级见表 2-27,供选用公

差等级时参考。

表 2-27　常用加工方法可达到的圆度、圆柱度公差等级

表面	加工方法		1	2	3	4	5	6	7	8	9	10	11	12
								公	差	等	级			
轴	精密车削				○	○	○							
	普通车削							○	○	○	○	○	○	
	普通立车	粗						○	○	○	○	○		
		细					○	○	○					
	自动、半自动车	粗									○	○		
		细							○	○				
		精						○	○					
	外圆磨	粗					○	○	○					
		细			○	○	○							
		精	○	○	○									
	无心磨	粗						○	○					
		细			○	○	○							
	研磨				○	○	○							
	精磨		○	○										
孔	钻								○	○	○	○	○	○
	镗	普通镗 粗								○	○	○		
		普通镗 细					○	○	○	○				
		普通镗 精				○	○							
		金刚石镗 细				○	○							
		金刚石镗 精	○	○	○									
	铰孔							○	○	○				
	扩孔								○	○				
	内圆磨	细					○	○						
		精				○	○							
	研磨	细					○	○	○					
		精	○	○	○	○								
	桁磨							○	○	○				

③圆度公差值的选择。选择圆度公差值的主参数为外圆柱表面直径 d 或内圆柱表面直径 D。圆度、圆柱度公差值主参数 $d(D)$ 如图 2-36 所示。

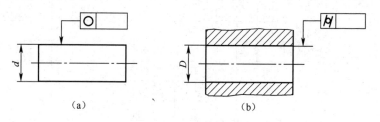

（a）　　　　　　　　　　　（b）

图 2-36   圆度、圆柱度公差值主参数 $d(D)$

选择圆度公差值的公差等级可按加工方法可达到的精度等级确定。常用加工方法可能达到的公差等级见表 2-27。

例如：内孔直径 $D=80$mm，用内圆磨细磨达 4～5 级公差等级，则由表 2-26 查得其圆度公差值为 0.003mm，该圆柱内孔的圆度公差标注如图 2-37 所示。

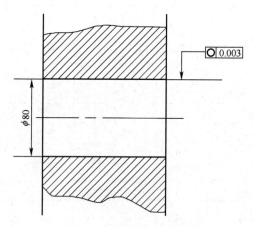

图 2-37   圆柱内孔的圆度公差标注

（4）圆柱度公差   允许提取（实际）圆柱面对理想圆柱面的变动全

量称为圆柱度公差,圆柱度符号为"⌢"。

①圆柱度公差带。如图 2-38 所示,圆柱度公差带为半径差等于公差值 t 的两同轴圆柱面所限定的区域。

图 2-38(a)所示为某曲轴轴颈 ϕ160mm 圆柱面的圆柱度公差为 0.01mm,其公差带如图 2-38(b)所示为半径差等于 0.01mm 的两同轴圆柱面所限定的区域。

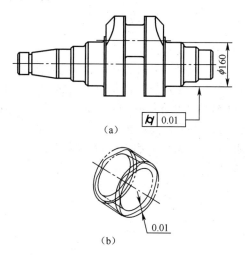

（a）

（b）

图 2-38　圆柱度公差带

②圆柱度公差值。国家标准规定的圆度、圆柱度公差值见表 2-26。圆柱度公差值取决于主参数(d 或 D)和圆柱体的公差等级。

③圆柱度公差值的选择。圆柱度公差值的主参数是外圆柱直径 d 或内圆柱直径 D,公差等级可参考表 2-27 推荐的加工方法确定。

根据 d 或 D 及公差等级即可从表 2-26 中确定相应的公差值。并可将其标注在几何公差框格中。

例如:外径 d=60mm 的圆柱面,用外圆磨达 5 级公差精度,其圆柱度公差值由表 2-26 查出为 0.003mm,该轴的圆柱度公差标注如图 2-39 所示。

(5)线轮廓度公差　允许提取(实际)轮廓线对于理想轮廓线的变

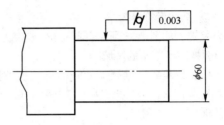

图 2-39   圆柱度公差标注

动全量称为线轮廓度。线轮廓度的符号为"⌒"。

①线轮廓度的公差带。根据功能要求不同,线轮廓度公差分为无基准的线轮廓度公差和相对于基准体系的线轮廓度公差两种形式。

a. 无基准的线轮廓度公差是指被测轮廓线为单一要素、无基准要求的。其公差带为直径等于公差值 t、圆心位于具有理论正确几何形状上的一系列圆的两包络线所限定的区域。无基准要求的线轮廓度公差带如图 2-40 所示。

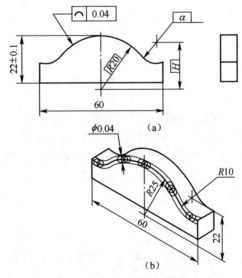

图 2-40   无基准要求的线轮廓度公差带

　　b. 相对于基准体系的线轮廓公差是指被测要素为关联要素,其形状相对于基准有位置要求。其公差带为直径等于公差值 t 的两包络线所限定的区域,但其圆心必须位于相对于基准为理想位置的理论正确几何形状的线上。该公差要求属于方向或位置公差。图 2-41 所示为有基准要求的线轮廓度公差带。

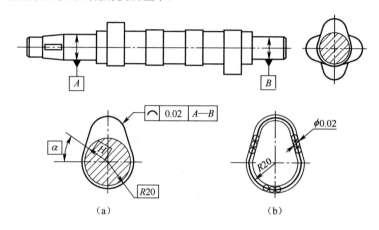

图 2-41　有基准要求的线轮廓公差带

　　图中基准为"$A—B$"共同确定的轴线,凸轮轮廓理论正确形状的位置由理论正确尺寸 $\boxed{R20}$,$\boxed{H}$ 、$\boxed{\alpha}$ 确定如图 2-41(a)所示,其公差带如图 2-41(b)所示。

　　②线轮廓度公差值。非圆曲线轮廓形状复杂,其功能要求和加工方法各不相同,难以确定其误差变动规律,因此,在现行标准中没有给出线轮廓度公差值。实际生产中,一般根据功能要求,参照类似零件的要求按类比法选择适宜的公差值。

　　(6)面轮廓度公差　　允许提取(实际)轮廓面对于理想轮廓面的变动全量称为面轮廓度。面轮廓度符号为"⌒"。

　　①面轮廓度公差带。面轮廓度公差分为无基准的面轮廓度公差和相对于基准要求的面轮廓度公差。前者为单一要素公差,后者为关联要素公差。

a. 如图 2-42 所示,无基准的面轮廓度公差带为直径等于公差值 t 球心位于被测要素理论正确形状上的一系列圆球的两包络面所限定的区域。图 2-42(a)所示为理论正确几何形状为大端直径 $\phi10\text{mm}$,锥度为 1∶50 的圆锥面,面轮廓度公差 $t=0.015\text{mm}$。其公差带纵截面如图 2-42(b)所示。

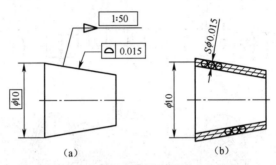

图 2-42 无基准要求的面轮廓度公差带

b. 如图 2-43 所示,有基准要求的面轮廓度公差带是由一系列直径等于公差值 t、球心位于由基准平面 A 确定的被测要素理论正确几何形状上的一系列圆球的两包络面所限定的区域。

图 2-43(a)所示被测圆锥面的理论正位置以"$A—B$"共同轴线为基准,锥度 1∶50,且大端直径为 $\phi150\text{mm}$ 的锥面上,一系列 $S\phi0.01$ 球的两包络面所限定的区域是其公差带如图 2-43(b)所示。

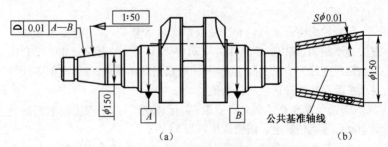

图 2-43 有基准要求的面轮廓公差带

②面轮廓度公差值。面轮廓度公差值目前尚无标准规定,生产中可按零件功能要求,参照类似零件要求,用类比法确定。

2.2.4 方向公差

（1）平行度公差 允许提取（实际）要素的实际方向与基准要素相平行理想方向之间的变动全量称为平行度公差。平行度公差符号为"∥"。

①平行度公差带。零件上不同的平行要素具有不同的结构和功能,对平行度公差要求也有不同的形式,其公差带形式也不尽相同。

a. 面对基准面的平行度公差带。如图 2-44 所示,面对基准面的平行度公差带为间距等于公差值 t、平行于基准平面的两平行平面所限定的区域。

图 2-44(a)所示为某齿轮泵体端面与内腔底面之间的平行度要求。以内腔底面为基准,控制泵体外端面的平行度公差为 0.01mm,这是根据齿轮泵转子两端的密封要求而确定的。公差带为间距等于公差值 0.01mm,且平行于基准平面的两平行平面所限定的区域,其公差带如图 2-44(b)所示。

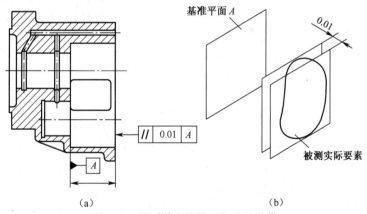

（a）　　　　　　　　　　　　　　（b）

图 2-44　面对基准面的平行度公差带

b. 线对基准面的平行度公差带。如图 2-45 所示,线对基准面的平行度公差带为平行于基准平面、间距等于公差值 t 的两平行平面所限定的区域。

图 2-45(a)所示 $\phi80$ 孔的轴线对基准面 A 的平行度公差为 0.05mm,这是线对基准面的平行度公差带。其公差带为平行于基准

平面 A、间距等于公差值 0.05mm 的两平行平面所限定的区域,公差带如图2-45(b)所示。

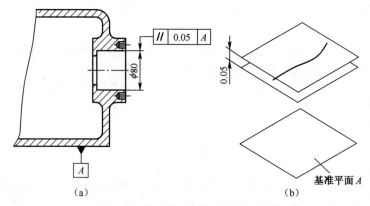

图 2-45   线对基准面的平行度公差带

c. 线对基准线的平行度公差带。图 2-46 所示为给定一个方向线对基准线平行度公差带。图 2-46(a)所示,在同一截面内,以轴线 A 为基准,ϕ12mm 孔轴线对基准轴线 A 的平行度公差为 0.05mm。其公差带为间距等于公差值 0.05mm,且沿给定方向平行基准轴线的两平行平面所限定的区域。公差带如图 2-46(b)所示。

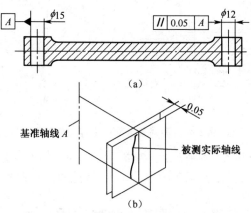

图 2-46   给定一个方向线对基准线平行度公差带

图 2-47 所示为给定相互垂直方向线对基准线平行度的公差带。

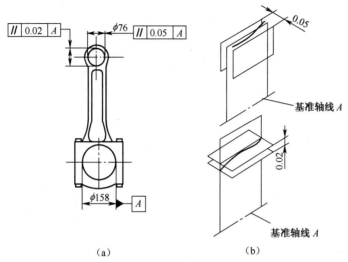

（a）　　　　　　　　　　（b）

图 2-47　相互垂直两方向线对基准线平行度的公差带

d. 任意方向上线对基准线的平行度公差带。若公差值前加注了符号,公差带为平行于基准轴线、直径等于公差值 ϕt 的圆柱面所限定的区域。

图 2-48(a)所示曲柄轴线对主轴颈"A—B"公共基准轴的平行度公差带为直径等于公差值 $\phi 0.05\text{mm}$,且平行于基准轴线的圆柱面所限定

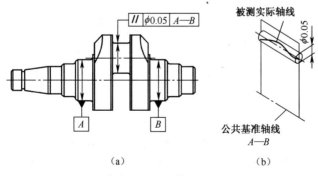

（a）　　　　　　　　　　（b）

图 2-48　任意方向上线对基准线平行度公差带

的区域。公差带如图 2-48(b)所示。

②平行度公差值。国家标准规定平行度、垂直度、倾斜度公差值采用同一数值,由主参数 L、$d(D)$ 和公差等级共同确定,平行度、垂直度、倾斜度公差值见表 2-28。

表 2-28　平行度、垂直度、倾斜度公差值

主参数 L,$d(D)$ /mm	公　差　等　级											
	1	2	3	4	5	6	7	8	9	10	11	12
	公差值/μm											
≤10	0.4	0.8	1.5	3	5	8	12	20	30	50	80	120
>10~16	0.5	1	2	4	6	10	15	25	40	60	100	150
>16~25	0.6	1.2	2.5	5	8	12	20	30	50	80	120	200
>25~40	0.8	1.5	3	6	10	15	25	40	60	100	150	250
>40~63	1	2	4	8	12	20	30	50	80	120	200	300
>63~100	1.2	2.5	5	10	15	25	40	60	100	150	250	400
>100~160	1.5	3	6	12	20	30	50	80	120	200	300	500
>160~250	2	4	8	15	25	40	60	100	150	250	400	600
>250~400	2.5	5	10	20	30	50	80	120	200	300	500	800
>400~630	3	6	12	25	40	60	100	150	250	400	600	1000
>630~1000	4	8	15	30	50	80	120	200	300	500	800	1200
>1000~1600	5	10	20	40	60	100	150	250	400	600	1000	1500
>1600~2500	6	12	25	50	80	120	200	300	500	800	1200	2000
>2500~4000	8	15	30	60	100	150	250	400	600	1000	1500	2500
>4000~6300	10	20	40	80	120	200	300	500	800	1200	2000	3000
>6300~10000	12	25	50	100	150	250	400	600	1000	1500	2500	4000

③平行度公差值的选择。选择平行度公差值的主参数是被测要素的长度 L,平行度公差值主参数如图 2-49 所示。

选择公差等级应根据加工方法可达到的精度等级而定。表 2-29 给出了常用加工方法可达到的平行度、垂直度公差等级。

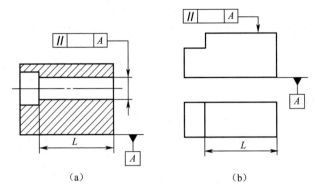

（a）　　　　　　　　　　（b）

图 2-49　平行度公差值主参数

表 2-29　常用加工方法可达到的平行度、垂直度公差等级

加工方法		平行度、垂直度公差等级											
		1	2	3	4	5	6	7	8	9	10	11	12
面 对 面													
研磨		○	○	○	○								
刮		○	○	○	○	○	○						
磨	粗					○	○	○	○				
	细				○	○	○						
	精		○	○	○								
铣								○	○	○	○	○	○
刨								○	○	○	○	○	
拉								○	○				
插								○	○				
轴线对轴线（或平面）													
磨	粗							○	○				
	细				○	○	○	○					
镗	粗								○	○	○		
	细							○	○				
	精						○	○					

续表 2-29

加工方法		平行度、垂直度公差等级											
		1	2	3	4	5	6	7	8	9	10	11	12
轴线对轴线（或平面）														
金刚石镗					○	○	○							
车	粗										○	○		
	细							○	○	○	○			
铣							○	○	○	○	○			
钻											○	○	○	○

如图 2-48 所示，假定曲轴直径为 ϕ50mm，用磨床加工达 8 级公差，由表 2-28 查出平行度公差值 $t=50\mu m=0.05mm$，则曲轴轴线对基准轴线"A—B"的平行度公差值为 ϕ0.05mm，标注如图 2-48（b）所示。

根据图样上公差值和主参数，也可以反过来利用表 2-29 确定被测要素的加工方法。

（2）**垂直度公差** 允许提取要素的实际方向对基准相垂直的理想方向之间的变动全量称为垂直度公差。垂直度公差符号为"⊥"。

①垂直度公差带。零件上不同的垂直要素具有不同的结构特点和功能要求，所以提出的垂直度公差要求也不同，即具有不同的公差带。

a. 面对基准平面的垂直度公差带。如图 2-50 所示，面对基准平面的垂直度公差带为间距等于公差值 t、垂直于基准平面的两平行平面所限定的区域。

图 2-50（a）所示为方箱侧面对顶平面的垂直度公差为 0.05mm，公差带为间距等于公差值 0.05mm、且垂直于基准平面 A 的两平行面所限定的区域，公差带如图 2-50（b）所示。

b. 面对基准线的垂直度公差带。如图 2-51 所示，面对基准线的垂直度公差带为间距等于公差值 t 且垂直于基准轴线的两平行平面所限定的区域。

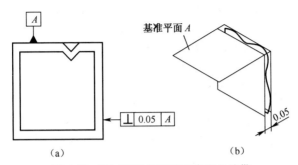

图 2-50 面对基准平面的垂直度公差带

图 2-51 所示曲轴左侧曲柄上的凸台端面与主轴颈轴线"A—B"垂直度公差为 0.015mm。其公差带是间距等于公差值 0.015mm 且垂直于基准轴线的两平行平面所限定的区域。公差带如图 2-51(b)所示。

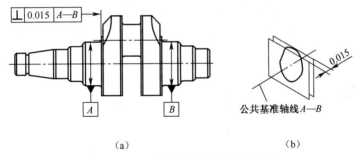

图 2-51 面对基准线的垂直度公差带

c. 线对面的垂直度公差带。线对面的垂直度可以有一个方向、两个相互垂直方向或任意方向三种情况,相应的公差带如图 2-52、图 2-53、图 2-54 所示。其中,图 2-54 所示的情形应用较普遍,其公差带是直径等于公差值 ϕt 且垂直于基准平面 A 的圆柱面所限定的区域,如图 2-54(b)所示。

②垂直度公差值。垂直度公差值取决于主参数 L 和公差等级,见表 2-28。

③垂直度公差的选择。选择垂直度公差的主参数 L,它可以是被测轴线长度 L,也可以是被测平面最大宽度 D。垂直度公差值的主参

数 L 如图 2-55 所示。选择垂直度的公差等级由表 2-29 按加工方法确定。

选定了主参数 L 和公差等级,即可由表 2-28 中查出相应的垂直度公差值并进行标注。反之,也可以根据垂直度公差值和主要参数 L,利用表 2-29 选择被测要素的加工方法。

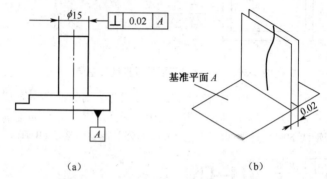

（a）   （b）

图 2-52   给定一个方向上线对面垂直度公差带

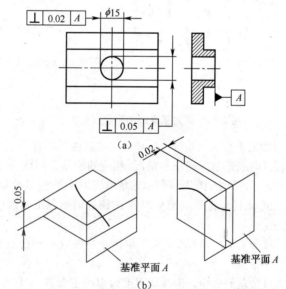

图 2-53   给定相互垂直两个方向上线对面垂直度公差带

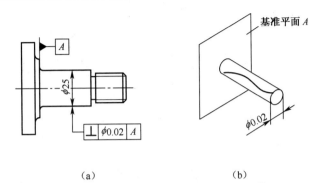

（a） （b）

图 2-54 任意方向上线对面垂直度公差带

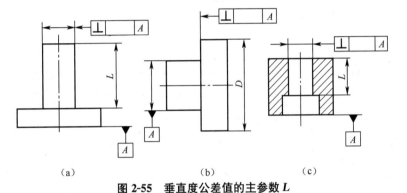

（a） （b） （c）

图 2-55 垂直度公差值的主参数 L

（3）**倾斜度公差** 允许提取（实际）要素的实际方向，对与基准或给定角度的理想方向之间的变动全量称为倾斜度公差。倾斜度公差符号为"∠"。

①倾斜度公差带。

a. 面对基准面倾斜度公差带。面对基准面倾斜度公差带为间距等于 t 的两平行平面所限定的区域。该两平行平面给按给定角度倾斜于基准平面。

图 2-56 所示为面对基准面倾斜度公差带。图 2-56（a）表示斜楔面对基准面的倾斜度为 1：20，倾斜度公差值为 0.05mm，其公差带为间距等于 0.05mm，且与基准面成 1：20 的两平行平面所限定的区域，如图 2-56（b）所示。

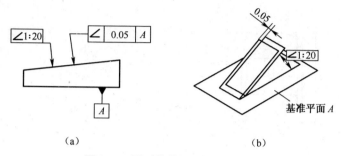

（a）   （b）

图 2-56   面对基准面倾斜度公差带

b. 面对基准线倾斜度公差带。面对基准线的倾斜度公差带为间距等于公差值 t 的两平行平面所限定的区域。该两平行平面按给定角度倾斜于基准直线。

图 2-57 所示为面对基准线倾斜度公差带。图 2-57(a)所示左侧斜面对基准轴线 A 的倾斜角为 75°，倾斜度公差为 0.05mm，其公差带是间距等于公差值 0.05mm，且与基准轴线 A 成 75°角的两平行平面所限定的区域，如图 2-57(b)所示。

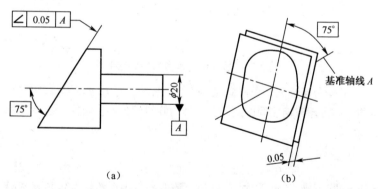

（a）   （b）

图 2-57   面对基准线倾斜度公差带

c. 线对面倾斜度公差带。线对面倾斜度公差有给定方向上线对面倾斜度公差、任意方向上线对面的倾斜度公差两类，以后者应用较普遍。

图 2-58 所示为任意方向上线对面倾斜度公差带。图 2-58(a)所

示：$\phi10$mm 孔的轴线在任意方向上相对于基准平面 A 呈给定夹角 $\boxed{60°}$ 且与基准平面 B 平行方位的倾斜度公差值为 $\phi0.05$mm。其公差带是直径等于公差值 $\phi0.05$mm，其轴线与基准平面 B 平行，且与基准平面 A 呈 $60°$ 角的圆柱面所限定的区域，如图 2-58(b)所示。

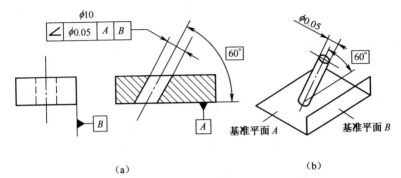

（a）   （b）

图 2-58　任意方向上线对面倾斜度公差带

②倾斜度公差值。国家标准规定了倾斜度公差值，见表 2-28。倾斜度公差值取决于主参数和公差等级两个要素。

③倾斜度公差值的选择。如图 2-59 所示，倾斜度公差值主参数 L 是指被测要素的最大长度。

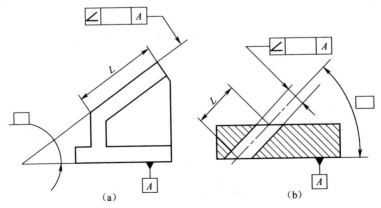

（a）   （b）

图 2-59　倾斜度公差值主参数 L

确定倾斜度公差等级一般依据具体情况进行分析。难以确定某种加工方法可能达到的精度等级,可采用类比法确定公差等级。

综合以上两因素,可从表 2-28 中查到相应的倾斜度公差值。

2.2.5　位置公差

关联实际要素相对于基准体系给定的理想位置所允许的变动全量称为位置公差。位置公差是用于控制工件上被测实际要素相对于基准要素确定的理想位置所限定的误差范围。位置公差有三个几何特征项目:同轴度、对称度和位置度。

（1）同轴度公差　允许提取(实际)轴线相对于基准轴线的最大变动全量称为同轴度公差。同轴度符号为"◎"。

①同轴度公差带。控制同轴度误差变动范围的公差带形式只有一种,即公差值前标注符号 ϕ,公差带为直径等于公差值 ϕt 的圆柱面所限定的区域。该圆柱面的轴线与基准轴线重合。不同情况下的同轴度公差带如下:

a. 单一基准要素同轴度公差带。如图 2-60 所示,单一基准要素同轴度公差带,$\phi25$ 轴线对基准轴线 $A(\phi30$ 轴线)的同轴度公差为 $\phi0.03$mm,其公差带为直径等于公差值 0.03mm,以 $\phi30$mm 轴线 A 为基准轴线的圆柱面所限定的区域,公差带如图 2-60(b)所示。

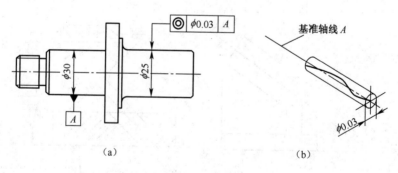

（a）　　　　　　　　　　　　　　　　　（b）

图 2-60　单一基准要素同轴度公差带

b. 公共轴线为基准的同轴度公差带。如图 2-61 所示为轴头 $\phi30$

轴线对两端轴颈 $\phi25$ 公共轴线 "$A—B$" 为基准的同轴度公差带。其公差带是直径等于公差值 $\phi0.02mm$，且轴线与 "$A—B$" 共同基准轴线同轴的圆柱面所限定的区域，如图 2-61(b) 所示。

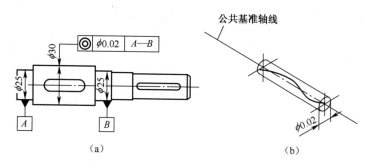

（a）　　　　　　　　　　　　　　（b）

图 2-61　公共轴线为基准的同轴度公差带

还可能出现更多基准要素的同轴度公差的情况，但同轴度公差带总是以直径等于公差值，且轴线与基准轴线同轴的圆柱面所限定的区域。

②同轴度公差值。国家标准规定的同轴度、对称度、圆跳动和全跳动公差值见表 2-30。

表 2-30　同轴度、对称度、圆跳动和全跳动公差值

主参数 d(D)、B、L /mm	公差 等 级											
	1	2	3	4	5	6	7	8	9	10	11	12
	公差值/μm											
≤1	0.4	0.6	1.0	1.5	2.5	4	6	10	15	25	40	60
>1~3	0.4	0.6	1.0	1.5	2.5	4	6	10	20	40	60	120
>3~6	0.5	0.8	1.2	2	3	5	8	12	25	50	80	150
>6~10	0.6	1	1.5	2.5	4	6	10	15	30	60	100	200
>10~18	0.8	1.2	2	3	5	8	12	20	40	80	120	250
>18~30	1	1.5	2.5	4	6	10	15	25	50	100	150	300

续表 2-30

主参数 $d(D)$、B、L /mm	公差等级											
	1	2	3	4	5	6	7	8	9	10	11	12
	公差值/μm											
>30～50	1.2	2	3	5	8	12	20	30	60	120	200	400
>50～120	1.5	2.5	4	6	10	15	25	40	80	150	250	500
>120～250	2	3	5	8	12	20	30	50	100	200	300	600
>250～500	2.5	4	6	10	15	25	40	60	120	250	400	800
>500～800	3	5	8	12	20	30	50	80	150	300	500	1000
>800～1250	4	6	10	15	25	40	60	100	200	400	600	1200
>1250～2000	5	8	12	20	30	50	80	120	250	500	800	1500
>2000～3150	6	10	15	25	40	60	100	150	300	600	1000	2000
>3150～5000	8	12	20	30	50	80	120	200	400	800	1200	2500
>5000～8000	10	15	25	40	60	100	150	250	500	1000	1500	3000
>8000～10000	12	20	30	50	80	120	200	300	600	1200	2000	4000

　　③同轴度公差值的选择。确定同轴度公差值的主参数 $D(d)$ 系指被测要素的直径。同轴度公差值主参数如图 2-62 所示。

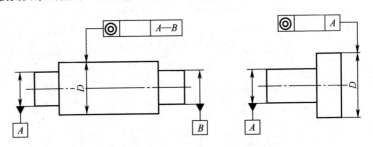

图 2-62　同轴度公差值主参数

　　确定同轴度的公差等级主要取决于加工方法。常用加工方法可达到的同轴度、圆跳动公差等级见表 2-31。

表 2-31　常用加工方法可达到的同轴度、圆跳动公差等级

加工方法		公差等级											
		1	2	3	4	5	6	7	8	9	10	11	12
车、镗	加工孔				○	○	○	○	○	○			
	加工轴			○	○	○	○	○	○				
铰					○	○	○	○					
磨	孔		○	○	○	○	○						
	轴	○	○	○	○	○	○						
桁磨				○	○	○							
研磨		○	○	○									

例如,某轴直径 $d=40\text{mm}$,采用磨削加工,达到 5 级,由表 2-30 可查出同轴度公差 $t=8\mu\text{m}=0.008\text{mm}$,既可以框格方式标注同轴度 ⊚ $\phi0.008$ $A—B$ 。也可以根据图样标注的同轴度公差值和其主参数,由表 2-30 查出对应的公差等级,再利用表 2-31 选择恰当的加工方法。

(2)对称度公差　允许提取(实际)要素相对于基准中心要素的变动全量称为对称度公差。对称度符号为"⚌"。

①对称度公差带。控制对称度误差变动范围的公差带形式只有一种,即公差带为间距等于公差值 t,对称于基准中心平面的两平行平面所限定的区域。

a. 中心面对基准中心面的对称度公差带。图 2-63(a)所示被测中心面是 15mm 的凹槽两平面的中心平面,基准中心面是零件上、下平面的中心平面。要求凹槽两平面的中心面对基准中心面的对称度公差带为间距等于公差值 0.05mm,且对称于基准中心平面的两平行平面所限定的区域,如图 2-63(b)所示。

b. 中心面对圆柱基准中心平面的对称度公差带。图 2-64(a)所示键槽中心面对于圆柱轴向基准平面的对称度公差为 0.05mm,其公差带为间距等于公差值 0.05mm,且相对于基准中心平面 A 对称配置的

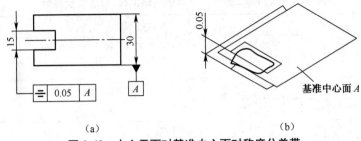

(a)　　　　　　　　　　　　　　(b)

图 2-63　中心平面对基准中心面对称度公差带

两平行平面所限定的区域,如图(b)所示。

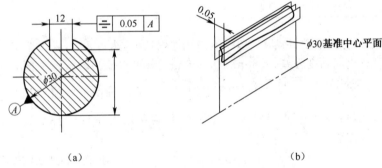

(a)　　　　　　　　　　　　　　(b)

图 2-64　中心面对基准中心平面对称度公差带

②对称度公差值。对称度公差值见表 2-30。

③对称度公差值的选择。选择对称度公差值所需的主参数系指被测平行平面要素之间的距离 B 或对称轴线要素之间的距离 L。对称度公差值主参数如图 2-65 所示。

选择对称度公差值的公差等级多用类比法结合零件的应用场合确定。一般公差等级 5、6、7 级应用较广泛。确定了主参数和公差等级即可由表 2-30 查得对称度公差值,并用于对称度的标注。例如: ⚌ 0.05 A 。

(3)位置度公差　允许提取(实际)要素的实际位置相对于理想位置的变动全量称为位置度公差。位置度符号为"⊕"。

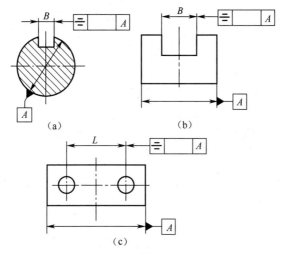

图 2-65 对称度公差值主参数

①位置度公差带。零件的结构形式和功能各不相同,各要素之间位置度公差要求形式也各不相同。位置度公差都是由理论正确位置确定的,故其公差带均为相对于理论正确位置对称公布的。点、线、面的位置度公差带分述如下:

a. 点的位置度公差带。图 2-66 所示为给定平面内点的位置度公差带。它表示两 $\phi8$mm 孔圆心相对于由基准 $A\phi40$mm 孔中心和理论正确尺寸 $\boxed{32}$ 所确定的理想位置度公差为 $\phi0.5$mm 的圆。图 2-66(b)为相应的公差带。

图 2-67 所示为空间点位置公差带。它表示 $S\phi12$ 的球心位置度公差是直径为 $S\phi0.05$mm 的球,球心的理论正确位置在 $\phi8$ 轴线上,且距基准面 A 为 14mm。图 2-67(b)为相应的公差带。

b. 线的位置度公差带。线的位置度公差带有给定一个方向线位置度、给定相互垂直两个方向线位置度和任意方向线位置度三种情形。

图 2-68 所示为给定一个方向上线位置度公差带。该标注为游标卡尺尺身上的刻度线,以尺身量爪测量面 A 为基准,由理论正确尺寸为 $\boxed{10}$ 和 $\boxed{1}$ ……确定被测要素的理想位置。每条刻线的位置度公差均

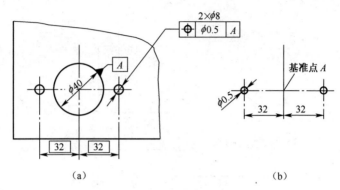

图 2-66　给定平面内点的位置度公差带

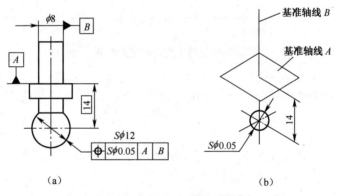

图 2-67　空间点位置度公差带

为 0.01mm。其公差带是间距等于公差值 0.01mm,且以理论位置为中心对称分布的两平行直线所限定的区域,如图 2-68(b)所示。

图 2-69 所示为给定相互垂直方向上线位置度公差带。图 2-69(a)所示阀套上 2×ϕ25mm 两油孔轴线位于 ϕ30 孔轴线垂直相交位置上,且由理论正确尺寸 30、35 确定。位置度公差沿 ϕ30mm 轴线方向为 0.05mm,沿与基准轴垂直方向为 0.10mm。相应的公差带如图 2-69(b)所示,为相距等于相应公差值两平行平面限定的区域。

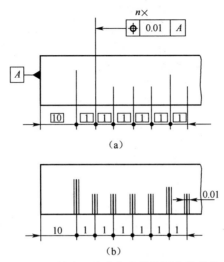

图 2-68 给定一个方向上线位置度公差带

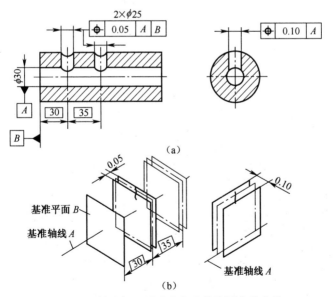

图 2-69 给定相互垂直方向上线位置度公差带

图 2-70 所示为任意方向上线位置度公差带。图 2-70(a)所示为 4
×ϕ10 孔轴线位于 ϕ80 的圆周上,其圆心应在 ϕ56 基准轴线 A 上,且轴
线与基准端面 B 垂直,位置度公差值为 ϕ0.5mm,公差带为 ϕ0.5mm
的圆柱面限定的区域,如图 2-70(b)所示。

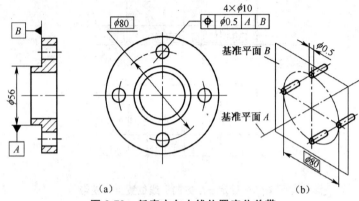

(a)　　　　　　　　(b)

图 2-70　任意方向上线位置度公差带

c. 面位置度公差带。图 2-71 所示为面位置度公差带。图 2-71(a)
所示 6 花键中心平面相对于基准轴线 A 和理论正确尺寸 $\boxed{60°}$ 确定的理
想位置的位置度公差为 0.02mm。其公差带是间距等于公差值
0.02mm,且以理想位置为中心对称配置的两平行平面所限定的区域,
如图 2-71(b)所示。

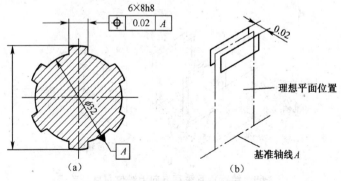

(a)　　　　　　　　(b)

图 2-71　面位置度公差带

②位置度公差值。由于位置度公差涉及面广,要求的形式多种多样,控制范围和精度差异较大,难以像其他位置公差那样按照主参数和公差等级规定相应的公差值。生产中只能根据设计要求自行选择适宜的公差值进行标注和检验。

为了使自行选择的位置度公差值统一规范,国家标准规定了位置度公差值,见表 2-32。

表 2-32　位置度公差值　　　　　　　　　　　　　(μm)

1	1.2	1.5	2	2.5	3	4	5	6	8
1×10^n	1.2×10^n	1.5×10^n	2×10^n	2.5×10^n	3×10^n	4×10^n	5×10^n	6×10^n	8×10^n

注:n 为正整数。

例如:位置度公差值的有效数字为 2 的公差数,可能为 $2 \times 10 \mu m$、$2 \times 10^2 \mu m$、$2 \times 10^3 \mu m$ 等。用 $2 \times 10^2 \mu m$ 时,其位置度公差值为 $2 \times 10^2 \times 10^{-3} mm = 2 \times 10^{-1} mm = 0.2mm$;用 $2 \times 10^3 \mu m$ 时,公差值应为 $2mm$。

2.2.6　跳动公差

回转表面在限定的测量面内相对于基准轴线所允许的变动全量称为跳动公差。跳动公差是以测量方法为基础的几何公差。它既能满足工件的功能要求,又便于检测,因此应用广泛。常见的跳动公差有圆跳动和全跳动两种形式。

(1)圆跳动公差　允许提取(实际)绕基准轴线无轴向移动地旋转一周,在限定测量面内的变动全量称为圆跳动。圆跳动符号为"↗"。

圆跳动可能包含圆度、同轴度、垂直度或平面度误差于其中,这些误差的总值不能超过给定的圆跳动公差。可见,圆跳动公差综合地控制了被测要素的形状和位置公差,应用极为普遍。

①圆跳动公差带。圆跳动公差带有三种不同的形式。

a. 径向圆跳动公差带。图 2-72 所示为径向圆跳动公差带。图 2-72(a)所示轴头 $\phi 30$ 圆柱表面对于共同基准"$A—B$"的圆跳动公差为 0.03mm。其公差带为在任一垂直于基准轴线的横截面内,半径差等于公差值 0.03mm 且圆心在基准轴线上两个同心圆所限定的区域,如图 2-72(b)所示。

b. 轴向圆跳动公差带(俗称端面圆跳动公差带)。图 2-73 所示为

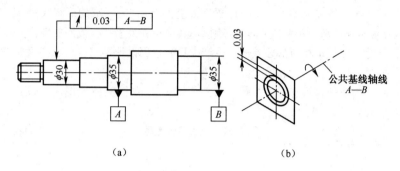

图 2-72   径向圆跳动公差带

轴向圆跳动公差带。图 2-73(a)所示飞轮端面对于基准轴线 *A* 圆跳动公差为 0.08mm。其公差带为与基准线 *A* 同轴的任一半径的圆柱截面上,间距等于公差值 0.08mm 的两圆所限定的圆柱面区域,如图 2-73(b)所示。

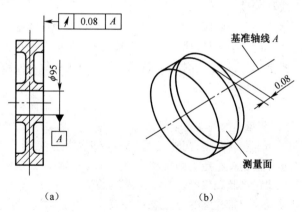

图 2-73   轴向圆跳动公差带

c. 斜向圆跳动公差带。图 2-74 所示为斜向圆跳动公差带。图 2-74(a)所示曲轴轴端圆锥面对共同基准轴线"*A—B*"的斜向圆跳动公差为 0.02mm(即箭头方向垂直于圆锥素线)。其公差带为与基准轴线同轴的某一圆锥截面上,间距等于公差值 0.02mm 的两圆所限定的圆锥面区域,如图 2-74(b)所示。

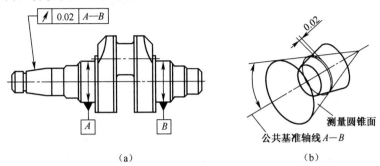

图 2-74 斜向圆跳动公差带

②圆跳动公差值。国家标准规定的圆跳动公差值见表 2-30。依据主参数和公差等级确定其公差值。

③圆跳动公差值的选择。选择圆跳动公差值的主参数为被测要素的直径 d[圆锥面用平均直径,$d=(d_1+d_2)/2$],圆跳动公差值的主参数 d 如图 2-75 所示。确定公差等级按表 2-31 选取。

依据主参数 d 和公差等级可从表 2-30 中查出相应的圆跳动值。

在图样上标注圆跳动公差,例如: $\boxed{\nearrow\ |\ 0.05\ |\ A-B}$ 。

(2)全跳动公差 允许提取(实际)要素绕基准轴线连续旋转,并在测量仪器与工件间同时作轴向或径向相对移动时的跳动全量称为全跳动公差。它包括径向全跳动和轴向全跳动两种形式。

①全跳动公差带。

a. 径向全跳动公差带。图 2-76 所示为径向全跳动公差带。图 2-76(a)所示曲轴轴颈是安装滑动轴承的圆柱面,5 个轴颈必须高度同轴,它们相对于公共基准轴线"A—B"全跳动公差为 0.03mm。其公差带为半径差等于公差值 0.03mm,且与基准轴线"A—B"同轴的两圆柱面所限定的区域,如图 2-76(b)所示。

b. 轴向全跳动公差带(俗称端面全跳动公差带)。图 2-77 所示为轴向全跳动公差带。图 2-77(a)所示轴肩端面对于基准轴线 A 的全跳动公差为 0.02mm。其公差带为间距等于公差值 0.02mm,且垂直于

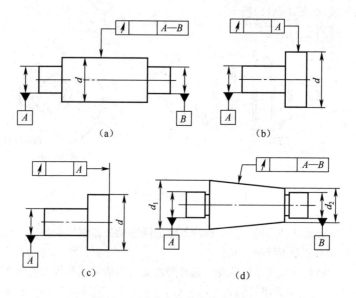

图 2-75　圆跳动公差值的主参数 d

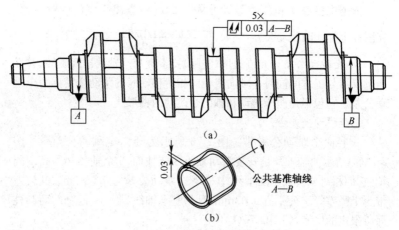

图 2-76　径向全跳动公差带

基准轴线的两平行平面所限定的区域,如图 2-77(b)所示。

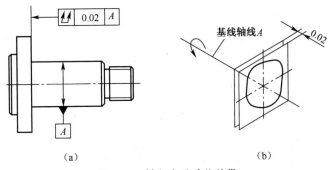

(a)　　　　　　　　　　　　(b)

图 2-77　轴向全跳动公差带

②全跳动公差值的选择。全跳动公差值的选择方法与圆跳动公差相同,且使用完全相同的数据,见表 2-30、表 2-31。

2.2.7　几何公差的选择

几何公差的选择包括公差项目、基准、公差数值和公差原则的选择。

(1)几何公差项目的选择　按 GB/T 1182—2008 规定,根据零件具体结构、被测要素特征和功能要求,从表 2-22 中选取适宜的公差项目。选择时,在保证零件功能要求的前提下,应使控制几何误差的方法简便,以减少在图样上标注几何公差的项目。选择公差项目主要依据:

①根据零件要素的几何特征确定公差项目,如圆形要素可选用圆度、圆柱度;平面要素可选平面度或直线度;阶梯轴(孔)选同轴度;凸轮类零件选轮廓度。

②当用尺寸公差控制几何误差能够满足精度要求,且又经济时,可只给尺寸公差而不另加几何公差,此时尺寸公差应按包容原则标注。

如图 2-78 所示,采用包容要求控制形位误差。图 2-78(a)所示,在圆柱销尺寸公差值后加注符号"Ⓔ",如 $\phi 20_{-0.002}^{\ 0}$ Ⓔ,该零件用于装配定位,给出较高尺寸精度且采用包容原则,其实体受最大实体边界控制,故在给定的尺寸公差范围内可以控制其几何误差变动,且完全可满足功能要求,无需另行给出几何公差要求,如图 2-78(b)所示(详见"公差原则")。

③零件的功能要求对尺寸精度要求不高,但对几何精度要求高时,

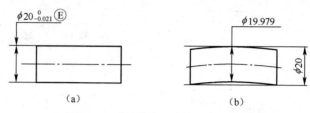

图 2-78　采用包容要求控制形位误差

应独立给出几何公差要求。

图 2-79 所示印刷机滚筒对圆柱形状公差要求远高于尺寸公差,故要单独选用圆柱度公差。

④尽量选用具有综合控制作用的公差项目,如圆柱度和位置度等。尽可能减少单一控制作用的项目,如直线度、平面度、圆度等。

⑤在同样满足功能要求时,应选用测量简便的项目代替测量较难的项目。如同轴度公差可以

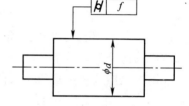

图 2-79　印刷机滚筒对圆柱形状公差要求

用径向圆跳动或径向全跳动代替;端面对轴线的垂直度公差可用轴向圆跳动或轴向全跳动代替。

⑥在几何公差之间有相互关系的情况下,没有必要将它们同时标注,引起重复。平面度公差可同时控制直线度误差,既然选了平面度公差就不必再选直线度公差去控制被测要素了。同样,平面平行度公差可以同时控制平面度误差,既然已选择了平面平行度公差,就没必要再选用平面度公差了。

综上可知,第④项是被广泛采用原则。

(2)**基准的选择**　基准的选择主要依据零件的功能和结构特点而定。

①根据零件的功能作用选择基准。如图 2-80 所示,根据零件的功能作用选择基准。转轴,轴颈是安装轴承的要素,因此,轴颈的轴线应是转轴的基准。轴头是安装传动件的部分,其旋转轴线应与基准轴线

保持同轴才能完成动力传递功能。图 2-80(a)的基准应选 $\phi35$ 轴线,图 2-80(b)的基准应选两 $\phi25$"$A—B$"公共轴线。

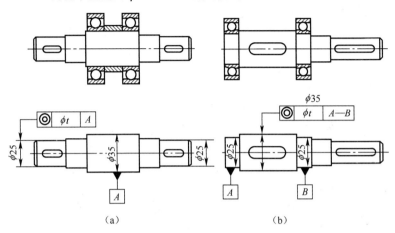

（a）　　　　　　　　　　（b）

图 2-80　根据零件的功能作用选择基准

②根据零件结构特点选择基准。根据零件结构特点选择基准如图 2-81 所示,中间轮轴用于支承中间齿轮。为保证齿轮有正确的啮合位置,零件左侧加工有 $\phi25$mm 定位圆柱面,为确保齿轮安装位置正确,给出了 $\phi20$mm 轴线对第 1 基准 $A\phi25$mm 轴线的同轴度要求。

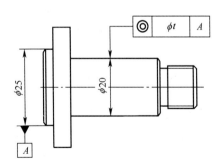

图 2-81　根据零件结构特点选择基准

③根据公差项目的特点选择基准。位置度公差通常选择成三基面

体系的要素作为基准要素。

④根据误差检测要求选择基准。对毛坯面或粗加工面的检测采用基准目标;对细小传动件选两端中心孔的公共轴线作为基准。

⑤尽量选择尺寸大的要素作为基准。以较大面积的平面或两相距较远的平面组成的共同基准;以轴线较长或直径较大的圆柱轴线或两个相距较远的圆柱面公共轴线作为基准,以减小基准方位的不确定性。

(3)几何公差值的选择

①公差值选择原则是根据零件的功能要求,并考虑加工的经济性和零件结构、刚性等情况,选择合理的公差等级及公差值。

选用时,应首先确定相应的主参数。然后再根据加工方法按表2-25、表2-27、表2-29 和表2-31,确定公差等级。最后利用表2-24、表2-26、表2-28 或表2-30 选定相应的公差值。

②公差等级也可以采用类比方法确定。表2-33、表2-34、表2-35及表2-36 列举了各项几何公差等级的应用范围,供类比选用。常用的公差等级为 5、6、7、8、9 五个等级。

表 2-33　直线度和平面度公差等级应用

公差等级	应 用 示 例
5	一级平板,二级宽平尺,平面磨床的纵导轨、垂直导轨、立柱导轨及工作台,液压龙门刨床和转塔车床床身导轨,柴油机进排气阀门导杆
6	普通机床导轨面,如卧式车床、龙门刨床、滚齿机与自动车床等的床身导轨、立柱导轨,柴油机壳体
7	二极平板,机床主轴箱,摇臂钻床底座和工作台,镗床工作台,液压泵盖,减速器壳体的结合面
8	机床传动箱体,挂轮箱体,车床溜板箱体,柴油机气缸体,连杆分离面,缸盖结合面,汽车发动机缸盖,曲轴箱结合面,液压管件和端盖连接面
9	三极平板,自动车床床身底面,摩托车曲轴箱体,汽车变速箱壳体,手动机械的支承面

表 2-34 圆度和圆柱度公差等级应用

公差等级	应 用 示 例
5	一般计量仪器主轴,测杆外圆柱面,陀螺仪轴颈,一般机床主轴轴颈及主轴轴孔,柴油相汽油机活塞,活塞销,与 E 级滚动轴承配合的轴颈
6	仪表端盖及外圆柱面,一般机床主轴及前轴承孔,泵与压缩机的活塞、气缸,汽油发动机凸轮轴,纺机锭子,减速器传动轴轴颈,高速船用柴油机,拖拉机曲轴主轴颈,与 E 级滚动轴承配合的外壳孔,与 G 级滚动轴承配合的轴颈
7	大功率低速柴油机曲柄轴颈、活塞、活塞销、连杆、汽缸,高速柴油机箱体轴承孔,千斤顶或压力机的油缸活塞,机车传动轴,水泵及通用减速器转轴轴颈,与 G 级滚动轴承配俱的外壳孔
8	低速发动机,大功率曲柄轴颈,压气机连杆盖,拖拉机气缸体、活塞,炼胶机冷铸轴辊,印刷机传墨辊,内燃机曲轴轴颈,柴油机凸轮轴承孔、凸轮轴,拖拉机,小型般用柴油机气缸套
9	空气压缩机缸体,液压传动轴,通用机械杠杆与拉杆用套筒销子,拖拉机活塞环,套筒孔

表 2-35 平行度、垂直度和倾斜度公差等级应用

公差等级	应 用 示 例
4,5	卧式机床导轨,重要支承面,机床主轴孔对基准的平行度,精密机床的重要零件、计量仪器、量具与模具的基准面和工作面,主轴箱体重要孔,通用减速壳体孔,齿轮泵的油孔端面,发动机轴和离合器的凸缘,气缸支承端面,安装精密滚动轴承的壳体孔的凸肩
6,7,8	一般机床的基准面和工作面、压力机和锻锤的工作面、中等钻模的工作面和机床一般轴承孔对基准面的平行度。变速箱箱体孔,主轴花键对定心直径部位轴线的平行度,重型机械轴承端盖面、卷扬机、手动传动装置中的传动轴、一般导轨、主轴箱体孔、刀架砂轮架和汽缸配合面对基准轴线,活塞销孔对活塞中心线的垂直度,滚动轴承内、外圈端对轴线的垂直度
9,10	低精度零件,重型机械滚动轴承端盖,柴油机、煤气发动机箱体曲轴孔,曲轴颈,花键轴和轴肩端面,皮带运输机端盖等端面对轴线的垂直度,手动卷扬机及传动装置中的轴承端面,减速器壳体平面

表 2-36   同轴度、对称度和跳动公差等级应用

公差等级	应 用 示 例
5,6,7	这是应用范围较广的公差等级，用于形位精度等级要求较高，尺寸公差等级为 IT8 及高于 IT8 级的零件。5 级常用于机床轴颈，计量仪器的测量杆，汽轮机主轴，柱塞油泵转子，高精度滚动轴承外圈，一般精度滚动轴承的内圈，回转工作台端面跳动。7 级用于内燃机曲轴，凸轮轴，齿轮轴，水泵轴，汽车后轮输出轴，电动机转子，印刷机墨辊的轴颈、键槽
8,9	用于形位精度等级要求一般，尺寸公差等级为 IT9 至 IT11 级零件。8 级常用于拖拉机发动机分配轴轴颈，与 9 级精度以下齿轮相配合的轴，水泵叶轮，离心泵体，棉花精梳机前后滚子、键槽等。9 级用于内燃机气缸套配合面，自行车中轴

在选择公差值时，还应考下列因素：

a. 在同一要素上给出的形状公差值应小于方向、位置和跳动公差值：平面度公差值应小于平行度公差值。

b. 圆柱形零件的形状公差值一般应小于尺寸公差值（轴线直线度除外）。

c. 平行度公差值应小于相应的尺寸公差值。

③未注公差值的选择。零件上所有要素都有几何公差精度要求，其中绝大多数要素的几何公差值应是常用加工设备能保证的精度，不需要以几何公差框格形式标注出来，只需按 GB/T 1184—1996 要求，在技术要求中注出其公差等级代号及所确定的公差值。该类公差称为未注公差值。

a. 直线度和平面度未注公差，规定有 H、K、L 三级，基本长度范围是被测要素主参数，直线度和平面度的未注公差值见表 2-37。

表 2-37   直线度和平面度的未注公差值   （mm）

公差等级	基本长度范围					
	≤10	>10～30	>30～100	>100～300	>300～100	>1000～3000
H	0.02	0.05	0.1	0.2	0.3	0.4
K	0.05	0.1	0.2	0.4	0.6	0.8
L	0.1	0.2	0.4	0.8	1.2	1.6

b. 圆跳动未注公差值见表 2-38。圆度的未注公差值为其相应的直径尺寸公差值,但不能超过表 2-38 中圆跳动未注公差值。

表 2-38　圆跳动未注公差值 （mm）

公差等级	圆跳动公差值	公差等级	圆跳动公差值
H	0.1	L	0.5
K	0.2		

如图 2-82(a)所示,圆的直径尺寸为 $\phi25_{-0.1}^{0}$ mm,其圆度未注公差值应等于 0.1mm。

在图 2-82(b)中,圆的直径未注公差尺寸 $\phi25$ mm,且注明 GB/T 1804—m(尺寸未注公差等级 m)和 GB/T 1184—k(圆度未注公差等级 k)。对直径尺寸而言,查表 2-12 其未注公差的极限偏差为 ±0.2mm,则其公差值为 0.4mm;对于圆度未注公差 K 级,由表 2-38 查得圆跳动未注公差值为 0.2mm。若按尺寸公差等于 0.4mm,它已超出圆跳动未注公差值,此时该圆度的未注公差 K 应为 0.2mm 而非 0.4mm。

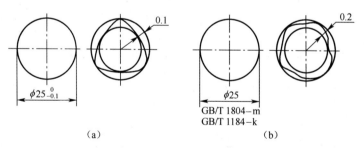

图 2-82　圆度未注公差值

c. 圆柱度未注公差值未作规定,如有需要应注出圆柱度公差或采用包容原则标注尺寸。

d. 平行度的未注公差值等于给出的尺寸公差值。

e. 垂直度未注公差值见表 2-39。

表 2-39　垂直度未注公差值　　　　　　　　　（mm）

公差等级	基本长度范围			
	≤100	>100~300	>300~1000	>1000~3000
H	0.2	0.3	0.4	0.5
K	0.4	0.6	0.8	1
L	0.6	1.0	1.5	2

f. 对称度未注公差值见表 2-40。

表 2-40　对称度未注公差值　　　　　　　　　（mm）

公差等级	基本长度范围			
	≤100	>100~300	>300~1000	>1000~3000
H	0.5			
K	0.6		0.8	1
L	0.6	1	1.5	2

(4)**公差原则的选择**　用于确定尺寸(线性尺寸和角度尺寸)公差和几何公差之间相互关系的原则称为公差原则。

图样上给定的每一个尺寸与形状、位置要素无关,相互独立,各自满足各自的要求,彼此互不影响。这种公差原则称为独立原则。图样上的尺寸公差与几何公差之间有一定的特定关系,具有相互控制或补偿作用。这种公差原则称为相关要求。公差原则的选择见表 2-41。

表 2-41　公差原则的选择

公差原则	应用场合	示　　例
独立原则	尺寸精度与几何精度需要分别满足要求	齿轮箱体孔的尺寸精度与两孔轴线的平行度;连杆销孔的尺寸精度与圆柱度,滚动轴承内、外圈滚道的尺寸精度与形状精度
	尺寸精度与几何精度要求相差较大	滚筒类零件尺寸精度要求很低,外形精度要求较高;平板的形状精度要求很高,尺寸精度无要求;冲模架的下模座尺寸精度不要求,平行度要求较高通油孔的尺寸精度有一定要求,形状精度无要求

续表 2-41

公差原则	应用场合	示 例
独立原则	尺寸精度与几何精度无联系	滚子链条的套筒或滚子内、外圆柱面的轴线同轴度与尺寸精度;齿轮孔的尺寸精度与孔轴线间的位置精度;发动机连杆大小头孔的尺寸精度与孔轴线间的位置精度
	保证运动精度	导轨的形状精度要求严格,尺寸精度要求次要
	保证密封性	气缸套的形状精度要求严格,尺寸精度要求次要
	未注公差	凡未注尺寸公差与未注几何公差都采用独立原则,例如退刀槽、倒角、圆角等非功能要素
包容要求	保证《公差与配合》规定的配合性质	$\phi20H7Ⓔ$ 孔与 $\phi20h6Ⓔ$ 轴的配合,可以保证配合的最小间隙等于零
	几何公差与尺寸公差间无严格比例关系要求	一般的孔与轴配合,只要求作用尺寸不超越最大实体尺寸,实际尺寸不超越最小实体尺寸
	保证关联作用尺寸不超越最大实体尺寸	关联要素的孔与轴有配合性质要求,标注 0Ⓔ
最大实体要求	被测中心要素	保证自由装配,如轴承盖上用于穿过螺钉的通孔,法兰盘上用于穿过螺栓的通孔
	基准中心要素	基准轴线或中心平面相对于理想边界的中心允许偏离时,如同轴度的基准轴线

2.2.8 公差原则

(1)公差原则的种类 公差原则有两类,即独立原则和相关要求。

①独立原则。图样上给定的每一个尺寸与几何要求均是独立的,

应分别满足要求。独立原则是尺寸公差与几何公差之间相互关系的基本原则。

②相关要求。图样上给定的尺寸公差与几何公差相互有关的公差要求。它们之间有一定的特殊关系,以达到相互控制和补偿的目的。国家标准规了4种相关要求,即包容要求Ⓔ、最大实体要求Ⓜ、最小实体要求Ⓛ和可逆要求Ⓡ。它们都以特定方式限定了尺寸公差和几何公差之间的相互关系。

(2)独立原则的应用场合   尺寸精度要求高,几何精度要求低的场合;几何精度要求高,尺寸精度要求低的场合;几何精度和尺寸精度要求均很高,但不允许补偿或反补偿的场合;几何精度与尺寸精度本身无必然联系的场合;几何精度和尺寸精度要求均较低的非配合要素场合。

(3)与相关要求有关的术语

①作用尺寸。在被测要素的长度上,与实际表面相接触的理想表面尺寸称为作用尺寸。它是由实际尺寸与几何误差综合作用所确定的尺寸,是在装配中真正起作用的尺寸。作用尺寸类型见表2-42。

表 2-42   作用尺寸类型

名称		简　图	说　明
体外作用尺寸	孔	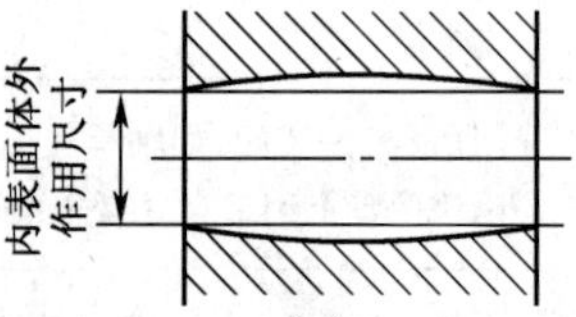 （a）	与孔的实际内表面体外相接的最大理想面的直径或宽度
	轴	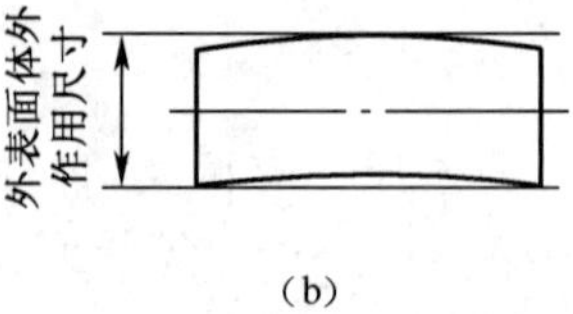 （b）	与轴的实际外表面体外相接的最小理想面的直径或宽度

续表 2-42

名称		简　图	说　明
体外作用尺寸	关联要素	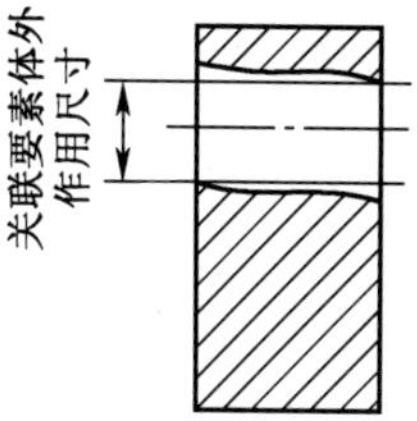 关联要素体外作用尺寸 (c)	对于关联要素的体外相接最大(最小)理想面的轴线必须与基准保持图样给定的几何关系(左)图中,轴线平行于基准
体内作用尺寸	孔	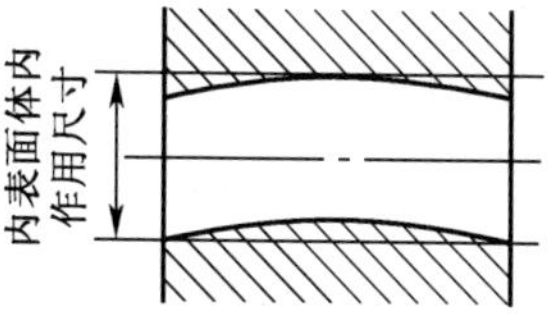 内表面体内作用尺寸 (a)	与孔的实际内表面体内相接的最小理想面的直径或宽度
	轴	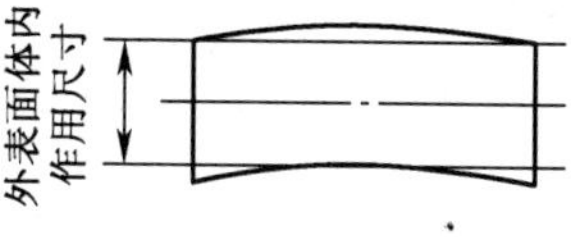 外表面体内作用尺寸 (b)	与轴的实际外表面体内相接的最大理想面的直径或宽度
	关联要素	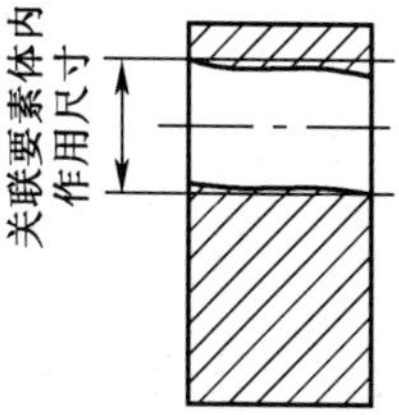 关联要素体内作用尺寸 (c)	对于关联要素的体内相接的理想面轴线,必须与基准保持图样给定的几何关系

②实体状态。提取组成要素的局部尺寸,处处位于极限尺寸的状态称为实体状态。按零件占有材料的多少划分为最大实体状态和最小实体状态。它们仅由尺寸公差控制与几何公差无关。两种实体状态的特点见表 2-43。

表 2-43　最大、最小实体状态

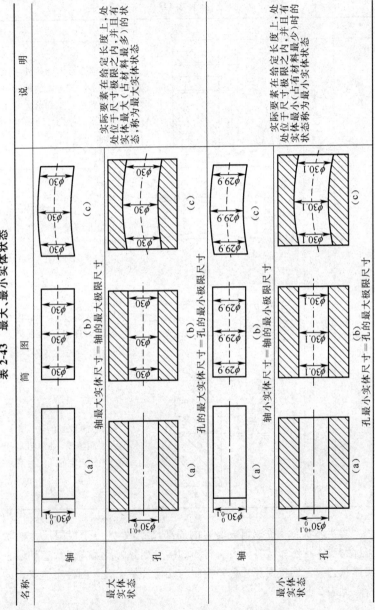

名称		简　图	说　明
最大实体状态	轴	(a)　(b)　(c) 轴最大实体尺寸＝轴的最大极限尺寸	实际要素在给定长度上,处处于尺寸极限之内,并且有实体最大(占材料最多)的状态,称为最大实体状态
	孔	(a)　(b)　(c) 孔的最大实体尺寸＝孔的最小极限尺寸	
最小实体状态	轴	(a)　(b)　(c) 轴最小实体尺寸＝轴的最小极限尺寸	实际要素尺寸最小(占有材料最少)时的实体状态称为最小实体状态
	孔	(a)　(b)　(c) 孔最小实体尺寸＝孔的最大极限尺寸	

③ 实体实效状态。在给定长度上,实际要素处于极限实体状态,同时中心要素的几何误差等给出的公差值时的综合极限状态称为实体实效状态。它是由极限尺寸和几何公差综合控制的。实体实效状态有最大、最小实体实效状态两种,见表 2-44。

④边界。具有实体状态理想形状的极限包容面称为边界。该极限包容面的直径或距离称为边界尺寸。边界的种类见表 2-45。

表 2-44　实体实效状态

名称	简　　图	说明
最大实体实效状态	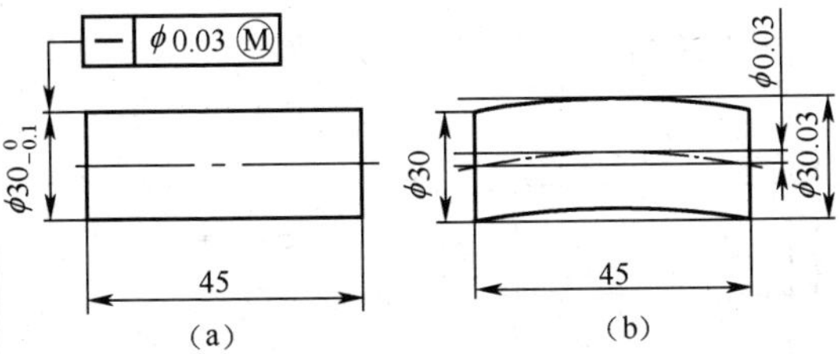 轴的最大实体实效尺寸＝ϕ30.03mm 孔的最大实体尺寸＝ϕ29.97	被测要素处于最大实体状态且其中心要素的几何误等于给定公差值的综合极状态称为最大实体实效状态。 轴最大实体实效尺寸＝轴的最大实体尺寸加几何公差孔最大实体实效尺寸＝孔的最小极限尺寸减几何公差

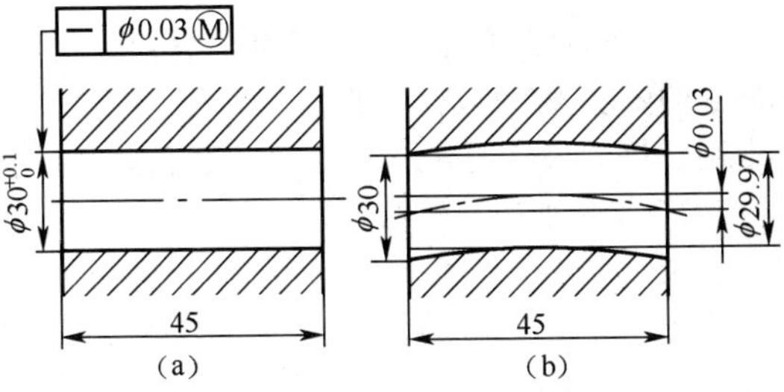

续表 2-44

名称	简　图	说明

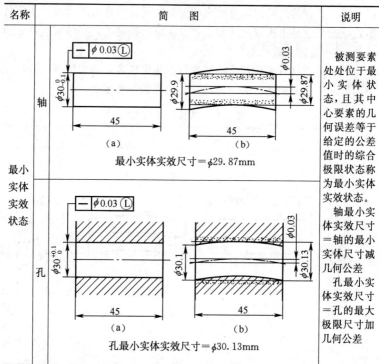

最小实体实效尺寸＝φ29.87mm

孔最小实体实效尺寸＝φ30.13mm

说明栏文字：

被测要素处处位于最小实体状态,且其中心要素的几何误差等于给定的公差值时的综合极限状态称为最小实体实效状态。

轴最小实体实效尺寸＝轴的最小实体尺寸减几何公差

孔最小实体实效尺寸＝孔的最大极限尺寸加几何公差

(4)相关要求的应用

①包容要求。实际要素遵守其最大实体边界,其局部尺寸不得超出最小实体尺寸的要求,称为包容要求。

包容要求用于单一尺寸要素。对于采用包容要求的单一尺寸要素,应在尺寸偏差代号后加注符号Ⓔ。

包容要求如图 2-83 所示,圆柱面 $\phi150_{-0.04}^{\ 0}$ Ⓔ遵守包容要求,即圆柱表面必须受其最大实体边界控制。最大实体边界是直径为 φ150mm 的理想圆柱面。实际表面不得超出该边界,且局部实际尺寸不得小于 φ149.96mm。这一要求表示实际圆柱面在最大实体边界内纵、横截面形状可以任意,只要满足 $\phi149.96\leqslant\phi d\leqslant\phi150$ 即可,包容要求实际表面的形体变化如图 2-84 所示。

表 2-45   边界的种类

名称	简　图		说　明

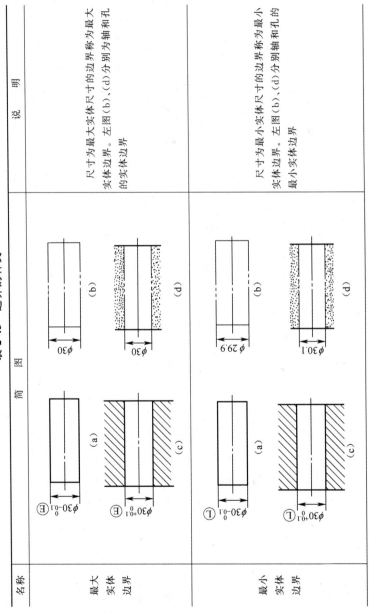

最大实体边界		尺寸为最大实体尺寸的边界称为最大实体边界。左图(b)、(d)分别为轴和孔的实体边界
最小实体边界		尺寸为最小实体尺寸的边界称为最小实体边界。左图(b)、(d)分别为轴和孔的最小实体边界

续表 2-45

名称	简图	说　明
最大实体实效边界	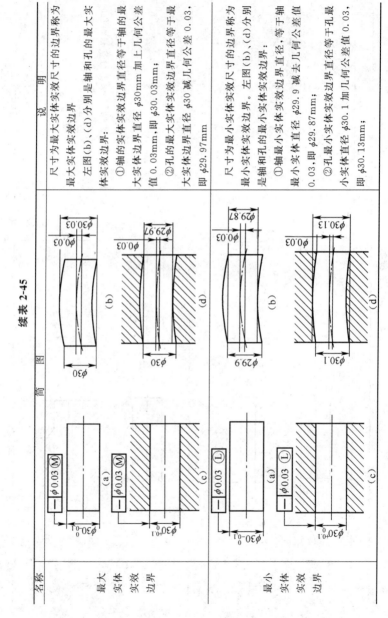	尺寸为最大实体尺寸的边界称为最大实体实效边界 左图(b)、(d)分别是轴和孔的最大实体实效边界： ①轴的实体实效边界直径等于轴直径 φ30mm 加上几何公差值 0.03mm，即 φ30.03mm； ②孔的最大实体实效边界直径等于孔直径 φ30 减去几何公差 0.03，即 φ29.97mm
最小实体实效边界		尺寸为最小实体尺寸的边界称为最小实体实效边界。左图(b)、(d)分别是轴和孔的最小实体实效边界： ①轴最小实体实效边界直径，等于轴最小实体直径 φ29.9 减去几何公差值 0.03，即 φ29.87mm； ②孔最小实体实效边界直径等于孔最小实体直径 φ30.1 加几何公差 0.03，即 φ30.13mm；

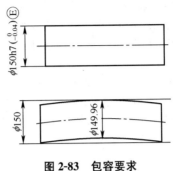

图 2-83 包容要求

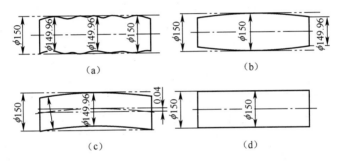

图 2-84 包容要求实际表面的形体变化

包容要求仅适用于单一尺寸要素,如圆柱面或两平行平面,用于保证零件的配合性质和公差配置要求的场合。对于精度或配合有严格要求的孔、轴系统应采用包容要求。例如,对于 $\phi30$H7Ⓔ孔和 $\phi30$h6Ⓔ的轴,它们采用包容要求,则孔的最大实体边界为 $\phi30$,最小实体尺寸为 $\phi30+$IT7(大于 $\phi30$);轴的最大实体尺寸为 $\phi30$,最小实体尺寸为 $\phi30$ $-$IT6,(小于 $\phi30$)故该孔与轴的配合必然是间隙配合(含零间隙)。如果只有一个要素采用了最大实体要求,则不能保证它们的配合一定是间隙配合。

包容要求适用于有较高精度要求的零件(如塞规表面),或用于保证精密配合的零件(如精密丝杠的轴颈)。

②最大实体要求。被测要素的实际轮廓应遵守最大实体实效边

界,当实际尺寸偏离最大实体状态时,允许几何误差值超出在最大实体状态下给出的公差的一种要求,称为最大实体要求。采用最大实体要求,被测要素或基准要素偏离最大实体状态时,几何公差可得到补偿,允许其增大。

最大实体要求适用于中心要素,在公差框格的公差值后或在基准代号字母后加注符号Ⓜ。轴和孔的最大实体要求分述如下:

a. 轴的最大实体要求。图 2-85 所示为轴的最大实体要求。

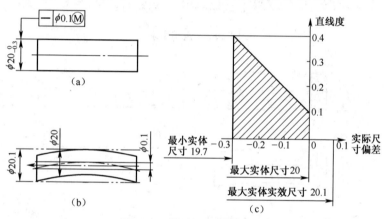

图 2-85　轴的最大实体要求

在图 2-85(a)中,公差框格标有 $\phi0.1$Ⓜ,说明轴 $\phi20_{-0.3}^{0}$mm 的轴线的直线度公差采用最大实体要求。该轴应满足以下要求:实际尺寸为 19.7~20mm;实际轮廓不超出最大实体实效边界,即体外作用尺寸不大于最大实体实效尺寸 20mm+0.1mm=20.1mm。

当被测要素处于最大实体状态时,轴线的直线度公差为图样给定的 $\phi0.1$mm(图 b);当被测要素处于最小实体状态时,其轴线直线度误差可得到补偿,补偿数值等于公尺寸公差值 0.3mm。于是在最小实体状态时,轴线的直线度误差可达 $\phi0.1+0.3=\phi0.4$mm。被测要素处于最大实体状态与最小实体状之间($\phi19.7\sim\phi20$)任意状态时,其轴线直线度误差可以得到相应的补偿,如图 2-85(c)所示的动态公差图。

b. 孔的最大实体要求。图 2-86 所示为孔的最大实体要求。图 2-86(a)所示,$\phi0.08$Ⓜ表示孔 $\phi50_{0}^{+0.13}$mm 的轴线对基准端面 A 的垂直度

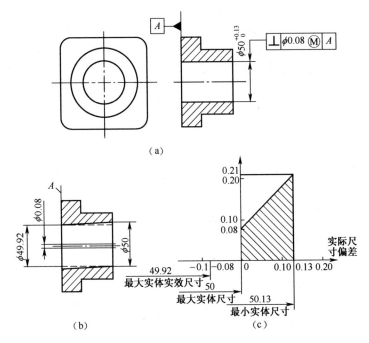

图 2-86 孔的最大实体要求

公差为 $\phi0.8$mm,且采用最大实体要求,该孔应满足两个要求:孔的实际尺寸为 $\phi50\sim\phi50.13$mm;实际轮廓不超出关联最大实体实效边界,孔的关联最大实体实效尺寸 $\phi50-0.08=\phi49.92$mm,如图 2-86(b)所示。

当孔处于最小实体状态时,轴线对 A 的垂直度误差允许达到最大值,等于垂直度公差 $\phi0.08$mm 再加上尺寸公差 0.13,最大垂直度误差可达 0.21mm。孔的实际尺寸偏差为 $0\sim0.21$mm 时,垂直度误差值可以图 2-86(c)的纵坐标确定。

c. 最大实体要求的应用场合。最大实体要求适用于中心要素,可用于直线度、平行度、垂直度、倾斜度、同轴度、对称度、位置度。从功能上看,只要满足装配要求又无严格配合要求时,可采用最大实体要求,如螺孔轴线位置度。

③最小实体要求的应用。被测要素的实际轮廓遵守其最小实体边界的称为最小实体要求。此时,当实际尺寸偏离最小实体尺寸时,允许其几何误差值超出在最小实体状态下给出的公差值的一种要求。采用最小实体要求,被测要素偏离最小实体状态时,几何公差可得到补偿。

最小实体要求适用于中心要素。采用最小实体要求应在公差框格中的公差值或基准代号字母后加注符号Ⓛ。孔的最小实体要求如图2-87所示。

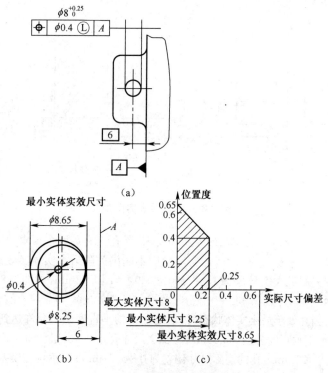

图 2-87　孔的最小实体要求

图 2-87(a)所示表示 $\phi 8^{+0.25}_{0}$ 孔的轴线的位置度公差为 $\phi 0.4$mm Ⓛ且采用最小实体要求,孔的中心线距基准面 A 由正确尺寸 ⑥ 限定。该孔应满足以下要求:孔的实际尺寸为 8~8.25mm;孔的实际轮廓不

超出关联最小实体实效边界，即关联内作用尺寸不大于最小实体实效尺寸 8.25＋0.4＝8.65(mm)。

此两项要求表示：当孔处于最大实体状态时，其轴线对 A 基准位置度误差允许达到最大值，即等于图上给出的位置度公差(ϕ0.4mm)与孔的尺寸公差(0.25mm)之和(ϕ0.65mm)；当被测孔处于最小实体和最大实体之间任意状态时，其轴线直线度误差可以得到相应的补偿，如图 2-87(c)所示。

采用最小实体要求时被测要素轮廓的实际状态是由最小实体实效边界控制的。当被测要素处于该状态时，占有材料最少，强度最低；轮廓偏离最小实体状态时可使几何公差值超出设计给定的值，但仍应位于控制边界之内。

④可逆要求的应用。当被测素的几何误差小于给出的公差值时，在满足零件功能要求的前提下，允许其相应的尺寸公差增大的一种相关要求称为可逆要求。

可逆要求即允许尺寸公差补偿给几何公差，也允许几何公差反过来补偿尺寸公差。两者的综合边界只要在控制边界内就是合格的。

可逆要求仅对中心要素适用，可逆符号为Ⓡ但不可单独使用，只能与最大实体要求或最小实体要求合用。此时，应以Ⓜ Ⓡ或Ⓛ Ⓡ方式标注在公差框格中。

如图 2-88 所示，可逆要求用于最大实体要求时，在公差框格中公差值后标注Ⓜ Ⓡ字样时，表示被测要素同时采用最大实体要求和可逆要求，其被测要素的实际轮廓受最大实体实效边界控制，实际轮廓尺寸可在最小实体尺寸与最大实体实效尺寸之间变化，允许尺寸公差补偿给几何差，也允许几何公差反过来补偿给尺寸公差。

图 2-88(a)所示，给出 $\phi 20_{-0.1}^{\ 0}$mm 的轴线对基准面 D 的垂直度公差要求，公差值 $\phi 0.2$Ⓜ Ⓡ表示该要求采用最大实体要求，同时采用可逆要求。为此，该轴应满足如下要求：

a. 轴的实际直径不能小于最小实体尺寸 ϕ19.9mm；

b. 被测的实际轮廓面不得超出最大实体实效边界，即其体外作用尺寸不超出最大实体实效尺寸 ϕ20mm ＋ 0.2mm ＝ ϕ20.2mm，如图 2-88(b)所示。

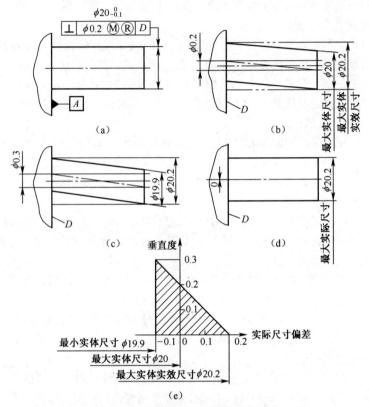

图 2-88 可逆要求用于最大实体要求

上述要求相当于当轴的所有局部实际尺寸都是最小实体尺寸 $\phi 19.9$mm 时,按最大实体要求,其轴线的垂直度误差可得到公差的补偿值 0.1mm,此时,垂直误差允许达到最大值 0.2mm + 0.1mm = 0.3mm,如图 2-88(c)所示。

当垂直度误差为 $\phi 0$mm,按可逆要求,其实际直径可得到垂直度公差最大补偿值 0.2mm,此时局部尺寸可为 $\phi 20$mm + 0.2mm = $\phi 20.2$m,如图 2-88(d)所示。垂直度误差与实际尺寸无论怎样变化,其实际轮廓均不能超出其控制边界 $\phi 20.20$ 圆柱面,如图 2-88(e)所示。可逆要求用于最大实体要求时实际尺寸与几何误差关系见表 2-46。

表 2-46 可逆要求用于最大实体要求时实际尺寸与几何误差关系

轴实际尺寸	允许的轴垂直度误差
$\phi19.9$	$\phi0.3$
$\phi20.0$	$\phi0.2$
$\phi20.05$	$\phi0.15$
$\phi20.10$	$\phi0.1$
$\phi20.20$	$\phi0$

可逆要求用于最大实体要求,允许实际尺寸超越给出尺寸公差范围,但不破坏其最大实体实效边界,仍能保证装配要求。

⑤相关要求的综合比较。相关要求的综合对比见表 2-47。

表 2-47 相关要求的综合对比

公差原则		符号	应用要素	应用项目	功能要求	控制边界	允许几何误差变动范围	允许实际尺寸变化范围	检测方法	
									几何误差	实际尺寸
相关要求	包容要求	Ⓔ	单一尺寸要素(圆、圆柱面、两平行平面)	形状公差(线、面轮廓度除外)	配合要求	最大实体边界	各项形状误差不能超出控制边界	最大实体尺寸不能超出其控制边界,而局部实际尺寸不能超越其最小实体尺寸	通端极限量规及专用量仪	通端极限量规测量最大实体尺寸,两点法测量最小实体尺寸
	最大实体要求	Ⓜ	中心要素(轴线及中心平面)	满足装配要求但无严格的配合要求时采用,如螺栓轴孔的位置度,两轴线的平行度等直线度、倾斜度、行垂直度、直度、轴同度、对称度、位置度		最大实体实效边界	当局部实际尺寸偏离其最大实体尺寸时,几何公差可获得补偿值(增大)	其局部实际尺寸不能超出尺寸公差的允许范围	综合功能量规(功能量规及专用量仪)	两点法测量

续表 2-47

公差原则	符号	应用要素	应用项目	功能要求	控制边界	允许几何误差变动范围	允许实际尺寸变化范围	检测方法 几何误差	检测方法 实际尺寸
相关要求	可逆要求 Ⓡ	ⓂⓇ	中心要素（轴线及中心平面）	适用于Ⓜ的各项目	对最大实体尺寸没有严格要求的场合	最大实体实效边界	当与Ⓜ同时使用时，几何误差变化同Ⓜ	当几何误差小于给出的几何公差时，补偿尺寸差可给尺寸差，使尺寸公差增大，其局部实际尺寸可给定	综合量规或量仪专用控制其最大实体边界	仅两点法测量最小实体尺寸
		ⓁⓇ		适用于Ⓛ的各项目	对最小实体尺寸没有严格要求的场合	最小实体实效边界	当与Ⓛ同时使用时，几何误差变化同Ⓛ		三坐标仪或专用量式控制其最小实体边界	仅两点法测量最大实体尺寸

2.3　表面结构

零件的表面结构原于产品几何技术规范(GPS)，其几何特征只能用微米(μm)级的参数来描述，通常要用光学量仪才能确定其精度等级。

表面结构含粗糙度轮廓、波纹度轮廓和原始轮廓三个方面的内容，国家标准规定采用轮廓法确定相应的参数。表面结构的粗糙度在零件的加工、检验中使用较普遍，是本书着重介绍的内容。

2.3.1　表面结构国家标准

国家标准规定用轮廓法确定表面结构(粗糙度、波纹度和原始轮廓)，对有关的术语、定义、参数和表面结构的标注作出了明晰的规范。现行国家标准对于过去沿用的某些方面作了必要的修改。现行使用的国家标准有：GB/T 3505—2009、GB/T 1031—2009 和 GB/T 131—2006。

①GB/T 3505—2009 表面结构　轮廓法　术语、定义及表面结构

参数,代替 GB/T 3505—1983、GB/T 3505—2000。

②GB/T 1031—2009 表面粗糙度、参数及其数值代替 GB/T 1031—1995。现行国家标准对原标准中的一些参数、代号作了修改,例如:将"轮廓最大高度"参数代号"Ry"改为"Rz";"轮廓微观不平度的平均间距"参数代号"Sm"改为"Rsm";"取样长度"代号由"L"改为"Lr"。

③GB/T 131—2006　技术产品文件中表面结构表示法代替GB/T 131—1993。

2.3.2　表面粗糙度

(1)实际轮廓　零件在加工过程中,由于刀具的切削总会在零件表面形成具有较小间距的峰、谷相间组成的微观不平的痕迹。零件表面这种微观几何特征统称为表面结构。表面实际轮廓如图 2-89 所示。

表面结构可以采用轮廓法予以描述。图 2-89 所示,垂直于加工纹理方向的平面与工件实际表面相交的交线即是轮廓线。以轮廓的几何特性参数描述表面结构称为轮廓法。

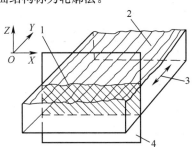

图 2-89　表面实际轮廓
1. 表面横向实际轮廓　2. 实际表面　3. 纹理方向　4. 垂直平面

评定表面结构时,通常按轮廓上波长的大小将表面轮廓误差分成三类:波长<1mm 的轮廓误差称为表面粗糙度、波长在 1～10mm 的称为波纹度误差、波长>10mm 的称为形状误差。零件实际轮廓的几何误差如图 2-90 所示。

(2)评定表面粗糙度的基本术语

①取样长度 Lr。在 X 轴方向判别被评定轮廓不规则特征的长度。即用于评定具有表面粗糙度时所取的一段基准长度。Ra 参数值与取

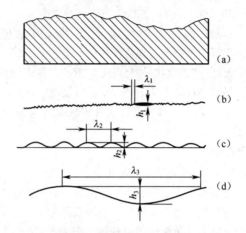

图 2-90   实际轮廓的几何误差

(a)截面轮廓   (b)表面粗糙度轮廓   (c)波纹度轮廓   (d)形状误差轮廓

样长度 Lr 值的对应关系见表 2-48。

表 2-48 Ra 参数值与取样长度 Lr 值的对应关系

$Ra/\mu m$	Lr/mm	$Ln/mm(Ln=5\times Lr)$
≥0.008～0.02	0.08	0.4
>0.02～0.1	0.25	1.25
>0.1～2.0	0.8	4.0
>2.0～10.0	2.5	12.5
>10.0～80.0	8.0	40.0

②评定长度 Ln。评定长度 Ln 是评定轮廓表面粗糙度所必需的一段长度，一般包含一个或几个取样长度在内，如 $Ln=5Lr$。

③轮廓中线。用以评定表面粗糙度参数值大小的一条参考线称为轮廓中线(在一个取样长度 Lr 之内)。轮廓中线可以是最小二乘中线或算术平均中线，视具体的评定参数而定。

图 2-91 为轮廓最小二乘中线。它是在取样长度 Lr 内，轮廓各点到该线的距离 Z 平方和为最小，即由 $\sum\limits_{i=1}^{n} Z_i^2 = \min$ 的条件确定的中线。如图 2-91 中 O_1O_1、O_2O_2 等。

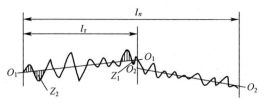

图 2-91　轮廓最小二乘中线

图 2-92 为轮廓算术平均中线。在取样长度内,将轮廓划分为上、下两部分,使上、下两部分面积和相等的那条线称为轮廓算术平均中线,如图 2-92 中 O_1O_1、O_2O_2 等。

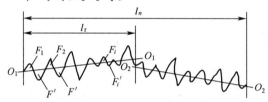

图 2-92　轮廓算术平均中线

(3)表面粗糙度评定参数　按 GB/T 3505—2009 规定,评定表面粗糙度的参数有轮廓幅度参数 Ra、Rz,间距参数 RSm 和形状特征参数 $Rmr(c)$。Ra、Rz 为表面粗糙度主参数,其余为附加参数。

①轮廓算术平均偏差 Ra。轮廓算术平均偏差 Ra 是指在一个取样长度内,被测轮廓上各点至轮廓中线距离绝对位 $|Z|$ 的算术平均值。其数学表达式为:

$$Ra = \frac{1}{l_r} \int_0^{l_r} |Z(x)| \, dx = \frac{1}{n} \sum_{i=1}^{n} |Z_i|$$

Ra 的评定如图 2-93 所示。Ra 是最常用的表面粗糙度参数,Ra 值越大表面越粗糙。

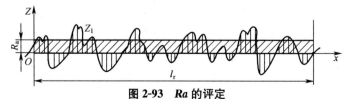

图 2-93　Ra 的评定

②轮廓最大高度 Rz。轮廓最大高度 Rz 是指在取样长度 Lr 内,轮廓峰顶线与轮廓谷底线之间的最大距离。其数学表达式为

$$Rz = Z_{pmax} + Z_{vmax}$$

Rz 的评定如图 2-94 所示。

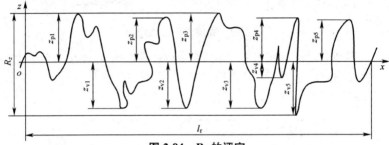

图 2-94 Rz 的评定

③轮廓单元的平均宽度 RSm。轮廓单元的平均宽度 RSm 是指在一个取样长度内,轮廓单元宽度 Xs 的平均值。其数学表达式为

$$RSm = \frac{1}{n} \sum_{i=1}^{n} X_{si}$$

轮廓单元的平均宽度 RSm 和轮廓的支承长度率 $Rmr(c)$ 如图 2-95 所示。RSm 值越小,表明轮廓表面越细密,密封性好。

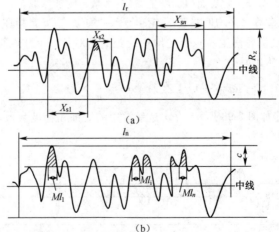

图 2-95   轮廓单元的平均宽度 RSm 和轮廓的支承长度率 $Rmr(c)$

(4)轮廓的支承长度率 $Rmr(c)$　轮廓的支承长度率是指在给定水平位置 c 上的轮廓实体材料长度 $ML(c)$ 与评定长度的比率。其数学表达形式为

$$Rmr(c)=\frac{ML(c)}{L_n}=\frac{ML_1+ML_2+\cdots ML_n}{L_n}$$

(5)表面粗糙度数值　国家标准规定的表面粗糙度评定参数值系列见表 2-49。

表 2-49　表面粗糙度评定参数值系列

轮廓算术平均偏差 $Ra/\mu m$		轮廓最大高度 $Rz/\mu m$		轮廓单元的平均高度 $RSm/\mu m$		支承长度率 $Rmr(c)(\%)$	
0.025		0.025		0.0060		10	
0.050		0.050	12.5	0.0125	3.2	15	80
0.100	6.3	0.100	25.0	0.0250	6.3	20	90
0.200	12.5	0.200	20.0	0.0500	12.5	25	
0.200	25.0	0.400	100.0	0.1000		30	
0.400	50.0	0.800	200.0	0.200		40	
0.800	100.0	1.600	400.0	0.4000		50	
1.600		3.200	800.0	0.8000		60	
3.200		6.300	1600.0	1.6000		70	

注:选用轮廓支承长度率 $Rmr(c)$ 时,必须同时给出轮廓水平截距 c 值。c 值单位可用 μm 或 Rz 的百分数表示,其系列如下:Rz 的 5%,10%,20%,25%,30%,40%,50%,60%,70%,80%,90%。

2.3.3　表面粗糙度的选用

(1)参数类型的选用　一般情况之下,图样上只注出 1～2 个轮廓幅度参数 Ra、Rz。优先选用 Ra,对于要求较高耐蚀性,在交变应力条件下工作的零件表面,可同时选用 Ra 和 Rz 两个参数。

间距参数 RSm 和支承参数 $Rmr(c)$ 一般不单独使用,而是与高度参数联合使用。表面的耐磨性和密封性要求较高时,可选用支承参数 $Rmr(c)$;为保证涂漆性能,提高抗腐蚀性,可选用间距参数 RSm。

(2)表面粗糙度参数值的选用

①同一零件上工作表面比非工作表面粗糙度参数值小。

②摩擦表面比非摩擦表面的粗糙度参数值小;滚动摩擦表面比滑动摩擦表面的粗糙度参数值小。

③承受交变应载荷表面及应力集中部位粗糙度参数值要小。

④要求配合稳定可靠时,粗糙度参数值要小。

⑤表面粗糙度与尺寸公差及几何公差应协调。尺寸及几何公差小的,表面粗糙度参数值要小。

⑥有特殊使用要求的表面粗糙度参数值应遵守相关的特殊规定。

(3)表面粗糙度的选用　表面粗糙度的表面特征、加工方法及应用见表 2-50。

表 2-50　表面粗糙度的表面特征、加工方法及应用

表面微观特征		$Ra/\mu m$	$Rz/\mu m$	加工方法	应用举例
粗糙表面	可见刀痕	20～40	80～160	粗车、粗刨、粗铣、钻、毛锉、锯断	半成品粗加工过的表面,非配合的加工表面,如轴端面、倒角、钻孔、齿轮带轮侧面、键槽底面、垫圈接触面等
	微见刀痕	10～20	40～80	车、刨、铣镗、钻、粗铰	
半光表面	微见加工痕迹	5～10	20～40	车、刨、铣镗、磨、拉、粗刮、滚压	轴上不安装轴承、齿轮处的非配合表面,紧固件的自由装配表面,轴和孔的退刀槽等
	微见加工痕迹	2.5～50	10～20	车、刨、铣镗、磨、拉、刮、压、铣齿	半精加工表面,箱体、支架、盖面、盖筒等和其他零件结合而无配合要求的表面,需要发蓝的表面等
	看不清加工痕迹	1.25～2.5	6.3～10	车、刨、铣镗、磨、拉、刮、压、铣齿	接近于精加工表面,箱体上安装轴承的镗孔表面、齿轮工作面
光表面	可辨加工痕迹方向	0.63～1.25	3.2～6.3	车、镗、磨、拉、刮、精铰、磨齿、滚压	圆柱销,圆锥销,与滚动轴承配合的表面,卧式车床导轨面,内外花键定心表面等
	微辨加工痕迹方向	0.32～0.63	1.6～3.2	精铰、精镗、磨、刮、滚压	要求配合性质稳定的配合表面,工作时受交变应力的重要零件,较高精度车床的导轨面

续表 2-50

表面微观特征		Ra/μm	Rz/μm	加工方法	应用举例
光表面	不可辨加工痕迹方向	0.16～0.32	0.8～1.6	精磨、珩磨、研磨、超精加工	精密机床主轴锥孔、顶尖圆锥面、发动机曲轴、凸轮轴工作面,高精度齿轮齿面
极光表面	暗光泽面	0.08～0.16	0.4～0.8	精磨、研磨、普通抛光	精密机床主轴锥孔、顶尖圆锥面、发动机曲轴、凸轮轴工作面,高精度齿轮齿面
	亮光泽面	0.04～0.08	0.2～0.4	超精磨、精抛光、镜面磨削	精密机床主轴径表面,一般量规工作表面,汽缸套内表面,活塞销表面
	镜状光泽面	0.01～0.04	0.05～0.2		精密机床主轴径表面,滚动轴承滚珠,高压液压泵中柱塞和柱塞配合的表面
	镜面	≤0.01	≤0.05	镜面磨削、超精研	高精度量仪和量块的工作表面,光学仪器中的金属镜面

轴和孔的表面粗糙度参数推荐值见表 2-51。

表 2-51　轴和孔的表面粗糙度参数推荐值

应用场合			Ra/μm	
示例	公差等级	表面	基本尺寸/mm	
			≤50	>50～500
经常拆卸零件的配合表面(如挂轮、滚刀等)	IT5	轴	≤0.2	≤0.4
		孔	≤0.4	≤0.8
	IT6	轴	≤0.4	≤0.8
		孔	≤0.8	≤1.6

续表 2-51

应用场合			$Ra/\mu m$	
示　例	公差等级	表　面	基本尺寸/mm	
			≤50	>50~500
经常拆卸零件的配合表面(如挂轮,滚刀等)	IT7	轴	≤0.8	≤1.6
		孔		
	IT8	轴	≤0.8	≤1.6
		孔	≤1.6	≤3.2
过盈配合的配合表面(用压力机进行装配)	IT5	轴	≤0.2	≤0.4
		孔	≤0.4	≤0.8
	IT6	轴	≤0.4	≤1.6
	IT7	孔	≤0.8	≤1.6
	IT8	轴	≤0.8	≤3.2
		孔	≤1.6	≤3.2
	IT9	轴	≤1.6	≤3.2
		孔	≤3.2	≤3.2
滑动轴承的配合表面	IT6~IT9	轴	≤0.8	
		孔	≤1.6	
	IT10~IT12	轴	≤3.2	
		孔	≤3.2	

	公差等级	表面	径向跳动/μm					
			2.5	4	6	10	16	25
精密定心的配合表面	IT5~IT8	轴	≤0.05	≤0.1	≤0.1	≤0.2	≤0.4	≤0.8
		孔	≤0.1	≤0.2	≤0.2	≤0.4	≤0.8	≤1.6

2.3.4 表面粗糙度的标注

(1)表面粗糙度符号 表面粗糙度符号、代号及意义见表2-52。

表 2-52 表面粗糙度符号、代号及意义

符号	意 义	代 号	意 义
（基本符号）	基本符号,表示表面粗糙度是用任何方法获得(包括镀涂及其他表面处理)		a—表面结构单一要求表面粗糙度高度参数代号及其数值(μm) b—注写两个或多个表面结构要求 c—加工方法 d—加工纹理方向 e—加工余量(mm) f—附加参数代号(RS_m, $R_{mr(c)}$及数值)
（符号加短划）	基本符号加一短划,表示表面粗糙度是用去除材料的方法获得。例如车、铣、钻、磨、剪切、抛光、腐蚀、电火花加工等		
（符号加小圆）	基本符号加一小圆,表示表面粗糙度是用不去除材料的方法获得。例如铸锻、冲压变形、热轧、冷轧、粉末冶金等;或者是用保持原供应状况的表面(包括保持上道工序的状况)		

(2)表面粗糙度标注 表面粗糙度标注示例见表2-53。

表 2-53 表面粗糙度标注示例

代 号	意 义
$Ra\,0.8$	给出单一表面结构要求,用去除材料方法,以16%的规则(默认传输带),表面轮廓的算术平均偏差值为 Ra 不超过 $0.8\mu m$ 无其他附加要求。
$Ra\,0.8$ $R_z\,6.3$	以去除材料方法达到表面轮廓算术平均偏差 Ra 为 $0.8\mu m$,且轮廓最大高度为 $R_z6.3\mu m$。

表面粗糙度在零件表面的标注如图 2-96 所示。

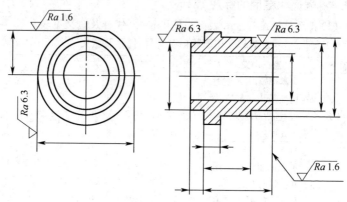

图 2-96　表面粗糙度在零件表面的标注

多数表面相同要求的标注如图 2-97 所示。

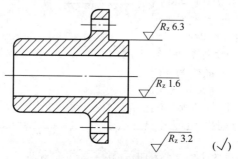

图 2-97　多数表面有相同要求的标注

3 技 术 测 量

技术测量的基本要求是合理选择测量器具和测量方法,保证足够的测量精度和相应的测量效率,快速准确地测出被测量的值,从而保证零件具有互换性。

技术测量分为测量和检验两类。前者要确定被测量的具体数值,后者不要求测出具体数值,只要求确定被测量是否合格。检验效率高,应用广泛。

产品几何技术规范(GPS)的技术测量包括光滑工件尺寸的技术测量、几何误差的检测和表面粗糙度的检测三个方面。技术测量适用的标准:GB/T 6093—2001 几何量技术规范(GPS)长度标准 量块;GB/T 17163—2008 几何量测量器具术语 基本术语;GB/T 3177—2009 产品几何技术规范(GPS)光滑工件尺寸的检验;GB/T 1958—2004 产品几何量技术规范(GPS)形状和位置公差 检测规定;GB/T 1031—2009 产品几何技术规范(GPS)表面结构 轮廓法 表面粗糙度参数及其数值。

3.1 光滑工件尺寸的技术测量

3.1.1 尺寸的传递

(1)尺寸传递系统 我国法定长度计量单位是 m。1m 是光在真空中(1/299792458)s 内行进的路程。在几何量测量中,一般以 mm 作单位,$1mm=10^{-3}m$。

国家专门机构将所计量基准通过各等级计量标准传递到工作计量器,以保证被测对象所测得的量值的准确。我国长度单位尺寸的传递是通过量块和线纹尺两种方式进行的。前者主要用于比较测量时量具的检定基准,后者则是用于直接测量的量具,长度量值传递系统如图 3-1 所示。

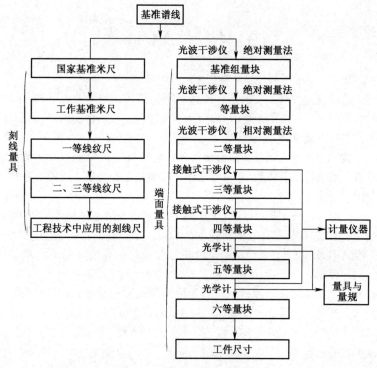

图 3-1　长度量值传递系统

　　为保证长度测量值的一致性与准确性,量块、线纹尺和各种计量器具都应定期到指定的检定机构进行检定。

　　(2)量块　量块是用耐磨材料制造,横截面为矩形,并具有一对相互平行测量面的实物量具。量块的测量面可以和另一量块的测量面相研合而组合使用,也可以和具有类似表面质量的辅助体表面相研合而用于量块长度的测量。

　　量块的外形如图 3-2 所示。国家标准规定了标称长度从 0.5mm 至 1000mm K 级(校准级)和准确度级别为 0 级、1 级、2 级和 3 级的长方体量块的定义、测量基准、基本尺寸、材料特征、技术要求、检验方法、标志与包装等。

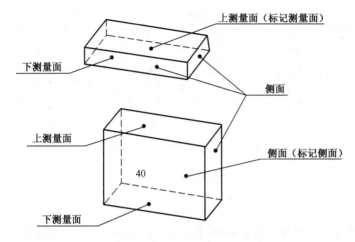

图 3-2　量块的外形

①量块长度。量块的长度见表 3-1。

表 3-1　量块的长度

名称及符号	示 意 图	定 义
量块长度 l		量块一个测面上任意点到其相对的另一测量面相研合的辅助体表面之间的垂直距离,辅体的材料和表面质量与量块相同
量块中心长度 l_c		对应于量块未研合测量面中心点的量块长度。 量块中心长度 l_c 是量块长度 L 的一种特定情况
标称长度 l_n		标记在量块上,表明其与主单位(m)之间关系的量值。图示 20 表明该量块标称长度为 20×10^{-3} m

续表 3-1

名称及符号	示 意 图	定 义
量块长度偏差 e	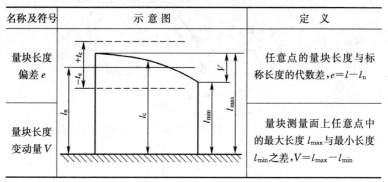	任意点的量块长度与标称长度的代数差，$e=l-l_n$
量块长度变动量 V		量块测量面上任意点中的最大长度 l_{max} 与最小长度 l_{min} 之差，$V=l_{max}-l_{min}$

注：量块任意点不包括距测量面边缘为 0.8mm 区域内的点。

②量块准确度。量块准确度按照量块长度相对于标称长度的极限偏差 t_e 和量块长度变动量最大允许值 t_v 划分为 K 级（校准级）、0 级、1 级、2 级、3 级。K 级量块用于校对 1、2、3 级量块。表 3-2 列出了标称尺长从 0.5mm 至 300mm 各级量块的量块长度极限偏差 t_e 和量块长度变动量最大允许值 t_v。

表 3-2   量块长度极限偏差 t_e 和量块长度变动量最大允许值 t_v

（摘自 GB/T 6093—2001）

标称长度 l_n mm	K 级		0 级		1 级		2 级		3 级	
	$\pm t_e$	t_v	$\pm t_e$	t_v	$\pm t_e$	t_v	$\pm t_e$	t_v	$\pm t_e$	t_v
	μm									
$l_n \leqslant 10$	0.20	0.05	0.12	0.10	0.20	0.16	0.45	0.30	1.00	
$10 < l_n \leqslant 25$	0.30	0.05	0.14	0.10	0.30	0.16	0.60	0.30	1.20	
$25 < l_n \leqslant 50$	0.40	0.06	0.20	0.10	0.40	0.18	0.80	0.30	1.60	
$50 > l_n \leqslant 75$	0.50	0.06	0.25	0.12	0.50	0.18	1.00	0.35	2.00	
$75 > l_n \leqslant 100$	0.60	0.07	0.30	0.12	0.60	0.20	1.20	0.35	2.50	
$100 > l_n \leqslant 150$	0.80	0.08	0.40	0.14	0.80	0.20	1.60	0.40	3.00	
$150 > l_n \leqslant 200$	1.00	0.09	0.50	0.16	1.00	0.25	2.00	0.40	4.00	
$200 > l_n \leqslant 250$	1.20	0.10	0.60	0.16	1.20	0.25	2.40	0.45	5.00	
$250 > l_n \leqslant 300$	1.40	0.10	0.70	0.18	1.40	0.30	2.80	0.50	6.00	

注：距离测量面边缘 0.8mm 范围内不计。

③量块的规格。量块测量面的表面粗糙度值极小,经过汽油清洗的两个量块的测量表面在轻微压力作用下,可以黏合在一起(即研合)。国家标准规定量块按套生产,成套量块的尺寸值、量块数量和尺寸间隔见表 3-3。

表 3-3　成套量块尺寸(GB/T 6093—2001)

套别	总块数	级别	尺寸系列/mm	间隔/mm	块数
1	91	0,1	0.5		1
			1		1
			1.001,1.002,…,1.009	0.001	9
			1.01,1.02,…,1.49	0.01	49
			1.5,1.6,…,1.9	0.1	5
			2.0,2.5,…,9.5	0.5	16
			10,20,…,100	10	10
2	83	0,1,2	0.5		1
			1		1
			1.005		1
			1.01,1.02,…,1.49	0.01	49
			1.5,1.6,…,1.9	0.1	5
			2.0,2.5,…,9.5	0.5	16
			10,20,…,100	10	10
3	46	0,1,2	1		1
			1.001,1.002,…,1.009	0.001	9
			1.01,1.02,…,1.09	0.01	9
			1.1,1.2,…,1.9	0.1	9
			2,3,…,9	1	8
			10,20,…,100	10	10
4	38	0,1,2	1		1
			1.005		1
			1.01,1.02,…,1.09	0.01	9
			1.1,1.2,…,1.9	0.1	9
			2,3,…,9	1	8
			10,20,…,100	10	10

　　在生产实际中可以用不同尺寸值的量块组成量块组,以满足不同的测量需求,但量块组中的量块数不应超过4块。

　　(3)线纹尺　线纹尺是一种刻度尺,其尺寸刻度精度高。国家标准将线纹尺分为三等。在生产测量中,二、三等线纹尺用于各种量仪、精密机床的调整和校对。

　　在尺寸传递系统中,国家专门机构用激光干涉比长仪对基准米尺进行校对,然后用基准米尺作为标准对一等线纹尺进行校对,用一等线纹尺对二等线纹尺进行校对,用二等线纹尺对三等线纹尺进行校对,三等线纹尺用于各种工作刻度尺的校对。

3.1.2　测量器具的性能

　　单独或连同辅助装置一起用以确定几何量值的器具称为几何量测量器具,简称测量器具或计量器具,如游标卡尺、千分尺、内径百分表等。测量器具的选用主要依据其性能。

　　(1)标称范围　测量器具的操纵器件调到特定位置时所得到的示值范围。测量器具的标称范围通常用其上限和下限表明,如游标卡尺的标称范围有0～150mm,0～300mm等;千分尺的标称范围有0～25mm,25～50mm等;百分表的标称范围有0～3mm、0～5mm等。测量器具的标称范围通常可理解为测量器具的测量范围。

　　(2)量程　标称测量两极限值之差的模。量程是个区间概念。标称范围下限为零时,其上限值即表示量程;下限不为零时,量程等于上限与下限之代数差的绝对位,如标称范围为25～50mm的千分尺的量程为50mm—25mm=25mm。

　　(3)分辨力　能被有效辨别的显示装置的示值间的最小差异称为测量器具的分辨力。分辨力表示测量器的显示装置能够显示被测几何量的最小量值。常用测量器具的分辨力用分度值或精度表示。

　　游标卡尺的分度值有0.1mm、0.05mm和0.02mm三种,能测出最小尺寸为0.1mm、0.05mm和0.02mm。各种千分尺的分度值为0.01mm;万能游标角度尺的分度值有$2'$和$5'$两种。

　　(4)准确度等级　符合一定的计量要求,使误差保持在规定极限以内的测量器具的级别称为准确度等级。各种测量器具的准确度等级由国家标准予以规定。

3.1.3 测量方法的类型及特点

实际工作中,通常是按照获得测量结果的方式对测量方法进行分类的。测量方法的类型及特点见表3-4。

表 3-4 测量方法的类型及特点

类　型	特　点
直接测量与间接测量	①直接由计量器具上得到被测尺寸的数值或偏差的称为直接测量,如用卡尺、千分尺测工件的尺寸等; ②测量相关尺寸通过计算得到被测量值的称为间接测量,如孔中心距的测量即是间接测量; 直接测量比间接测量的精度高,一般应尽量采用直接测量,只有在条件不允许时,才采用间接测量
绝对测量与相对测量	①绝对测量时计量器具显示值就是被测尺寸的实际值,如用卡尺测轴直径时直接由卡尺读取数值; ②相对测量时计量器具显示值是被测尺寸相对于已知标准量的偏差,如用立式光学比较仪测量轴径,先用量块调整显示器置于零位,比较仪指示的示值为被测轴径相对于量块尺寸的偏差; 相对测量的精度比绝对测量的精度高
接触测量与非接触测量	①接触测量时量具的测头与被测表面直接接触,并有机械作用的测量力,如用卡尺、千分尺、百分表等的测量; ②非接触测量时量具的测头与被测表面不直接接触,无机械作用的测量力,如用光切显微镜测量表面粗糙度,用气动仪测量孔径等
综合测量与单项测量	①综合测量适用于测量被测零件上与几个参数有关联的综合参数,从而综判断零件的合格性,用螺纹塞规检验螺纹单一片径、螺距和牙形半角的综合结果(作用中径)是否合格即是综合测量的示例; ②单项测量适用于分别测量零件上彼此没有联系的各个参数,如用工具显微镜分别测量螺纹单一中径、螺距和牙型半角的实际值,分别判断各项参数是否合格
静态测量与动态测量	①静态测量时被测表面与计量器具的测量头处于相对静止状态; ②动态测量时被测表面与计量器具的测量头处于相对运动状态,如用圆度仪测量圆度等

续表 3-4

类 型	特 点
被动测量与 主动测量	①被动测量是对完工后的零件进行的测量,旨在发现和剔出废品; ②主动测量是在零件加工过程中的测量,按测量结果直接控制零件加工过程,防止产生废品

3.1.4 测量误差

(1)测量误差的表述　测量中由于主客观条件的复杂性而导致测量结果与被测量的真值之间的偏差称为测量误差。

测量误差可以用绝对误差或相对误差来描述,其表达式如下:

绝对误差　　　　　　　　$\Delta = x - x_0$;

相对误差　　　　　　　　$\varepsilon = \dfrac{|\Delta|}{x_0} \times 100\%$

式中,x_0为被测量的真值;x为被测量的测量值;Δ为绝对误差;ε为相对误差。

绝对误差 Δ 只能反映同一尺寸的测量精度;不同尺寸的测量精度就需要用相对误差来表示。

(2)测量误差产生的原因　产生测量误差的原因见表 3-5。

表 3-5　产生测量误差的原因

误差原因	含 义
测量器具误差	由于测量器具本身设计原理、制造误差及检定误差的存在而引起的误差
测量方法误差	由于测量方法不完善,测量过程不符合测量原则等原因产生的误差
人员误差	人在测量过程中读错、记错等原因产生的误差及操作时的瞄准、对正或工作位置调整不正确所产生的误差
测量环境误差	测量环境不符合标准环境条件所引起的误差

(3)测量误差的类型　测量误差的类型及特点见表 3-6。

表 3-6 测量误差的类型及特点

误差类型	特 点
系统误差	系统误差是带有规律性的误差,表现为在一定的测量条件之下,对同一个被测尺寸进行多次重复测量时,误差值的大小和符号保持不变;或者在条件变化时,误差大小及符号按一定规律变化两种情形; 系统误差可以通过实验分析或计算加以确定,采用修正法可以从测量结果中抵消或减小这种误差
随机误差	随机误差又称偶然误差,表现在相同条件下,对同一个被测量尺寸进行多次重复测量时,误差值的大小和符号的变化没有一定规律的误差称为随机误差; 随机误差不能通过实验分析或计算加以确定,也不能用修正法加以消除,只能通过增加重复测量的次数,来减少误差对测量结果的影响;随机误差是一个随机变量,服从正态分布规律; (1)随机误差分布曲线 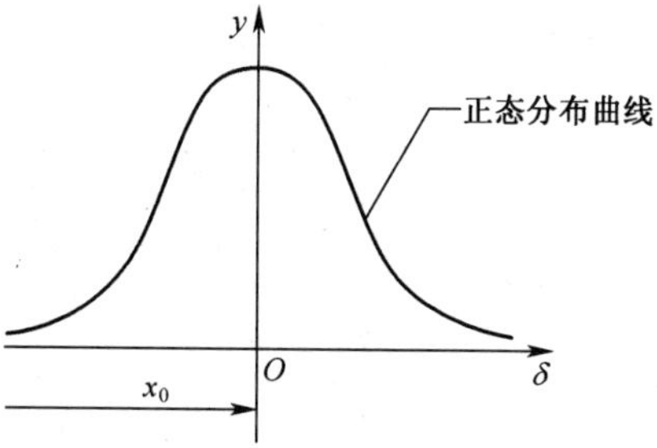 正态分布曲线 以随机误差 δ 作为横坐标,随机变量出现的概率密度 y 为纵坐标,正态分布曲线如图所示。该分布曲线反映出下列特点: ①单峰性,误差接近于零的(小的)出现机会较多,误差大的出现机会小,呈单峰值性; ②对称性,正、负误差出现的机会相等,左、右对称; ③有界性,误差不会超过一定界限;

误差类型	特　　点
随机误差	④抵偿性,随着测量次数增加,正、负误差相抵,误差平均数趋于零; (2)随机误差评定指标　正态分布的数学表达式为 $$y=\frac{1}{\sigma\sqrt{2\pi}}e^{\frac{-\delta^2}{2\sigma^2}}$$ 式中,y 为随机误差概率分布密度;δ 为随机误差;σ 为标准偏差 　标准偏差: $$\sigma=\sqrt{\frac{\delta_1^2+\delta_2^2+\cdots\delta_n^2}{n}}=\sqrt{\frac{\sum_{i=1}^{n}\delta_i^2}{n}}$$ 式中,σ 为由 n 个测量值构成的标准偏差; 　由于真值未知,各测量值的误差 δ_i 实际上也不知道,因此,无法用上式求出标准差;实用上,常以测量值的平均数 x_0 代表真值,就可以贝塞尔公式计算标准差,即 $$\sigma=\sqrt{\frac{v_1^2+v_2^2+\cdots v_n^2}{n-1}}=\sqrt{\frac{\sum_{i=1}^{n}v_i^2}{n-1}}$$ 式中,v_i 为测量值($i=1.2,\cdots,n$) 　(3)随机误差的极限值　理论分析表示,随机误差 $\lvert\delta\rvert=1\sigma$ 时,在 3 次测量中,可能有 1 次的误差超出 1σ 的范围;当 $\lvert\delta\rvert=2\sigma$ 时,在 22 次测量中,有一次超出 2σ 的范围;当 $\lvert\delta\rvert=3\sigma$ 时,在 370 次测量中只有 1 次可能超出 3σ 的范围;因此,认为绝对误差超过 3σ 是不可能的;通常把±3σ 作为单次测量随机误差的极限,超过这一数值时,就认为系统有粗大误差存在,并应剔除相应数据; 　(4)算术平均值的标准误差　算术平均值的标准误差 $\sigma_{\bar{x}}$ 与一次测量值的标准差 σ 之间有如下关系 $$\sigma_{\bar{x}}=\frac{\sigma}{\sqrt{n}}=\sqrt{\frac{\sum_{i=1}^{n}v_i^2}{n(n-1)}}$$ 　在实际测量中,为保证一定的测量精度和测量效率,测量次数以 10~15 次为宜
粗大误差	粗大误差是由于某种不正常原因造成的误差,其特点是误差值较大,明显地歪曲了测量结果的误差,这种误差是由于测量者主观上的疏忽或客观条件的剧变所引起的

(4)测量误差的处理 对同一被测量进行多次测量,所得的数据排成一个数列,称之为测量列。测量列中的数据可能包含系统误差,随机误差和粗大误差的影响。测量误差的处理实质上是从数据中消除系统误差、粗大误差的影响,对随机误差进行科学的评价。

①系统误差的处理。系统误差包括定值系统误差和变值系统误差。

a. 定值系统误差。定值系统误差是全部测量过程中误差的绝对值大小和符号均保持不变的误差。如用比较仪测量零件时,调整仪器所用的量块误差,对各次测量结果的影响是相同的。这种误差可用修正法从测量结果中消除。

b. 变值系统误差。变值系统误差是全部测量过程中误差的绝对值大小和符号是按某一规律变化的误差,如指示表表盘安装偏心所引起的示值误差是按正弦规律做周期变化的。变值系统误差可用抵消法消除。消除了系统误差后的测量列,可按随机误差处理。

②随机误差的处理。对随机误差处理应按以下 5 个步骤进行:

a. 计算测量列的算术平均值 $\bar{x}$

$$\bar{x} = (x_1 + x_2 + \cdots x_n)/n = \frac{1}{n}\sum_{i=1}^{n}(x_i)$$

式中,$x_i(i=1.2\cdots n)$ 为各次被测值;

b. 计算残差 v_i

$$v_i = x_i - \bar{x}$$

c. 计算单次测量值的标准偏差 σ

$$\sigma = \sqrt{\frac{v_1^2 + v_2^2 + \cdots v_n^2}{n-1}} = \sqrt{\frac{\sum_{i=1}^{n}v_i^2}{n-1}}$$

d. 计算算术平均值的标准偏差 $\sigma_{\bar{x}}$

$$\sigma_{\bar{x}} = \frac{\sigma}{\sqrt{n}} = \sqrt{\frac{\sum_{i=1}^{n}v_i^2}{n(n-1)}}$$

e. 计算测量结果。以任一次测量值作为测量结果时,其表达式为

$$x_c = x_i \pm 3\sigma$$

此式认为测量结果在尺寸真值$(-3\sigma, +3\sigma)$范围内的可靠性为99.73%。

多次等精度测量以算术平均值$\bar{x}$作为尺寸真值的最佳估计时,则测量结果x_c表示为

$$x_c = \bar{x} \pm 3\sigma_{\bar{x}}$$

此式认为算术平均值在尺寸真值$(-3\sigma, +3\sigma)$范围内的可靠性为99.73%。

上述两种方法所得结果都有99.73%的可靠性。

③粗大误差的处理。判断粗大误差的准则称为拉依达准则。该准则认为,测量列服从正态分布时,残差落在$\pm3\sigma$以外的概率仅有0.27%,即370次测量中才有一次的残差超过$\pm3\sigma$。因此,当测量列中某一残差$|v_i| > 3\sigma$时,则认为该测量值含有粗大误差,应予以剔除。然后对保留的$(n-1)$数据进行,剔除其他粗大误差数据,直至完全剔除为止。剩下来的数据就无粗大误差的影响了。

使用拉依达法则时,要求测量次数要多于10次,一般以15～20次为宜。

④测量数据的处理示例。对某轴进行15次等精度测量,轴直径测得值和残差计算表见表3-7,假设系统误差已剔除试求测量结果。

表3-7　轴直径测得值和残差计算表

序号	测得值/mm	残差 v_i/μm	残差的平方 v_i^2/μm^2
1	30.457	-3	9
2	30.458	-2	4
3	30.458	-2	4
4	30.457	-3	9
5	30.467	$+7$	49
6	30.457	-3	9
7	30.458	-2	4
8	30.465	$+5$	25
9	30.457	-3	9
10	30.457	-3	9
11	30.466	$+6$	36
12	30.458	-2	4
13	30.469	$+9$	81
14	30.458	-2	4
15	30.458	-2	4
算术平均值	30.460	$\sum v_i = 0$	$\sum v_i^2 = 260$

a. 计算测量列的算术平均值 $\bar{x}$

$$\bar{x} = \frac{\sum x_i}{n} = \frac{456.90}{15} = 30.460$$

b. 计算残差 v_i

$$v_i = x_i - \bar{x} \quad (i = 1、2、\cdots、15)$$

已列表 3-7 内。

c. 计算单次测量值的标准偏差 σ

$$\sigma = \sqrt{\frac{\sum v_i^2}{n-1}} = \sqrt{\frac{260}{15-1}} = 4.31(\mu m)$$

d. 判断是否有粗大误差：用拉依达推测，$3\sigma = 3 \times 4.31 = 12.93$ (μm)，测量列中最大残差为 $+9\mu m < 12.93 = 3\sigma$，测量列中无粗大误差。

e. 计算平均值标准差 $\sigma_{\bar{x}}$

$$\sigma_{\bar{x}} = \frac{\sigma}{\sqrt{n}} = \frac{4.31}{\sqrt{15}} = 1.11(\mu m)$$

f. 测量结果

$$x_c = \bar{x} \pm 3\sigma_{\bar{x}}$$
$$= 30.460 \pm 3 \times 0.0011$$
$$= 30.460 \pm 0.0033(mm)$$

可靠性为 99.73%。

若以第 6 次测量值作为测量结果，则

$$x_c = x_6 \pm 3\sigma = 30.457 \pm 3 \times 0.0043$$
$$= 30.457 \pm 0.0129(mm)$$

其可靠性也为 99.73%。

3.1.5 光滑工件尺寸的检验

光滑工件尺寸的检验按 GB/T 3177—2009 的规定进行，主要包括验收极限的确定和量具的选择。

(1)GB/T 3177—2009 的适用范围　GB/T 3177—2009 适用于通用计量器具(如游标卡尺、千分尺及车间使用的比较仪、投影仪等量具量仪)对图样上注出公差等级为 6～18 级(IT6～IT18)、公称尺寸至 500mm 的光滑工件的检验。

（2）验收原则　所用验收方法应只接收位于规定的尺寸极限之内的工件。工件的尺寸的检验是使用普通测量器具来测量的，并按规定的验收极限判断工件尺寸是否合格。为保证只验收尺寸真值位于极限尺寸之内的工件，标准规定了安全裕度 A，用于补偿测量误差、几何误差的影响。标准规定检验的标准温度为 20℃。

（3）验收极限的确定方式　验收极限是判断被检验工件尺寸是否合格的尺寸界限。验收极限可以按照下列两种方式之一确定。

①内缩方式验收极限是从规定的最大实体尺寸（MMS）和最小实体尺寸（LMS）分别向工件公差带内移动一个安全裕度（A）来确定，验收极限的确定如图 3-3 所示。

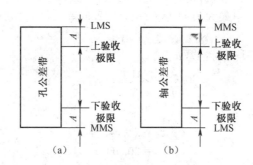

图 3-3　验收极限的确定

(a)孔的验收极限　(b)轴的验收极限

A 值按工件公差（T）的 1/10 确定，安全裕度（A）和计量器具的测量不确定度允许值（u_1）见表 3-8。

a. 孔的验收极限：

上验收极限＝最小实体尺寸（LMS）－安全裕度（A）

下验收极限＝最大实体尺寸（MMS）＋安全裕度（A）

b. 轴的验收极限：

上验收极限＝最大实体尺寸（MMS）－安全裕度（A）

下验收极限＝最小实体尺寸（LMS）＋安全裕度（A）

内缩方式验收极限适用遵循包容原则的配合尺寸和公差等级较高的尺寸的检验。

表3-8　安全裕度（A）和计量器具的测量不确定度允许值（u_1）（GB/T 3177—2009） （μm）

公差等级		6					7					8					9					10					11				
公称尺寸/mm		T	A	u_1			T	A	u_1			T	A	u_1			T	A	u_1			T	A	u_1			T	A	u_1		
大于	至			I	II	III			I	II	III			I	II	III			I	II	III			I	II	III			I	II	III
—	3	6	0.6	0.5	0.9	1.4	10	1.0	0.9	1.5	2.3	14	1.4	1.3	2.1	3.2	25	2.5	2.3	3.8	5.6	40	4.0	3.6	5.0	9.0	60	6.0	5.4	9.0	14
3	6	8	0.8	0.7	1.2	1.8	12	1.2	1.1	1.8	2.7	18	1.8	1.6	2.7	4.1	30	3.0	2.7	4.5	6.8	48	4.8	4.3	7.2	11	75	7.5	6.8	11	17
6	10	9	0.9	0.8	1.4	2.0	15	1.5	1.4	2.3	3.4	22	2.2	2.0	3.3	5.0	36	3.6	3.3	5.4	8.1	58	5.8	5.2	8.7	13	90	9.0	8.1	14	20
10	18	11	1.1	1.0	1.7	2.5	18	1.8	1.7	2.7	4.1	27	2.7	2.4	4.1	6.1	43	4.3	3.9	6.5	9.7	70	7.0	6.3	11	16	110	11	10	17	25
18	30	13	1.3	1.2	2.0	2.9	21	2.1	1.9	3.2	4.7	33	3.3	3.0	5.0	7.4	52	5.2	4.7	7.8	12	84	8.4	7.6	13	19	130	13	12	20	29
30	50	16	1.6	1.4	2.4	3.6	25	2.5	2.3	3.8	5.6	39	3.9	3.5	5.9	8.8	62	6.2	5.6	9.3	14	100	10	9.0	15	23	160	16	14	24	36
50	80	19	1.9	1.7	2.9	4.3	30	3.0	2.7	4.5	6.8	46	4.6	4.1	6.9	10	74	7.4	6.7	11	17	120	12	11	18	27	190	19	17	29	43
80	120	22	2.2	2.0	3.3	5.0	35	3.5	3.2	5.3	7.9	54	5.4	4.9	8.1	12	87	8.7	7.8	13	20	140	14	13	21	32	220	22	20	33	50
120	180	25	2.5	2.3	3.8	5.6	40	4.0	3.6	6.0	9.0	63	6.3	5.7	9.5	14	100	10.0	9.0	15	23	160	16	15	24	36	250	25	23	38	56
180	250	29	2.9	2.6	4.4	6.5	46	4.6	4.1	6.9	10	72	7.2	6.5	11	16	115	12	10	17	26	185	19	17	28	42	290	29	26	44	65
250	315	32	3.2	2.9	4.8	7.2	52	5.2	4.7	7.8	12	81	8.1	7.3	12	18	130	13.0	12	19	29	210	21	19	32	47	320	32	29	48	72
315	400	36	3.6	3.2	5.4	8.1	57	5.7	5.1	8.4	13	89	8.9	8.0	13	20	140	14.0	13	21	32	230	23	21	35	52	360	36	32	54	81
400	500	40	4.0	3.6	6.0	9.0	63	6.3	5.7	9.5	14	97	9.7	8.7	15	22	155	16	14	23	35	250	25	23	38	56	400	40	36	60	90

②不内缩验收极限以零件的最大实体尺寸和最小实体尺寸为上、下验收极限,即安全裕度 A 为零时的情形。此种方式适用于非配合尺寸及未注公差尺寸的验收。

(4)计量器具的选择

①计量器具的测量不确定度允许值 u_1。计量器具的选择要使所选用的计量器具的测量不确定度数值(u)等于或小于测量不确定度的允许值(u_1)。所选用的计量器具的不确定度的数值 u 与计量器具的测量不确定度允许值 u_1 的关系为 $u=0.9u_1$。对于 IT6～IT11,u_1 分为Ⅰ、Ⅱ、Ⅲ档,对应于工件公差的 1/10、1/6、1/4。一般情况下优先选用Ⅰ档。

②常用游标卡尺、千分尺的不确定度数值 u 见表 3-9。

表 3-9 常用游标卡尺、千分尺的不确定度数值 u (mm)

公称尺寸	不确定度数值 u			
	精度为 0.01 外径千分尺	精度为 0.01 内径千分尺	精度为 0.02 游标卡尺	精度为 0.05 游标卡尺
＞0～50	0.004			
＞50～100	0.005	0.008		0.050
＞100～150	0.006		0.020	
＞150～200	0.007			
＞200～250	0.008	0.013		
＞250～300	0.009			
＞300～350	0.010			
＞350～400	0.011	0.020		0.100
＞400～450	0.012			
＞450～500	0.013	0.025	—	
＞500～600	—			
＞600～700	—	0.030		
＞700～1000	—			0.150

③常用千分表、百分表的不确定度数值 u 见表 3-10。

表 3-10　常用千分表、百分表的不确定度数值 u　　（mm）

公称尺寸	不确定度数值 u				
	精度为 0.001 的千分表（0 级在全量程范围内，1 级在 0.2mm 内）；精度为 0.002 的千分表（在 1 转范围内）	精度为 0.001（1 级）、0.002、0.005 的千分表（在全量程范围内）	精度为 0.01 的百分表（0 级在 1 转范围内）	精度为 0.01 的百分表（0 级在全量程范围内，1 级在 1 转范围内）	精度为 0.01 的百分表（1 级在全量程范围内）
＞0～25	0.005	0.10	0.10	0.018	0.030
＞25～40					
＞40～65					
＞65～90					
＞90～115					
＞115～165	0.006				
＞165～215					
＞215～265					
＞265～315					

　　计量器具的测量不确定度应不大于分度值。根据被测工件的公称尺寸，由表 3-9 和表 3-10 选择计量器具不确度 u，使 $u \leqslant u_1$ 者为所选的计量器具。在满足条件 $u \leqslant u_1$ 的诸多量具中，应选精度较低的为宜。

　　[例 1]　选择测量直径为 $\phi 250h11(^{\ 0}_{-0.29})$ 的圆轴的计量器具。

　　a. 首先选择安全裕度 A 和计量器具不确定度允许值 u_1。由表 3-8 可知，公称尺寸 250mm，公差 T 为 290μm 对应的安全裕度 A 为 29μm、采用 I 档计量器具不确定允许值 u_1 为 26μm，即：

　　$A = 0.029$mm；$u_1 = 0.026$mm

　　b. 根据工件被测量尺寸 250mm，由表 3-9 可查出有三种外径量具的不确定度数值，$u = 0.008$mm，$u = 0.013$mm，$u = 0.020$mm 都小于 $u_1 = 0.026$。从经济性考虑，应取 $u = 0.020$ 所对应的分度值为

0.02mm 的游标卡尺作为该项测量的量具。

　　c. 计算轴的验收极限。

　　轴上验收极限＝最大实体尺寸(MMS)－安全裕度(A)

　　　　　　　　＝250mm－0.029mm

　　　　　　　　＝249.971mm。

　　轴下验收极限＝最小实体尺寸(MMS)＋安全裕度(A)

　　　　　　　　＝250mm－0.29mm＋0.029mm

　　　　　　　　＝249.739mm。

[例 2] 选择测量孔径为 $\phi150\text{H}10(^{+0.160}_{0})$的量具。

　　a. 由公差确定 A 和 u_1。由表 3-8 查得，公差为 0.160mm 时，A、Ⅰ档 u_1 分别为：

　　$A=0.016\text{mm};u_1=0.015\text{mm}$

　　b. 根据孔的公称尺寸确定 u 及量具。

　　工件尺寸 150mm，由表 3-9 可知分度值为 0.01mm 的内径千分尺的 $u=0.008\text{mm}$，满足了 $u<u_1$ 的条件，故确定本次测量的量具是精度为 0.01mm 的内径千分尺。

　　c. 计算孔的验收极限。

　　孔的验收上极限＝最小实体尺寸(LMS)－安全裕度(A)

　　　　　　　　　＝150mm＋0.160mm－0.016mm

　　　　　　　　　＝150.144mm。

　　孔的验收下极限＝最大实体尺寸(MMS)＋安全裕度(A)

　　　　　　　　　＝150mm＋0＋0.016mm

　　　　　　　　　＝150.016mm。

　　上述两例若选用Ⅱ档或Ⅲ档不确定允许值选用的量具则为游标卡尺。

3.2　几何误差的检测

　　几何误差的检测需借助于测量设备、测量器具，按合理的程序从工件上提取相应的要素，进行必要的分析计算后得到相应的几何误差。几何误差不大于国家标准规定的值，该几何要素即是合格的。

3.2.1　形状误差的检测

　　确定检测实施方案时，为便于分析比较常用专门的符号表示检测过程。常用检测符号见表3-11。

表3-11　常用检测符号（GB/T 1958—2004）

序号	符　号	说　明	序号	符　号	说　明
1	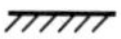 /////	平板、平台（或测量平面）	7	 ↷	连续转动（不超过一周）
2	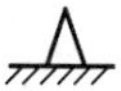 △	固定支承	8	 ⇢	间断转动（不超过一周）
3	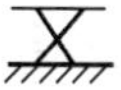 ✕	可调支承	9	↻	旋转
4	 ↔	连续直线移动	10	 ⊘	指示计
5	 ←- -→	间断直线移动	11	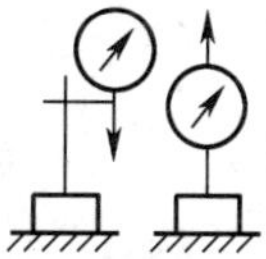	带有指示计的测量架（测量架的符号，根据测量设备的用途，可画成其他式样）
6	 ✕	沿几个方向直线移动			

　　形状误差的检测包括直线度误差、平面度误差、圆度和圆柱度误差的检测。形状误差最小区域的宽度即是形状误差的值。

　　（1）直线度误差的检测

　　①直线度误差的判断准则。直线度误差的判断准则有符合最小条件的相间准则和两端点连线准则，后者为非国标推荐准则。直线度误差判断准则见表3-12。

表3-12　直线度误差判断准则

准则	含　义
直线度误差最小区域的相间准则（GB/T 1958—2004）	①在给定平面内，由两平行直线包容提取要素时，成高低相间三点接触，具有Ⅰ、Ⅱ两种接触形式之一，即为最小包容区；该包容区的宽度 f 即为直线度误差，如图所示 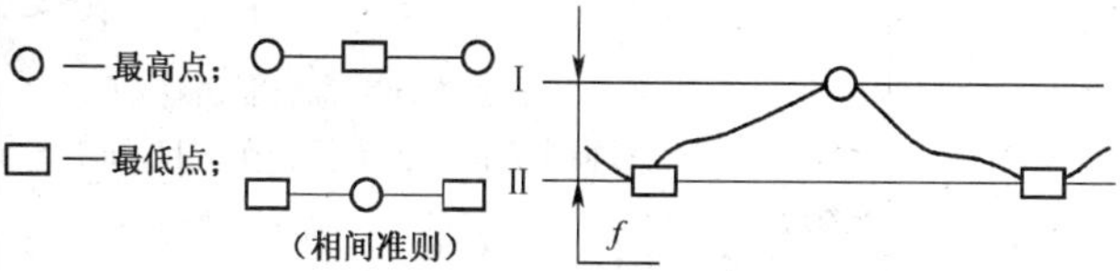 ○—最高点；　□—最低点； （相间准则） 在给定平面内的直线度误差 f

续表 3-12

准则	含　　义
直线度误差 最小区域的相 间　准　则 （GB/T 1958— 2004）	②在给定方向上,由两平行平面包容提取线时,沿主方向(长度方向)上成高、低相间三点接触,具有下列两种形式之一(可按投影进行判别),如图所示;两平行平面的垂直距离 f 即为在给定方向上的直线度误差 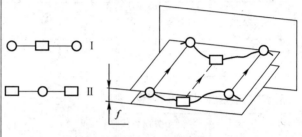 在给定方向上的直线度误差 f ③在任意方向上,由圆柱面包容提取线时,采用三点,该圆柱直径 t,接触形式三点在同一轴截面上,如图所示,即是在任意方向上的直线度误差,ϕf; 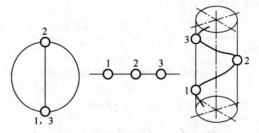 任意方向上直线度误差 ϕf 注:1、3 两点沿轴线方向的投影重合在一起,即 1 与 3 两点在同一条素线上

续表 3-12

准则	含 义
两端点连线法(近似方法)(非国标推荐准则)	将实际直线首尾相连成一直线,作为理想直线,过被测直线上距离理想直线最远的两个点分别作两条与理论直线平行的平行线;该两平行线所包围的区域作为最小包容区域,区域宽度 f 即是近似评定法给出的直线度误差,如图所示; 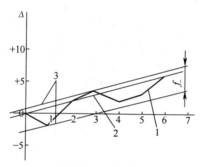 直线度误差的近似评定 1. 实际直线 2. 理想直线 3. 直线度误差包容区域 近似方法测得的直线度误差,比最小条件大,但操作较简单,不失为一种有效的辅助方法

②直线度误差的检测。直线度误差检测方法见表 3-13。

③用图解法求直线度误差示例。水平仪测量直线度误差原理如图 3-4 所示,用分度值为 0.02mm/N 的框式水平仪放在跨距为 200mm 的桥板上,从工件被测要素一端开始,将桥板依次首尾相接地移动,记录每一次水平仪的读数,直线度测量数据见表 3-14,用图解法求此直线度误差。

表 3-13　直线度误差检测方法 (GB/T 1958—2004)

序号	公差带与应用示例	检测方法	设备	说明
1	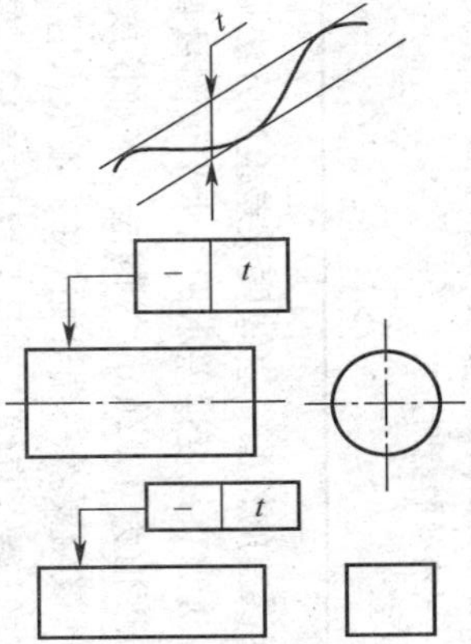	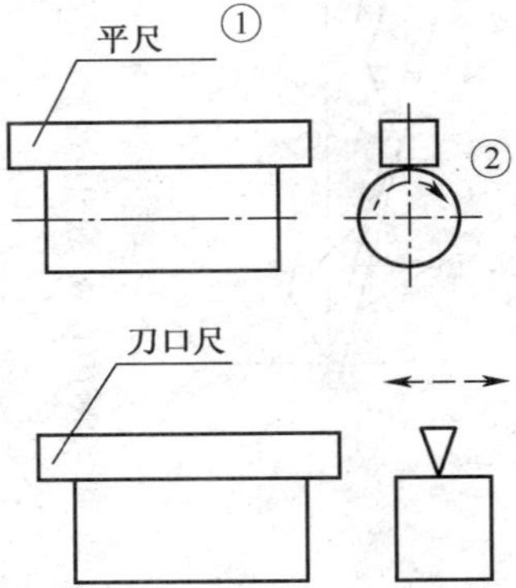 平尺　① 刀口尺	平尺 (或刀口尺) 塞尺 (厚薄规)	①将平尺(或刀口尺)与被测素线直接接触,并使两者之间的最大间隙即为该条被测素线间的最小,此时的最大间隙即为该条被测素线的直线度误差,误差的大小应根据光隙确定。当光隙较小时,可按标准光隙来估读;当光隙较大时,则可用塞尺测量; ②按上述方法测量若干条素线,取其中最大的误差值作为该被测零件的直线度误差

续表 3-13

序号	公差带与应用示例	检测方法	设备	说明
2	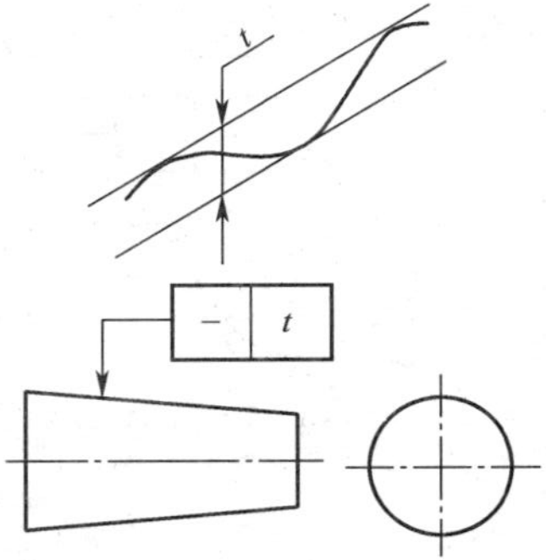	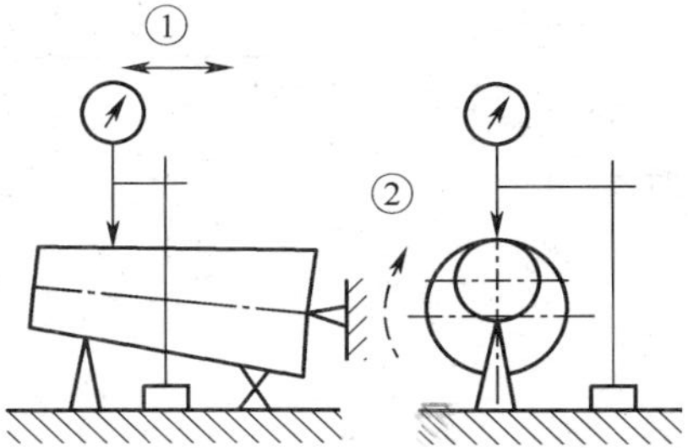	平板,固定和可调支承,带指示计的测量架	将被测素线的两端点调整到与平板等高。①在被测素线的全长范围内测量,同时记录示值;根据记录的读数用计算法(或图解法)按最小条件(也可按两端点连线法)计算直线度误差;②按上述方法测量若干条素线,取其中最大的误差值作为该被测零件的直线度误差

续表 3-13

序号	公差带与应用示例	检测方法	设　备	说　明
3	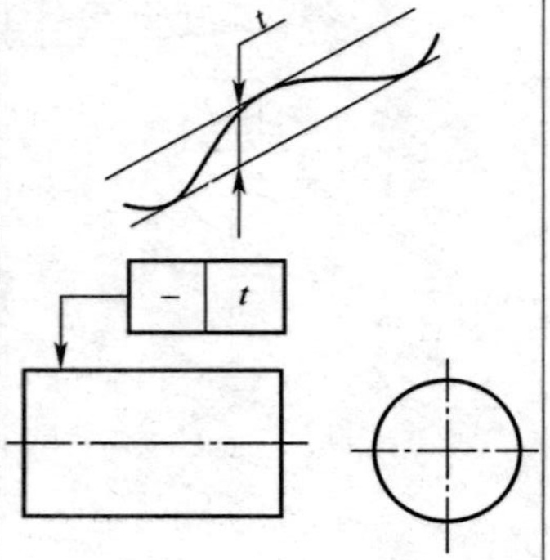	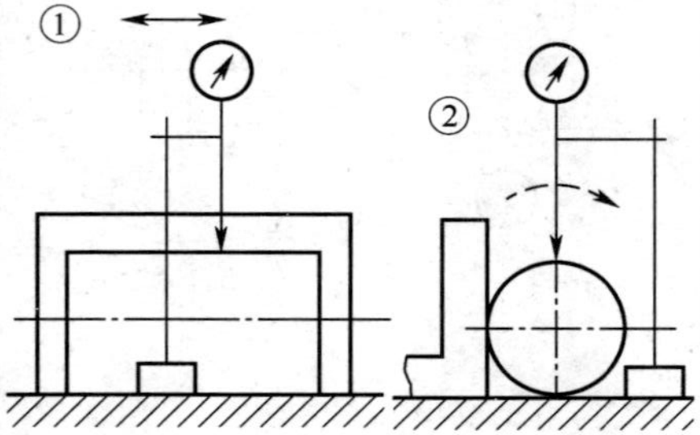	平板、直角座、带指示计的测量架	将被测零件放置在平板上，并使其紧靠直角座； ①在被测素线的全长范围内测量，同时记录读数。根据记录的读数，用计算法（或图解法）按最小条件（也可按两端点连线法）计算该条素线的直线度误差； ②按上述方法测量若干条素线，取其中最大的误差值作为该被测零件的直线度误差

续表 3-13

序号	公差带与应用示例	检测方法	设备	说明
4	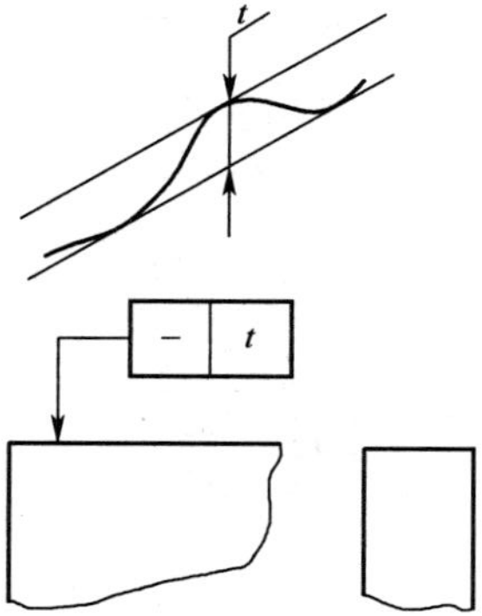	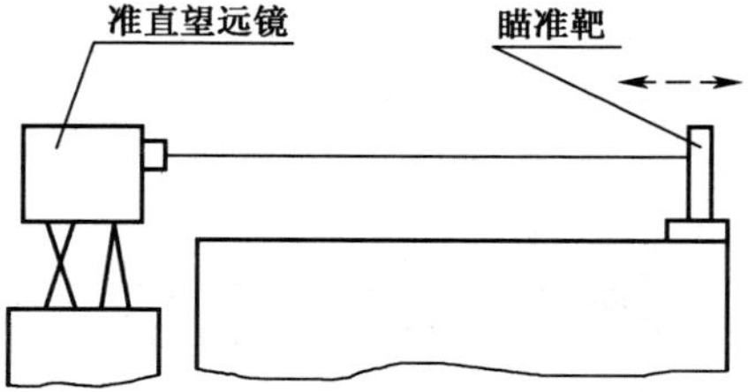 准直望远镜 瞄准靶	准直望远镜、瞄准靶，固定和可调支承	将瞄准靶放在被测素线的两端，调整准直望远镜，使两端准直望远镜读数相等； 将瞄准靶沿被测素线等距移动，同时记录竖直方向上的读数； 用计算法（或图解法）按最小条件（也可按两端点连线法）计算直线度误差

续表 3-13

序号	公差带与应用示例	检 测 方 法	设 备	说 明
5	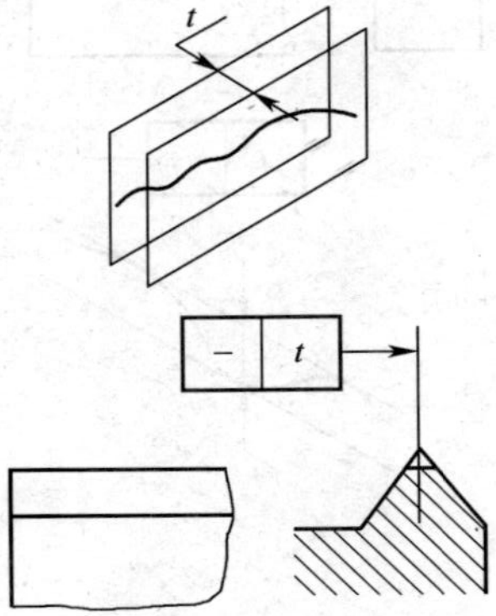	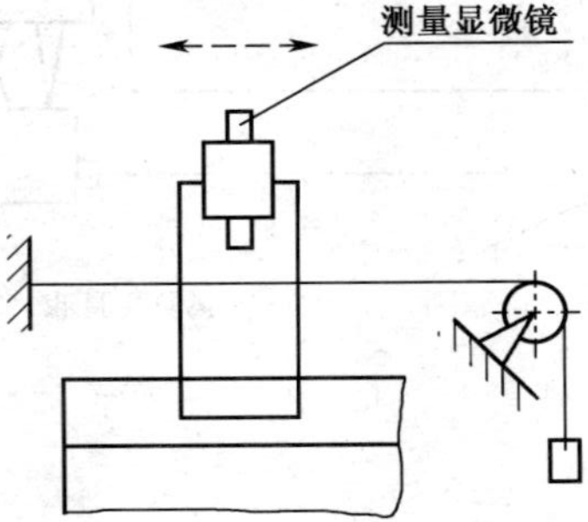 测量显微镜 	优质钢丝，测量显微镜（或接触式测量仪）	调整测量钢丝的两端使两端点的读数相等；测量显微镜在被测线的全长内等距测量，同时记录示值；根据记录的读数用计算法或图解法按最小条件（也可按两端点连线法）计算直线度误差

续表 3-13

序号	公差带与应用示例	检测方法	设备	说 明
6	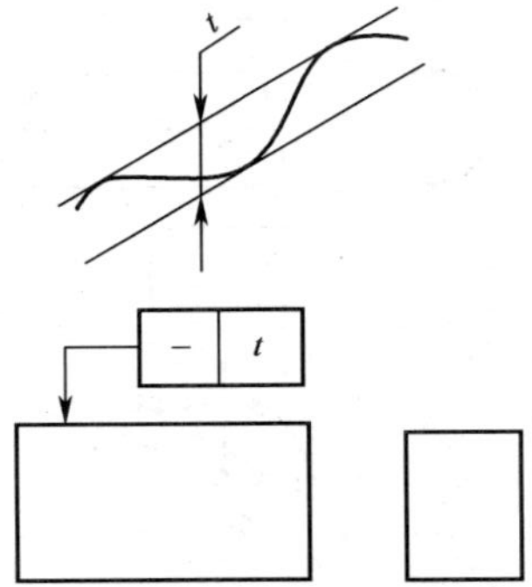	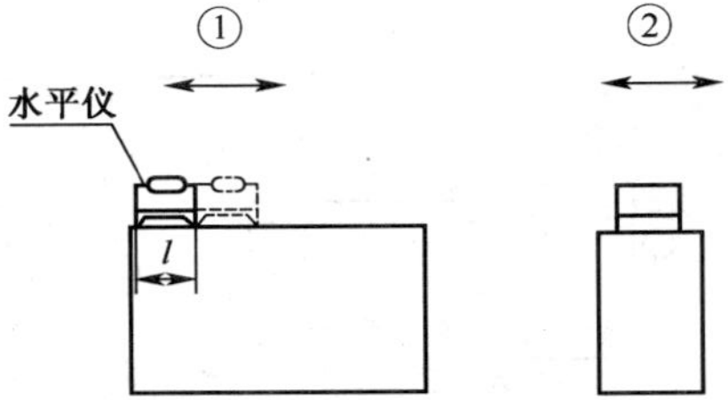	水平仪、桥板	将被测零件调整到水平位置； ①水平仪按节距 l 沿被测素线移动，同时记录水平仪的读数；根据记录的读数用计算法（也可按作图解法）按最小条件计算该素线的直线度误差； ②按上述方法，测量若干条素线，取其中最大的误差值作为该被测零件的直线度误差； 此方法适用于测量较大的零件

续表 3-13

序号	公差带与应用示例	检 测 方 法	设 备	说 明
7		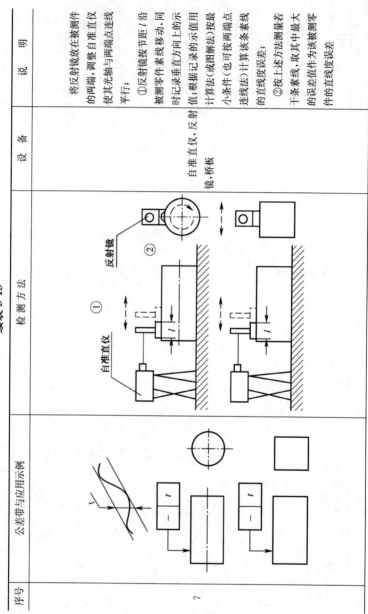	自准直仪,反射镜,桥板	将反射镜放在被测件的两端,调整自准直仪使其光轴与两端点连线平行; ①反射镜按节距 l 沿被测零件素线移动,同时记录垂直方向上的示值;根据记录(或图解法)按最小条件(也可按两端点连线法)计算该素线的直线度误差; ②按上述方法测量若干条素线,取其中最大的误差值作为该被测零件的直线度误差

续表 3-13

序号	公差带与应用示例	检测方法	设备	说明
8	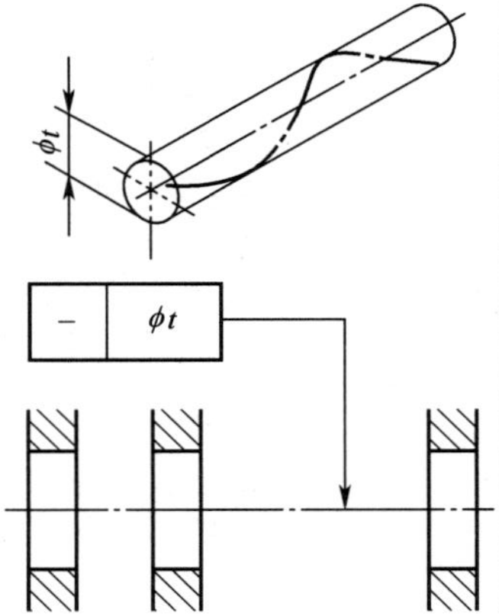	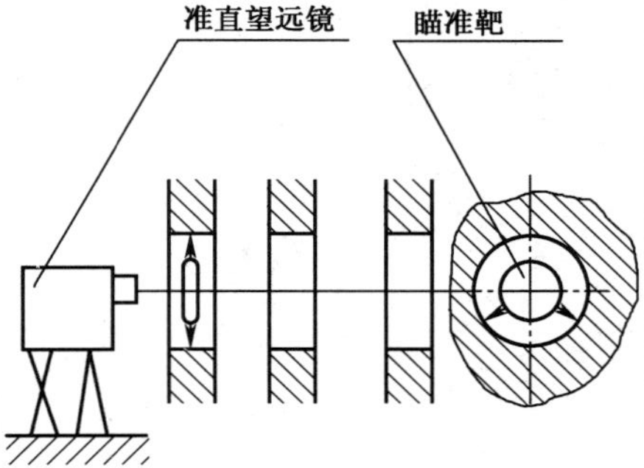	准直望远镜、瞄准靶	将瞄准靶放在前后端两孔中,调整准直望远镜使其光轴与两端孔的中心连线同轴; 将瞄准靶分别放在被测零件的各孔中,同时测得水平和垂直方向的示值,然后用计算法或图解法)得到被测零件的提取轴线,再按最小条件(也可按两端点连线法)求解直线度误差; 此方法适用于测量大型的孔类零件

续表 3-13

序号	公差带与应用示例	检测方法	设备	说明
9	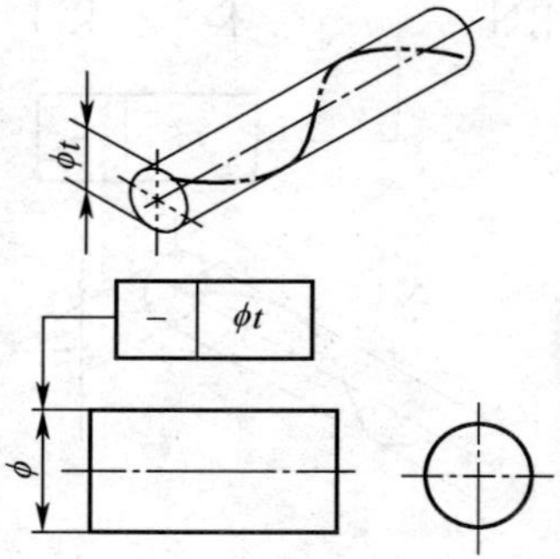	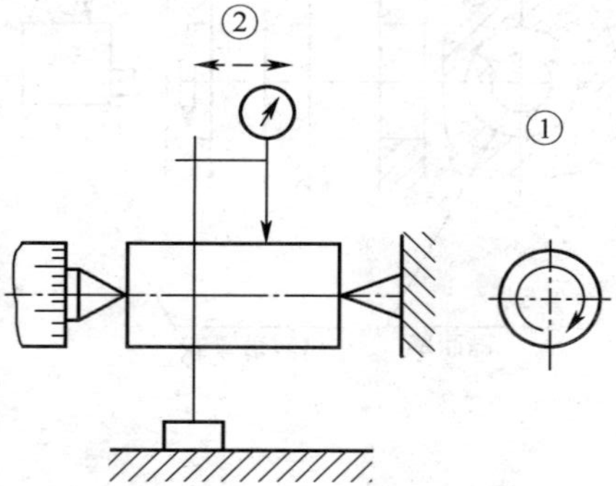	精密分度装置，带指示计的测量架	将被测零件安装在精密分度装置的顶尖上； ①将被测零件转动一周，测得一个横截面上的半径差，同时绘制极坐标图并求出该轮廓的中心点； ②按上述方法测量若干个横截面，连接各横截面的中心点得到被测零件的提取轴线，通过数据处理求其直线度误差。 此方法也可在圆度仪上应用

续表 3-13

序号	公差带与应用示例	检测方法	设 备	说 明
10	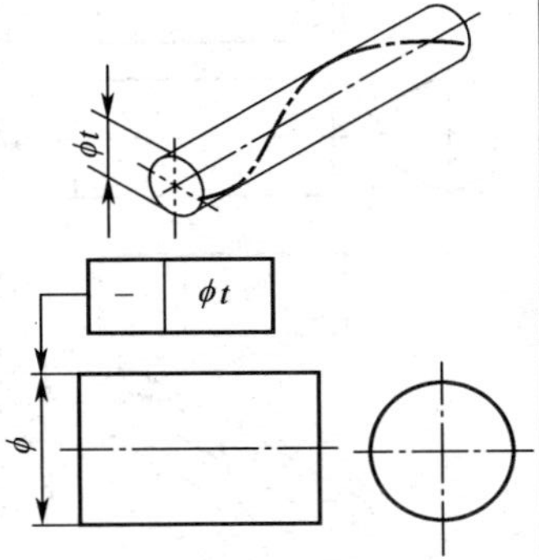	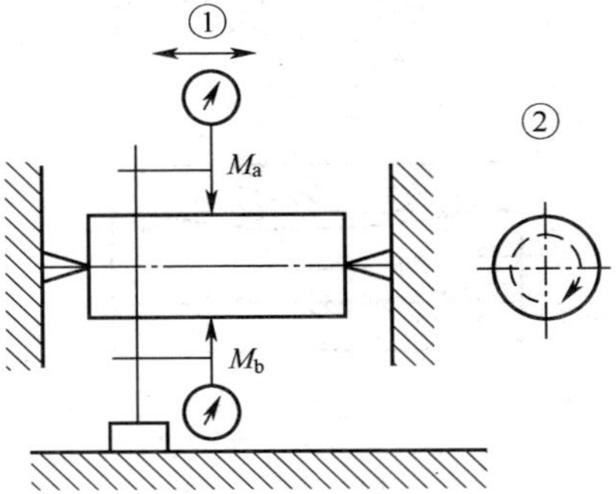	平板、顶尖架、带指示计的测量架	将被测零件安装在平行于平板的两顶尖之间； ①沿铅垂面内的两条素线测量，同时分别记录两指示计各自测点的读数 M_a、M_b；取各测点读数差之半（即 $\frac{M_a-M_b}{2}$）中的最大差值作为该截面轴线的直线度误差； ②按上述方法测量若干个截面，取其中最大的误差值作为该被测零件的误差作轴线的直线度误差

续表 3-13

序号	公差带与应用示例	检 测 方 法	设 备	说 明
11	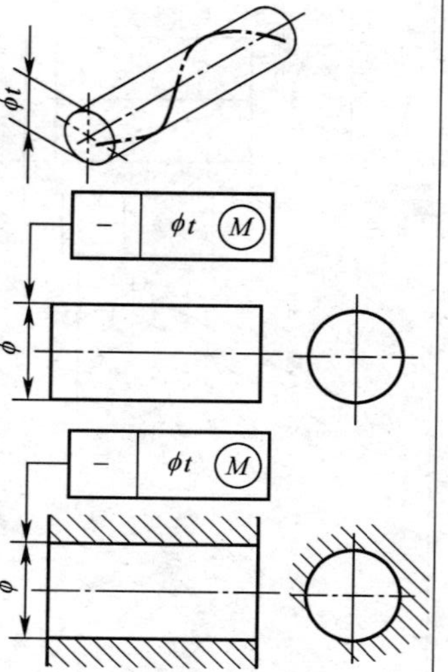	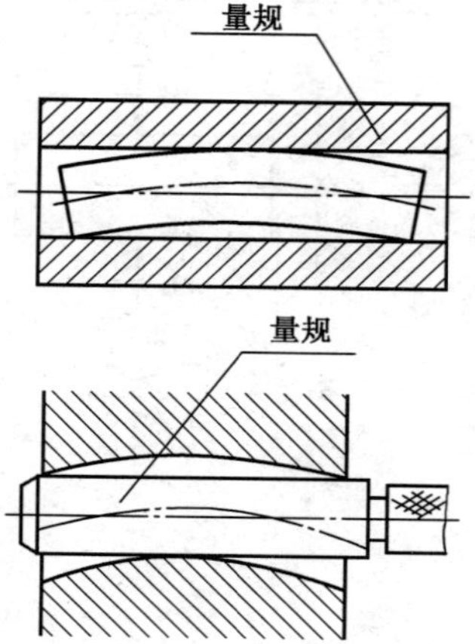	综合量规	综合量规的直径等于被测零件的实效尺寸，综合量规必须通过被测零件

续表 3-13

序号	公差带与应用示例	检测方法	设备	说　明
12	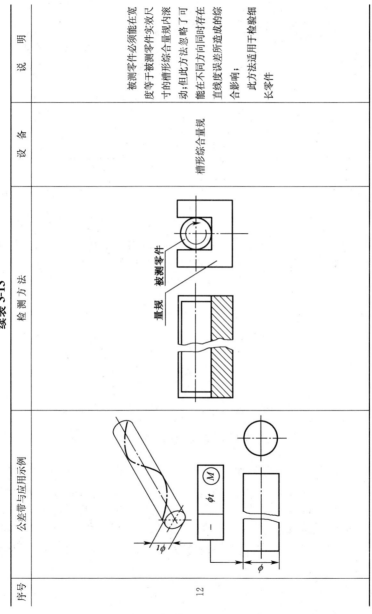		槽形综合量规	被测零件必须能在宽度等于被测零件综合量规尺寸的槽形量规内滚动；但此方法忽略了可能在不同方向同时存在的直线度误差所造成的综合影响　此方法适用于检验细长零件

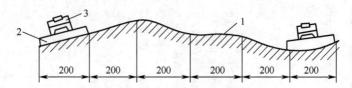

图 3-4　水平仪测量直线度误差原理

1. 被测直线　2. 桥板　3. 框式水平仪

表 3-14　直线度测量数据

测点序号	0	1	2	3	4	5	6	7	8
水平仪读数值（格）	0	+6	+6	0	−1.5	−1.5	+3	+3	+9
累加值（格）	0	+6	12	+12	+10.5	+9	+12	+15	+24

a. 将表中误差数据进行累加，用累加值作纵坐标 Y，以各分点顺序作为 X 轴，作出累加值分布图，图解法求直线度误差如图 3-5 所示。

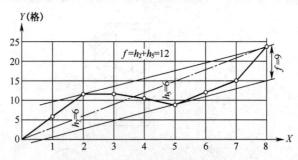

图 3-5　图解法求直线度误差

b. 若按相间准则来评定实际要素的直线度误差，需在实际轮廓找两个最高点（2 点、8 点）和相间于其中的一个最低点（5 点）。通过两个最高点作一直线为理想直线，通过最低点作一直线与理想直线平行，将实际轮廓包容在内，则两平行线间的区域为被测要素直线度误差的最小包容区。按 Y 坐标方向量得被测要素的直线度误差为 9 格，它表示实际直线度误差为

$$f=0.02/1000×200×9=0.036(\text{mm})$$

此误差若小于给定的直线度公差就合格。

c. 若按近似方法(两端连线法)评定直线度误差时,将图中实际要素首尾两点相连的直线作为理想直线,2 点至该理想直线 Y 坐标方向数值为最大正值(6 格),5、6、7 各点至该理想直线 Y 坐标方向数值为最大负值(6 格),因此,按两端点连线法评定直线度误差为(6+6)=12 格,$f=0.02/1000 \times 200 \times 12 = 0.048$(mm)。可见它比相间准则评定的误差值偏大。

(2)平面度误差的检测

①平面度误差判断准则。平面度误差判断准则有最小条件准则和近似判别法两大类,见表 3-15。

表 3-15　平面度误差判断准则

类　型	准则名称	含　　义
最小条件准则 (GB/T 1985—2004)	三角形准则	由两平行平面包容提取表面时至少有 3 个高(低)点及 1 个低(高)点分别与两个包容平面相接触,并且最低(高)点能投影到 3 个最高(低)点之间,称为三角形准则,如图所示;符合三角形准则的两个包容面之间的距离即是被测平面的平面度误差 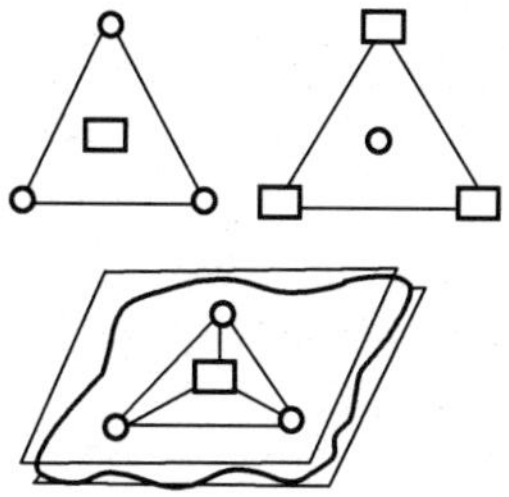

续表 3-15

类型	准则名称	含义
最小条件准则 (GB/T 1985—2004)	交叉准则	有两个高点和两个低点分别和两个平行的包容面相接触，并且两高(低)点投影于两低(高)点连线两侧，称为交叉准则，如图所示。该两平行包容面的距离即是所测的平面度误差。 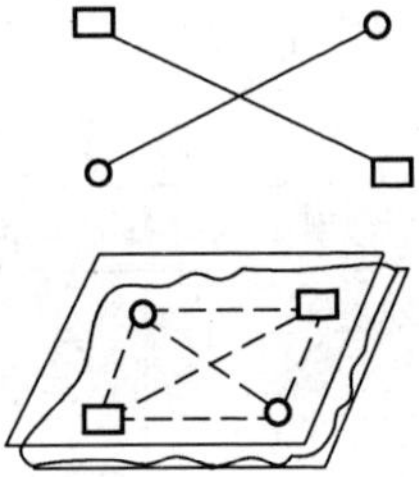
	直线准则	有两个高(低)点和1个低(高)点分别和两个平行包容面相接触，并且1个低(高)点的投影要落在两个最高(低)点连线上，称为直线准则，如图所示；该包容面之间的距离即是所测的平面度误差 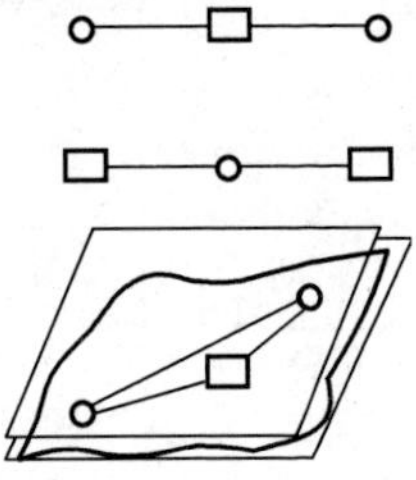

续表 3-15

类 型	准则名称	含 义
近似判别法	三远点法	调整被测量表面最远的 3 个点,使其与平板平行,然后按一定形式布点,对各点进行测量,测量结果中最大值与最小值之差就是平面度误差
	对角线法	被测表面上对角线方向最远两个点调整成等高,然后将另一条对角线上最远两点也调成等高,按一定形式布点,对被测表面上各点进行测量,测量结果中最大值与最小值之差就是平面度误差

注:①○表示最高点;□表示最低点。

②近似判别法为非国家标准规定的方法。

②平面度误差检测。平面度误差检测方法见表 3-16。

③平面度误差检测示例。

[**例**] 用指示器法测出被测表面等距分布 9 个点的高度值,平面度误差的测量数据如图 3-6 所示。分别用三远点法、对角线法和最小条件,评定其平面度误差。

a. 用三远点法评定平面度误差如图 3-7 所示。选取 a_1、a_3、c_3 三点作为三远点,并用旋转法将它们转成等高。具体作法如下:

以 a_1、a_3 为轴将整个平面向纸平面内转动,欲使 c_3 点的高度为"0",相当于 c 行各点转动量为"−2"。按布点分布比例,b 行、a 行各点的转动量为"−1"与"0"。图 3-7(a)所示为此次旋转时,各点的转动附加值。旋转后各点的高度值如图 3-7(b)所示。此时,对角点 a_1、c_3 已等高"0"了,其余数值均为转动后的高度值。

以旋转后等高的 a_1、c_3 为轴,将平面旋转,使 a_3 点的值为"0"。此时,各点的旋转值分别为"−7"、"−3.5"等。最后得到 a_1、a_3、c_3 等高时,各测点高度的修正值如图 3-7(c)所示。

表3-16 平面度误差检测方法（GB/T 1958—2004）

序号	公差带与应用示例	检 测 方 法	设 备	说 明
1	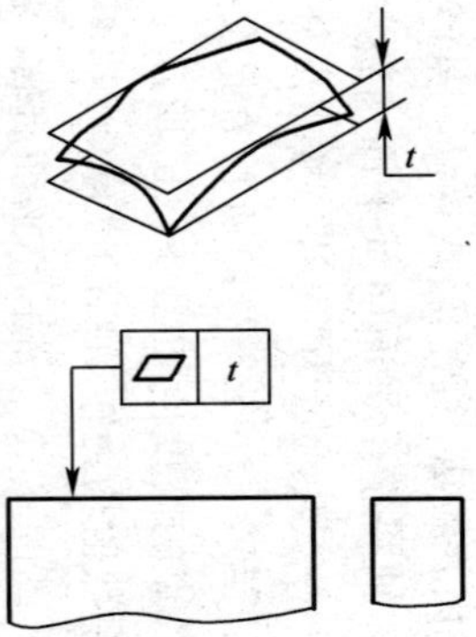	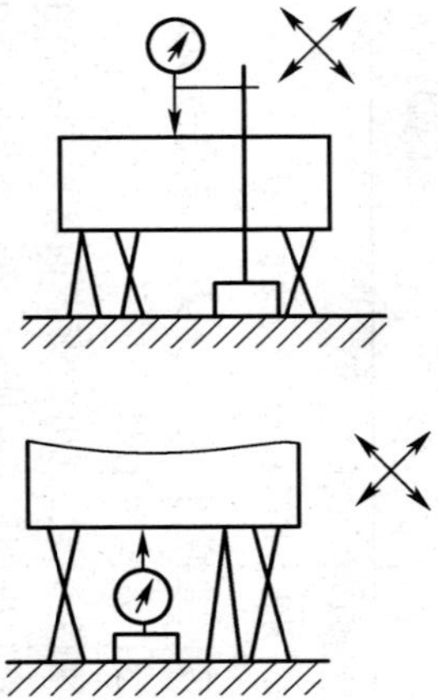	平板,带指示计的测量架,固定和可调支承	将被测零件支承在平板上,调整被测表面最远三点,使其与平板等高; 按一定的布点测量被测表面,同时记录示值; 一般可用指示计最大与最小示值的差值近似地作为平面度误差。必要时,可根据记录的示值用计算法（或最小条件图解法）按最小条件计算平面度误差

续表 3-16

序号	公差带与应用示例	检测方法	设备	说明
2	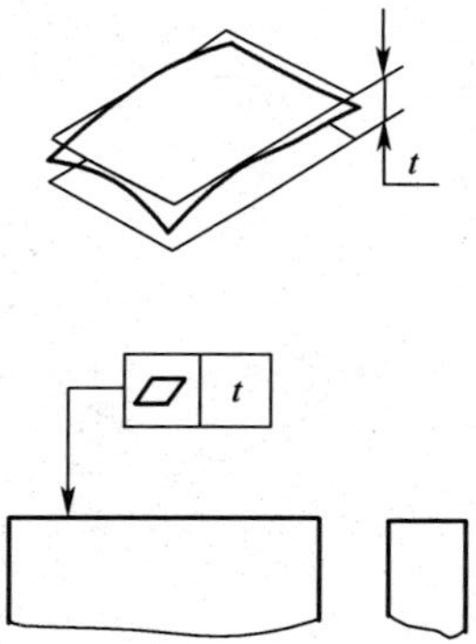	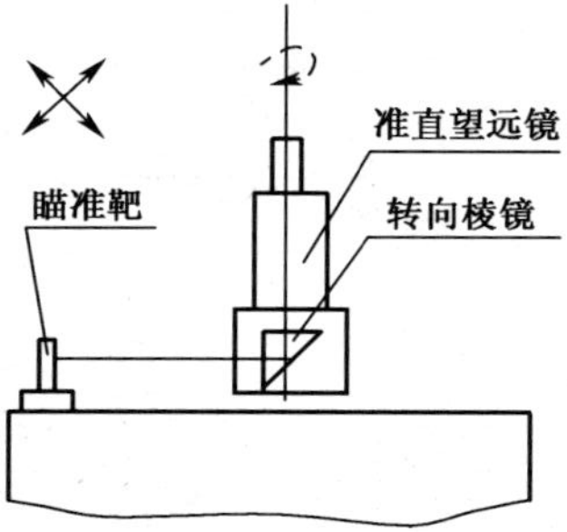	装有转向棱镜的准直望远镜、瞄准靶	将准直望远镜和瞄准靶放在被测表面上，按三点法调整望远镜，使其回转轴线垂直于由三点构成的平面； 将瞄准靶放成若干位置被测量表面，同时记录示值； 一般可用示值的最大差值近似地作为平面度误差；必要时，可根据记录的示值用计算法（或图解法）按最小条件计算平面度误差； 此方法适用于测量大平面

续表 3-16

序号	公差带与应用示例	检测方法	设备	说明
3	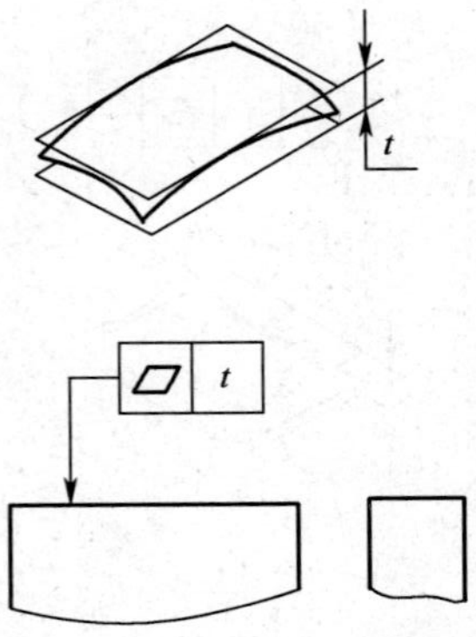	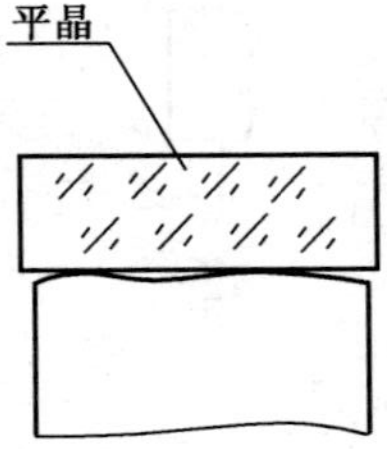 平晶	平晶	平晶贴在被测表面上,观察干涉条纹; 被测表面的平面度误差为封闭的干涉条纹数乘以光波波长之半,对不封闭的干涉条纹,为条纹的变曲度比相邻两条纹间距之比再乘以光波波长之半; 此方法适用于测量高精度的小平面

续表 3-16

序号	公差带与应用示例	检测方法	设备	说明
4	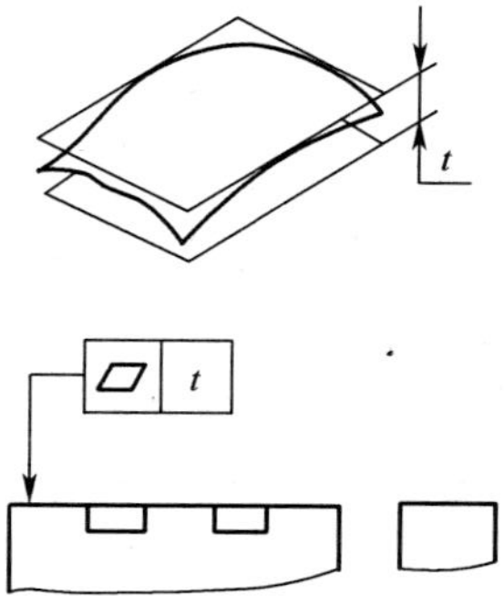	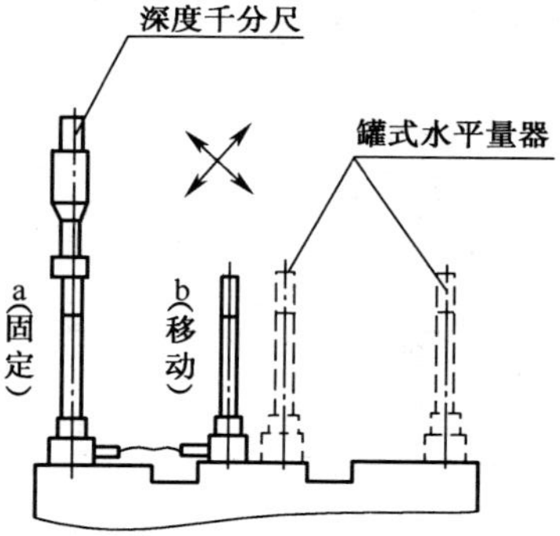	罐式水平量器，深度千分尺	两个罐式水平量器 a 和 b 用管连通，并放在被测表面上；先取量器 a、b 在同一位置的示值作零位，然后固定量器 a，再按一定的布点移动量器 b，同时，将差值乘以 2（即实际差值）后，记录在图表上；根据图表记录的数据，用计算法（或图解法）按最小条件（也可用对角线法）计算平面度误差；此方法适用于测量大平面

续表 3-16

序号	公差带与应用示例	检 测 方 法	设　　备	说　　明
5	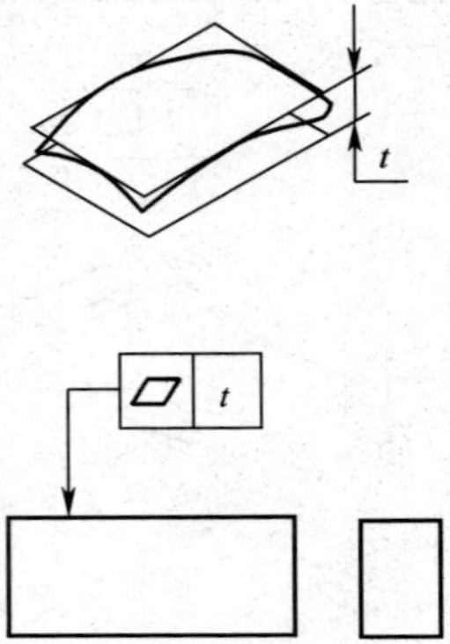	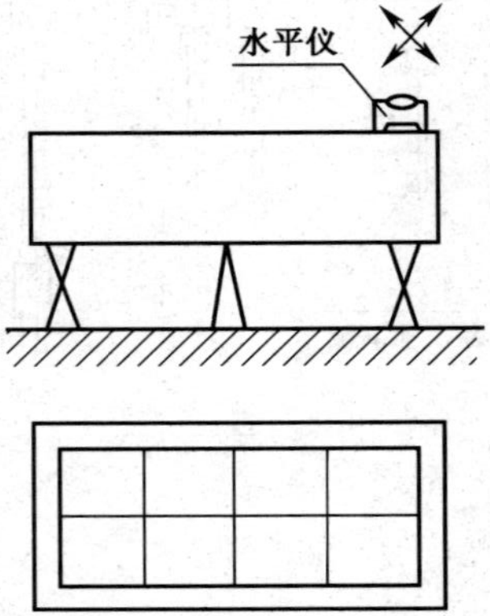	平板、水平仪、桥板、固定和可调支承	将被测表面调水平；用水平仪按一定的布点和方向逐点地测量被测表面，同时记录示值，并换算成线值；根据各线值用计算法（或图解法）按最小条件（也可按对角线法）计算平面度误差

续表 3-16

序号	公差带与应用示例	检测方法	设备	说　明
6	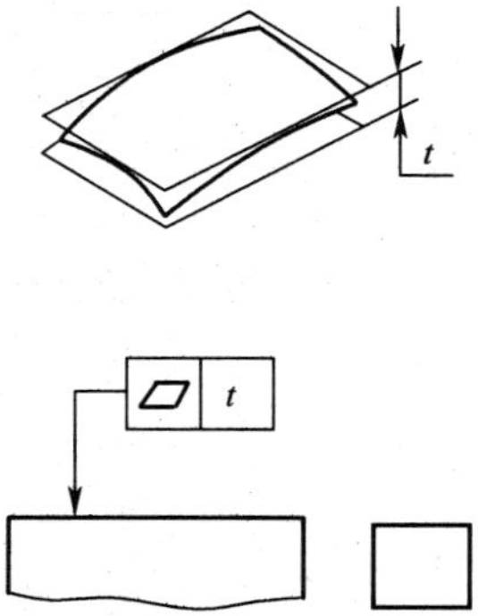	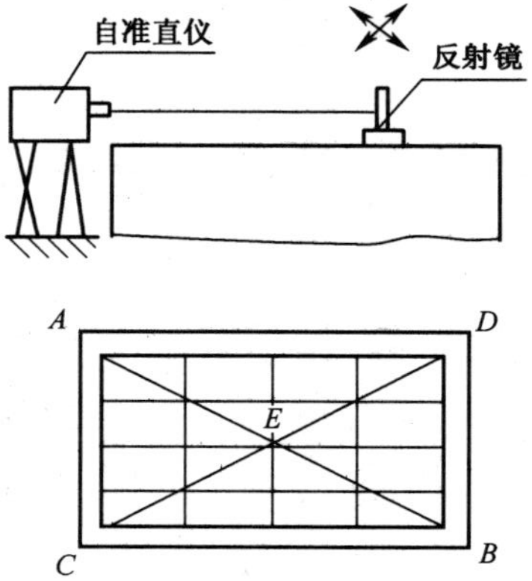	自准直仪,反射镜,桥板	将反射镜放在被测表面上,并把自准直仪调整至与被测表面平行;沿对角线 AB 按一定布点测量; 重复用上述方法分别测量另一条对角线 CD 和被测表面上的其他直线上的各点; 把各点示值换算成线值,记录在图表上,建立参考平面;由计算法(或图解法)按对角线法计算平面误差; 必要时应按最小条件计算平面度误差

从三远点等高图中找出最高点和最低点,计算平面度误差。

最高点(+19),最低点(−9.5),故平面度误差 f 为

$$f=(+19)-(-9.5)=28.5(\mu m)。$$

0	+15	+7
−12	+20	+4
+5	−10	+2

图 3-6   平面度误差的 测量数据

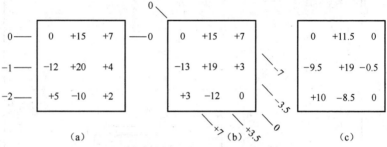

图 3-7   三远点法评定平面度误差

b. 用对角线法评定平面度误差如图 3-8 所示。

以 a_1、c_3 为转轴将平面旋转,使对角点 c_1、a_3 等高,各点的旋转加值如图 3-8(a)所示。图 3-8(b)则是此次转动后各点高度分布的情况。此时 c_1、a_3 等高"+6"。

以 c_1、a_3 为转轴将平面旋转,使对角度 a_1、c_3 等高,各点旋转附加值如图 3-8(b)所示。最后得到 a_1、c_3 等高"+1";c_1、a_3 等高"+6"的情形,如图 3-8(c)所示。

从图 3-8(c)中找出最高点与最低点的值,计算平面度误差为

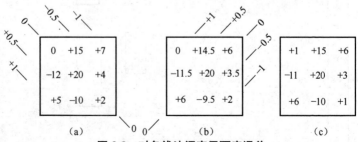

图 3-8   对角线法评定平面度误差

$$f = +20 - (-11) = 31(\mu m)$$

c. 用最小条件准则评定平面度误差如图 3-9 所示。

将 a_3、b_1、c_2 3 个点旋转成为 3 个等高的最低点。第一次绕 a_2、c_2 旋转、第二次转 b_1、b_3 旋转,各次旋转的附加值如图 3-9(a)、图 3-9(b) 所示,最后得到图 3-9(c)所示 3 个等高最低点 a_3、b_1、c_2 "-5"。此时最高点为 $+20\mu m$,最低点为 $(-5)\mu m$,故平面度误差为

$$f = +20\mu m - (-5)\mu m = 25\mu m$$

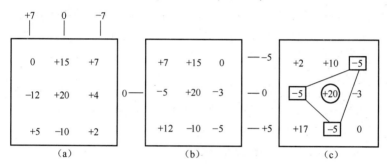

图 3-9 最小条件准则评定平面度误差

从以上三种评定结果可以看出,最小条件准则评定的结果最小且唯一,三远点法和对角线法计算简单,在生产中常用。

(3)圆度误差的检测

①圆度误差的判断准则。圆度误差是圆柱面、圆锥面、球面等回转类零件在正截面内圆形轮廓相对于理想圆的变动量。评定圆度误差的最小条件为交叉准则,如图 3-10 所示。由两个同心圆包容实际被测轮

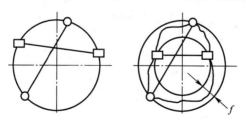

图 3-10 圆度误差的最小条件

○—与外圆接触的点;□—与内圆接触的点

廓时,至少有 4 个实测点内外相间地在两个圆周上,此时的半径差即为圆度误差 f。上述判断准则称为交叉准则。

②圆度误差的检测方法。圆度误差的检测方法有两类:一类在专用仪器上进行测量,如圆度仪、坐标测量机等;另一类是用普通的常用仪器进行测量。圆度误差的检测方法见表 3-17。

(4)圆柱度误差的检测　圆柱度误差的检测同圆度误差检测方法一样,有圆度仪法和通用仪器测量法两种。

使用圆度仪法检测圆柱度时,在测量圆度的基础上,让测头沿被测圆柱面做轴向精确的移动,测头沿被测表面做螺旋运动,通过计算机进行数据处理,可得到准确的圆柱度误差值。圆柱度误差的检测方法见表 3-18。

(5)线轮廓度误差和面轮廓度误差的检测　线轮廓度和面轮廓度误差的检测,一般可采用样板比较法和坐标测量法进行。

①线轮廓度误差的检测方法见表 3-19。

②面轮廓度误差的检测方法见表 3-20。

3.2.2　方向误差的检测

方向误差的检测包括平行度误差、垂直度误差、倾斜度误差的检测。

(1)平行度误差的检测　平行度误差的检测方法见表 3-21。

(2)垂直度误差的检测　垂直度误差的检测方法见表 3-22。

(3)倾斜度误差的检测　倾斜度误差的检测方法见表 3-23。

3.2.3　位置误差的检测

位置误差检测包括同轴误差检测、对称度误差检测和位置度误差检测。

(1)同轴度误差的检测　同轴度误差的检测方法见表 3-24。

(2)对称度误差的检测　对称度误差的检测方法见表 3-25。

(3)位置度误差的检测　位置度误差的检测方法见表 3-26。

3.2.4　跳动的检测

(1)圆跳动的检测　圆跳动的检测方法见表 3-27。

(2)全跳动的检测　全跳动的检测方法见表 3-28。

表 3-17 圆度误差的检测方法（GB/T 1985—2004）

序号	公差带与应用示例	检测方法	设备	说明
1	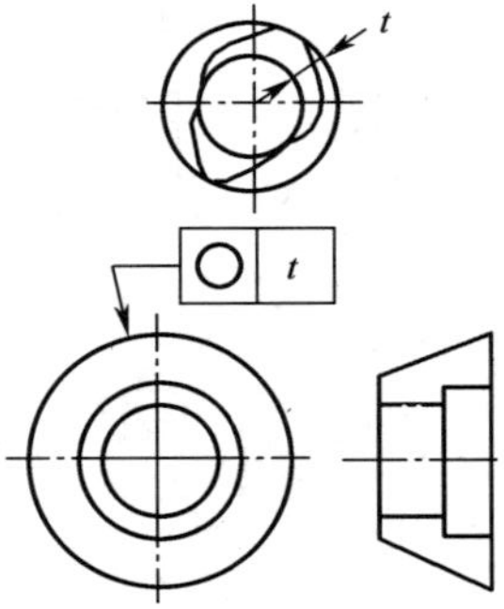	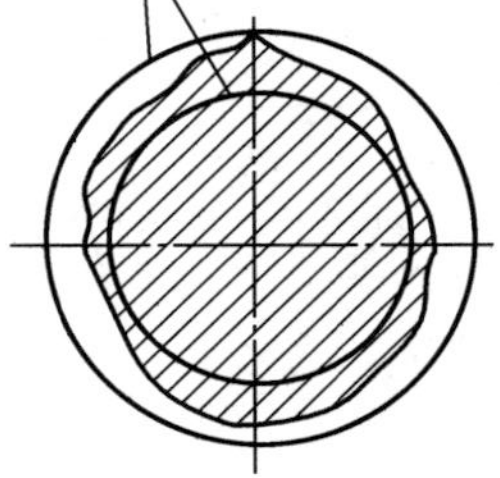 （极限同心圆(公差带)）	投影仪（或其他类似量仪）	将被测要素轮廓的投影与极限同心圆比较。此方法适用于测量具有刃口形边缘的小型零件

续表 3-17

序号	公差带与应用示例	检测方法	设备	说明
2	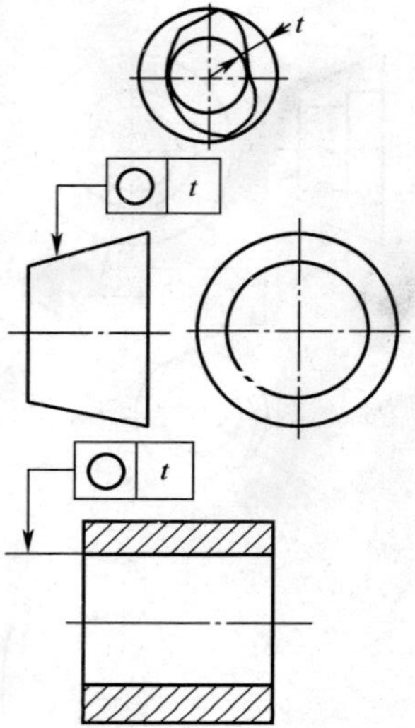	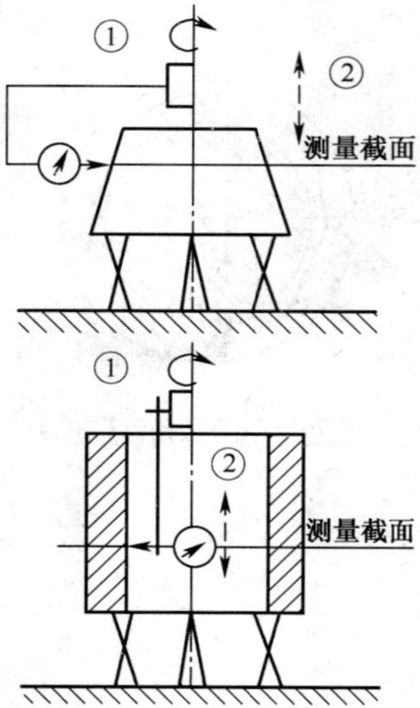	圆度仪(或类似量仪)	将被测零件放置在量仪上,同时调整被测零件的回转轴线,使它与量仪的回转轴线同轴(旋转轴径); ①记录被测零件在回转一周过程中测量截面上各点的半径差; 由极坐标图(或用电子计算机)按最小条件[也可按最小二乘圆中心或最小外接圆中心(只适用于外表面)或最大内接圆中心(只适用于内表面)]计算该截面的圆度误差; ②按上述方法测量若干截面,取其中最大的误差值作为该零件的圆度误差

续表 3-17

序号	公差带与应用示例	检测方法	设备	说明
3	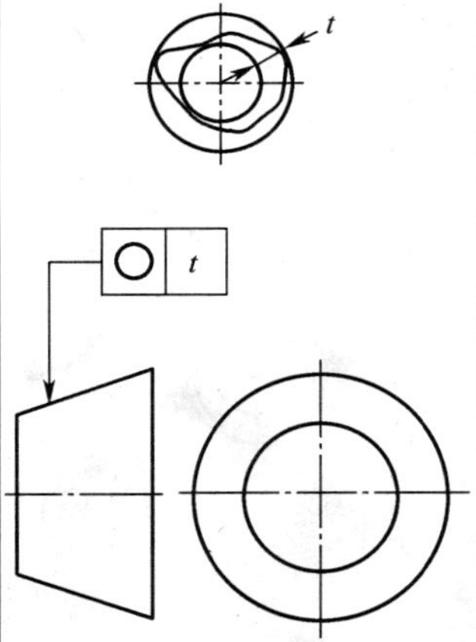	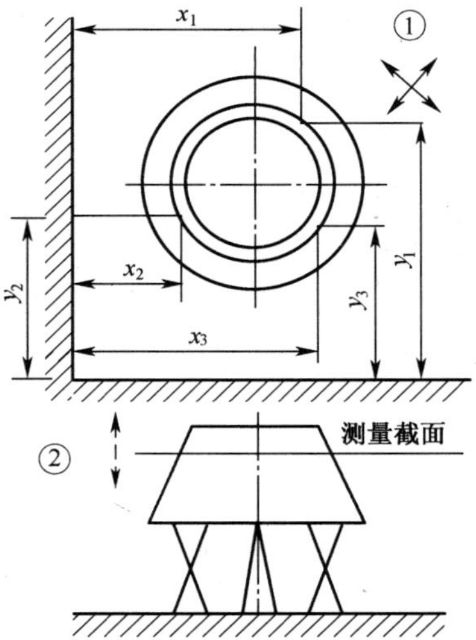	坐标测量装置或带电子计算机的测量显微镜	将被测零件放在量仪上,同时调整被测零件的轴线,使它平行于坐标轴Z; ①按一定布点测出在同一测量截面内的各点坐标值X、Y;用电子计算机按最小条件(也可按最小二乘圆中心)计算该截面的圆度误差; ②按上述方法测量若干截面,取其中最大的误差值作为该零件的圆度误差; 此方法适用于测量内外表面

续表 3-17

序号	公差带与应用示例	检测方法	设备	说明
4	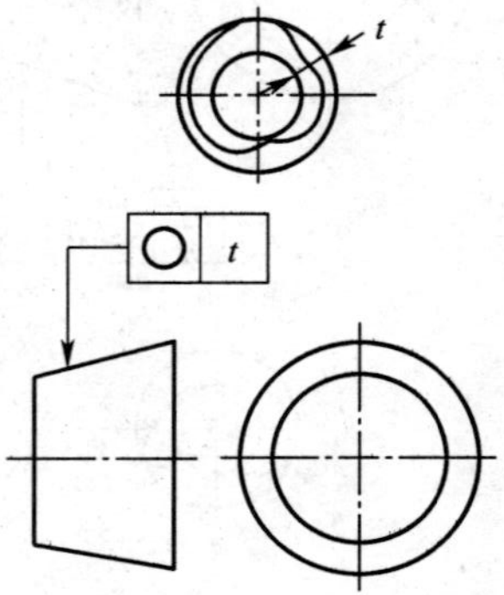	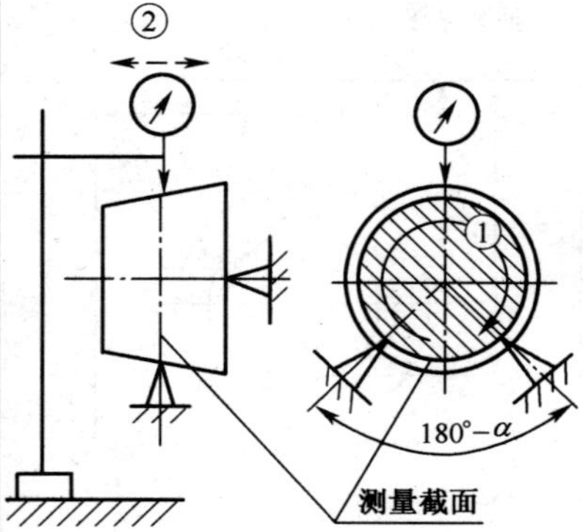	平板、带指示计的测量架、V形块、固定和可调支承	将被测零件放在 V 形块上,使其轴线垂直于测量截面,同时固定轴向位置; ①在被测零件回转一周过程中,指示计示值的最大差值与反映系数 K 之商,作为单个截面的圆度测量误差; ②按上述方法测量若干个截面,取其中最大的误差值作为该零件的圆度误差; 此方法测量结果的可靠性取决于截面形状误差和 V 形块夹角的综合效果;常以夹角 α=90°和120°或72°和108°两块 V 形块分别测量; 此方法适用于测量内外表面的奇数棱形状误差。 使用时可以转动被测零件,也可以转动测量具

续表 3-17

序号	公差带与应用示例	检测方法	设备	说明
5	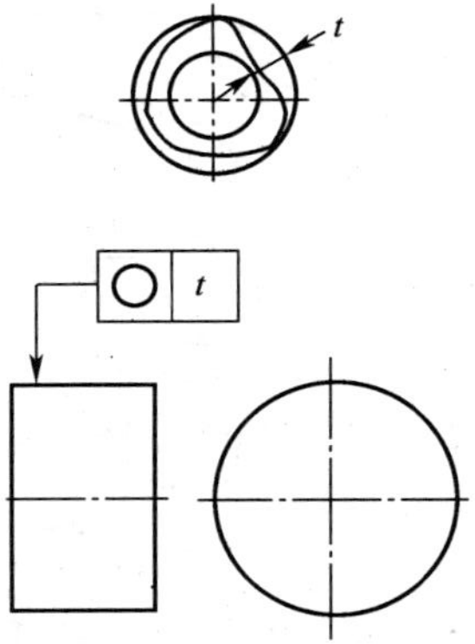	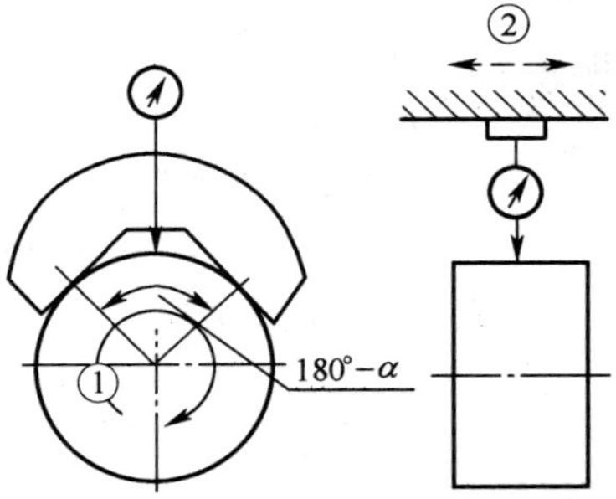	指示计，敞式 V 形座	被测件的轴线应垂直于测量截面； 其余与圆度误差检测 3-① 的说明相同

（图中标注：① ② 180°-α t t）

续表 3-17

序号	公差带与应用示例	检测方法	设备	说　明
6	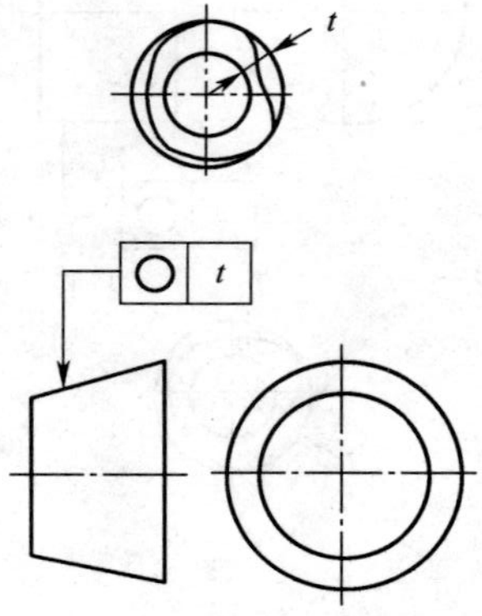	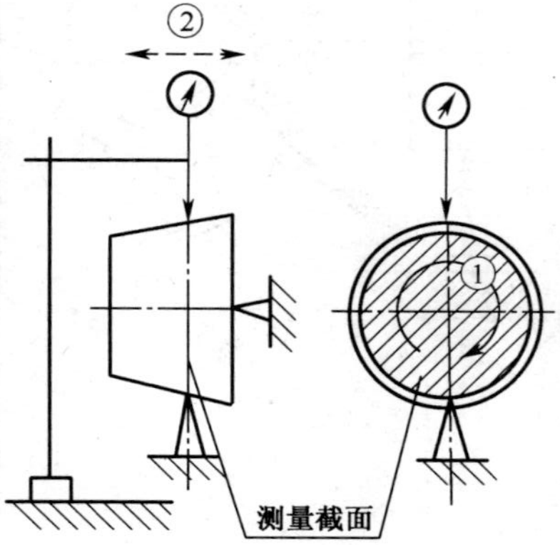	平板、带有指示计的测量架、支承或若干分尺	被测零件轴线应垂直于测量截面，同时固定轴向测量位置； ①在被测零件回转一周过程中，指示计读数的最大差值之半作为单个截面的圆度误差； ②按上述方法，测量若干个截面，取其中最大的误差值作为该零件的圆度误差。 此方法适用于测量内外表面的偶数形棱状误差（奇数棱形状误差采用三点法测量，见图3-①和3-②）。测量时可以转动被测零件，也可转动量具

表 3-18　圆柱度误差的检测方法(GB/T 1985—2004)

序号	公差带与应用示例	检测方法	设备	说　明
1	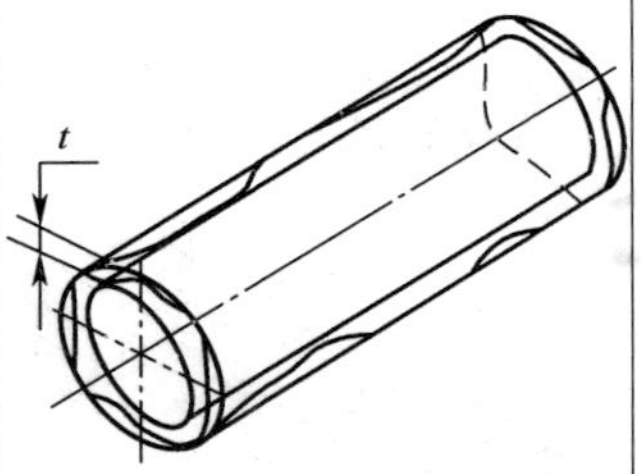 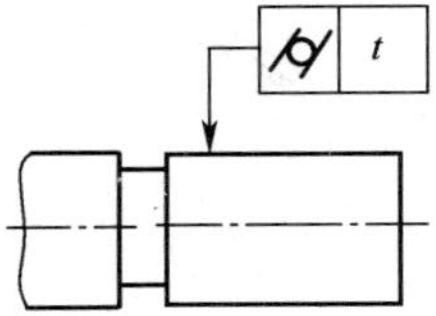	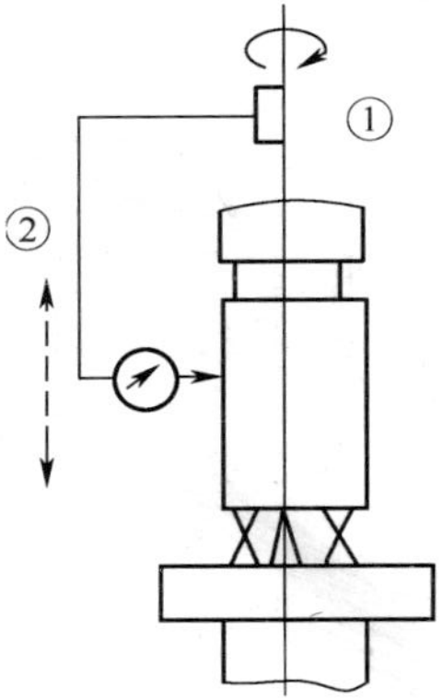	圆度仪(或其他类似仪器)	将被测零件的轴线调整到与量仪的轴线同轴; ①记录被测零件回转一周过程中测量截面上各点的半径差; ②在测头没有径向偏移的情况下,可按上述方法测量若干个横截面(测头也可沿螺旋线移动); 由电子计算机按最小条件确定圆柱度误差,也可用极坐标图近似地求出圆柱度误差

续表 3-18

序号	公差带与应用示例	检测方法	设　备	说　明
2	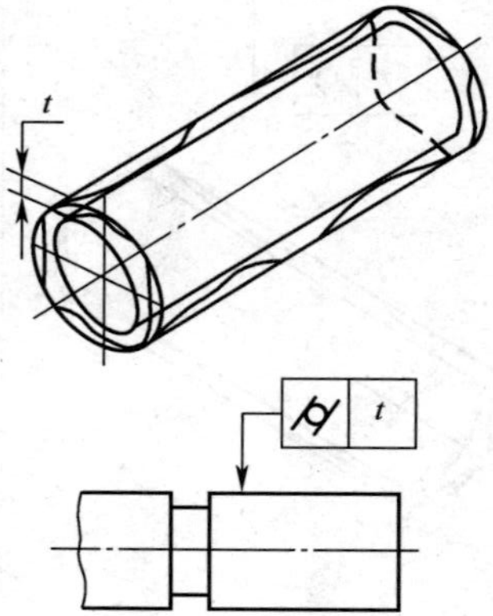	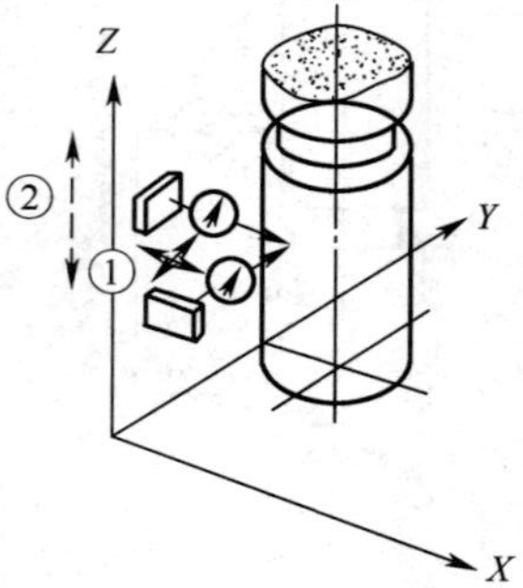	配备电子计算机的三坐标测量装置	把被测零件放置在测量装置上，并将其轴线调整到与Z轴平行； ①在被测表面的横截面上测取若干个点的坐标值； ②按需要测量若干个横截面； 由电子计算机根据该零件的圆柱度条件确定最小圆柱度误差

续表 3-18

序号	公差带与应用示例	检测方法	设备	说明
3	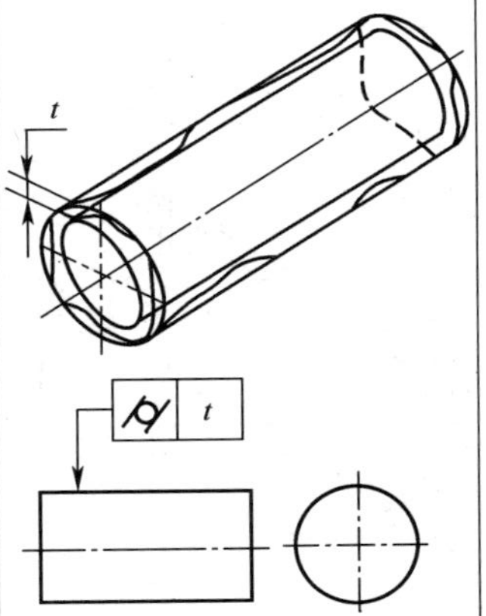	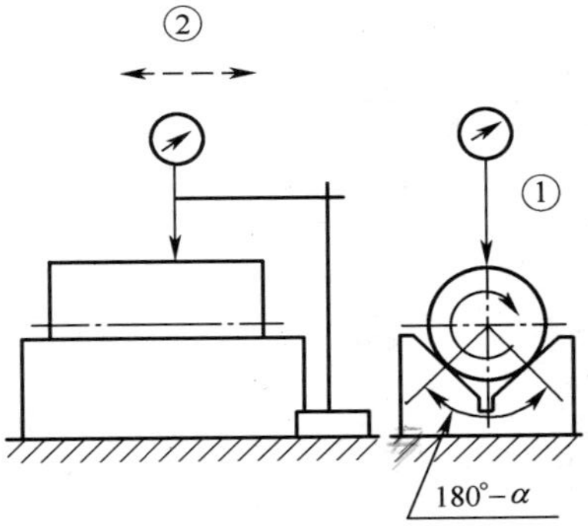	平板、V形块、带有指示计的测量架	将被测零件放在平板上的 V 形块内(V 形块的长度应大于被测零件的长度); ①在被测零件回转一周过程中,测量一个横截面上的最大与最小示值; ②按上述方法,连续测量若干个横截面,然后取各截面内所测得的所有示值中最大与最小示值的差值之半,作为该零件的圆柱度误差。 此方法适用于测量外形面的奇数棱形状误差; 为测量准确,通常应用夹角 α=90° 和 α=120° 的两个 V 形块分别测量

续表 3-18

序号	公差带与应用示例	检测方法	设 备	说 明
4	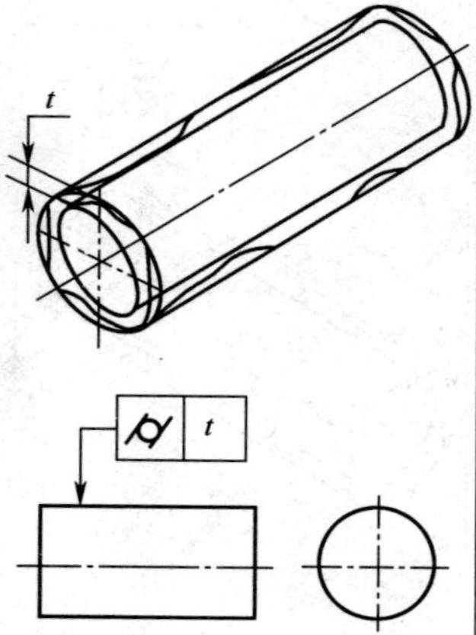	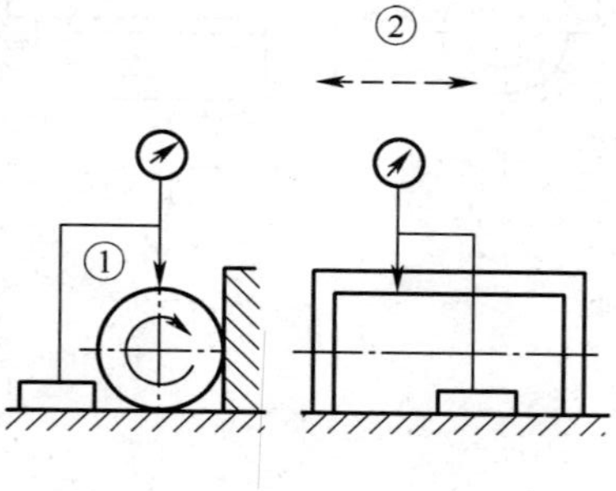	平板、直角座、带指示计的测量架	将被测零件放在平板上，并紧靠直角座； ①在被测零件回转一周过程中，测量一个横截面上的最大与最小值； ②按上述方法测量若干个横截面，然后取各截面内所测得的所有示值中最大与最小示值差之半作为该零件的圆柱度误差 此方法适用于测量外表面的偶数棱形状误差

表 3-19　线轮廓度误差的检测方法（GB/T 1958—2004）

序号	公差带与应用示例	检测方法	设备	说　明
1	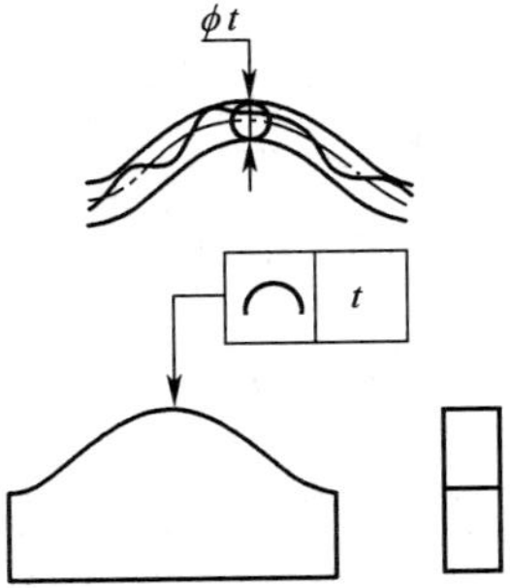	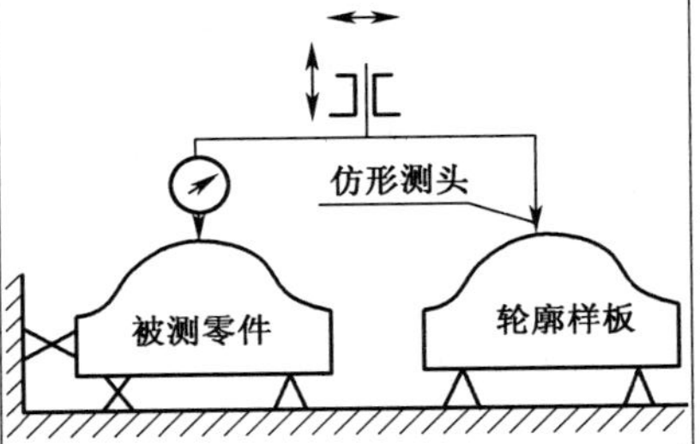	仿形测量装置、指示计、固定和可调支承、轮廓样板	调整被测零件相对于仿形系统和轮廓样板的位置，再将指示计调零；仿形测头在轮廓样板上移动，由指示计上读取示值，取其数值的两倍作为该零件的线轮廓度误差；必要时将测得值换算成垂直于理想轮廓方向（法向）上的数值后评定误差； 指示计测头应与仿形测头的形状相同
2	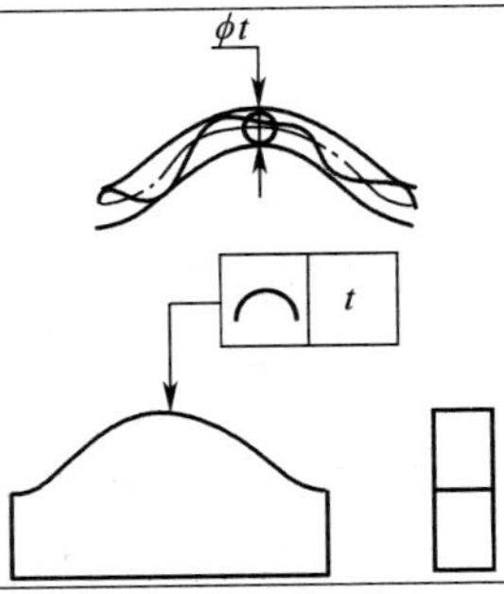	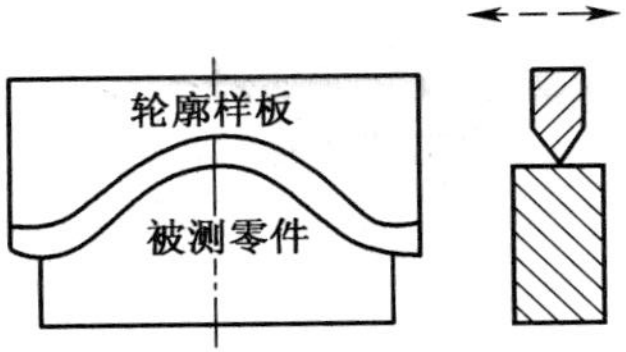	轮廓样板	将轮廓样板按规定的方向放置在被测零件上，根据光隙法估读该间隙的大小，取最大间隙作为该零件的线轮廓度误差

续表 3-19

序号	公差带与应用示例	检测方法	设 备	说　明
3	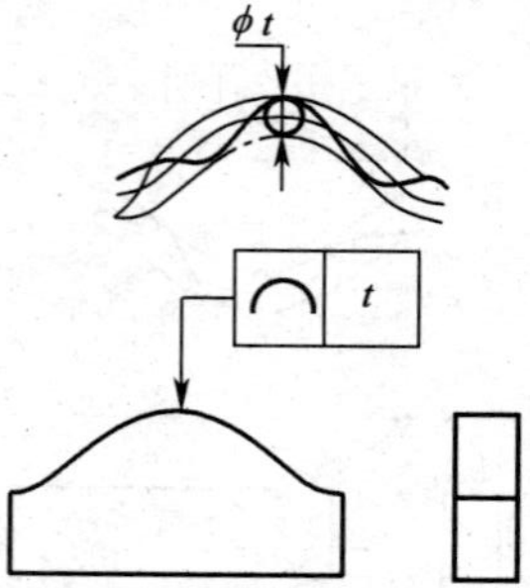	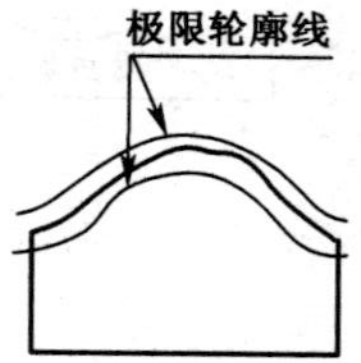 　极限轮廓线	投影仪	将被测轮廓、投影在投影屏上与极限轮廓相比较，实际轮廓的投影应在极限轮廓线之间；此方法适用于测量尺寸较小和薄的零件
4	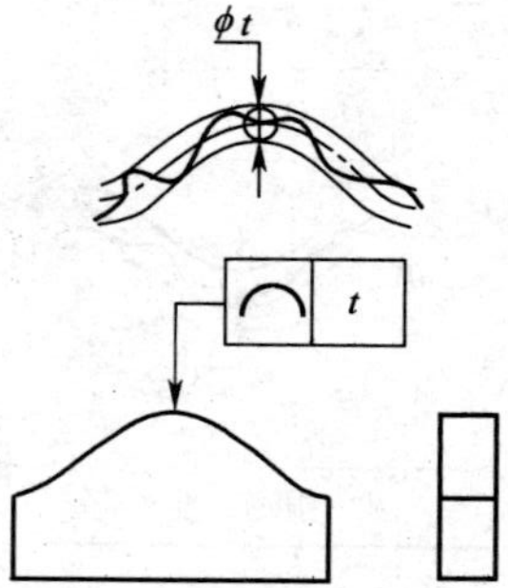	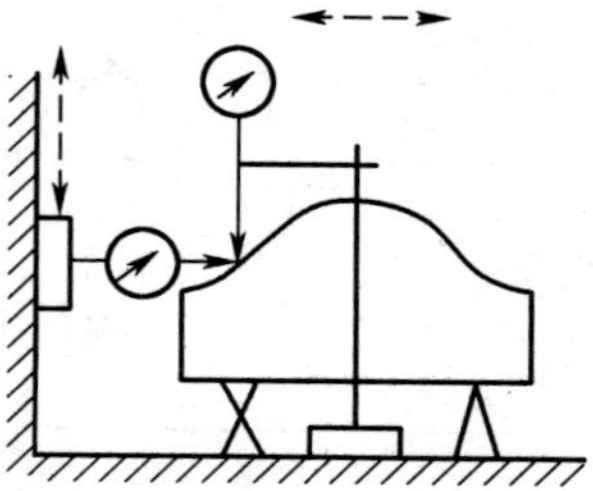	固定和可调支承、坐标测量装置	测量被测轮廓上各点的坐标，同时记录其示值并绘出实际轮廓图形；用等距的线轮廓区域包容实际轮廓，取包容宽度作为该零件的线轮廓度误差；也可用计算法计算误差

续表 3-19

序号	公差带与应用示例	检测方法	设备	说明
5	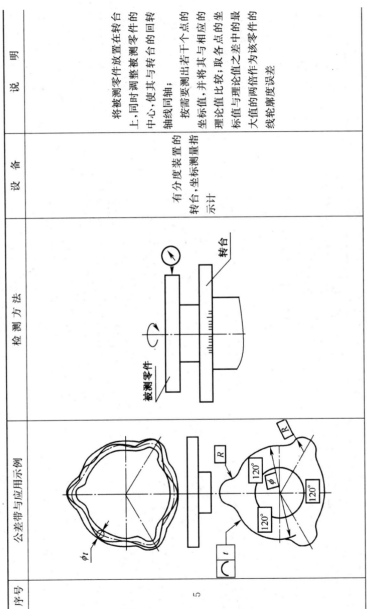		有分度装置的转台、坐标测量指示计	将被测零件放置在转台上,同时调整被测零件的中心,使其与转台的回转轴线同轴;按需要测出若干个点的坐标值,并将其与相应的理论值比较;取各点的坐标值与理论值之差中的最大值的两倍作为该零件的线轮廓度误差

表 3-20　面轮廓度误差的检测方法（GB/T 1958—2004）

序号	公差带与应用示例	检测方法	设备	说明
1	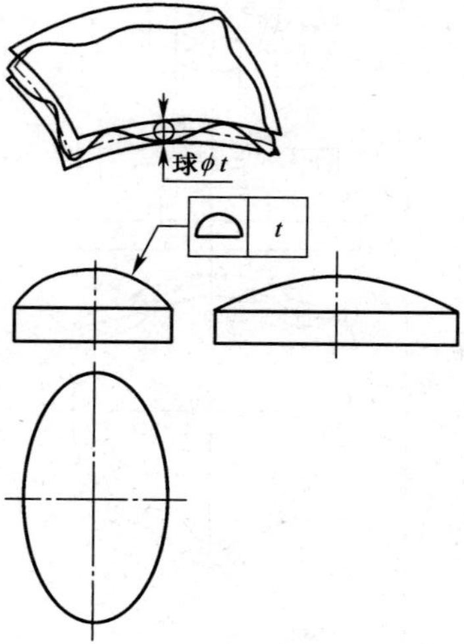	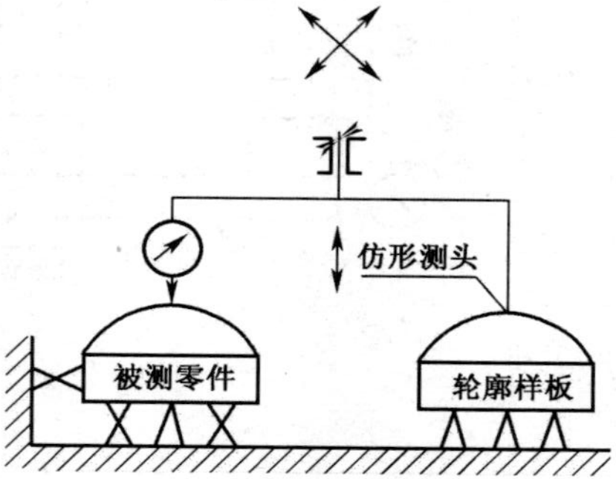	仿形测量装置、固定和可调支架、轮廓样板	调整被测零件相对于仿形系统和轮廓样板的位置，再将指示器调零；仿形测头在轮廓样板上移动，由指示计读取该值中最大示值，取其中最大示值作为该零件的面轮廓两倍作为面轮廓度误差；必要时将各数值换算成理想轮廓相应点的法线方向上的数值后评定误差

续表3-20

序号	公差带与应用示例	检测方法	设备	说明
2	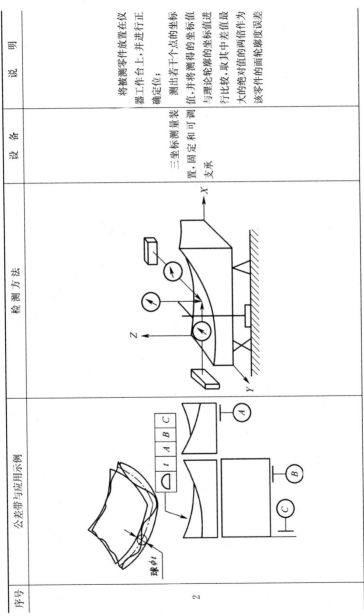		三坐标测量装置,固定和可调支承	将被测零件放置在仪器工作台上,并进行正确定位;测出若干个点的坐标值,并将测得的坐标值与理论轮廓的坐标值进行比较,取其中差值最大的绝对值的两倍值作为该零件的面轮廓度误差

续表 3-20

序号	公差带与应用示例	检测方法	设备	说明
3	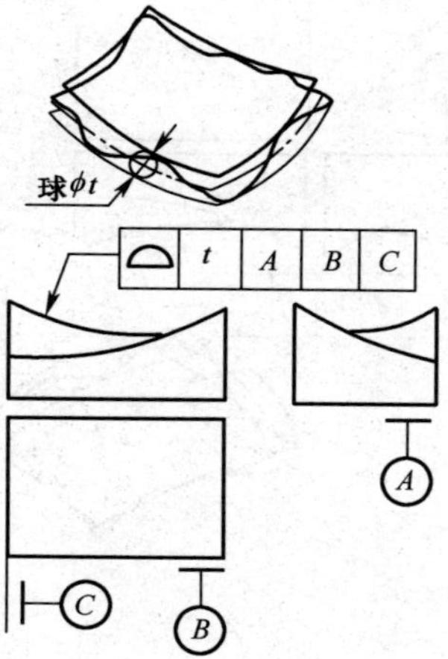	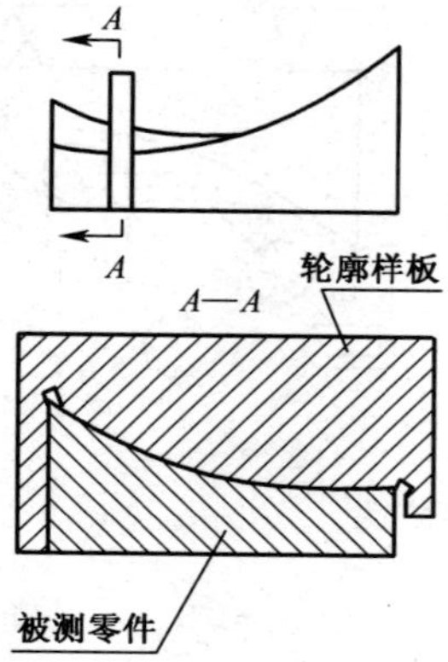	截面轮廓样板	将若干截面轮廓样板放置在各指定的位置上，根据光隙法估读间隙的大小，取最大间隙作为该零件的面轮廓度误差

续表 3-20

序号	公差带与应用示例	检测方法	设备	说 明
4	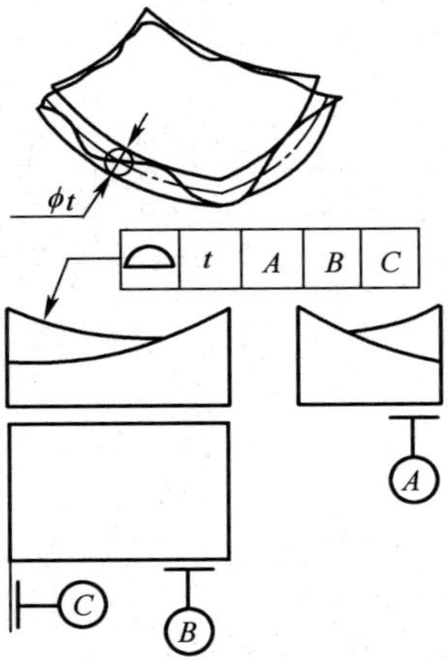	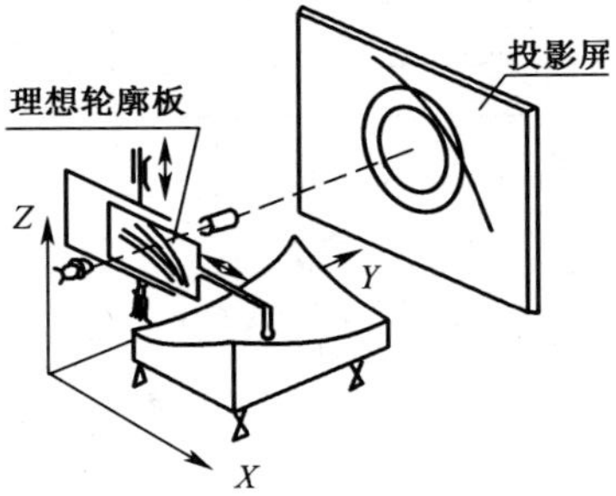	光学跟踪轮廓测量仪	将被测零件放置在仪器工作台上并正确定位;测头沿被测截面的轮廓移动,绘有相应截面的理想轮廓板随之一起移动,被测轮廓的投影应落在其公差带内

投影屏

理想轮廓板

表 3-21 平行度误差的检测方法（GB/T 1985—2004）

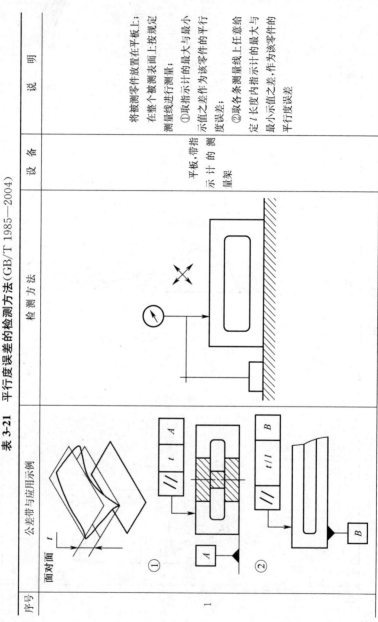

序号	公差带与应用示例	检 测 方 法	设 备	说 明
1	面对面 ① ② A / / t / / B		平板，带指示计的测量架	将被测零件放置在平板上； 在整个被测面上按规定测量线进行测量； ①取指示计的最大与最小示值之差作为该零件的平行度误差； ②取各条测量线上任意给定 l 长度内指示计的最大与最小示值之差，作为该零件的平行度误差

续表3-21

序号	公差带与应用示例	检 测 方 法	设 备	说 明
2	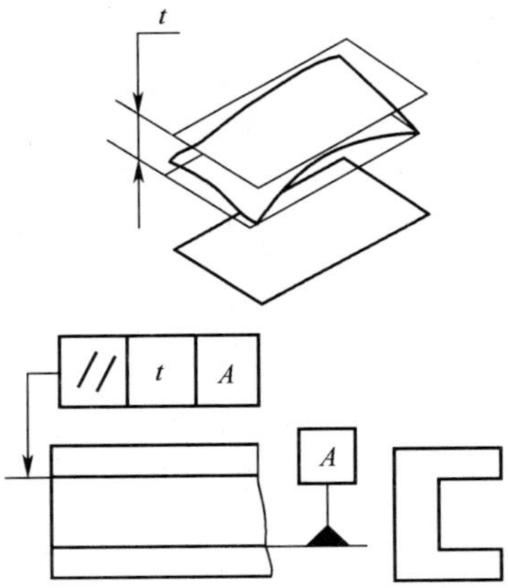	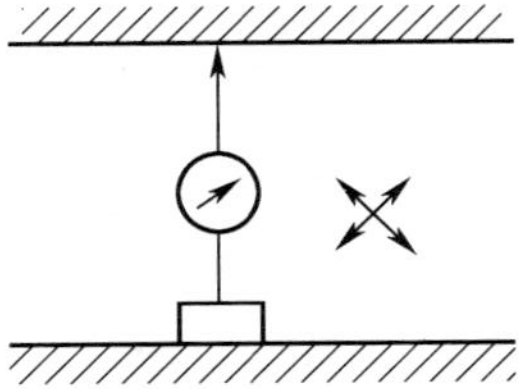	带指示计的测量架	带指示计的测量架在基准要素表面上移动（以基准要素表面为测量基准），并测量整个被测表面；取指示计的最大与最小示值之差作为该零件的平行度误差； 此方法适用于基准表面的形状误差（相对平行度公差）较小的零件

续表 3-21

序号	公差带与应用示例	检测方法	设备	说明
3	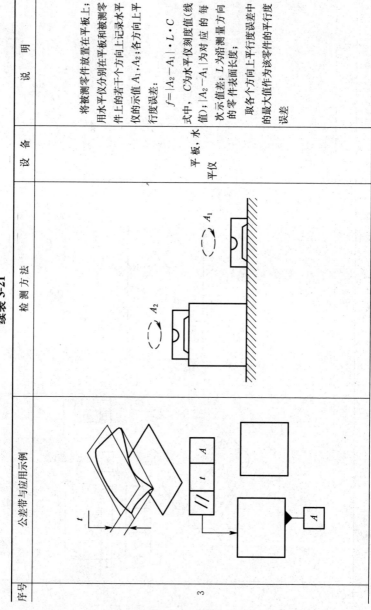		平板, 水平仪	将被测零件放置在平板上; 用水平仪分别在平板和被测零件上的若干个方向上记录水平仪的示值 A_1, A_2;各方向上平行度误差: $$f=|A_2-A_1|\cdot L\cdot C$$ 式中, C 为水平仪刻度值(线值);$|A_2-A_1|$ 为对应的每次示值差, L 为沿测量方向的零件表面长度; 取各个方向上平行度误差中的最大值作为该零件的平行度误差

续表 3-21

序号	公差带与应用示例	检测方法	设备	说　明
4	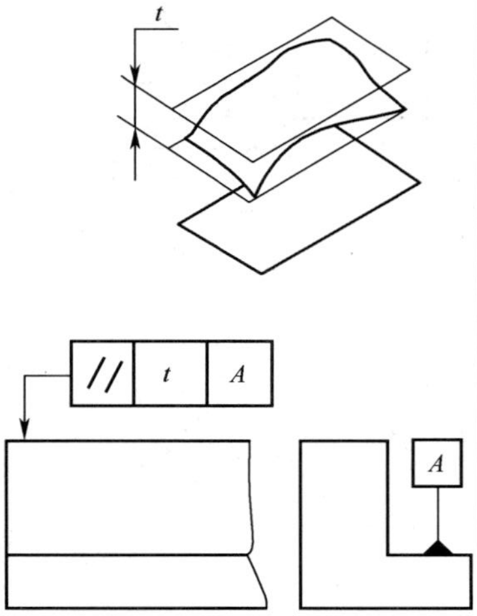	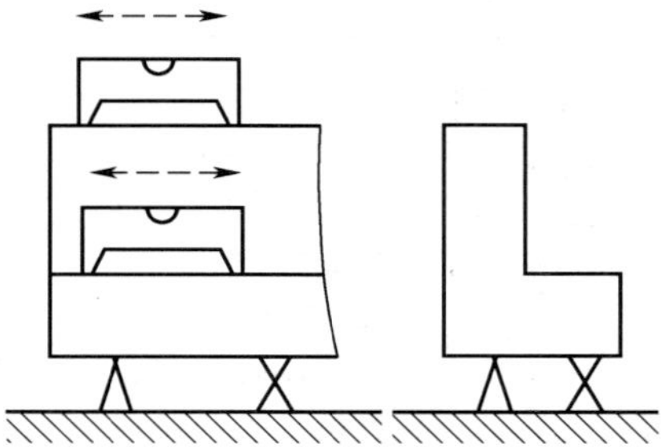	水平仪、固定和可调支承、平板	将被测零件调整至水平; 分别在基准表面和被测表面上沿长度向分段测量; 将读取的水平仪示值记录在图表上,先由图解法(或计算法)确定基准的方位,然后求出被测表面相对基准的最大距离 L_{max} 和最小距离 L_{min}; 平行度误差: $f = L_{max} - L_{min}$ 计算或图解时要注意将格角度值换算成线值; 此方法是近似地按对线的平行度定义近似处理,故适用于测量窄长表面

续表 3-21

序号	公差带与应用示例	检测方法	设备	说　明
5	线对面　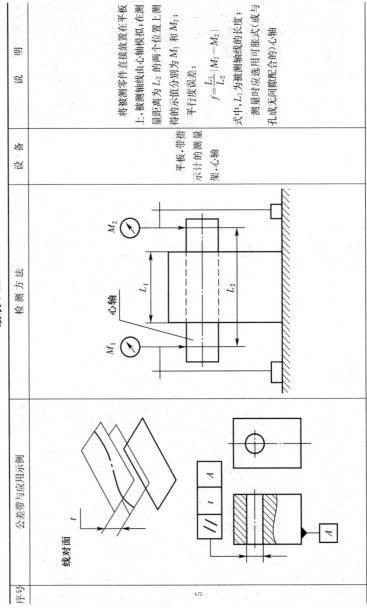		平板、带指示计的测量架、心轴	将被测零件直接放置在平板上。被测轴线由心轴模拟；在测量距离为 L_2 的两个位置上测得的示值分别为 M_1 和 M_2；平行度误差： $$f = \frac{L_1}{L_2}|M_1 - M_2|$$ 式中，L_1 为被测轴线的长度；测量时应选用可胀式（或与孔成无间隙配合的）心轴

续表 3-21

序号	公差带与应用示例	检测方法	设备	说明
6	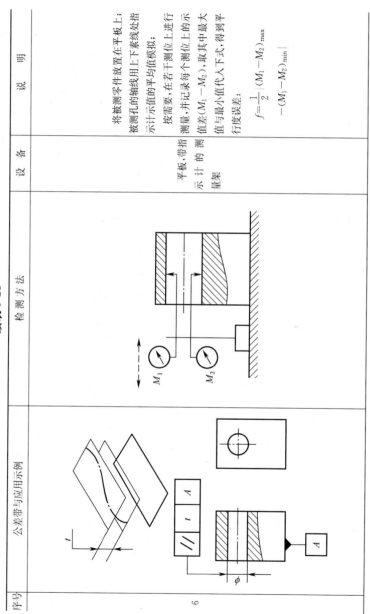		平板、带指示计的测量架	将被测零件放置在平板上；被测孔的轴线用上下素线处指示计示值的平均值模拟；按需要，在若干测位上进行测量，并记录每个测位上的示值差 (M_1-M_2)，取其中最大值与最小值代入下式，得到平行度误差：$$f=\frac{1}{2}\left|(M_1-M_2)_{\max}-(M_1-M_2)_{\min}\right|$$

续表 3-21

序号	公差带与应用示例	检测方法	设备	说明
7	面对线 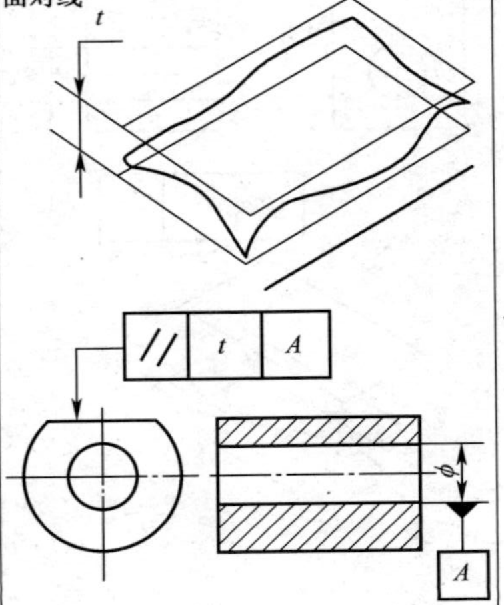 t　　// t A　　ϕ　A　A	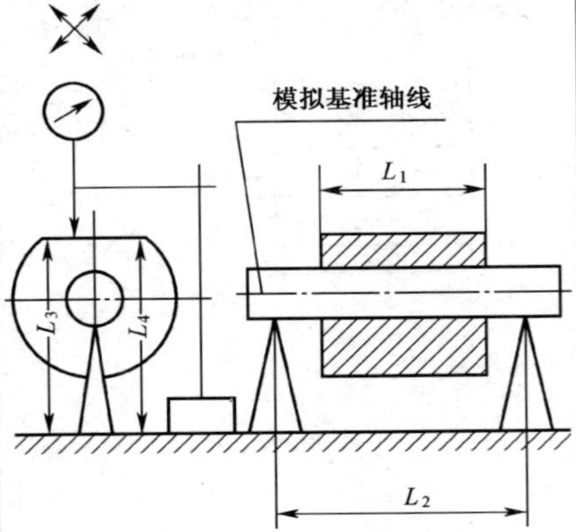 　模拟基准轴线　L_1　L_2　L_3　L_4	平板、等高支承、心轴、带指示计的测量架	基准轴线由心轴模拟； 将被测零件放在等高支承上，调整（转动）该零件使 $L_3 = L_4$；然后测量整个被测面并记录示值； 取整个测量过程中指示计的最大与最小示值之差作为该零件的平行度误差； 必要时，可按定向最小区域评定平行度误差； 测量时，应选用可胀式（或与孔成无间隙配合的）心轴

续表 3-21

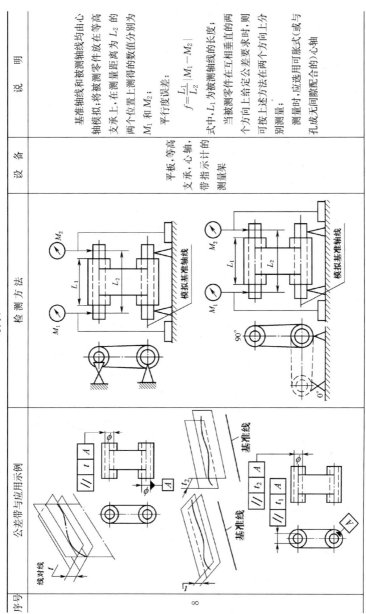

序号	公差带与应用示例	检测方法	设备	说明
8			平板、等高支承、心轴、带指示计的测量架	基准轴线和被测轴线均由心轴模拟;将被测零件放在等高支承上,在测量距离为 L_2 的两个位置上测得的数值分别为 M_1 和 M_2; 平行度误差: $f=\dfrac{L_1}{L_2}\lvert M_1-M_2\rvert$; 式中 L_1 为被测轴线的长度。当被测零件在给定公差要求的两个方向上相互垂直的两个方向上给定公差要求时,则可按上述方法在两个方向上分别测量; 测量时,应选用可胀式(或与孔成无间隙配合的)心轴。

续表 3-21

序号	公差带与应用示例	检测方法	设备	说　　明
9	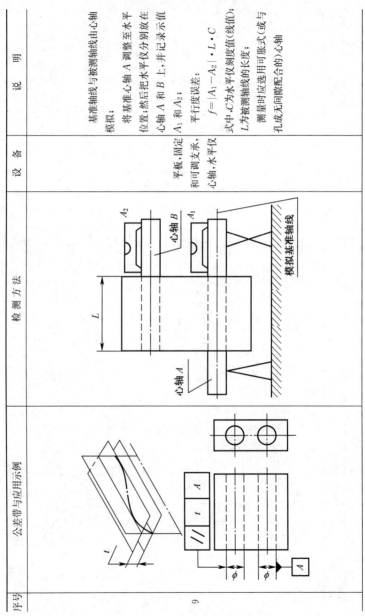		平板、固定和可调支承、心轴、水平仪	基准轴线与被测轴线由心轴模拟； 将基准心轴 A 调整至水平位置；然后把水平仪分别放在心轴 A 和 B 上，并记录示值 A_1 和 A_2； 平行度误差： $f = |A_1 - A_2| \cdot L \cdot C$ 式中 C 为水平仪刻度值（值）； L 为被测轴线的长度； 测量时应选用可胀式（或与孔成无间隙配合的）心轴

续表 3-21

序号	公差带与应用示例	检测方法	设备	说明
10	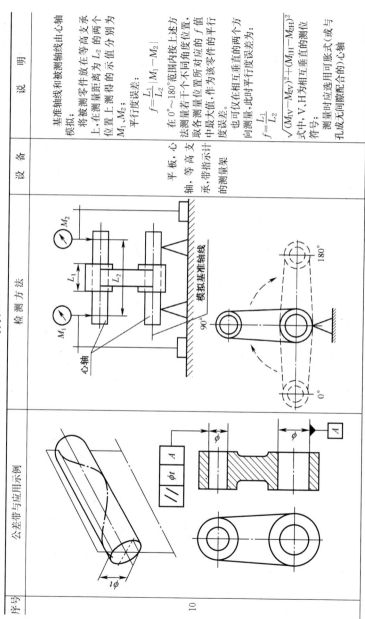		平板、心轴、等高支承、带指示计的测量架	基准轴线和被测轴线由心轴模拟： 将被测零件放在等高支承上，在测量距离为 L_2 的两个位置上测得的示值分别为 M_1，M_2； 平行度误差： $f = \dfrac{L_1}{L_2}\lvert M_1 - M_2 \rvert$ 在 0°～180° 范围内按上述方法测量若干个不同角度位置，取各测量位置所对应的 f 值中最大值，作为该零件的平行度误差。 也可在相互垂直的两个方向测量，此时平行度误差为： $f = \dfrac{L_1}{L_2}\sqrt{(M_{1V}-M_{2V})^2+(M_{1H}-M_{2H})^2}$ 式中，V、H 为相互垂直的测位符号。 测量时应选用可胀式（或与孔成无间隙配合）的心轴

续表 3-21

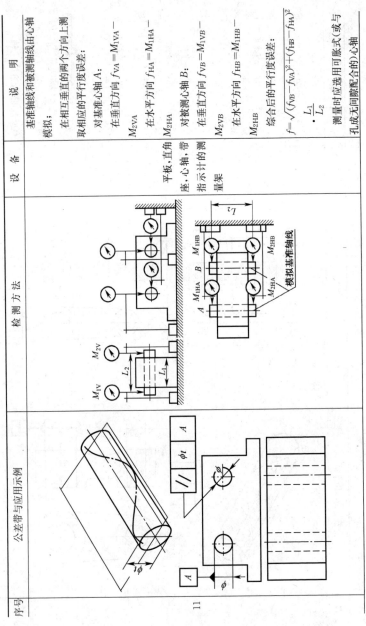

序号	公差带与应用示例	检测方法	设备	说　明
11			平板、直角座、心轴、带指示计的测量架	基准轴线和被测轴线由心轴模拟： 在相互垂直的两个方向上测取相应的平行度误差： 对基准心轴 A： 在垂直方向 $f_{VA} = M_{1VA} - M_{2VA}$ 在水平方向 $f_{HA} = M_{1HA} - M_{2HA}$ 对被测心轴 B： 在垂直方向 $f_{VB} = M_{1VB} - M_{2VB}$ 在水平方向 $f_{HB} = M_{1HB} - M_{2HB}$ 综合后的平行度误差： $f = \sqrt{(f_{VB}-f_{VA})^2 + (f_{HB}-f_{HA})^2} \cdot \dfrac{L_1}{L_2}$ 测量时应选用可胀式（或与孔成无间隙配合的）心轴

续表 3-21

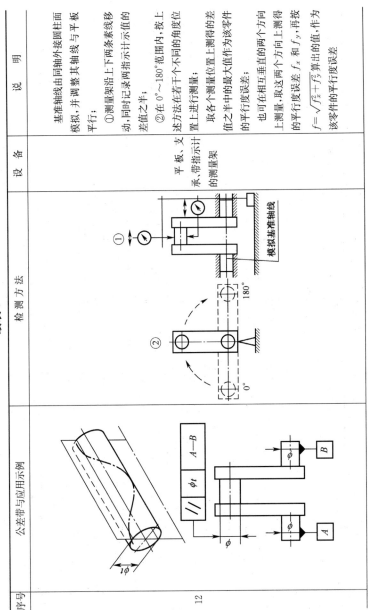

序号	公差带与应用示例	检测方法	设备	说明
12			平板、支承、带指示计的测量架	基准轴线由同轴外接圆柱面模拟，并调整其轴线与平板平行； ①测量架沿上下两条素线移动，同时记录两指示计示值的差值之半； ②在 0°～180° 范围内，按上述方法在若干个不同的角度位置上进行测量； 取各个测量位置上测得的差值之半中的最大值作为该零件的平行度误差； 也可在相互垂直的两个方向上测量，取这两方向上测得的平行度误差 f_x 和 f_y，再按 $f = \sqrt{f_x^2 + f_y^2}$ 算出的值，作为该零件的平行度误差

续表 3-21

序号	公差带与应用示例	检测方法	设备	说明
13	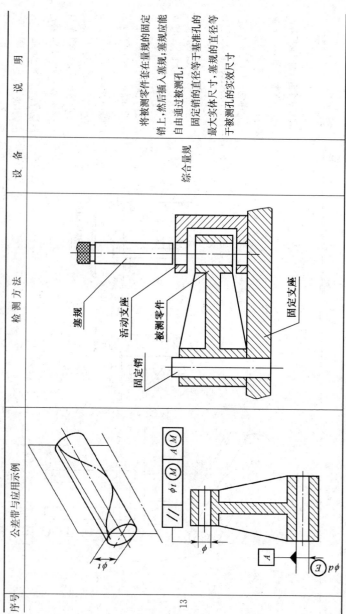		综合量规	将被测零件套在量规的固定销上,然后插入塞规;塞规应能自由通过被测孔; 固定销的直径等于基准孔的最大实体尺寸,塞规的实效尺寸等于被测孔的实效尺寸

注:基准符号采用 GB/T 1182—2008 规定(下同)。

表 3-22　垂直度误差的检测方法（GB/T 1958—2004）

序号	公差带与应用示例	检测方法	设备	说　明
1	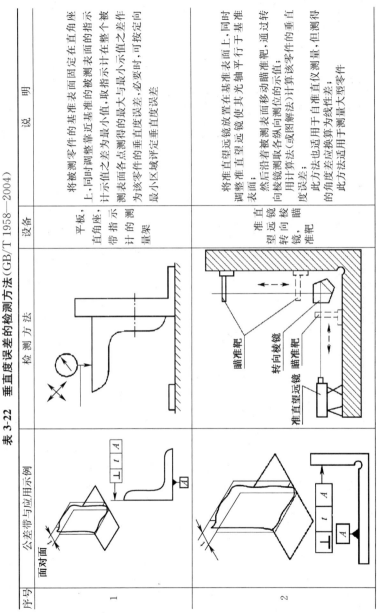		平板、直角座、带指示计的测量架	将被测零件的基准靠近基准表面固定在直角座上，同时调整靠近基准表面的被测表面的指示计示值为最小值，取指示计在整个被测表面各点测得的最大与最小示值之差作为该零件的垂直度误差。必要时，可按定向最小区域评定垂直度误差
2			准直望远镜、转向棱镜、瞄准靶	将准直望远镜放置在基准表面上，同时调整准直望远镜使其光轴平行于基准表面；然后沿着被测表面移动瞄准靶，通过转向棱镜测取各纵向测位的示值。再用计算法或图解法计算零件的垂直度误差；此方法也适用于自准直仪测量，但测得的角度误差应换算为线性值；此方法适用于测量大型零件

续表 3-22

序号	公差带与应用示例	检 测 方 法	设备	说　　明
3		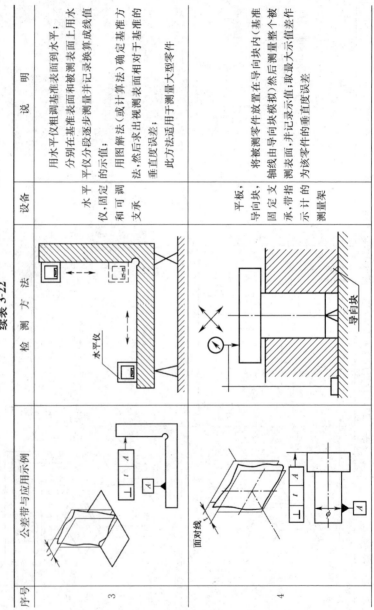	水平仪、固定和可调支承	用水平仪粗调基准表面到水平；分别在基准表面和被测表面上用水平仪分段逐步测量并记录换算成测线值的示值；用图解法（或计算法）确定基准相对于基准的垂直度误差。此方法适用于测量大型零件
4			平板、导向块、固定支承、带指示计的测量架	将被测零件放置在导向块内（基准轴线由导向块模拟）然后测量整个被测表面并记录示值；取最大示值差作为该零件的垂直度误差

续表 3-22

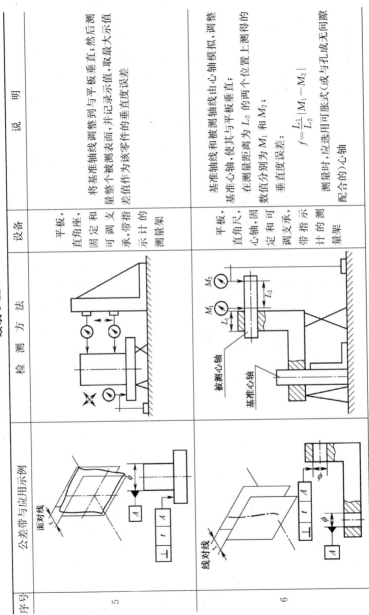

序号	公差带与应用示例	检　测　方　法	设备	说　明
5	面对线		平板、直角座、固定和可调整支承、带指示计的测量架	将基准轴线调整到与平板垂直；然后测量整个被测表面，并记录表面各示值，取最大示值差值作为该零件的垂直度误差
6	线对线		平板、直角尺、心轴、固定和可调整支承、带指示计的测量架	基准轴线和被测轴线由心轴模拟，调整基准心轴，使其与平板垂直；在测量距离为 L_2 的两个位置上测得的数值分别为 M_1 和 M_2；垂直度误差： $$f = \frac{L_1}{L_2}|M_1 - M_2|$$ 测量时，应选用可胀式（或与孔成无间隙配合的）心轴

续表 3-22

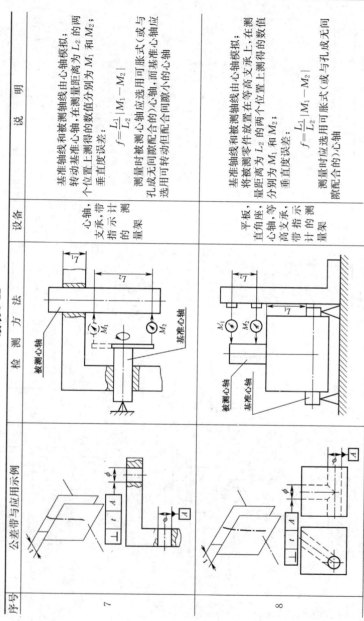

序号	公差带与应用示例	检测方法	设备	说明
7			心轴、带支承、指示计的量架	基准轴线和被测轴线由心轴模拟；转动基准心轴，在测量上测得的两个位置上测得的数值分别为 M_1 和 M_2；垂直度误差：$f = \dfrac{L_1}{L_2}\lvert M_1 - M_2\rvert$；测量时被测心轴应选用可胀式（或与孔成无间隙配合的）心轴，而基准心轴应选用可转动但配合间隙合同隙小的心轴
8			平板、直角座、等高支承、心轴、带指示计的量架	基准轴线和被测轴线由心轴模拟；将被测零件放置在等高支承上，在测量距离为 L_2 的两个位置上测得的数值分别为 M_1 和 M_2；垂直度误差：$f = \dfrac{L_1}{L_2}\lvert M_1 - M_2\rvert$；测量时应选用间隙配合的心轴

续表 3-22

序号	公差带与应用示例	检 测 方 法	设 备	说 明

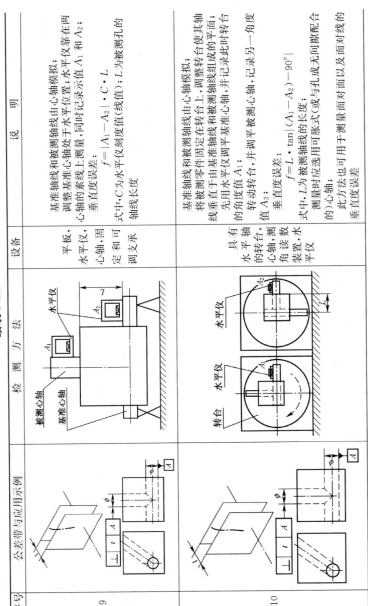

序号 9：

设备：平板，水平仪，固定和可调支承

说明：基准轴线和被测轴线由心轴模拟；

调整基准心轴处于水平位置；水平仪靠在两心轴的素线上测量，同时记录示值 A_1 和 A_2；

垂直度误差：

$$f = |A_1 - A_2| \cdot C \cdot L$$

式中 C 为水平仪刻度值（线值）；L 为被测孔的轴线长度

序号 10：

设备：具有水平轴的转台，心轴，测角读数装置，水平仪

说明：基准轴线和被测轴线由心轴模拟；

将被测零件固定在转台上，调整转台使其轴线垂直于由基准轴线和被测轴线组成的平面；

先用水平仪调平基准心轴，并记录此时转台的角度值 A_1；

转动转台，并调平被测心轴，记录另一角度值 A_2；

垂直度误差：

$$f = L \cdot \tan|(A_1 - A_2) - 90°|$$

式中，L 为被测轴线的长度；

此方法也可用于测量同轴度、对面以及面对线的心轴；

测量时应选用可胀式或与孔无间隙配合的心轴

续表 3-22

序号	公差带与应用示例	检 测 方 法	设备	说　　明
11	线对面 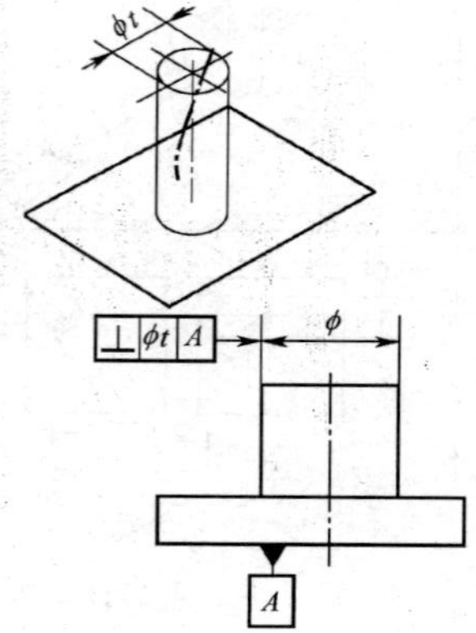 	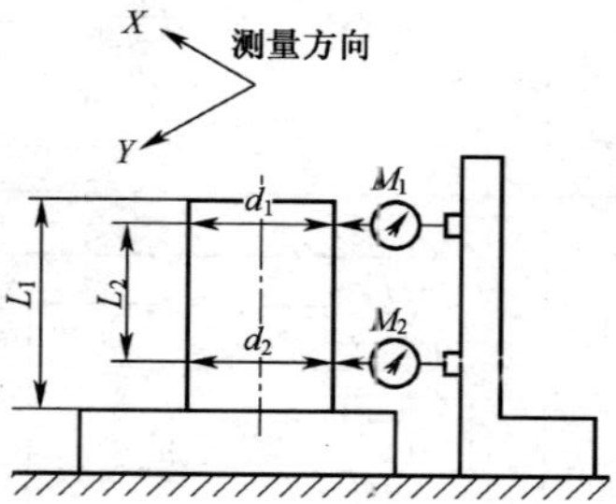	平板、直角座、带指示计的测量架	将被测零件放置在平板上;为了简化测量,可仅在相互垂直的(X、Y)两个方向上测量; 在距离为 L_2 的两个位置测量被测表面与直角座的距离 d_1 和 d_2;则该测量方向上的垂直度误差: $$f_1 = \left|(M_1 - M_2) + \frac{d_1 - d_2}{2}\right|\frac{L_1}{L_2}$$ 取两测量方向上所测得误差中的较大值作为该零件的垂直度误差; 若考虑被测要素的直线度误差影响,可增加测量截面并用图解法求出垂直度误差; 当被测表面为孔时,被测轴线可由中心轴模拟,应选用可胀式(或与孔无间隙配合的)心轴

续表 3-22

序号	公差带与应用示例	检测方法	设备	说明
12	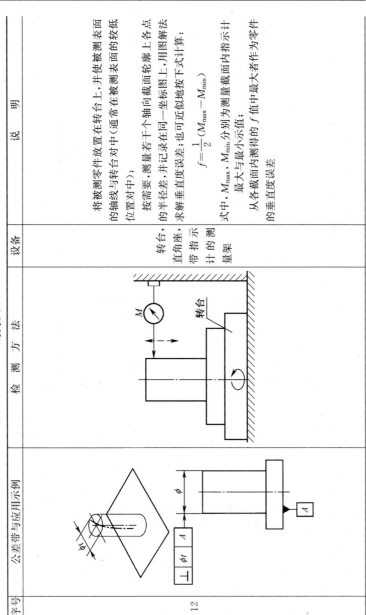		转台，直角座，带指示计的测量架	将被测零件放置在转台上，并使被测表面的轴线与转台对中（通常在被测表面的较低位置对中）；按需要，测量若干个轴向截面轮廓上各点的半径差，并记录直度误差，用图解法求解垂直度误差；也可近似地按下式计算：$$f = \frac{1}{2}(M_{max} - M_{min})$$ 式中，M_{max}、M_{min} 分别为测量截面内指示计最大与最小示值；从各截面内测得的 f 值中最大者作为零件的垂直度误差

续表 3-22

序号	公差带与应用示例	检 测 方 法	设备	说 明
13			综合量规	将量规套在被测表面上,量规的端面与基准表面接触应不透光;量规孔的直径等于被测要素的实效尺寸
14			综合量规	将被测零件套在量规销上,并回转被测零件,被测表面应自由通过量规的凹槽;固定销的直径等于基准孔的最大实体尺寸,量规凹槽的宽度等于被测表面的实效尺寸

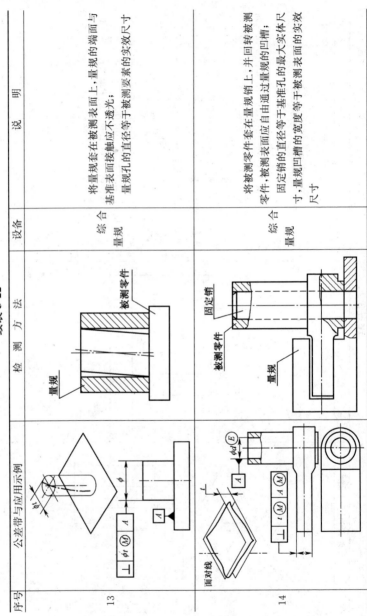

表 3-23　倾斜度误差的检测方法(GB/T 1985—2004)

序号	公差带与应用示例	检测方法	设备	说　明
1	面对面 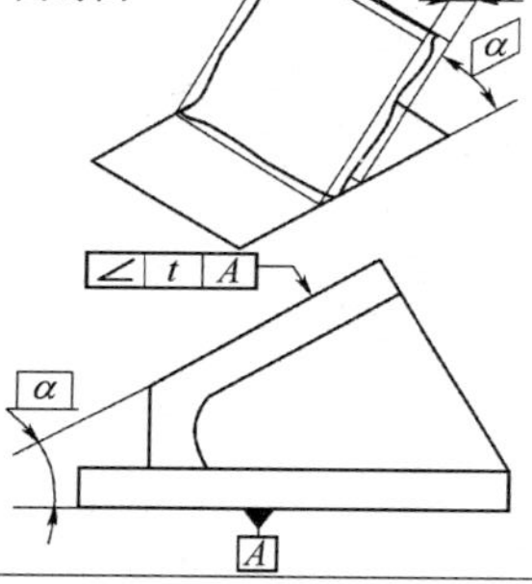	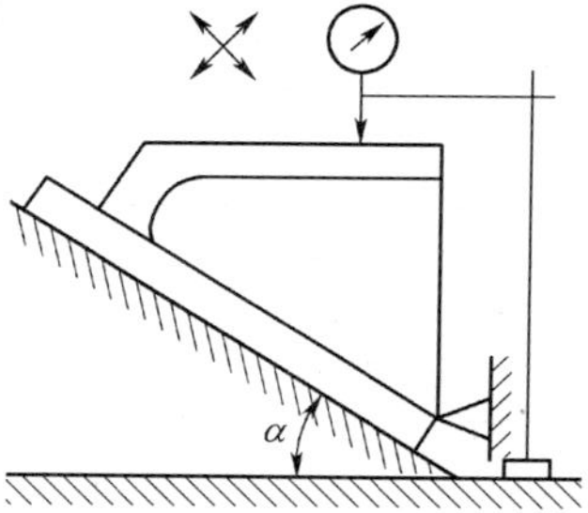	平板、定角座、固定支承、带指示计的测量架	将被测零件放置在定角座上; 调整被测零件,使指示计在整个被测表面的示值差为最小值; 取指示计的最大与最小示值之差作为该零件的倾斜度误差; 定角座可用正弦尺(或精密转台)代替
2	线对面 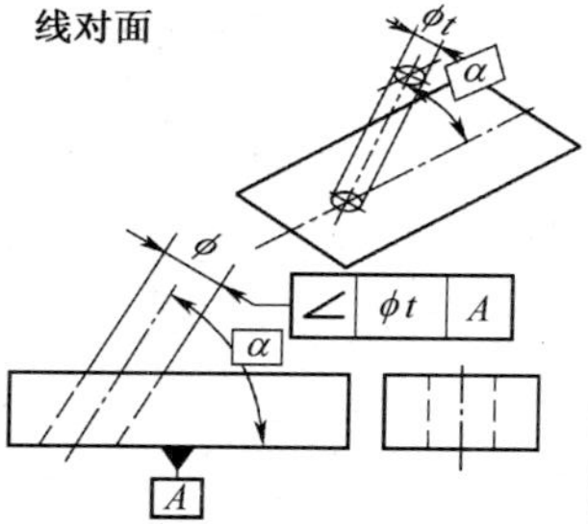	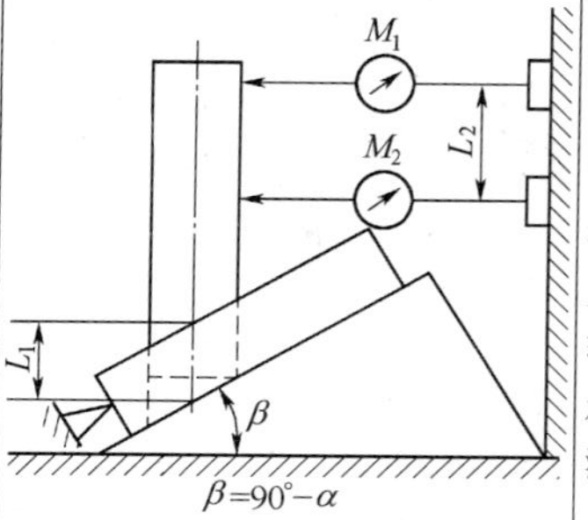	平板、直角座、定角垫块、固定支承、心轴、带指示计的测量架	被测轴线由心轴模拟; 调整被测零件,使指示计示值 M_1 为最大 (误差最小); 在测量距离为 L_2 的两个位置上测得示值分别为 M_1 和 M_2; 倾斜度误差 $$f=\frac{L_1}{L_2}|M_1-M_2|$$ 测量时应选用可胀式(或无间隙配合)的心轴,若选用 L_2 等于 L_1,则示值差即为该零件的倾斜度误差; 定角垫块可由正弦尺(或精密转台)代替

续表 3-23

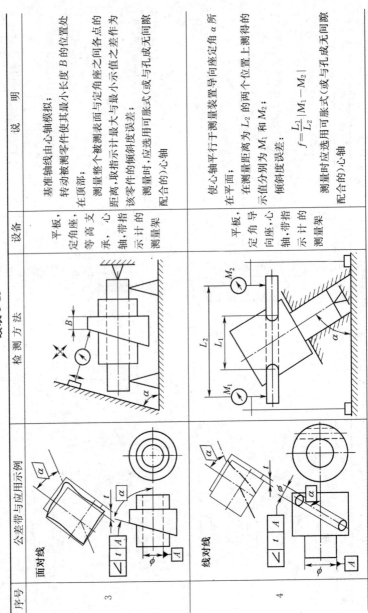

序号	公差带与应用示例	检测方法	设备	说　　明
3	面对线		平板、定角座、等高支承、心轴、带指示计的测量架	基准轴线由中心轴模拟；转动被测零件使其最小长度 B 的位置处在顶部；测量整个被测表面与定角座之间各点的距离，取其最大与最小示值之差作为该零件的倾斜度误差；测量时，应选用可胀式（或孔成无间隙配合的）心轴
4	线对线		平板、定角座、导向座、心轴、带指示计的测量架	使心轴平行于测量装置导向座定角 α 所在平面；在测量距离为 L_2 的两个位置上测得的示值分别为 M_1 和 M_2；倾斜度误差：$$f=\frac{L_1}{L_2}|M_1-M_2|$$测量时应选用可胀式（或孔成无间隙配合的）心轴

续表 3-23

序号	公差带与应用示例	检测方法	设备	说　明
5	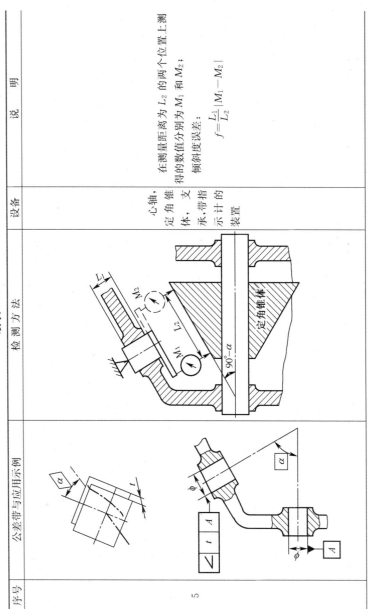		心轴,定角锥体,支承,带指示计的装置	在测量距离为 L_2 的两个位置上测得的数值分别为 M_1 和 M_2; 倾斜度误差: $$f = \frac{L_1}{L_2} |M_1 - M_2|$$

续表 3-23

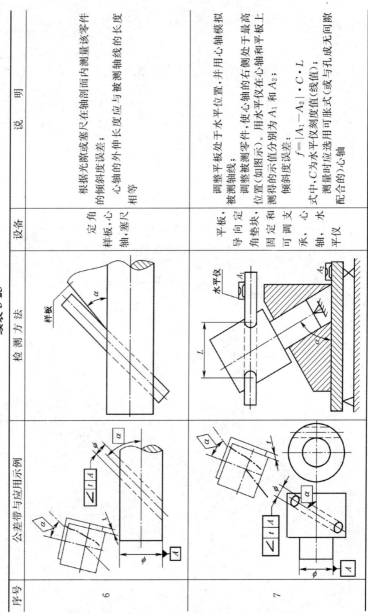

序号	公差带与应用示例	检测方法	设备	说　明
6			定角样板、心轴、塞尺	根据光隙或塞尺在轴剖面内测量该零件的倾斜度误差；心轴的外伸长度应与被测轴线的长度相等
7			平板、定向导轨、定角垫块、固定和可调支承、心轴、水平仪	调整平板处于水平位置，并用心轴模拟被测轴线。 调整被测零件，使心轴的右侧处于最高位置（如图示），并用水平仪在心轴和平板上测得的示值分别为 A_1 和 A_2。 倾斜度误差： $f=|A_1-A_2| \cdot C \cdot L$ 式中，C为水平仪刻度值（线值）； 测量时应选用可胀式（或与孔成无间隙配合的）心轴

表3-24 同轴度误差的检测方法（GB/T 1958—2004）

序号	公差带与应用示例	检测方法	设备	说　明
1	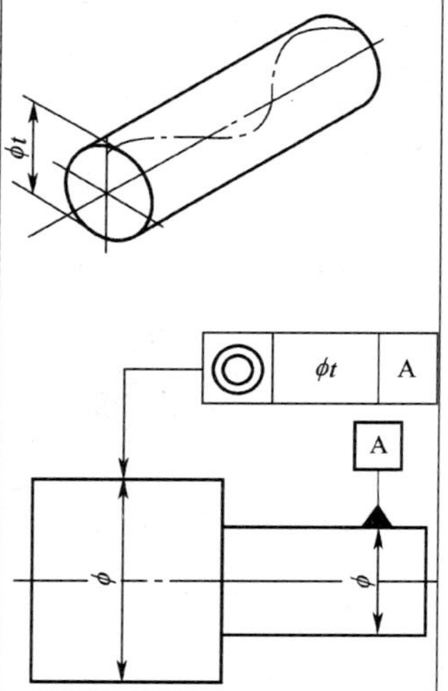	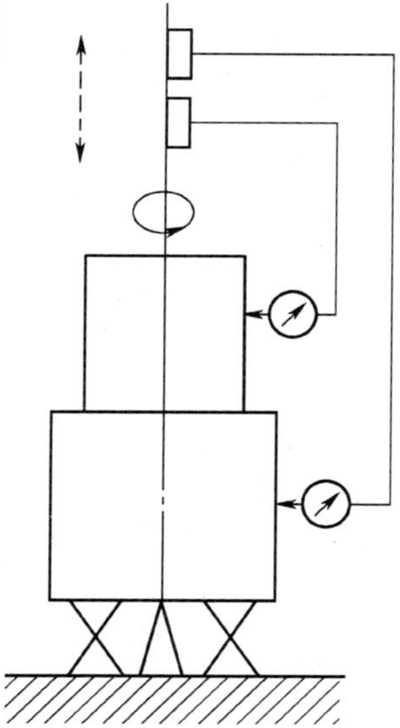	圆度仪（或其他类似仪器）	调整被测零件，使其基准轴线与仪器主轴的回转轴线同轴； 在被测零件的基准要素和被测要素上测量若干截面并记录轮廓图形； 根据图形按定义求出该零件的同轴度误差； 按照零件的功能要求也可对轴类零件用最小外接圆柱面（对孔类零件用最大内接圆柱面）的轴线求出同轴度误差

续表 3-24

序号	公差带与应用示例	检测方法	设备	说明
2			三坐标测量装置	将被测零件放置在工作台上,调整被测零件使其基准轴线平行于Z轴;在被测部位上测量若干个横截面并在每个截面上测取实际轮廓在X和Y轴方向的坐标,及各截面之间的距离;根据各截面上测取的4个点的坐标,及各截面对应点的相互关系用计算法(或作图法)求得外接(或内接)圆柱面的两个圆柱面的同轴线与基准轴线的同轴度误差;在确定外接(或内接)圆柱面的动程时应使该圆柱面在径向两端的动程 a 相等,见下图 注:在确定外接(或内接)圆柱面轴线与基准轴线相等

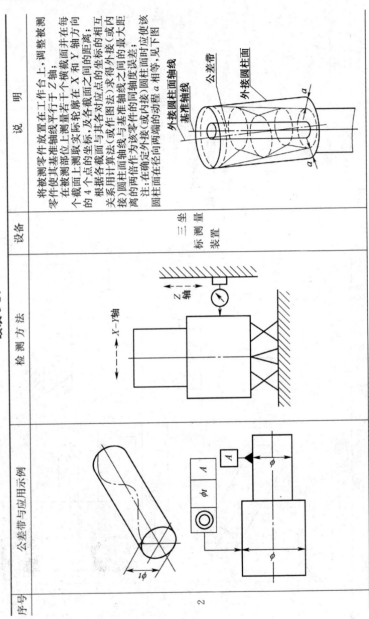

续表 3-24

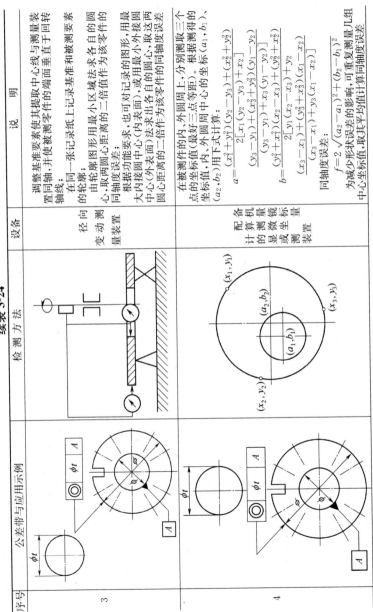

序号	公差带与应用示例	检测方法	设备	说　明
3			径向变动测量装置	调整基准要素使其提取中心线与测量装置回转轴线同轴,并使被测零件的端面垂直于回转轴线; 在同一张记录纸上记录被测零件的轮廓; 由轮廓图形用最小区域法求各自的圆心,取两圆圆心距离的二倍值作为该零件的同轴度误差; 根据功能要求,也可对记录的图形,用最大内接圆中心(内表面),或用最小外接圆中心(外表面)法求出各自的圆心,取这两圆心距离的二倍值作为该零件的同轴度误差
4			配备计算机的量显微镜或量坐标测量装置	在被测圆件的内、外圆周上,分别测取三个点的坐标值(最好三点等距)。根据测得的内、外圆周中心的坐标 (a_1, b_1)、(a_2, b_2) 用下式计算: $$a = \frac{(x_1^2+y_1^2)(y_2-y_3)+(x_2^2+y_2^2)(y_3-y_1)+(x_3^2+y_3^2)(y_1-y_2)}{2[x_1(y_2-y_3)+x_2(y_3-y_1)+x_3(y_1-y_2)]}$$ $$b = \frac{(y_1^2+x_1^2)(x_2-x_3)+(y_2^2+x_2^2)(x_3-x_1)+(y_3^2+x_3^2)(x_1-x_2)}{2[y_1(x_2-x_3)+y_2(x_3-x_1)+y_3(x_1-x_2)]}$$ 同轴度误差: $$f = 2\sqrt{(a_2-a_1)^2+(b_2-b_1)^2}$$ 为减少形状误差的影响,可重复测量几组中心坐标值,取其平均值计算同轴度误差

续表 3-24

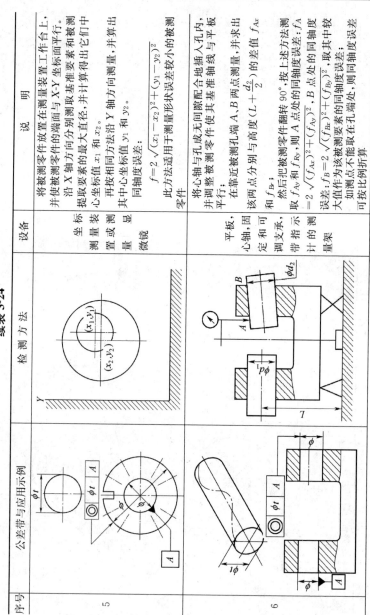

序号	公差带与应用示例	检测方法	设备	说　明
5			坐标测量装置或测量显微镜	将被测零件放在测量装置工作台上，并使被测零件的端面与 X-Y 坐标面平行。沿 X 轴方向分别测取最大直径，并计算出它们中心坐标值 x_1 和 x_2。再按相同方法沿 Y 轴方向测量，并计算出其中心坐标值 y_1 和 y_2。同轴度误差：$$f=2\sqrt{(x_1-x_2)^2+(y_1-y_2)^2}$$ 此方法适用于测量形状误差较小的被测零件
6			平板、心轴、固定和可调支承，带指示计的测量架	将心轴与孔成无间隙配合地插入孔内，并调整被测零件使其基准轴线与平板平行；在靠近被测孔端高度 $(L+\frac{d_2}{2})$ 的差值 f_{Ax} 该两点分别与高度……和 f_{Bx} 然后把零件翻转 90°，按上述方法测 A 点和 B 点处的同轴度误差：f_A =$2\sqrt{(f_{Ax})^2+(f_{Ay})^2}$，$f_B=2\sqrt{(f_{Bx})^2+(f_{By})^2}$，取其中较大值作为被测要素的同轴度误差；如测点不能取在孔端处，则同轴度误差可按比例折算

续表 3-24

序号	公差带与应用示例	检测方法	设备	说　明
7	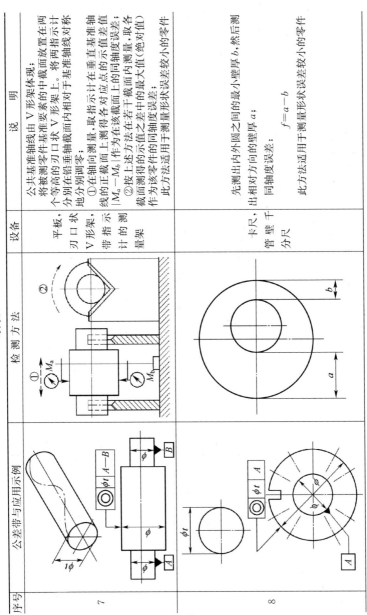		平板、刃口状 V 形架、带指示计的测量架	公共基准轴线由 V 形架体现：将被测零件基准要素的中截面放置在两个等高的刃口状 V 形架上。将两指示计分别在铅垂轴截面内测量，地分别调零： ①在轴向测量，取各对应点的示值差值的正截面上测得各该该截面内测量。取各线的正截面上测得各该截面内测量。取各 $|M_a - M_b|$ 作为该截面上的同轴度误差； ②按上述方法在若干测截面之差值的同轴度误差。 截面测得的示值差在若干截面内测量，取各作为该零件的同轴度误差。 此方法适用于测量形状误差较小的零件
8	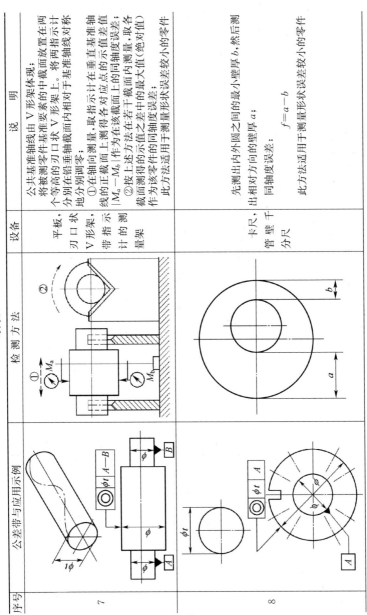		卡尺、管壁干分尺	先测出内外圆之间的最小壁厚 b，然后测出相对方向的壁厚 a； 同轴度误差： $$f = a - b$$ 此方法适用于测量形状误差较小的零件

续表 3-24

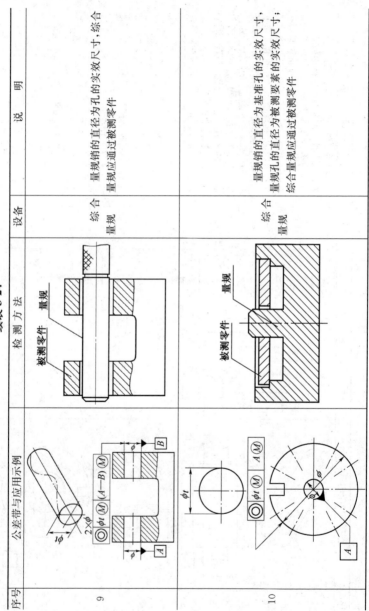

序号	公差带与应用示例	检测方法	设备	说　明
9			综合量规	量规销的直径为孔的实效尺寸，综合量规应通过被测零件
10			综合量规	量规销的直径为基准孔的实效尺寸；量规孔的直径为被测要素的实效尺寸；综合量规应通过被测零件

表 3-25　对称度误差的检测方法（GB/T 1958—2004）

序号	公差带与应用示例	检测方法	设备	说　明
1　面对面 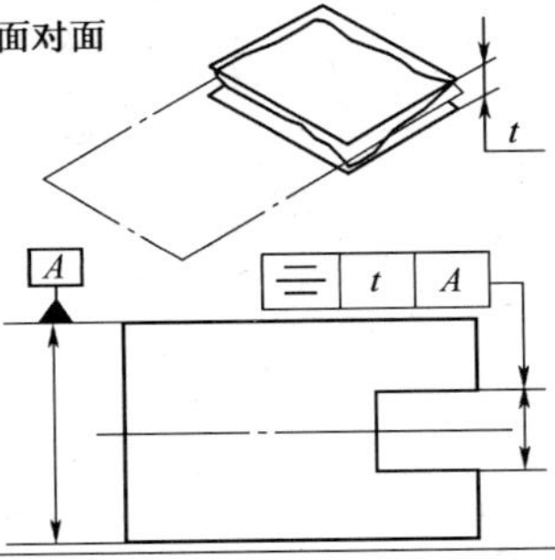		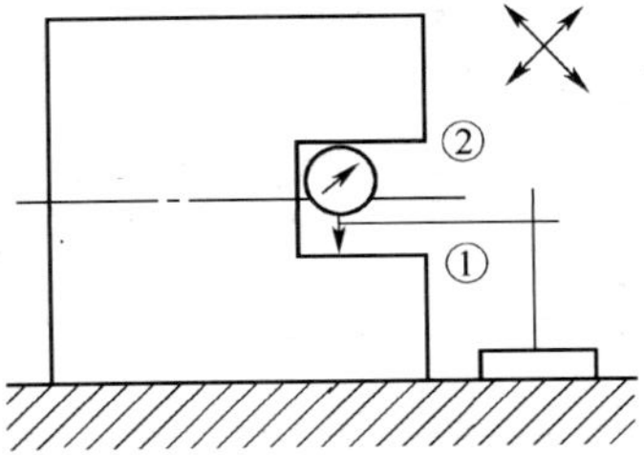	平板、带指示计的测量架	将被测零件放置在平板上： ① 测量被测表面与平板之间的距离； ② 将被测件翻转后，测量另一被测表面与平板之间的距离； 取测量截面内对应两测点的最大差值作为对称度误差
2	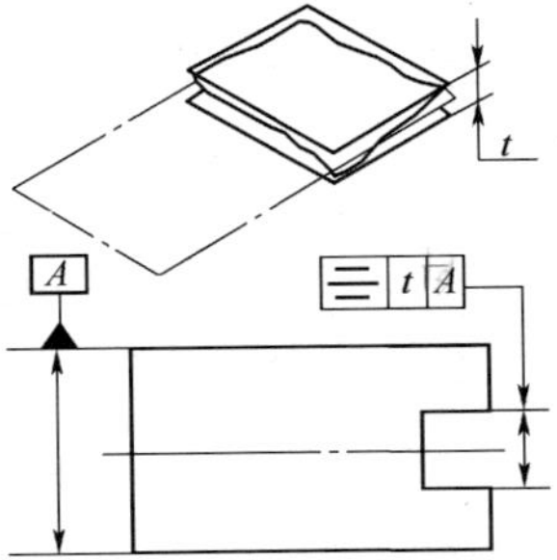	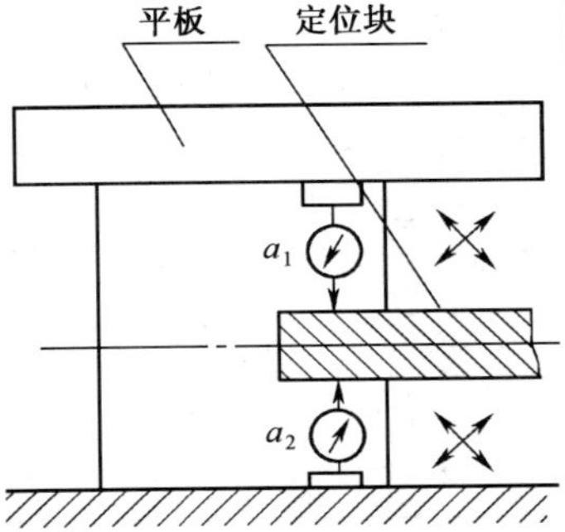	平板、定位块、带指示计的测量架	将被测零件放置在两块平板之间，并用定位块模拟被测中心面；在被测零件之上、下平板之间分别测出定位块两侧的距离 a_1 和 a_2； 对称度误差： $$f = |a_1 - a_2|_{max}$$ 当定位块的长度大于被测要素的长度时，误差值应按比例折算； 此方法适用于测量大型零件

续表 3-25

序号	公差带与应用示例	检测方法	设备	说　明
3	面对线 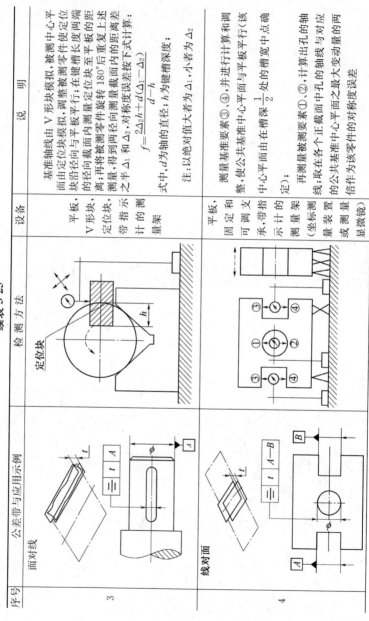		平板、V形块、定位块、带指示表的测量架	基准轴线由V形块模拟，被测中心平面由定位块模拟，调整被测零件使定位块沿径向与平板平行；在键槽长度上述的径向截面内测量定位块至平板两端的距离；再将被测零件旋转180°后重复上述测量，得到两径向截面内的距离两差。测量截面两差之半为Δ_1和Δ_2，对称度误差按下式计算： $$f = \frac{2\Delta_2 h + d(\Delta_1 - \Delta_2)}{d - h}$$ 式中，d为轴的直径；h为键槽深度； 注：以绝对值大者为Δ_1，小者为Δ_2
4	线对面		平板、固定支承和带可调支承、带指示表的测量架（坐标测量装置或测量显微镜）	测量基准要素③、④并进行计算和调整，使公共基准中心平面与平板平行（该中心平面由在正截面与槽深$\frac{1}{2}$处的槽宽中点确定）；再测量被测要素①、②，计算出中孔的轴线与各个正截面中心平面的公共基准中心平面之间两对应的两变动量最大变动度误差。取在各正截面中心平面的公共基准中心平面对应的两轴线与该被测零件的对称度误差（倍作为该零件的对称度误差）

续表 3-25

序号	公差带与应用示例	检测方法	设备	说明
5	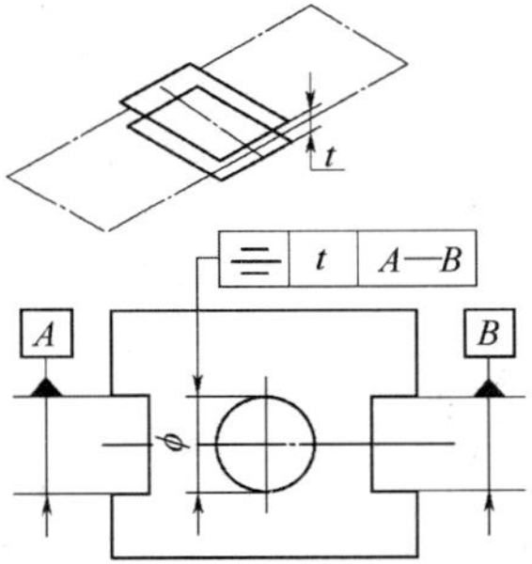	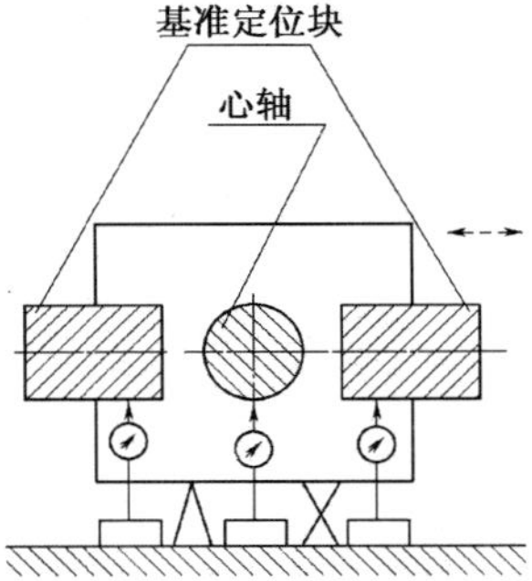 基准定位块 心轴 	平板、固定和可调支承和心轴、基准定位块、带指示计的测量架	基准中心平面由基准定位块模拟；测量定位块的位置和尺寸，同时调整被测零件，使公共基准中心平面与平板相平行（公共基准中心平面，由槽深1/2处的槽宽中点确定）；测量和计算被测轴线对公共基准中心平面的变动量，取最大变动量的两倍作为该轴线对公共基准中心平面的对称度误差；测量时应选用可胀式（或与孔成无间隙配合的）心轴；当心轴的长度大于被测要素的长度时，误差值应按比例折算
6	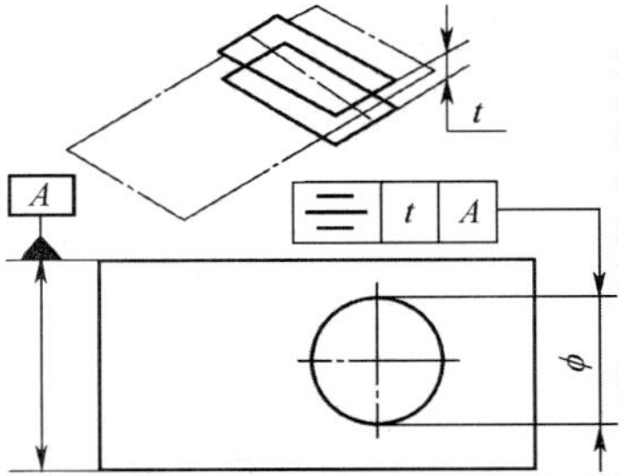	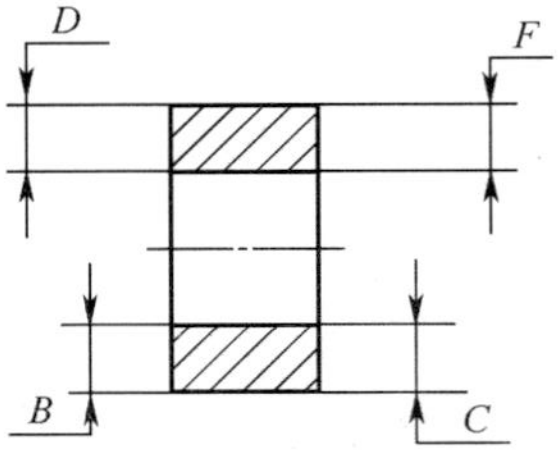	卡尺	在 B,D 和 C,F 处测量壁厚，取两个壁厚中较大的值作为该零件的对称度误差；此方法适用于测量形状误差较小的零件

续表 3-25

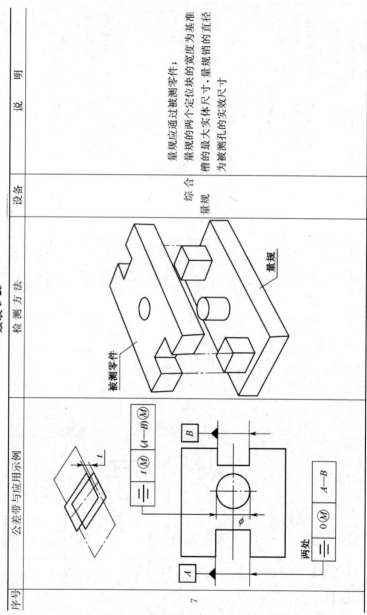

序号	公差带与应用示例	检 测 方 法	设 备	说　　明
7			综合量规	量规应通过被测零件；量规的两个定位块的宽度为基准槽的最大实体尺寸，量规销的直径为被测孔的实效尺寸

表 3-26 位置度误差的检测方法（GB/T 1958—2004）

序号	公差带与应用示例	检测方法	设备	说明
1	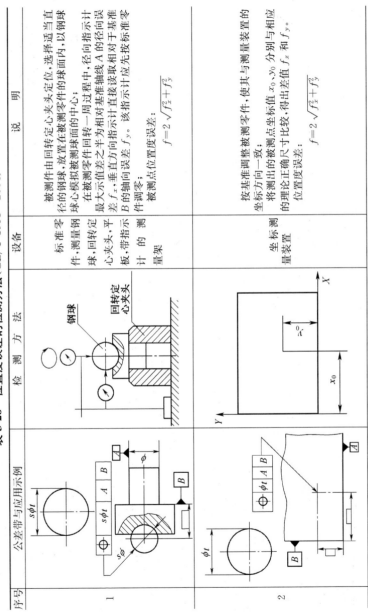		标准零件、测量钢球、回转定心夹头、平板、带指示计的测量架	被测件由回转定心夹头定位，选择适当直径的钢球，放置在被测零件的球面内，以钢球中心模拟被测球面的中心。在被测零件回转一周过程中，径向指示计最大示值之半为相对基准轴线 A 的径向误差 f_x，垂直方向指示计直接读取相对于基准 B 的轴向误差 f_y。该指示计应先按标准件调零。被测点位置度误差：$f = 2\sqrt{f_x^2 + f_y^2}$
2			坐标测量装置	按基准调整被测零件，使其与测量装置的坐标方向一致；将测出的被测点坐标值 $x_0、y_0$ 分别与相应的理论正确尺寸比较，得出差值 f_x 和 f_y。位置度误差：$f = 2\sqrt{f_x^2 + f_y^2}$

续表 3-26

序号	公差带与应用示例	检测方法	设备	说　明
3	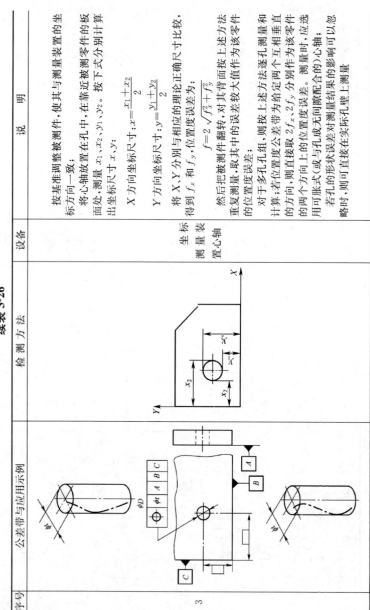		坐标测量装置心轴	按基准调整被测件，使其与测量装置的坐标方向一致； 将心轴放置在孔中，在靠近被测零件的板面处，测量 x_1、x_2、y_1、y_2。按下式分别计算出坐标尺寸 x、y： X 方向坐标尺寸：$x = \dfrac{x_1 + x_2}{2}$； Y 方向坐标尺寸：$y = \dfrac{y_1 + y_2}{2}$ 将 X、Y 分别与相应的理论正确尺寸比较，得到 f_x 和 f_y，位置度误差为： $$f = 2\sqrt{f_x^2 + f_y^2}$$ 然后把被测件翻转，对其背面按上述方法重复测量，取其中的误差较大值作为该零件的位置度误差； 对于多孔孔组，则按上述方法给定两个互相垂直的方向，对其两个方向上的误差带 $2f_x$、$2f_y$ 分别作为该零件的位置度误差。测量时，应选用可涨式（或与孔成无间隙配合的）心轴； 若孔的形状误差对测量结果的影响可以忽略时，则可直接在实际孔壁上测量

续表 3-26

序号	公差带与应用示例	检 测 方 法	设备	说 明
4	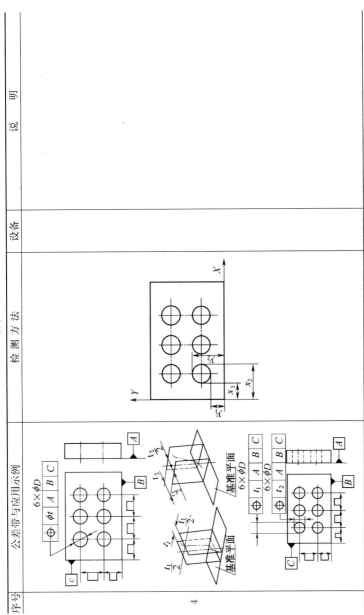			

续表 3-26

序号	公差带与应用示例	检测方法	设备	说明
5	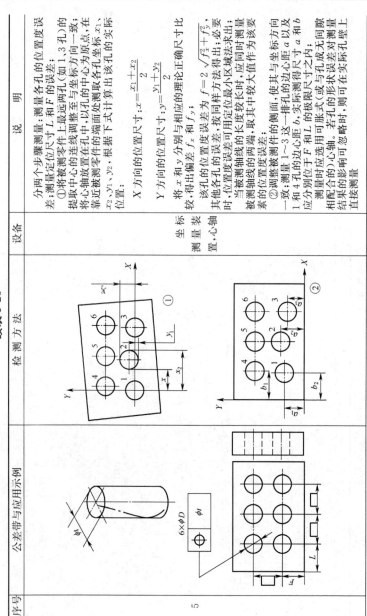	① ② (见图)	坐标测量装置、心轴	分两个步骤测量:测量各孔的位置度误差;测量定位尺寸 L 和 F 的误差: ①将被测零件在最近两孔(如 1,3 孔)的连线方向调整一致;提取心轴放置在孔中,以孔的中心为原点,将心轴放置在孔中,以孔的中心为原点,在靠近被测零件的端面处测取各孔的实际坐标 x_1,x_2,y_1,y_2;根据下式计算出该孔的实际位置: X 方向的位置尺寸:$x=\dfrac{x_1+x_2}{2}$; Y 方向的位置尺寸:$y=\dfrac{y_1+y_2}{2}$; 将 x 和 y 分别与相应的理论正确尺寸比较,得出偏差 f_x 和 f_y; 该孔的位置度误差为 $f=2\sqrt{f_x^2+f_y^2}$,按同样方法得出其他各孔的误差。用定位最小区域法求出时,位置度误差可用定位最小区域的长度较长时,应同时测量被测轴线的两端,取其中较大值作为该被测孔的位置度误差; ②调整被测件的侧面,使其 X 坐标方向一致;测量 1~3 这一排孔的边心距 a 以及 1 和 4 孔的边心距 b,实际测得尺寸 a 和 b 应分别位于 F 和 L 的极限尺寸之内; 测量时应选用可胀式心轴,实际成无间隙测量相配合的心轴。若孔的形状误差对测量结果的影响可忽略时,则可在实际孔壁上直接测量。

续表 3-26

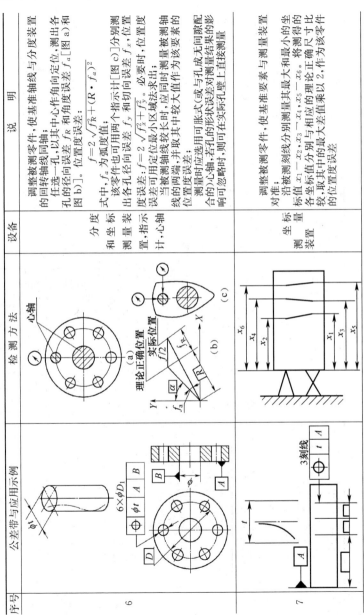

序号	公差带与应用示例	检测方法	设备	说 明
6			分度装置·指示测量装置、心轴	调整被测零件,使基准轴线与分度装置的回转轴线同轴;以其中心角作向定位,测出各孔的径向误差 f_R 和切向误差 f_a [图 a)]。位置度误差 $$f = 2\sqrt{f_R^2 + (R \cdot f_a)^2}$$ 式中,f_a 为弧度值; 该零件也可用两个指示计[图 c)]分别测出各孔径向误差 f_x 和切向误差 f_y,位置度误差 $f = 2\sqrt{f_x^2 + f_y^2}$。必要时,应同时测出被测轴线与定位轴线的两端并取其中较大值作为被测要素的位置度误差
7			坐标测量装置	调整被测零件,使基准要素对测量装置对正,沿测量刻线分别与相应的理论正确尺寸比较,取其中最大值分别与相应的理论值的理论正确值乘以 2,作为该零件的位置度误差

续表 3-26

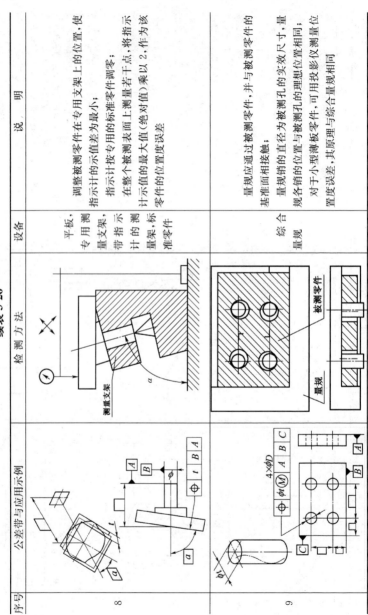

序号	公差带与应用示例	检测方法	设备	说　明
8			平板，专用测量支架，带指示计的测量架，标准零件	调整被测零件在专用支架上的位置，使指示计的示值差为最小；指示计按专用标准零件调零；在整个被测表面上测量若干点，将指示计示值的最大值（绝对值）乘以 2，作为该零件的位置度误差
9			综合量规	量规应通过被测零件，并与被测零件的基准面相接触；量规销的直径为被测零件的实效尺寸，量规各销的位置与被测孔的理想位置相同；对于小型薄板零件，可用投影仪测量位置度误差，其原理与综合量规相同

表 3-27　圆跳动的检测方法(GB/T 1985—2004)

序号	公差带与应用示例	检测方法	设备	说明
1	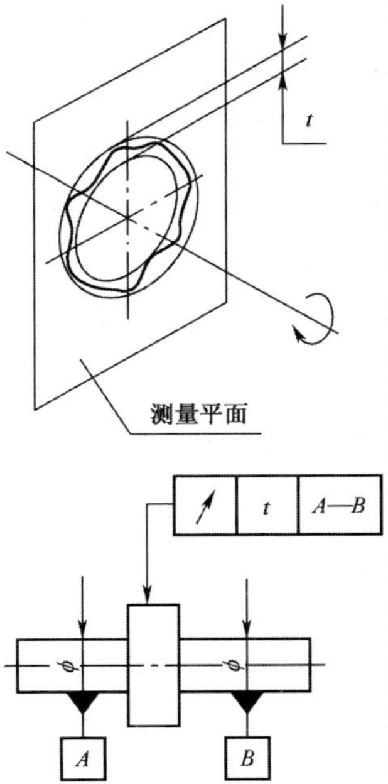	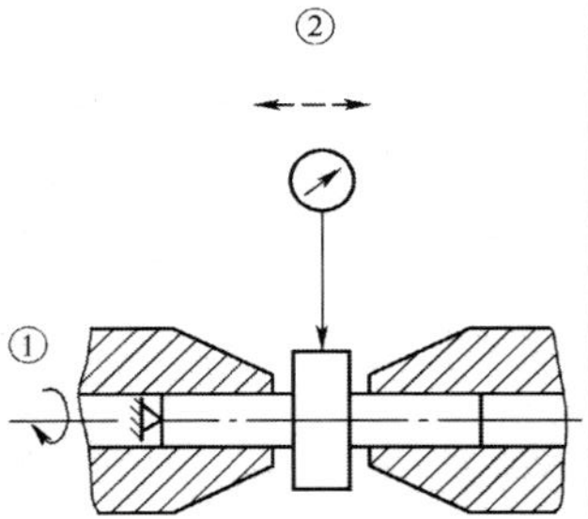	一对同轴圆柱导向套筒,带指示计的测量架	将被测零件支承在两个同轴圆柱导向套筒内,并在轴向定位; ①在被测零件回转一周过程中指示计示值最大差值,即为单个测量平面上的径向跳动; ②按上述方法在若干个截面上进行测量;取各截面上测得的跳动量中的最大值,作为该零件的径向跳动。 此方法在满足功能要求,即基准要素与两个同轴承相配时,是一种有用方法,但具有一定直径(最小外接圆柱面)的同轴导向套筒通常不易获得

续表 3-27

序号	公差带与应用示例	检 测 方 法	设备	说　明
3	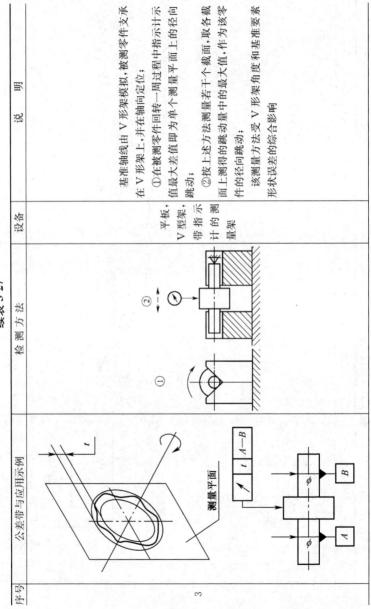 测量平面		平板、V型架、带指示计的测量架	基准轴线由 V 形架模拟，被测零件支承在 V 形架上，并在轴向定位； ①在数测零件回转一周过程中指示计示值最大差值即为单个测量平面上的径向跳动； ②按上述方法测量若干个截面，取各截面上测得的跳动量中的最大值，作为该零件的径向跳动； 该测量方法受 V 形架角度和基准要素形状误差的综合影响

续表 3-27

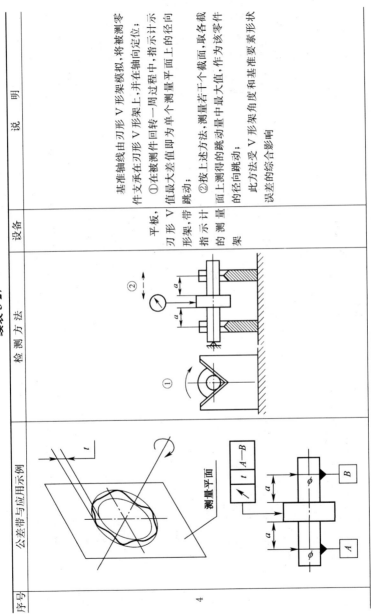

序号	公差带与应用示例	检测方法	设备	说明
4	测量平面	①②	平板、V形架、带指示计的测量架	基准轴线由刃形 V 形架模拟,将被测零件支承在刃形 V 形架上,并在轴向定位; ①在被测件回转一周过程中,指示计示值最大差值即为单个测量平面上的径向跳动; ②按上述方法,测量若干个截面,取各截面上测得的跳动中最大值,作为该零件的径向跳动; 此方法受 V 形架角度和基准要素形状误差的综合影响

续表 3-27

序号	公差带与应用示例	检测方法	设备	说　明
5	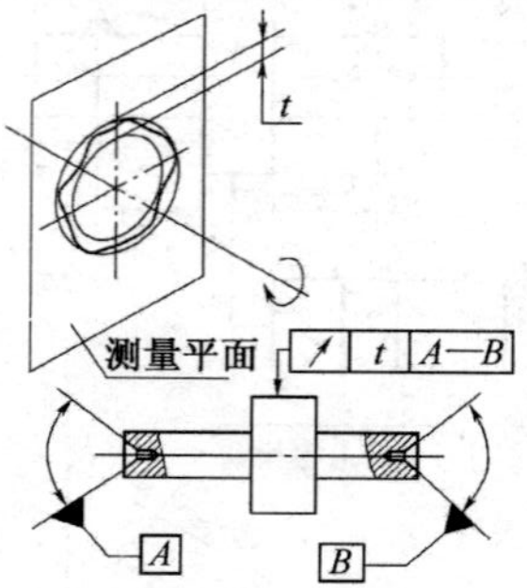	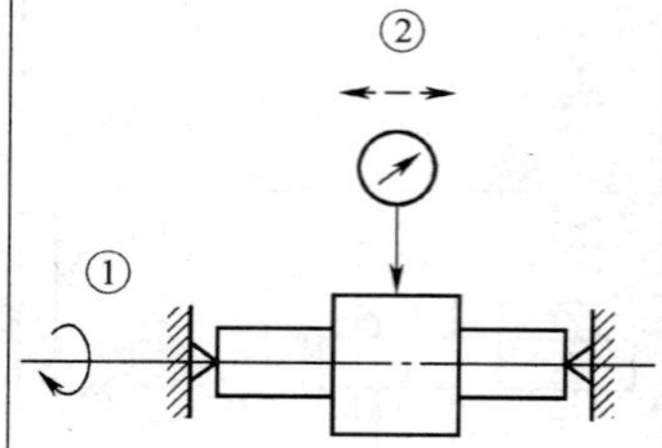	一对同轴顶尖、带指示计的测量架	将被测零件安装在两顶尖之间； ①在被测零件回转一周过程中，指示计示值最大差值即为单个测量平面上的径向跳动； ②按上述方法，测量若干个截面，取各截面上测得的跳动量中的最大值作为该零件的径向跳动
6	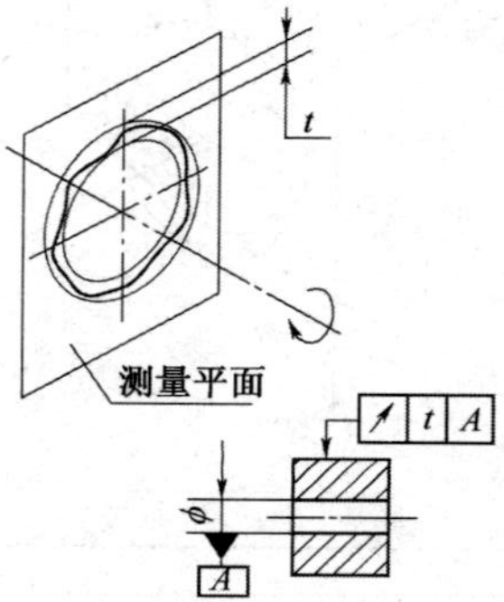	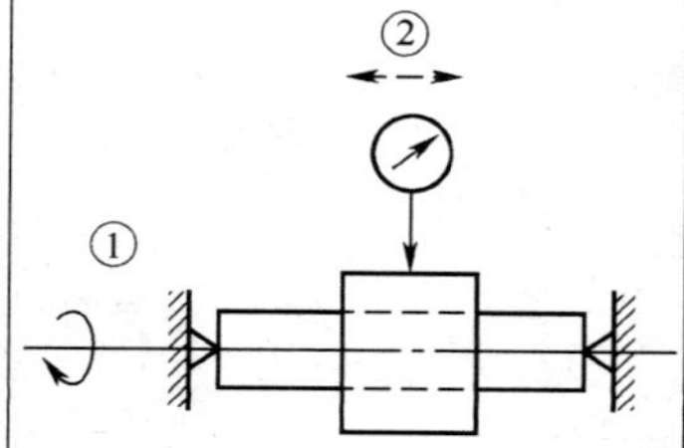	一对同轴顶尖（或V形架）、导向心轴、带指示计的测量架	将被测零件固定在导向心轴上，同时安装在两顶尖（或V形架）之间； ①在被测零件回转一周过程中指示计示值最大差值即为单个测量平面上的径向跳动； ②按上述方法，测量若干个截面，取各截面上测得的跳动量中的最大值作为该零件的径向跳动 导向心轴应与基准孔无间隙配合或采用可胀式心轴

续表3-27

序号	公差带与应用示例	检测方法	设备	说明
7	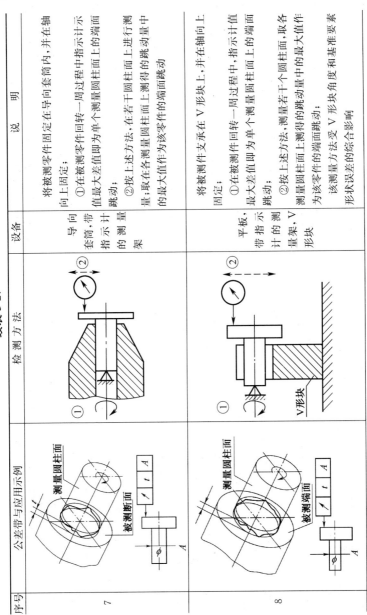 测量圆柱面　被测断面	① 回转 ②	导向套筒、带指示计的测量架	将被测零件固定在导向套筒内，并在轴向上固定； ①在被测零件回转一周过程中指示计示值最大差值即为单个测量圆柱面上进行测量的端面跳动； ②按上述方法，在若干圆柱面上测量，取各测量圆柱面上测得的跳动量中的最大值作为该零件的最大端面跳动
8	测量圆柱面　被测端面	① 回转 ② V形块	平板、带指示计的测量架、V形块	将被测零件支承在V形块上，并在轴向上固定； ①在被测零件回转一周过程中，指示计示值最大差值即为单个测量圆柱面上测量的端面跳动； ②按上述方法，测量若干个圆柱面，取各测量圆柱面上测得的跳动量中的最大值作为该零件的端面跳动。该测量方法受V形块角度和基准要素形状误差的综合影响

续表 3-27

序号	公差带与应用示例	检测方法	设备	说明
9	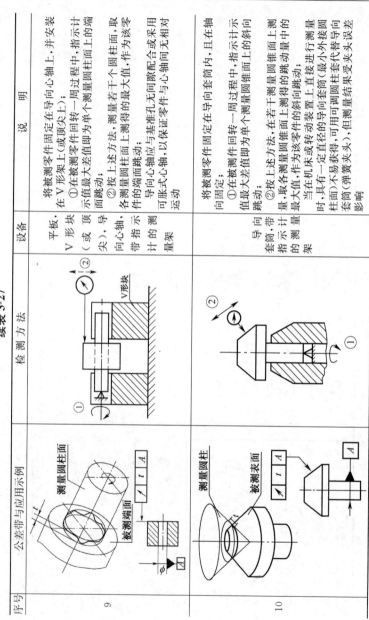（测量圆柱面、被测端面）	（V形块）	平板、V形块（或顶尖）、导向心轴、带指示计的测量架	将被测零件固定在导向心轴上，并安装在V形架上（或顶尖上）。①在被测零件回转一周过程中，指示计示值最大值即为单个测量圆柱面上的端面跳动；②按上述方法，测量若干个圆柱面，取各测量圆柱面上测得的最大值，作为该零件的端面跳动。导向心轴应与基准孔无间隙配合或采用可胀式心轴，以保证零件与心轴间无相对运动
10	（测量圆柱、被测表面）		导向套筒、带指示计的测量架	将被测零件固定在导向套筒内，且在轴向固定。①在被测件回转一周过程中，指示计示值最大值即为单个测量圆锥面上的跳动；②按上述方法，在若干测量圆锥面上测得的斜向跳动中的最大值，作为该零件的斜向跳动。当在机床或专用转动装置上直接进行测量时，具有一定直径易获得，可用可调圆柱套代替导向套筒（弹簧夹头），但测量结果受夹头误差影响

表 3-28　全跳动的检测方法（GB/T 1985—2004）

序号	公差带与应用示例	检　测　方　法	设备	说　　明
1	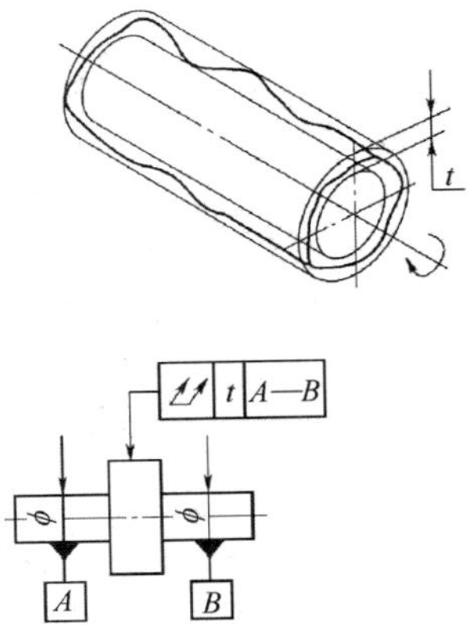	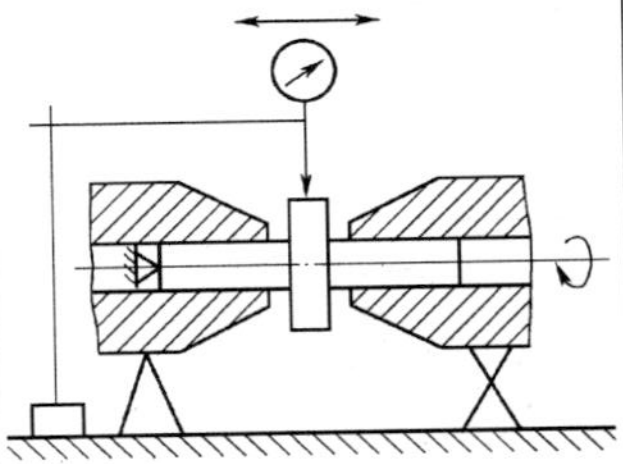	一对同轴导向套筒、平板、支承、带指示计的测量架	将被测零件固定在两同轴导向套筒内，同时在轴向固定并调整该导向套筒，使其同轴和与平板平行； 在被测件连续回转过程中，同时让指示计沿基准轴线的方向作直线运动； 在整个测量过程中指示计示值最大差值即为该零件的径向全跳动。 基准轴线也可以用一对 V 形块或一对顶尖的简单方法来体现

续表 3-28

序号	公差带与应用示例	检测方法	设备	说明
2	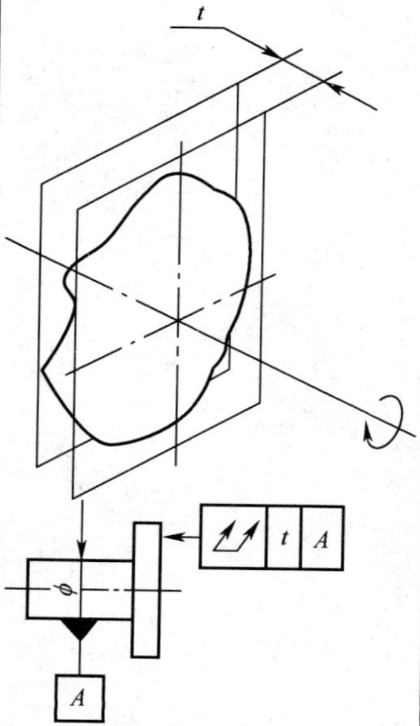	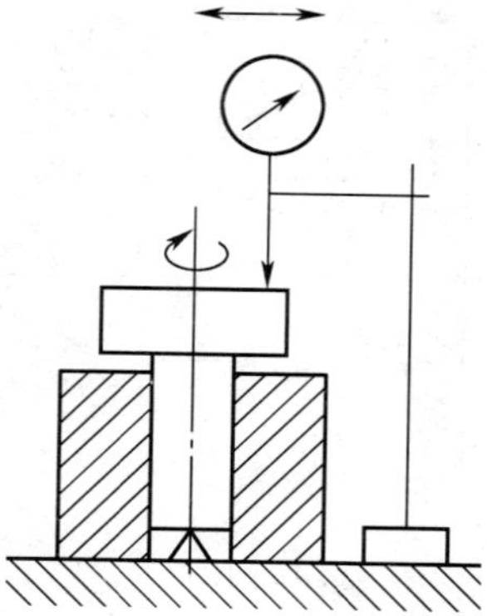	导向套筒，平板，支承，带指示计的测量架	将被测零件支承在导向套筒内，并在全轴向上固定；导向套筒的轴线应与平板垂直； 在被测零件连续回转过程中，指示计沿其径向作直线移动； 在整个测量过程中的指示计示值最大差值即为该零件的端面全跳动； 基准轴线也可以用 V 形块等简单方法来体现

3.3 表面粗糙度的检测

表面粗糙度的检测方法有目测检查、比较法、针描法、光切法和光干涉法,见表 3-29。

表 3-29 表面粗糙度的检测方法

检测方法	要　　点
目测检查法	适用于不需要精确方法,凭肉眼就能判断工件表面粗糙度是否符合要求的场合,如气切割件等
比较法	将被测工件表面与表面粗糙度样块相比较,判断表面粗糙度是否符合要求;比较时可用肉眼判断,也可以用手摸感觉、使用放大镜或比较显微镜,可以提高比较的准确性
针描法	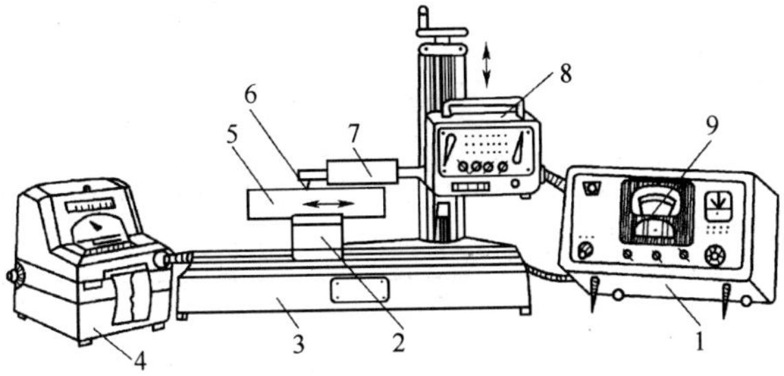 用比较法不能作出判断时,可应用针描法描绘出被测表面的实际轮廓线,并通过电信号放大处理测得表面粗糙度,主要评定 Ra 参数; 用 φ 于针描法测量的电动轮廓仪如下图所示,其测量范围为 $Ra0.01 \sim 10\mu m$。 电动轮廓仪 1. 电箱　2.V 形块　3. 工作台　4. 记录器　5. 工作 6. 触针　7. 传感器　8. 驱动箱　9. 指示表

续表 3-29

检测方法	要　　点
光切法	光切法是利用光切原理来测量表面粗糙度的,光切法用于测量轮廓最大高度 Rz,测量范围在 $Rz0.5\sim60\mu m$ 　　光切法测量原理如图所示,照明镜管中光源的光线经过聚光镜 2、狭缝 3 和物镜 4 后,以 45°的倾斜方向照射在具有微小峰谷的被测表面上,形成一束平行光带,在表面的波峰 S 点和波谷 S' 点产生反射;通过观察镜管的物镜,分别成像在分划板 6 上的 Q 和 Q' 点,通过目镜可以观察到一条与被测表面相似的齿状亮带;通过目镜分划板与测微器,可测出 QQ' 的距离 N,被测表面轮廓峰谷高度 h 可用下式计算 $$h=\frac{N}{V}\cos45°$$ 式中,V 为观察物镜的放大倍数;h 为该表面粗糙度参数 Rz 值; 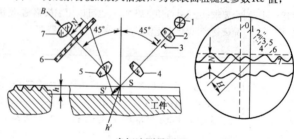 光切法测量原理 1. 光源　2. 聚光镜　3. 狭缝　4,5. 物镜　6. 分划板　7. 目镜
光干涉法	光干涉法利用光波干涉原理测量表面粗糙度,常用的仪器是干涉显微镜。干涉显微镜测量精度比光切法高,Rz 在 $0.5\sim0.8\mu m$

4 典型零件的公差配合与测量

4.1 普通螺纹结合的公差配合与测量

4.1.1 螺纹的种类

常用螺纹按用途分类见表4-1。

表4-1 常用螺纹按用途分类

螺纹种类	牙型角	主要用途
普通螺纹	三角形	用于紧固和联接零件,如螺栓、螺钉
传动螺纹	梯形、矩形、锯齿形、三角形	通过螺杆与螺母的旋合传递运动和动力,如丝杠、测微螺旋副等
紧密螺纹	三角形	用于水、油、气的密封,如各种管螺纹

4.1.2 普通螺纹的几何参数

普通螺纹的几何参数见表4-2。

表4-2 普通螺纹的几何参数(GB/T 192—2003)

基本牙型

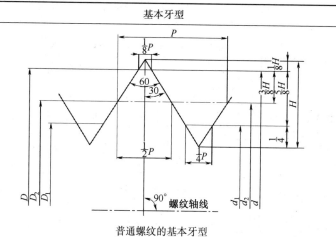

普通螺纹的基本牙型

续表 4-2

几何参数

①原始三角形高度 H

$$H=0.866025P$$

②基本大径 D 或 d，即螺纹的公称直径，由设计给出；

③基本小径 D_1 或 d_1，与内螺纹牙顶或外螺纹牙底相重合的假想圆柱体直径；

$$D_1=D-1.0825P$$

④基本中径 D_2 或 d_2，为一假想圆柱体直径，在此圆柱的母线上，牙体与牙槽宽度相等；

$$D_2=D-0.6495P$$

⑤螺距 P，相邻两牙在中径母线上对应两点的轴向距离，P 由设计给定；

⑥牙型角 $\alpha=60°$

⑦牙型半径 $\alpha/2=30°$

⑧牙型高度 $h=\dfrac{5}{8}H=0.541266P$

⑨螺纹旋合长度 L，两相配合螺纹沿轴线方向相互旋合部分的长度。

4.1.3 螺纹几何参数误差对互换性的影响

螺纹结合的互换性是指内螺纹（或外螺纹）不经任何选择或修配就能旋入任何一个相同规格的外螺纹（或内螺纹）全长上，并保证联接可靠。影响螺纹互换性的主要因素有螺距误差、牙型半角误差和中径误差等，螺纹几何参数误差对互换性的影响见表 4-3。

表 4-3 螺纹几何参数误差对互换性的影响

螺纹几何参数误差	影响效果	改善措施
螺距误差（含局部误差和积累误差）	由于螺距误差存在，造成在旋合长度上产生螺距积累误差 ΔP_Σ，使内外螺纹旋合时发生干涉不能正常旋合	对有螺距误差的外螺纹，可将其中径减少一个 f_p 数值；对有螺距误差的内螺纹应将其中径增加一个 f_p 值，以保证它们能旋入理想的内或外螺纹中，f_p 称为螺距误差中径补偿值
牙型半角误差	使内、外螺纹旋合时发生干涉	为使一个有半角误差的外螺纹能旋入理想的内螺纹中，必须将外螺纹中径减少一个量 $f_{\alpha/2}$，$f_{\alpha/2}$ 称为半角误差中径当量

续表 4-3

螺纹几何参数误差	影响效果	改善措施
中径误差	外螺纹中径大于内螺纹中径,不能旋合;外螺纹中径小于内螺纹中径时,旋合过松	适当减少外螺纹中径,可以改善旋合性能

4.1.4 螺纹的可旋合条件和螺纹合格条件

(1)可旋合条件 螺纹的单一中径、螺距误差的中径补偿量、半角误差中径补偿量的综合效应决定着螺纹的旋合性。

与实际内螺纹旋合的,具有理论螺距、理论半角的最小外螺纹的中径,称为外螺纹的作用中径 d_{2m};与实际外螺纹旋合的,具有理论螺距、理论半角的最大内螺纹的中径,称为内螺纹的作用中径 D_{2m}。实际内外螺纹自由旋合条件是 $D_{2m} \geqslant d_{2m}$,即内螺纹作用中径不小于外螺纹作用中径。

(2)螺纹合格条件 判断螺纹中径合格条件应遵循泰勒原则。对外螺纹,其作用中径 d_{2m} 不能大于最大极限中径 d_{2max},即 $d_{2m} \leqslant d_{2max}$;为保证联接可靠,避免旋合太松,应使其单一中径 $d_{2单-}$ 不小于最小极限中径 d_{2min},即 $d_{2单-} \geqslant d_{2min}$。

对内螺纹,则有 $D_{2m} \geqslant D_{2min}$;$D_{2单-} \leqslant D_{2max}$。

4.1.5 普通螺纹的公差与配合

(1)普通螺纹的公差带 普通螺纹的公差带与光滑圆柱体的尺寸公差带一样,公差带的位置由基本偏差决定,公差带的大小由标准公差给定。GB/T 197—2003 规定了螺纹的大径、小径和中径的公差带。

①普通螺纹的公差等级见表 4-4。

表 4-4 普通螺纹的公差等级(GB/T 197—2003)

普通螺纹直径	公差等级	普通螺纹直径	公差等级
外螺纹中径 d_2	3,4,5,6,7,8,9	内螺纹中径 D_2	4,5,6,7,8
外螺纹大径 d	4,6,8	内螺纹小径 D_1	4,5,6,7,8

注:6级是基本级;3级精度最高,9级精度最低。

②普通螺纹的基本偏差和顶径公差见表 4-5。

表 4-5　普通螺纹的基本偏差和顶径公差（GB/T 197—2003）

（μm）

螺距 P /mm	内螺纹基本偏差 EI		外螺纹的基本偏差 es				内螺纹小径公差 T_{D_1}					外螺纹大径公差 T_d		
							公差等级					公差等级		
	G	H	e	f	g	h	4	5	6	7	8	4	6	8
1	+26	0	−60	−40	−26	0	150	190	236	300	375	112	180	280
1.25	+28	0	−63	−42	−28	0	170	212	265	335	425	132	212	335
1.5	+32	0	−67	−45	−32	0	190	236	300	375	475	150	236	375
1.75	+34	0	−71	−48	−34	0	212	265	335	425	530	170	265	425
2	+38	0	−71	−52	−38	0	236	300	375	475	600	180	280	450
2.5	+42	0	−80	−58	−42	0	280	355	450	560	710	212	335	530
3	+48	0	−85	−63	−48	0	315	400	500	630	800	236	375	600
3.5	+53	0	−90	−70	−53	0	355	450	560	710	900	265	425	670
4	+60	0	−95	−75	−60	0	375	475	600	750	950	300	475	750

③普通螺纹的中径公差见表 4-6。

表 4-6　普通螺纹的中径公差（GB/T 197—2003）　　（μm）

公称直径 D/mm		螺距 P/mm	内螺纹中径公差 T_{D_2}					外螺纹中径公差 T_{d_2}						
>	≤		公差等级					公差等级						
			4	5	6	7	8	3	4	5	6	7	8	9
5.6	11.2	0.75	85	106	132	170	—	50	63	80	100	125	—	—
		1	95	118	150	190	236	56	71	90	112	140	180	224
		1.25	100	125	160	200	250	60	75	95	118	150	190	236
		1.5	112	140	180	224	280	67	85	106	132	170	212	265

续表 4-6

公称直径 D/mm		螺距 P/mm	内螺纹中径公差 T_{D_2}					外螺纹中径公差 T_{d_2}						
>	≤		公差等级					公差等级						
			4	5	6	7	8	3	4	5	6	7	8	9
11.2	22.4	1	100	125	160	200	250	60	75	95	118	150	190	236
		1.25	112	140	180	224	280	67	85	106	132	170	212	265
		1.5	118	150	190	236	300	71	90	112	140	180	224	280
		1.75	125	160	200	250	315	75	95	118	150	190	236	300
		2	132	170	212	265	335	80	100	125	160	200	250	315
		2.5	140	180	224	280	355	85	106	132	170	212	265	335
22.4	45	1	106	132	170	212	—	63	80	100	125	160	200	250
		1.5	125	160	200	250	315	75	95	118	150	190	236	300
		2	140	180	224	280	355	85	106	132	170	212	265	335
		3	170	212	265	335	425	100	125	160	200	250	315	400
		3.5	180	224	280	355	450	106	132	170	212	265	335	425
		4	190	236	300	375	475	112	140	180	224	280	355	450
		4.5	200	250	315	400	500	118	150	190	236	300	375	475

④普通螺纹公差带位置。普通螺纹公差带以基本牙型轮廓为零线,沿着牙型的牙侧、牙顶和牙底分布,并在垂直于螺纹轴线方向上计量大径、中径的偏差和公差。GB/T 197—2003 规定内、外螺纹公差带位置如图 4-1 所示。

内螺纹基本偏差为 G 或 H,(EI≥0),如图 4-1(a)、图 4-1(b)所示;

外螺纹基本偏差为 e、f、g 或 h,如图 4-1(c)、图 4-1(d)所示。

(2)普通螺纹的旋合长度 普通螺纹的旋合长度分为短(S)、中等(N)和长(L)三组。一般情况下选用中等旋合长度。普通螺纹旋合长度见表 4-7。

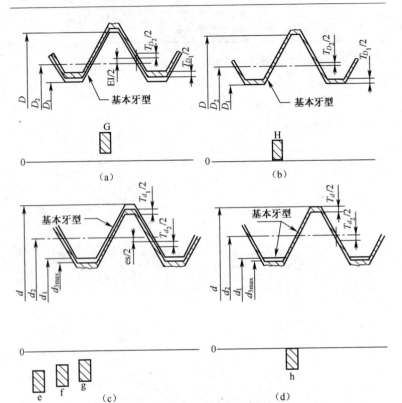

图4-1 内、外螺纹公差带位置

(a)公差带位置为G (b)公差带位置为H

(c)公差带位置为e、f和g (d)公差带位置为h

表4-7 普通螺纹旋合长度(GB/T 197—2003)   (mm)

公称直径 D、d		螺距 P	旋合长度			
			S	N		L
>	≤		≤	>	≤	>
5.6	11.2	0.75	2.4	2.4	7.1	7.1
		3	3	3	9	9
		1.25	4	4	12	12
		1.5	5	5	15	15

续表 4-7

公称直径 D、d		螺距 P	旋合长度			
			S	N		L
>	≤		≤	>	≤	>
11.2	22.4	1	3.8	3.8	11	11
		1.25	4.5	4.5	13	13
		1.5	5.6	5.6	16	16
		1.75	6	6	18	18
		2	8	8	24	24
		2.5	10	10	30	30
22.4	45	1	4	4	12	12
		1.5	6.3	6.3	19	19
		2	8.5	8.5	25	25
		3	12	12	36	36
		3.5	15	15	45	45
		4	18	18	53	53
		4.5	21	21	63	63

（3）螺纹配合的选用 根据螺纹的使用场合,其公差精度分为精密级(用于精密联接)、中等级(用于一般联接)和粗糙级(用于加工较困难的场合,如盲孔内螺纹)。螺纹的配合通常选用基孔制。内外螺纹的配合最好采用 H/g,H/h,G/h,以保证螺纹的接触精度。

①内螺纹选用公差带见表 4-8。

表 4-8 内螺纹选用公差带(GB/T 197—2003)

精密	公差带位置 G			公差带位置 H		
	S	N	L	S	N	L
精密	—	—	—	4H	5H	6H
中等	(5G)	(6G)	(7G)	* 5H	[* 6H]	* 7H
粗糙	—	(7G)	(8G)	—	7H	8H

②外螺纹选用公差带见表 4-9。

表 4-9　外螺纹选用公差带（GB/T 197—2003）

精度	公差带位置 e			公差带位置 f			公差带位置 g			公差带位置 h		
	S	N	L	S	N	L	S	N	L	S	N	L
精密	—	—	—	—	—	—	—	(4g)	(5g4g)	(3h4h)	* 4h	(5h4h)
中等	—	* 6e	(7e6e)	—	* 6f	—	(5g6g)	[* 6g]	(7g6g)	(5h6h)	* 6h	(7h6h)
粗糙	—	(8e)	(9e8e)	—	—	—	—	8g	(9g8g)	—	—	—

注：①公差带优先选用顺序：带 * 号公差带，不带 * 号的公差带，( )内公差带尽量不用。

②大量生产的精制紧固件螺纹，推荐采用[ ]号内的公差带。

　　内、外螺纹装配在一起时，它们的公差带代号用斜线分开，左边为内螺纹公差带代号，右边为外螺纹公差代号，例如：

M20×2—6H/5g6g

外螺纹公差带代号
内螺纹公差带代号

　　(4)普通螺纹的几何公差　普通螺纹一般不规定几何公差，其几何误差不得超出螺纹轮廓公差带所规定的极限区域。对于高精度螺纹则规定了在旋合长度内的圆柱度、同轴度和垂直度等几何公差。

　　(5)普通螺纹牙型表面粗糙度　普通螺纹牙型表面粗糙度主要根据中径公差等级来确定，普通螺纹牙型表面粗糙度参数 Ra 见表 4-10。

表 4-10　普通螺纹牙型表面粗糙度参数 Ra (μm)

工　件	螺纹中径公差等级		
	4,5	6,7	7～9
	Ra 不大于		
螺栓、螺钉、螺母	1.6	3.2	1.6～3.2
轴及套上的螺纹	0.8～1.6	1.6	3.2

　　(6)普通螺纹的标注　普通螺纹的标注由螺纹代号、公称直径、螺距、螺纹公差带代号和旋合长度代号组成，代号之间用"—"隔开。

普通螺纹代号为 M;公称直径代号为直径尺寸值(mm);螺距代号为螺距值(mm),其中粗牙螺纹不标螺距值;螺纹公差带代号由中径公差带代号和顶径公差带代号组成;旋合长度代号用 S、N、L 表示,中等旋合长度 N 可不标注。

此外,按规定左旋螺纹、多线螺纹亦应在代号中标注,否则为单线右旋螺纹。

①内螺纹代号示例:

$$M20—6H$$

表示公称直径为 20mm,普通粗牙,中径和底径公差带均为 6H,中等旋合长度的右旋、单线内螺纹。

②外螺纹代号示例:

$$M20—5g6g$$

表示公称直径为 20mm,普通粗牙,中径公差带为 5g、顶径公差带为 6g,中等旋合长度的右旋单线外螺纹。左旋螺纹则在公差带代号后面加注"LH"。

(7)螺纹配合的计算示例 确定螺纹配合 $M20 \times 2—6H/5g6g$ 中内、外螺纹的相关尺寸。

①确定内、外螺纹的中径、小径和大径的基本尺寸。

螺纹的大径 $D = d = 20mm$,螺距 $P = 2mm$。

螺纹的中径 $D_2 = d_2 = d - 0.6495P = 20 - 0.6495 \times 2 = 18.701(mm)$。

螺纹的小径 $D_1 = d_1 = d - 1.0825P = 20 - 1.0825 \times 2 = 17.835(mm)$。

②确定内、外螺纹的极限偏差。由表 4-5、表 4-6,根据螺距 $P = 2mm$、公称直径及公差等级可确定内、外螺纹大、中、小径的极限偏差。

③计算出内、外螺纹的极限尺寸。$M20 \times 2—6H/5g6g$ 的极限尺寸见表 4-11。

表 4-11 $M20 \times 2—6H/5g6g$ 的极限尺寸

名 称		内螺纹	外螺纹
公称 尺寸	大径	$D = d = 20$	
	中径	$D_2 = d_2 = 18.701$	
	小径	$D_1 = d_1 = 17.835$	

续表 4-11

名 称		内螺纹		外螺纹	
极限偏差		ES	EI	es	ei
表 4-5	大径	—	0	−0.038	−0.318
表 4-6	中径	0.212	0	−0.038	−0.163
表 4-5	小径	0.375	0	−0.038	按牙底形状
极限尺寸		上极限尺寸	下极限尺寸	上极限尺寸	下极限尺寸
大径		—	20	19.962	19.682
中径		18.913	18.701	18.663	18.538
小径		18.210	17.835	<17.797	牙底轮廓不超出 H/8 削平线

4.1.6 普通螺纹的测量

(1)综合测量 在成批生产中采用螺纹量规和光滑极限量规联合检验产品称为综合测量。综合测量的检验效率高,但不能测出参数的具体数值。

①外螺纹的综合检验。用螺纹环规和光滑极限卡规检验螺栓如图 4-2 所示。通端螺纹环规用来控制螺栓的作用中径及小径最大极限尺寸;止端螺纹环规用来控制螺栓单一中径的最小极限尺寸。光滑极限卡规的通端和止端用来检验螺栓大径的极径尺寸。

②内螺纹的综合检验。用螺纹塞规和光滑极限塞规检验螺母如图 4-3 所示。通端螺纹塞规用来控制螺母的作用中径和大径的最小极限尺寸;止端螺纹塞规用来控制螺母单一中径的最大极限尺寸。光滑极限塞规的通端和止端用来检验螺母小径的极限尺寸。

(2)单项测量 单项测量是指用量具或量仪测量螺纹的各项参数。单项测量的特点是可以对各项误差进行分析,找出原因,指导生产加工。用工具显微镜测量螺纹的各项参数,用螺纹千分尺测量中径,用单针法或三针法测量中径等都属于单项测量。下面以三针法为例说明中径和半牙型角的测量原理。

①用三针法测量中径。用三针法测量中径如图 4-4 所示。把三根尺寸相同的金属针放在外螺纹沟槽内,测量出三针外表面之间的尺寸 M,即可利用下式计算出螺纹中径 d_2,

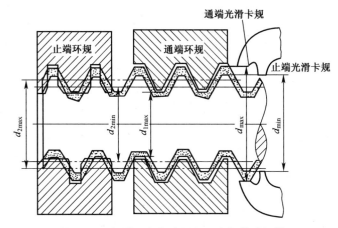

图 4-2 用螺纹环规和光滑极限卡规检验螺栓

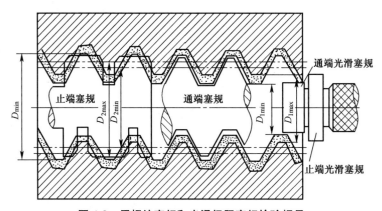

图 4-3 用螺纹塞规和光滑极限塞规检验螺母

$$d_2 = M - d_0 \left[1 + \frac{1}{\sin(\alpha/2)} \right] + \frac{P}{2} \cot(\alpha/2)$$

式中，M 为三针外表面距离；P 为螺距；α 为牙型角；d_0 为三针的直径。

三针直径最佳值由 $d_{0最佳} = P/2\cos(\alpha/2)$ 确定。

②用三针法测量牙型半角($\alpha/2$)。用三针法测量牙型半角如图 4-5 所示，用不同直径 D_0 和 d_0 的三针各自放入螺纹槽中，分别测出 M 值和 m 值，用下式计算牙型半角的正弦

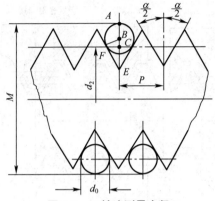

图 4-4   三针法测量中径

$$\sin(\alpha/2)=\frac{D_0-d_0}{M-m-(D_0-d_0)}$$

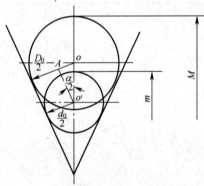

图 4-5   三针法测量牙型半角

4.2   平键、花键联接的公差配合与测量

平键和花键联接广泛应用于轴和轴上传动件(齿轮、带轮等)之间可拆卸的联接,以传递转矩。

键联接要求有较高的定心精度和足够的强度,以保证传递运动和动力的可靠性。

4.2.1 平键联接的公差与配合

(1)平键、键槽尺寸及极限偏差 平键联接的几何参数如图 4-6 所示。

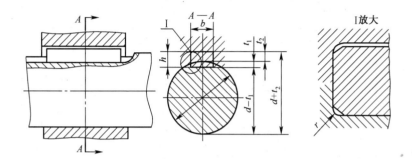

图 4-6 平键联接的几何参数

平键联接的键宽 b 的配合为主要配合。键宽 b 既要与轴槽配合，又要与毂槽配合，因此，宜采用基轴制配合。国家标准 GB/T 1095—2003 对键及键槽宽度 b 规定了较小的公差(公差带为 h8)，对键高 h 和长度 L、轴槽深度 t_1 和毂槽深度 t_2 等非配合尺寸，规定了较大公差(公差带为 h11)，键长公差带为 h14，平键键槽的剖面尺寸及其极限偏差见表 4-12。

(2)三种平键联接配合的应用 国家标准规定了三种不同性质的平键联接配合，即松联接、正常联接和紧密联接。平键联接的配合种类及应用见表 4-13。平键联接尺寸公差带图如图 4-7 所示。

(3)平键联接的几何公差、表面粗糙度及图样标注 为保证键宽与键槽宽之间有足够的接触面积避免装配困难，分别对轴槽对轴线、轮毂槽对孔的轴线规定了对称度公差，一般按 7~9 级选用。

轴槽和轮毂槽两侧面的表面粗糙度 Ra 为 $1.6~3.2\mu m$，槽底面的表面粗糙度 $Ra 6.3\mu m$。

键槽尺寸、几何公差和表面粗糙度的标注如图 4-8 所示。考虑到测量方便，工作图(图 4-6)上，轴槽深用"$d-t_1$"标注，其极限偏差与 t_1 相反；轮毂槽深用"$d+t_2$"标注，其极限偏差与 t_2 相同。

表 4-12   平键键槽的剖面尺寸及极限偏差(GB/T 1095—2003)   (mm)

键槽

键尺寸 b×h	宽度 b 公称尺寸	极限偏差 正常联结 轴 N9	正常联结 毂 JS9	紧密联结 轴和毂 P9	松联结 轴 H9	松联结 毂 D10	深度 轴 t_1 基本尺寸	轴 t_1 极限偏差	轴 t_2 公称尺寸	轴 t_2 极限偏差	半径 r min	半径 r max
4×4	4	0 / −0.030	±0.015	−0.012 / −0.042	+0.030 / 0	+0.078 / +0.030	2.5	+0.1 / 0	1.8	+0.1 / 0	0.08	0.16
5×5	5	0 / −0.030	±0.015	−0.012 / −0.042	+0.030 / 0	+0.078 / +0.030	3.0	+0.1 / 0	2.3	+0.1 / 0	0.08	0.16
6×6	6	0 / −0.030	±0.015	−0.012 / −0.042	+0.030 / 0	+0.078 / +0.030	3.5	+0.1 / 0	2.8	+0.1 / 0	0.08	0.16
8×7	8	0 / −0.036	±0.018	−0.015 / −0.051	+0.036 / 0	+0.098 / +0.040	4.0	+0.1 / 0	3.3	+0.1 / 0	0.16	0.25
10×8	10	0 / −0.036	±0.018	−0.015 / −0.051	+0.036 / 0	+0.098 / +0.040	5.0	+0.1 / 0	3.3	+0.1 / 0	0.16	0.25
12×8	12	0 / −0.043	±0.021 5	−0.018 / −0.061	+0.043 / 0	+0.120 / +0.050	5.0	+0.1 / 0	3.3	+0.1 / 0	0.16	0.25
14×9	14	0 / −0.043	±0.021 5	−0.018 / −0.061	+0.043 / 0	+0.120 / +0.050	5.5	+0.2 / 0	3.8	+0.2 / 0	0.25	0.40
16×10	16	0 / −0.043	±0.021 5	−0.018 / −0.061	+0.043 / 0	+0.120 / +0.050	6.0	+0.2 / 0	4.3	+0.2 / 0	0.25	0.40
18×11	18	0 / −0.043	±0.021 5	−0.018 / −0.061	+0.043 / 0	+0.120 / +0.050	7.0	+0.2 / 0	4.4	+0.2 / 0	0.25	0.40
20×12	20	0 / −0.052	±0.026	−0.022 / −0.074	+0.052 / 0	+0.149 / +0.065	7.5	+0.2 / 0	4.9	+0.2 / 0	0.25	0.40
22×14	22	0 / −0.052	±0.026	−0.022 / −0.074	+0.052 / 0	+0.149 / +0.065	9.0	+0.2 / 0	5.4	+0.2 / 0	0.40	0.60
25×14	25	0 / −0.052	±0.026	−0.022 / −0.074	+0.052 / 0	+0.149 / +0.065	9.0	+0.2 / 0	5.4	+0.2 / 0	0.40	0.60
28×16	28	0 / −0.052	±0.026	−0.022 / −0.074	+0.052 / 0	+0.149 / +0.065	10.0	+0.3 / 0	6.4	+0.3 / 0	0.40	0.60
32×18	32	0 / −0.062	±0.031	−0.026 / −0.088	+0.062 / 0	+0.180 / +0.080	11.0	+0.3 / 0	7.4	+0.3 / 0	0.40	0.60
36×22	36	0 / −0.062	±0.031	−0.026 / −0.088	+0.062 / 0	+0.180 / +0.080	12.0	+0.3 / 0	8.4	+0.3 / 0	0.70	1.00
40×22	40	0 / −0.062	±0.031	−0.026 / −0.088	+0.062 / 0	+0.180 / +0.080	13.0	+0.3 / 0	9.4	+0.3 / 0	0.70	1.00
45×25	45	0 / −0.062	±0.031	−0.026 / −0.088	+0.062 / 0	+0.180 / +0.080	15.0	+0.3 / 0	10.4	+0.3 / 0	0.70	1.00
50×28	50	0 / −0.062	±0.031	−0.026 / −0.088	+0.062 / 0	+0.180 / +0.080	17.0	+0.3 / 0	11.4	+0.3 / 0	0.70	1.00

表 4-13　平键联接的配合种类及应用

配合种类	b 的公差			配合性质及应用
	键	轴槽	轮毂槽	
松联接	h8	H9	D10	主要用于导向平键,轮毂可在轴上做轴向移动
正常联接		N9	Js9	键在轴上及轮毂中均固定,用于载荷不大的场合
紧密联接		P9	P9	键在轴上及轮毂中均固定,而比上一种配合更紧;主要用于载荷较大或载荷具有冲击性及双向传递扭矩的场合

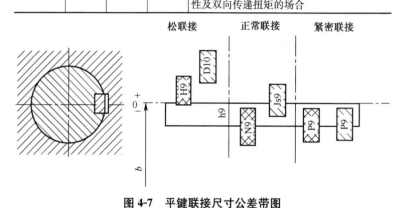

图 4-7　平键联接尺寸公差带图

☐ 键宽公差带;☒ 轴槽宽公差带;▨ 轮毂槽宽公差带

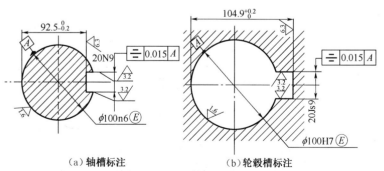

（a）轴槽标注　　　　　（b）轮毂槽标注

图 4-8　键槽尺寸、几何公差和表面粗糙度的标注

（4）平键联接选用示例　某减速器大齿轮与轴采用普通平键联接，传递中等荷载，稍有冲击。已知孔的尺寸为 $\phi100H7(^{+0.035}_{0})$，轴的尺寸为 $\phi100n6(^{+0.045}_{+0.023})$ 平键宽度 $b=20mm$，确定该平键联接的配合、零件尺寸公差带、几何公差及表面粗糙度。

①尺寸公差与配合。由表 4-13 可知，选正常联接能满足使用工况要求，键与轴槽的配合为 N9/h8，键与轮毂槽的配合为 Js9/h8。

轴槽：查表 4-12，$b=20^{0}_{-0.052}$，$t_1=7.5^{+0.2}_{0}$，$d-t_1=92.5^{0}_{-0.20}$

轴槽长度（L）公差带为 H14

轮毂槽：查表 4-12，$b=20\pm0.026$，$t_2=4.9^{+0.2}_{0}$，$d+t_2=104.9^{+0.2}_{0}$。

②对称度。由表 2-30，可查出对称度（7 级）为 0.015mm。

③表面粗糙度。键槽两侧面取 $Ra=3.2\mu m$，槽底面取 $Ra=6.3\mu m$。

将以上 3 项数据标注在图 4-8 所示剖面图上，即完成了对该平键联接的选用。

4.2.2　平键联接的检测

平键联接的检测项目包括键宽、轴槽和毂槽的宽度、深度及槽的对称度。

（1）尺寸检测　在单件、小批量生产中，键和键槽的尺寸均可用游标卡尺、千分尺等普通量具来测量。成批、大量生产中，键和键槽的尺寸则可用极限量规来检验。后者只能判定零件是否合格，无法提供具体的尺寸数值。检验键及键槽尺寸的极限量规如图 4-9 所示。

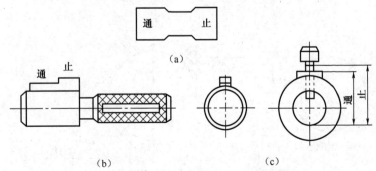

图 4-9　检验键尺键槽尺寸的极限量规
（a）键槽宽极限尺寸量规　（b）轮毂槽深极限尺寸量规　（c）轴槽深极限尺寸量规

（2）对称度误差的检测

①采用普通计量器具检测。当对称度公差遵守独立原则且为单件或小批量生产时，常采用普通量具检测键联接的对称度误差，键槽对称度误差测量如图 4-10 所示。工件 1 的被测键槽中心平面和基准轴线用定位块（或量块）2 和 V 形块 3 模拟体现。检测时先转动 V 形块上的工件，以调整定位块位置，使其沿径向与平板 4 平行，然后用指示表在键槽的一端截面（如图中 A—A 面）内测量定位块表面 P 到平板的距离 h_{AP}。将工件翻转 $180°$，重复上述步骤，测得定位块表面 Q 到平板的距离 h_{AQ}。 P、Q 两面对应点的读数差为 $a=h_{AP}-h_{AQ}$，则该截面的对称度误差为

$$f_1=at/d-t$$

式中，d 为轴径；t 为键槽深度。

再沿键长度方向测量，在长度方向 A、B 两点的最大差值

$$f_2=|h_{AP}-h_{BP}|$$

取 f_1、f_2 中的最大值作为该键的对称度误差。

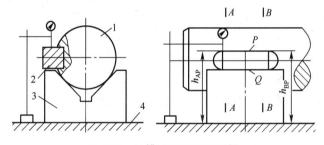

图 4-10　键槽对称度误差测量
1. 工件　2. 定位块　3. V 形块　4. 平板

②采用量规检验。当轴槽对称度公差采用相关原则时，键槽的对称度误差可采用量规进行检验。轴槽对称度检验量规如图 4-11 所示。该量规以其 V 形表面作为定位表面（模拟基准轴线），检验时，若 V 形表面与轴表面接触，量杆能进入键槽表示对称度合格。

轮毂槽对称度检验量规如图 4-12 所示。该量规以圆柱面作为定位表面（模拟基准轴线），检验时，量规能同时通过轮毂的孔和键槽，表示对称度符合要求。

4.2.3　矩形花键联接的公差与配合

矩形花键联接是由内花键和外花键两个零件组成的。花键联接具

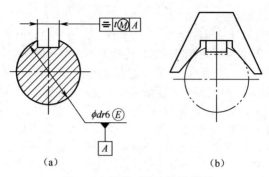

图 4-11   轴槽对称度检验量规

(a)零件图样的标注   (b)量规示意图

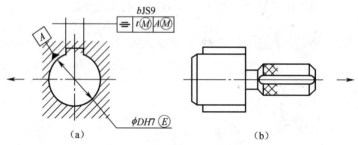

图 4-12   轮毂槽对称度检验量规

(a)零件图样的标注   (b)量规

有导向性和定心精度高的优点,多用于传递较大转矩和配合件间有轴向运动的传动结构中。

(1)矩形花键的主要尺寸和定位方式

①主要尺寸。国家标准 GB/T 1144—2001《矩形花键尺寸、公差和检验》规定了矩形花键的主要尺寸有大径 D、小径 d 和键宽 B,如图 4-13 所示。

矩形花键基本尺寸系列见表 4-14。

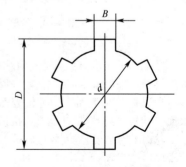

图 4-13   矩形花键的主要尺寸

表4-14 矩形花键基本尺寸系列(GB/T 1144—2001)

(mm)

小径 d	轻 系 列 规格 $N×d×D×B$	键数 N	大径 D	键宽 B	中 系 列 规格 $N×d×D×B$	键数 N	大径 D	键宽 B
11					6×11×14×3	6	14	3
13					6×13×16×3.5	6	16	3.5
16					6×16×20×4	6	20	4
18					6×18×22×5	6	22	5
21					6×21×25×5	6	25	5
23	6×23×26×6	6	26	6	6×23×28×6	6	28	6
26	6×26×30×6	6	30	6	6×26×32×6	6	32	6
28	6×28×32×7	6	32	7	6×28×34×7	6	34	7
32	8×32×36×6	8	36	6	8×32×38×6	8	38	6
36	8×36×40×7	8	40	7	8×36×42×7	8	42	7
42	8×42×46×8	8	46	8	8×42×48×8	8	48	8
46	8×46×50×9	8	50	9	8×46×54×9	8	54	9
52	8×52×58×10	8	58	10	8×52×60×10	8	60	10
56	8×56×62×10	8	62	10	8×56×65×10	8	65	10
62	8×62×68×12	8	68	12	8×62×72×12	8	72	12
72	10×72×78×12	10	78	12	10×72×82×12	10	82	12
82	10×82×88×12	10	88	12	10×82×98×12	10	92	12
92	10×92×98×14	10	98	14	10×92×102×14	10	102	14
102	10×102×108×16	10	108	16	10×102×112×16	10	112	16
112	10×112×120×18	10	120	18	10×112×125×18	10	125	18

②定心方式。矩形花键联接有三个主要配合面,选取其中一个配合面来确定内、外花键的配合精度,保证花键精确定心。矩形花键联接的定心方式如图 4-14 所示。GB/T 1144—2001 推荐采用小径 d 定心,因小径 d 有较好的工艺性能。此时内花键可用标准拉刀拉制,其小径 d 可通过磨孔进行修正;外花键的小径和键宽可成形磨削来修正,大径则用外圆磨修正,从而达到较高的内径定心精度。其余两个非配合尺寸 D、B 的加工精度相对较低。

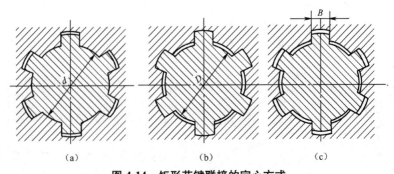

（a）　　　　　　　　　（b）　　　　　　　　　（c）

图 4-14　矩形花键联接的定心方式

(a)小径定心　(b)大径定心　(c)键侧定心

(2)矩形花键联接的尺寸公差与配合

①尺寸公差。矩形花键联接按定心直径 d、键宽 B 尺寸公差等级分为一般用、精密传动用两类,内、外花键的尺寸公差带见表 4-15。

表 4-15　内、外花键的尺寸公差带（GB/T 1144—2001）

内　花　键				外　花　键			装配形式
d	D	B		d	D	B	
		拉削后不热处理	拉削后热处理				
一般用							
H7	H10	H9	H11	f7	a11	d10	滑动
				g7		f9	紧滑动
				h7		h10	固定

续表 4-15

内 花 键				外 花 键			装配形式
d	D	B		d	D	B	
		拉削后不热处理	拉削后热处理				
精密传动用							
H5	H10	H7、H9	f5	a11	d8		滑动
			g5		f7		紧滑动
			h5		h8		固定
H6			f6		d8		滑动
			g6		f7		紧滑动
			h6		h8		固定

注:①精密传动用的内花键,当需要控制键侧配合间隙时,槽宽可选用 H7,一般情况下可选用 H9。

②d 为 H6 和 H7 的内花键,允许与提高一级的花键配合。

②配合的选用。矩形花键按小径 d 定心时,采用基孔制配合,内花键小径 d 为基准孔,公差带为 H5、H6 或 H7;外花键小径 d 的公差带为 f7g7 或 h7。矩形花键配合应用见表 4-16。

表 4-16　矩形花键配合应用

应　用	固定联结		滑动联结	
	小径配合	特征与应用	小径配合	特征与应用
精密传动用	H5/h5	紧固程度较高,可传递较大扭矩	H5/g5	可滑动程度较低,定心精度高,传递扭矩大
一般用	H6/h6	传递中等扭矩	H6/f6	可滑动程度中等,定心精度高,传递中等扭矩
	H7/h7	紧程度较低,传递扭矩较小,可经常拆卸	H7/f7	移动频率高,移动长度大,定心精度要求不高

(3)矩形花键联接的几何公差、表面粗糙度及图样标注

①矩形花键的几何公差。为避免矩形花键分度误差而导致装配困难,规定了位置度公差或对称度公差。矩形花键位置度公差 t_1 和对称

度公差 t_2 见表 4-17。

表 4-17 矩形花键位置度公差 t_1 和对称度公差 t_2（GB/T 1144—2001）

（mm）

键或键槽宽 B		3	3.5～6	7～10	12～18
t_1	键槽宽	0.010	0.015	0.020	0.025
	键宽 滑动、固定	0.010	0.015	0.020	0.025
	紧滑动	0.006	0.010	0.013	0.016
t_2	一般用	0.010	0.012	0.015	0.018
	精密传动用	0.006	0.008	0.009	0.011

矩形花键位置度公差、对称度公差在图样上的标注如图 4-15、图 4-16 所示。

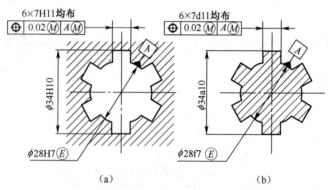

图 4-15 矩形花键位置度公差标注

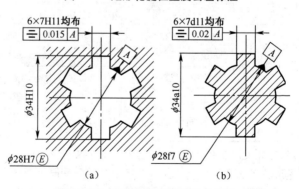

图 4-16 矩形花键对称度公差标注

②矩形花键的表面粗糙度。矩形花键表面粗糙度见表 4-18。

表 4-18 花键表面粗糙度(参考)

加工表面	内花键	外花键
	Ra 不大于/μm	
小径	1.6	0.8
大径	6.3	3.2
键侧	6.3	1.6

③矩形花键的标注。矩形花键的标注如图 4-17 所示。

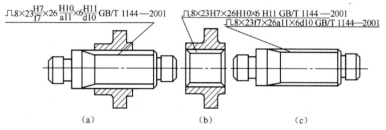

图 4-17 矩形花键的标注

4.2.4 矩形花键的检测

(1)单项检测 单项检测指的是对花键的小径、大径和键宽的尺寸和位置误差分别进行检测。在花键小径定心表面采用包容要求,各键的对称度公差及花键各部位均遵守独立原则时,一般采用单项检测。

单项检验时,内花键的小径、大径和键宽均可用光滑极限塞规检验其误差是否在公差范围之内;外花键小径、大径和键宽采用卡规检验。检验矩形花键的极限塞规和卡规如图 4-18 所示。

(2)综合检测 对于大批量生产的内、外花键,可采用综合量规进行检验。检验矩形花键的综合量规如图 4-19 所示。小径定心表面采用包容要求,各键位置度公差及键宽尺寸公差关系采用最大实体要求,位置度公差与小径定心表面尺寸公差关系也采用最大实体要求的矩形花键进行综合检验。

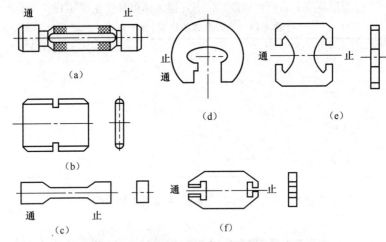

图 4-18   检测矩形花键的极限塞规和卡规
(a)内花键小径的光滑极限量规   (b)内花键大径的板式塞规   (c)内花键槽宽的塞规
(d)外花键大径的卡规   (e)外花键小径的卡规   (f)外花键键宽的卡规

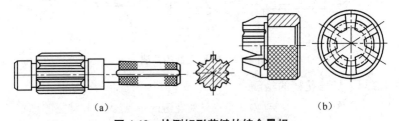

图 4-19   检测矩形花键的综合量规
(a)内花键综合量视   (b)外花键综合量视

4.3   滚动轴承的公差配合与测量

4.3.1   滚动轴承的公差

(1)滚动轴承的公差等级   滚动轴承国家标准 GB/T 272—1993 将滚动轴承公差等级分为 6 级,分别用代号/P0、/P6、/P6×、/P5、/P4、/P2 表示。/P0 级最高(仅用于深沟球轴承),/P2 级最低。

/P2 级为普通精度级,在机器制造业中应用最广。其余各级均统称为高精度级,用于高旋转精度场合。

(2)滚动轴承的公差带　滚动轴承的公差带指的是轴承外圈外径 D 和轴承内圈的内径 d 的公差带。

滚动轴承是标准件,轴承内径与轴径的配合为基孔制配合;轴承外径与外壳孔的配合为基轴制配合。但是滚动轴承这两种配合与普通光滑圆柱的基孔制、基轴制配合有所不同。由于滚动轴承内圈随轴一起旋转,因此要求内径与轴径的配合有一定的过盈,但又不能太大。这一要求普通光滑圆柱配合难以做到。国家标准特别对滚动轴承内径公差带分布于零线以下实现适当的过盈。而外径与在外壳孔中,保留轴受热而产生轴向移动的条件,故外径与孔座之间的基轴制配合应放松一点,即外径公差带也在零线以下。如图 4-20 所示,滚动轴承内、外径公差带,保证内、外径都"只小不大",以实现国家标准 GB/T 1801—2009 产品几何技术规范(GPS)极限与配合公差带和配合的选择所要求的配合性质。

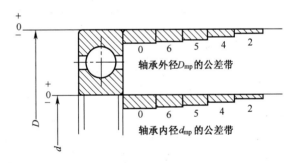

图 4-20　滚动轴承内、外径公差带

4.3.2　滚动轴承与轴和外壳孔的公差带

滚动轴承是标准件,其内、外径公差带在制造时已经确定,因此,滚动轴承与轴和外壳孔的配合要由轴颈和外壳孔的公差带来确定。国家标准规定的轴颈和外壳孔的公差带如图 4-21 所示。国家标准对安装滚动轴承的轴颈和安装轴承外圈的壳孔的公差带作了规定,安装向心轴承和角接触轴承的轴颈公差带见表 4-19,安装向心轴承和角接触轴承的外壳孔公差带见表 4-20。

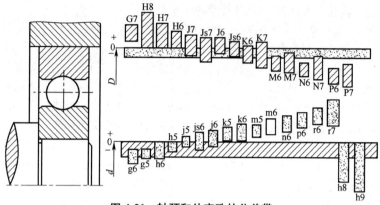

图 4-21　轴颈和外壳孔的公差带

表 4-19　安装向心轴承和角接触轴承的轴颈公差带

圆 柱 孔 轴 承					
运转状态		负荷状态	深沟球轴承、调心球轴承和角接触球轴承	圆柱滚子轴承和圆锥滚子轴承	调心滚子轴承	公差带
说明	举例		轴承公称内径/mm			
旋转的内圈负荷及摆动负荷	一般通用机械、电动机、机床主轴、泵、内燃机、直齿轮传动装置、铁路机车车辆轴箱、破碎机等	轻负荷	≤18	—	—	h5
			18～100	≤40	≤40	j6①
			100～200	40～140	40～100	k6①
			—	140～200	100～200	m6①
		正常负荷	≤18	—	—	j5js5
			18～100	≤40	≤40	k5②
			100～140	40～100	40～65	m5②
			140～200	100～140	65～100	m6
			200～280	140～200	100～140	n6
			—	200～400	140～280	p6
			—	—	280～500	r6

续表 4-19

说明	举例	轴承公称内径/mm			
			50～140	50～100	n6
	重负荷	—	140～200	100～140	p6③
		—	200	140～200	r6
		—	—	＞200	r7
固定的内圈负荷	静止轴上的各种轮子、张紧轮绳轮、振动筛、惯性振动器	所有负荷	所有尺寸		f6
					g6①
					h6
					j6
仅有轴向负荷		所有尺寸			j6js6
圆锥孔轴承					
所有负荷	铁路机车车辆轴箱	装在退卸套上的所有尺寸			h8(IT6)③～⑤
	一般机械传动	装在紧定套上的所有尺寸			h9(IT7)③～⑤

注:①凡对精度有较高要求的场合,应用 j5、k5…代替 j6、k6…
   ②圆锥滚子轴承、角接触球轴承配合对游隙影响不大,可用 k6、m6 代替 k5、m5。
   ③重负荷下轴承游隙应选大于 0 组。
   ④凡有较高精度或转速要求的场合,应选用 h7(IT5)代替 h8(IT6)等。
   ⑤IT6、IT7 表示圆柱度公差数值。

4.3.3 轴颈和外壳孔的几何公差和表面粗糙度

(1)轴颈和外壳孔的几何公差 轴颈和外壳孔采用包容要求以避免安装后产生变形,必须规定严格的圆柱度公差。此外轴肩和外壳孔肩端面应规定端圆跳动公差。轴颈和外壳孔的几何公差见表 4-21。

(2)轴颈和外壳孔的表面粗糙度 轴颈和外壳孔的表面粗糙度见表 4-22。

表 4-20 安装向心轴和角接触轴承的外壳孔公差带

外圈工作条件 旋转状态	负荷类型	轴向位移限度	其他情况	应用举例	外壳孔公差带②
外圈相对于负荷方向静止	轻、正常和重负荷	轴向容易移动	轴处于高温场合	烘干筒、有调心滚子轴承的大电动机	G7
	冲击负荷		剖分式外壳	一般机械、铁路车辆轴箱	H7①
外圈相对于负荷方向摆动	轻和正常负荷	轴向能移动	整体式或剖分式外壳	铁路车辆轴箱轴承	J7①
	正常和重负荷		整体式外壳	电动机、泵、曲轴主轴承	K7①
	重冲击负荷			电动机、泵、曲轴主轴承	M7①
外圈相对于负荷方向旋转	轻负荷	轴向不移动		牵引电动机 张紧滑轮	
	正常和重负荷			装有球轴承的轮	N7①
	重冲击负荷		薄壁、整体式外壳	装有滚子轴承的轮毂	P7①

①对精度有较高要求的场合,应用 P6、N6、M6、K6、J6 和 H6 分别代替 P7、N7、M7、K7、J7 和 H7,并应同时选用整体式外壳。
②对于轻合金外壳,应选择比钢或铸铁外壳较紧的配合。

表 4-21　轴颈和外壳孔的几何公差（GB/T 275—1993）

轴承公称 内、外径(基本 尺寸)/mm	圆柱度 t				端面圆跳动 t_1			
	轴　颈		外壳孔		轴　肩		外壳孔肩	
	轴承精度等级							
	P0	P6(6x)	P0	P6(6x)	P0	P6(6x)	P0	P6(6x)
	公差值/μm							
18～30	4	2.5	6	4	10	6	15	10
30～50	4	2.5	7	4	12	8	20	12
50～80	5	3	8	5	15	10	25	15
80～120	6	4	10	6	15	10	25	15
120～180	8	5	12	8	20	12	30	20
180～250	10	7	14	10	20	12	30	20

表 4-22　轴颈和外壳孔的表面粗糙度（GB/T 275—1993）

配合表面	轴承精度等级	配合面的尺寸 公差等级	轴承公称内、外径/mm	
			≤80	80～500
			表面粗糙度参数 R_a/μm	
轴颈	P0	IT6	≤1	≤1.6
外壳孔		IT7	≤1.6	≤2.5
轴颈	P6(6x)	IT5	≤0.63	≤1
外壳孔		IT6	≤1	≤1.6
轴和外壳 孔肩端面	P0	—	≤2	≤2.5
	P6(6x)		≤1.25	≤2

4.3.4　滚动轴承配合和公差的标注

在装配图上滚动轴承的内孔和轴颈的配合、外圈和外壳孔的配合，只标注轴颈和外壳孔的公差带代号。

　　轴颈和外壳孔的尺寸公差、几何公差则应标注在相应的零件图上。滚动轴承的标注如图 4-22 所示。

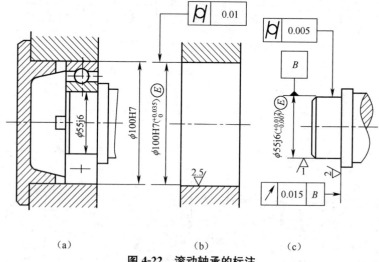

（a）　　　　　　　　　（b）　　　　　　　　（c）

图 4-22　滚动轴承的标注

4.3.5　滚动轴承配合件的测量

　　图 4-22 中所示轴颈的尺寸公差 $\phi 55 \binom{+0.012}{-0.007}$ 可用千分尺测量，圆柱度、端面跳动按几何误差相关检测方法检查。表面粗糙度由工艺条件确定即可。对外壳孔的检测也可采用类似步骤进行。

4.4　渐开线圆柱齿轮的公差与测量

4.4.1　渐开线圆柱齿轮的精度制

　　渐开线圆柱齿轮的公差与测量标准有 GB/T 10095.1—2008　圆柱齿轮　精度制　第 1 部分　轮齿同侧齿面偏差的定义和允许值，GB/T 10095.2—2008　圆柱齿轮　精度制　第 2 部分　径向综合偏差与径向跳动的定义和允许值，GB/T 13924—2008　渐开线圆柱齿轮精度检验细则。

　　上述三项标准规定了渐开线圆齿轮的公差与测量细则。

(1)渐开线圆柱齿轮精度制第1部分

①精度等级。GB/T 10095.1—2008 渐开线圆柱齿轮精度制第1部分规定了13个精度等级轮齿同侧齿面偏差的定义及其允许值。精度等级用 0、1、2、…、12 表示,0 级精度最高,12 级最低。当文件需要叙述齿轮精度要求时,应注明 GB/T 10095.1。

②同侧齿面偏差。确定精度等级的同侧齿面偏差有单个齿距偏差 f_{pt}、齿距积累总偏差 F_p、齿廓总偏差 F_α 和螺旋线总偏差 F_β。齿面偏差见表 4-23。

③同侧齿面偏差允许值。

a. 部分齿轮单个齿距偏差 $\pm f_{pt}$ 见表 4-24。

b. 部分齿轮齿距积累总误差 F_p 见表 4-25。

c. 部分齿轮齿廓总偏差 F_α 见表 4-26。

d. 部分齿轮螺旋线总偏差 F_β 见表 4-27。

(2)圆柱齿轮精度制第2部分

①精度等级。GB/T 10095.2—2008 圆柱齿轮精度制第2部分规定了9个精度等级径向综合偏差与径向跳动的定义和允许值。精度等级分别用 4、5、…、11、12 表示,4 级最高,12 级最低。第2部分的精度等级与第1部分等级无对应关系,当文件需要叙述齿轮的径向偏差精度时,应注明 GB/T 10095.2—2008。GB/T 10095.2—2008 还规定了径向跳动13个精度等级。

②径向综合偏差。径向综合偏差有径向综合总偏差 F_i''、一齿径向综合偏差 f_i'' 和径向跳动 F_r 三项。齿轮径向偏差见表 4-28。

③径向综合偏差允许值。

a. 部分齿轮径向综合总偏差 F_i'' 见表 4-29。

b. 部分齿轮—齿径向综合偏差 f_i'' 见表 4-30。

c. 部分齿轮径向跳动 F_r 见表 4-31。

表 4-23　齿面偏差（GB/T 10095.1—2008）

名称（代号）	示意图	说　明	检验方法
单个齿距偏差（f_{pt}）	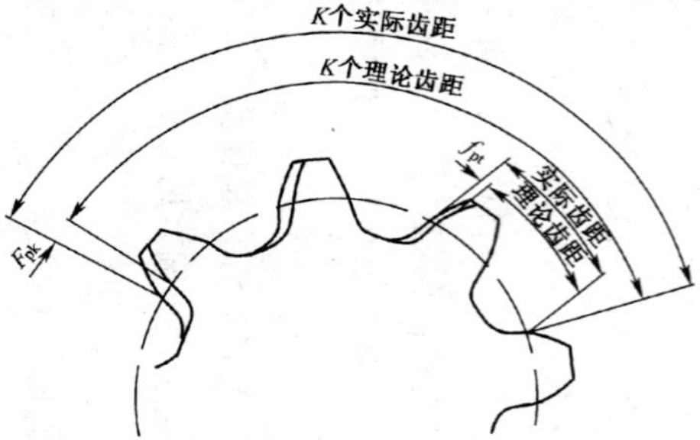 单个齿距偏差	在端面上，在接近齿高中部的一个与齿轮轴线同心的圆周上，实际齿距与理论齿距的代数差称为单个齿距偏差 f_{pt}	用齿距比较仪、万能测齿仪，检测单个齿距，并与理论齿距之代数差，而该单个齿距偏差 f_{pt}；若所有单个齿距偏差都在允许范围内，即可根据表 4-24 确定其精度等级
齿距累积总偏差（F_p）	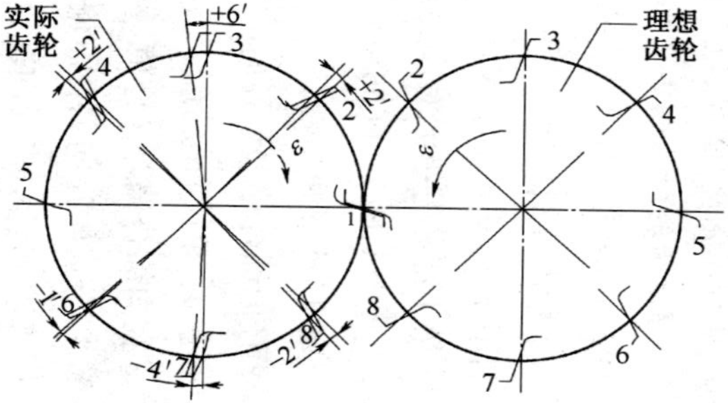 理想齿轮 实际齿轮 齿距积累总偏差	齿轮同侧齿面任意弧段（$k=1$ 至 $k=z$）内的最大齿距积累偏差。它等于一周内最大单个齿距偏差与最小齿距偏差之差	利齿距仪测得一周内的最大齿距偏差和最小齿距偏差，两者之代数差即为齿距积累总偏差 F_p；$F_p=(f_{pt})_{max}-(f_{pt})_{min}$。如左图所示 $(f_{pt})_{max}=+6'$，$(f_{pt})_{min}=-4'$，$F_p=+6'-(-4')=10'$，积累偏差 +6'-(-4')=10'，相当于转角偏差为 +10'

续表 4-23

名称（代号）	示 意 图	说 明	检 验 方 法
齿廓总偏差（F_α）	齿顶 A 齿根 E 计值范围 有效长度 齿廓总偏差	在计值范围内，包容实际齿廓迹线的两条设计齿廓迹线间的距离	齿廓总偏差是用渐开线检查仪沿齿顶向齿根进行检测的，并绘制出齿廓相对于理论齿廓又称为迹线，在设计范围内（除去齿顶和齿根一部分长度），迹线上最大偏离量与最小偏离之差即齿廓总偏差 F_α；F_α 是包容实际齿廓迹线的两条设计迹线之间的距离
螺旋线总偏差（F_β）	左齿面 右齿面 设计迹线 实际螺纹线迹线 计值范围 齿轮牙齿宽度 螺旋线总偏差	在计值范围内，包容实际螺旋线迹线的两条设计螺旋线迹线间的距离	用渐开线螺线检查仪对左、右两齿面沿螺旋方向进行检测的，螺旋仪绘制实际螺旋线迹线被两条设计螺旋迹线所包容的距离即是螺旋线总偏差 F_β

注：切向综合偏差（F_i'，f_i'）不是强制性的检测项目，如需使用可按 GB/T 10095.1—2008 附录 A 规定处理，即 $F_i' = F_p + f_i'$；$f_i' = (f_i'/K)K$，比值 f_i'/K 按精度等级查出，

$$K = \begin{cases} 0.2\left(\dfrac{\varepsilon_r + 4}{\varepsilon_r}\right) & \varepsilon_r < 4 \\ 0.4 & \varepsilon_r \geqslant 4 \end{cases}$$

表 4-24　单个齿距偏差 ±f_{pt}（GB/T 10095.1—2008）

（μm）

分度圆直径 d/mm	模数 m/mm	精度等级												
		0	1	2	3	4	5	6	7	8	9	10	11	12
5≤d≤20	0.5≤m≤2	0.8	1.2	1.7	2.2	3.3	4.7	6.5	9.5	13.0	19.0	26.0	37.0	53.0
	2<m≤3.5	0.9	1.3	1.8	2.6	3.7	5.0	7.5	10.0	15.0	21.0	29.0	41.0	69.0
20<d≤50	0.5≤m≤2	0.9	1.2	1.8	2.5	3.5	5.0	7.0	10.0	14.0	20.0	28.0	40.0	56.0
	2<m≤3.5	1.0	1.4	1.9	2.7	3.9	5.5	7.5	11.0	15.0	22.0	31.0	44.0	62.0
	3.5<m≤6	1.1	1.5	2.1	3.0	4.3	6.0	8.5	12.0	17.0	24.0	34.0	48.0	68.0
	6<m≤10	1.2	1.7	2.5	3.5	4.9	7.0	10.0	14.0	20.0	28.0	40.0	56.0	79.0
50<d≤125	0.5≤m≤2	0.9	1.3	1.9	2.7	3.8	5.5	7.5	11.0	15.0	21.0	30.0	43.0	61.0
	2<m≤3.5	1.0	1.5	2.1	2.9	4.1	6.0	8.5	12.0	17.0	23.0	33.0	47.0	66.0
	3.5<m≤6	1.1	1.6	2.3	3.2	4.6	6.5	9.0	13.0	18.0	26.0	36.0	52.0	73.0
	6<m≤10	1.3	1.8	2.6	3.7	5.0	7.5	10.0	15.0	21.0	30.0	42.0	59.0	84.0
	10<m≤16	1.6	2.2	3.1	4.4	6.5	9.0	13.0	18.0	25.0	35.0	50.0	71.0	100.0
	16<m≤25	2.0	2.8	3.9	5.5	8.0	11.0	16.0	22.0	31.0	44.0	63.0	89.0	125.0
125<d≤280	0.5≤m≤2	1.0	1.5	2.1	3.0	4.2	6.0	8.5	12.0	17.0	24.0	34.0	48.0	67.0
	2<m≤3.5	1.1	1.6	2.3	3.2	4.6	6.5	9.0	13.0	18.0	26.0	36.0	51.0	73.0
	3.5<m≤6	1.2	1.8	2.5	3.5	5.0	7.0	10.0	14.0	20.0	28.0	40.0	56.0	79.0

续表 4-24

(μm)

分度圆直径 d/mm	模数 m/mm	精度等级												
		0	1	2	3	4	5	6	7	8	9	10	11	12
125<d≤280	6<m≤10	1.4	2.0	2.8	4.0	5.5	8.0	11.0	16.0	23.0	32.0	45.0	64.0	90.0
	10<m≤16	1.7	2.4	3.3	4.7	6.5	9.5	13.0	19.0	27.0	38.0	53.0	75.0	107.0
	16<m≤25	2.1	2.9	4.1	6.0	8.0	12.0	16.0	23.0	33.0	47.0	65.0	93.0	132.0
	25<m≤40	2.7	3.8	5.5	7.5	11.0	15.0	21.0	30.0	43.0	61.0	66.0	121.0	171.0
280<d≤560	0.5≤m≤2	1.2	1.7	2.4	3.3	4.7	6.5	9.5	10.0	19.0	27.0	38.0	54.0	76.0
	2<m≤3.5	1.3	1.8	2.5	3.6	5.0	7.0	10.0	14.0	20.0	29.0	41.0	57.0	81.0
	3.5<m≤6	1.4	1.9	2.7	3.9	5.5	8.0	11.0	16.0	22.0	31.0	44.0	62.0	88.0
	6<m≤10	1.5	2.2	3.1	4.4	6.0	8.5	12.0	17.0	25.0	35.0	49.0	70.0	99.0
	10<m≤16	1.8	2.5	3.6	5.0	7.0	10.0	14.0	20.0	29.0	41.0	58.0	81.0	115.0
	16<m≤25	2.2	3.1	4.4	6.0	9.0	12.0	18.0	25.6	35.6	60.0	70.0	99.0	140
	25<m≤40	2.8	4.0	5.5	8.0	11.0	15.0	22.0	32.0	45.0	65.0	80.0	127.0	180
	40<m≤70	3.9	5.5	8.0	11.0	16.0	22.0	31.0	45.0	63.0	89.0	126.0	178.0	252.0

表 4-25 齿距积累总偏差 F_p (GB/T 10095.1—2008)

(μm)

分度圆直径 d/mm	模数 m/mm	精 度 等 级												
		0	1	2	3	4	5	6	7	8	9	10	11	12
5≤d≤20	0.5≤m≤2	2.0	2.8	4.0	5.5	8.0	11.0	16.0	23.0	32.0	45.0	64.0	90.0	127.0
	2<m≤3.5	2.1	2.9	4.2	6.0	8.5	12.0	17.0	23.0	33.0	47.0	65.0	94.0	133.0
20<d≤50	0.5≤m≤2	2.5	3.6	5.0	7.0	10.0	14.0	20.0	29.0	41.0	57.0	81.0	115.0	162.0
	2<m≤3.5	2.6	3.7	5.0	7.5	10.0	15.0	21.0	30.0	42.0	59.0	84.0	119.0	168.0
	3.5<m≤6	2.7	3.9	5.5	7.5	11.0	15.0	22.0	31.0	44.0	62.0	87.0	123.0	174.0
	6<m≤10	2.9	4.1	6.0	8.0	12.0	16.0	23.0	33.0	46.0	65.0	93.0	131.0	185.0
50<d≤125	0.5≤m≤2	3.3	4.6	6.5	9.0	13.0	18.0	26.0	37.0	52.0	74.0	104.0	147.0	208.0
	2<m≤3.5	3.3	4.7	6.5	9.5	13.0	19.0	27.0	38.0	53.0	76.0	107.0	151.0	214.0
	3.5<m≤6	3.4	4.9	7.0	9.5	14.0	19.0	28.6	39.0	5.5	78.0	110.0	156.0	220.0
	6<m≤10	3.6	5.0	7.0	10.0	14.0	20.0	29.0	41.0	58.0	82.0	116.0	164.0	231.0
	10<m≤16	3.9	5.5	7.5	11.0	15.0	22.0	31.0	44.0	62.0	88.0	124.0	175.0	248.0
	16<m≤25	4.3	6.0	8.5	12.0	17.0	24.0	34.0	48.0	68.0	96.0	135.0	193.0	273.0
125<d≤280	0.5≤m≤2	4.3	6.0	8.5	12.0	17.0	24.0	35.0	49.0	69.0	98.0	138.0	195.0	276.0
	2<m≤3.5	4.4	6.0	9.0	12.0	18.0	25.0	35.0	50.0	70.0	100.0	141.0	199.0	282.0
	3.5<m≤6	4.5	6.5	9.0	13.0	18.0	25.0	36.0	51.0	72.0	102.0	144.0	204.0	288.0

续表 4-25

(μm)

分度圆直径 d/mm	模数 m/mm	精度等级												
		0	1	2	3	4	5	6	7	8	9	10	11	12
125<d≤280	6<m≤10	4.7	6.5	9.5	13.0	19.0	26.0	37.0	53.0	75.0	106.0	149.0	211.0	299.0
	10<m≤16	4.9	7.0	10.0	14.0	20.0	28.0	39.0	56.0	79.0	112.0	158.0	223.0	316.0
	16<m≤25	5.5	7.5	11.0	15.0	21.0	30.0	43.0	60.0	85.0	120.0	170.0	241.0	341.0
	25<m≤40	6.0	8.5	12.0	17.0	24.0	34.0	47.0	67.0	95.0	134.0	190.0	269.0	380.0
280<d≤560	0.5≤m≤2	5.5	8.0	11.0	16.0	23.0	32.0	46.0	64.0	91.0	129.0	182.0	257.0	364.0
	2<m≤3.5	6.0	8.0	12.0	16.0	23.0	33.0	46.0	65.0	92.0	131.0	185.0	261.0	370.0
	3.5<m≤6	6.0	8.5	12.0	17.0	24.0	33.0	47.0	66.0	94.0	133.0	188.0	266.0	376.0
	6<m≤10	6.0	8.5	12.0	17.0	24.0	34.0	48.0	68.0	97.0	137.0	193.0	274.0	387.0
	10<m≤16	6.5	9.0	13.0	18.0	25.0	36.0	50.0	71.0	101.0	143.0	202.0	285.0	404.0
	16<m≤25	6.5	9.5	13.0	19.0	27.0	38.0	54.0	76.0	107.0	151.0	214.0	303.0	428.0
	25<m≤40	7.5	10.0	15.0	21.0	29.0	41.8	58.0	83.0	117.0	165.0	234.0	331.0	468.0
	40<m≤70	8.5	12.0	17.0	24.0	34.0	48.0	68.0	95.0	135.0	191.0	270.0	382.0	540.0

表 4-26　齿廓总偏差 F_α（GB/T 10095.1—2008）　　　　　（μm）

分度圆直径 d/mm	模数 m/mm	精度等级												
		0	1	2	3	4	5	6	7	8	9	10	11	12
5≤d≤20	0.5≤m≤2	0.8	1.1	1.6	2.3	3.2	4.6	6.5	9.0	13.0	18.0	26.0	37.0	52.0
	2<m≤3.5	1.2	1.7	2.3	3.3	4.7	6.5	9.5	13.0	19.0	26.0	37.0	53.0	75.0
20<d≤50	0.5≤m≤2	0.9	1.3	1.8	2.6	3.6	5.0	7.5	10.0	15.0	21.0	29.0	41.0	58.0
	2<m≤3.5	1.3	1.8	2.5	3.6	5.0	7.0	10.0	14.0	20.0	29.0	40.0	57.0	81.0
	3.5<m≤6	1.6	2.2	3.1	4.4	6.0	9.0	12.0	18.0	25.0	35.0	50.0	70.0	99.0
	6<m≤10	1.9	2.7	3.8	5.5	7.5	11.0	15.0	22.0	31.0	43.0	61.0	87.0	123.0
50<d≤125	0.5≤m≤2	1.0	1.5	2.1	2.9	4.1	6.0	8.5	12.0	17.0	23.0	33.0	47.0	66.0
	2<m≤3.5	1.4	2.0	2.8	3.9	5.5	8.0	11.0	16.0	22.0	31.0	44.0	63.0	89.0
	3.5<m≤6	1.7	2.4	3.4	4.8	6.5	9.5	13.0	19.0	27.0	38.0	54.0	76.0	108.0
	6<m≤10	2.0	2.9	4.1	6.0	8.0	13.0	16.0	23.0	33.0	46.0	65.0	92.0	131.0
	10<m≤16	2.5	3.5	5.0	7.0	10.0	14.0	20.0	28.0	40.0	56.0	79.0	112.0	159.0
	16<m≤25	3.0	4.2	6.0	8.5	12.0	17.0	24.0	34.0	48.0	68.0	96.0	136.0	192.0
125<d≤280	0.5≤m≤2	1.2	1.7	2.4	3.5	4.9	7.0	10.0	14.0	20.0	28.0	39.0	55.0	78.0
	2<m≤3.5	1.6	2.2	3.2	4.5	6.5	9.0	13.0	18.0	25.0	36.0	50.0	71.0	101.0
	3.5<m≤6	1.9	2.6	3.7	5.5	7.5	11.0	15.0	21.0	30.0	42.0	60.0	84.0	119.0

续表 4-26

(μm)

分度圆直径 d/mm	模数 m/mm	精 度 等 级												
		0	1	2	3	4	5	6	7	8	9	10	11	12
125<d≤280	6<m≤10	2.2	3.2	4.5	6.5	9.0	13.0	18.0	25.0	36.0	50.0	71.0	101.0	143.0
	10<m≤16	2.7	3.8	5.5	7.5	11.0	15.0	21.0	30.0	43.0	60.0	85.0	121.0	171.0
	16<m≤25	3.2	4.5	6.5	9.0	13.0	18.0	25.0	36.0	51.0	72.0	102.0	144.0	204.0
	25<m≤40	3.8	5.5	7.5	11.0	15.0	22.0	31.0	43.0	61.0	87.0	123.0	174.0	246.0
280<d≤560	0.5≤m≤2	1.5	2.1	2.9	4.1	6.0	8.5	12.0	17.0	23.0	33.0	47.0	66.0	94.0
	2<m≤3.5	1.8	2.6	3.6	5.0	7.5	10.0	15.0	21.0	29.0	41.0	58.0	82.0	116.0
	3.5<m≤6	2.1	3.0	4.2	6.0	8.5	12.0	17.0	24.0	34.0	48.0	67.0	95.0	135.0
	6<m≤10	2.5	3.5	4.9	7.0	10.0	14.0	20.0	28.0	40.0	56.0	79.0	112.0	158.0
	10<m≤16	2.9	4.1	6.0	8.0	12.0	16.0	23.0	33.0	47.0	66.0	93.0	132.0	186.0
	16<m≤25	3.4	4.8	7.0	9.5	14.0	19.0	27.0	39.0	55.0	78.0	110.0	155.0	219.0
	25<m≤40	4.1	6.0	8.0	12.0	15.0	23.0	33.0	46.0	65.0	92.0	131.0	185.0	261.0
	40<m≤70	5.0	7.0	10.0	14.0	20.0	28.0	40.0	57.0	80.0	113.0	160.0	227.0	321.0

表 4-27　齿轮螺旋线总偏差 F_β（GB/T 10095.1—2008）

（μm）

分度圆直径 d/mm	齿宽 b/mm	精度等级												
		0	1	2	3	4	5	6	7	8	9	10	11	12
5<d≤20	4≤b≤10	1.1	1.5	2.2	3.1	4.3	6.0	8.5	12.0	17.0	24.0	35.0	49.0	69.0
	10<b≤20	1.2	1.7	2.4	3.4	4.9	7.0	9.5	14.0	19.0	28.0	39.0	55.0	78.0
	20<b≤40	1.4	2.0	2.8	3.9	5.5	8.0	11.0	16.0	22.0	31.0	45.0	63.0	89.0
	40<b≤80	1.6	2.3	3.3	4.6	6.5	9.5	13.0	19.0	26.0	37.0	52.0	74.0	105.0
20<d≤50	4≤b≤10	1.1	1.6	2.2	3.2	4.5	6.5	9.0	13.0	18.0	25.0	36.0	51.0	72.0
	10<b≤20	1.3	1.8	2.5	3.6	5.6	7.0	10.0	14.0	20.0	28.0	40.0	57.0	81.0
	20<b≤40	1.4	2.0	2.9	4.1	5.5	8.0	11.0	16.0	23.0	32.0	46.0	65.0	92.0
	40<b≤80	1.7	2.4	3.4	4.8	6.5	9.5	13.0	19.0	27.0	38.0	54.0	76.0	107.0
	80<b≤160	2.0	2.9	4.1	5.5	8.0	11.0	16.0	23.0	32.0	46.0	65.0	92.0	130.0
50<d≤125	4≤b≤10	1.2	1.7	2.4	3.3	4.7	6.5	9.5	13.0	19.0	27.0	38.0	53.0	76.0
	10<b≤20	1.3	1.9	2.6	3.7	5.5	7.5	11.0	15.0	21.0	30.0	42.0	60.0	84.0
	20<b≤40	1.5	2.1	3.0	4.2	6.0	8.5	12.0	17.0	24.0	34.0	48.0	68.0	95.0
	40<b≤80	1.7	2.5	3.5	4.9	7.0	10.0	14.0	20.0	28.0	39.0	56.0	79.0	111.0
	80<b≤160	2.1	2.9	4.2	6.0	8.5	12.0	17.0	24.0	33.0	47.0	67.0	94.0	133.0
	160<b≤250	2.5	3.5	4.9	7.0	10.0	14.0	20.0	28.0	40.0	56.0	79.0	112.0	158.0
	250<b≤400	2.9	4.1	6.0	8.0	12.0	16.0	23.0	33.0	46.0	65.0	92.0	130.0	184.0

续表 4-27

(μm)

分度圆直径 d/mm	齿宽 b/mm	精度等级												
		0	1	2	3	4	5	6	7	8	9	10	11	12
125<d≤280	4≤b≤10	1.3	1.8	2.5	3.6	5.0	7.0	10.0	14.0	20.0	29.0	40.0	57.0	81.0
	10<b≤20	1.4	2.0	2.8	4.0	5.5	8.0	11.0	16.0	22.0	32.0	45.0	63.0	90.0
	20<b≤40	1.6	2.2	3.2	4.5	6.5	9.0	13.0	18.0	25.0	36.0	50.0	71.0	101.0
	40<b≤80	1.8	2.6	3.6	5.0	7.5	10.0	15.0	21.0	29.0	41.0	58.0	82.0	117.0
	80<b≤160	2.2	3.1	4.3	6.0	8.5	12.0	17.0	25.0	35.0	49.0	69.0	98.0	139.0
	160<b≤250	2.6	3.6	5.0	7.0	10.0	14.0	20.0	29.0	41.0	58.0	82.0	116.0	164.0
	250<b≤400	3.0	4.2	6.0	8.5	12.0	17.0	24.0	34.0	47.0	67.0	95.0	134.0	190.0
	400<b≤650	3.5	4.9	7.0	10.0	14.0	20.0	28.0	40.0	56.0	79.0	112.0	158.0	224.0
280<d≤560	10≤b≤20	1.5	2.1	3.0	4.3	6.0	8.5	12.0	17.0	24.0	34.0	48.0	68.0	97.0
	20<b≤40	1.7	2.4	3.4	4.8	6.5	9.5	13.0	19.0	27.0	38.0	54.0	76.0	108.0
	40<b≤80	1.9	2.7	3.9	5.5	7.5	11.0	15.0	22.0	31.0	44.0	62.0	87.0	124.0
	80<b≤160	2.3	3.2	4.6	6.5	9.0	13.0	18.0	26.0	36.0	52.0	73.0	103.0	146.0
	160<b≤250	2.7	3.8	5.5	7.5	11.0	15.0	21.0	30.0	43.0	60.0	85.0	121.0	171.0
	250<b≤400	3.1	4.3	6.0	8.5	12.0	17.0	25.0	35.0	49.0	70.0	98.0	139.0	197.0
	400<b≤650	3.6	5.0	7.0	10.0	14.0	20.0	29.0	41.0	58.0	82.0	115.0	163.0	231.0
	650<b≤1000	4.3	6.0	8.5	12.0	17.0	24.0	34.0	48.0	68.0	96.0	136.0	193.0	272.0

表4-28　齿轮径向偏差（GB/T 10095.2—2008）

名称（代号）	示意图	说　明	检验方法
径向综合总偏差 (F_i'')	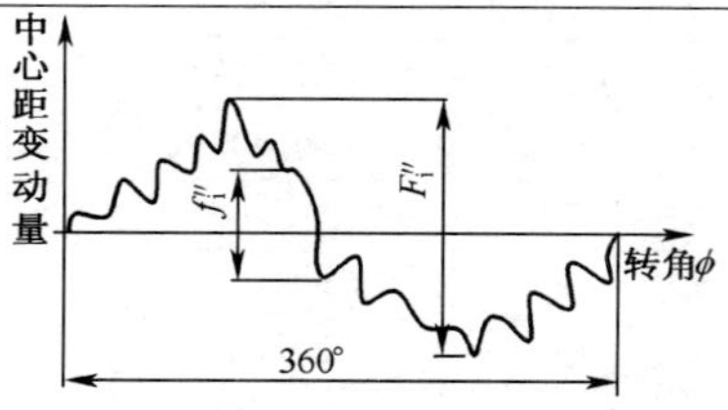 　径向综合偏差	在作径向（双面）综合检验时，产品齿轮的左右齿面同时与测量齿轮接触，并转过一整周时出现的中心距最大值和最小值之差为径向综合总偏差 F_i''；F_i'' 不得超过允许值	径向综合总偏差是将被检齿轮在双面啮合检查仪上进行的；将被检齿轮放置于仪器内，使之与基准齿轮作双面啮合。基准齿轮旋转一周时，仪器会自动记录中心距变动量曲线，中心距变动量曲线中最大变动量与最小变动量之差即是径向综合总偏差 F_i''
一齿径向综合偏差 (f_i'')		在作一整周双面接触检查时，对应一个齿距的径向综合偏差值 f_i''，所有 f_i'' 不得超过允许值	中心距变动量曲线上，某一个齿距的径向变动量最大时，即是该齿轮一齿径向综合偏差 f_i''
径向跳动 (F_r)	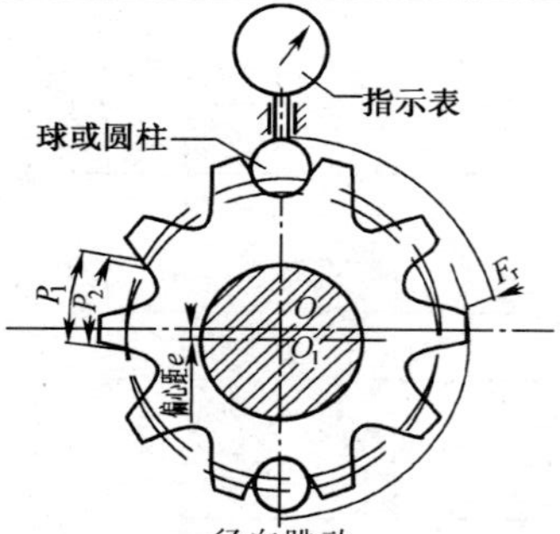 　径向跳动	将测头相继置于每个齿槽内时，从它测出齿轮轴线的最大和最小径向距离之差	被测齿轮安装在径向跳动检查仪上，逐齿测出齿轮轴线的径向距离；最大径向距离与最小径向距离之差即是径向跳动 F_r。F_r 等于指示表最大示值与最小示值之代数差

表4-29　径向综合总偏差 F_i''（GB/T 10095.2—2008）

（μm）

分度圆直径 d/mm	法向模数 m_n/mm	精度等级								
		4	5	6	7	8	9	10	11	12
5≤d≤20	0.2<m_n≤0.5	7.5	11	15	21	30	42	60	85	120
	0.5<m_n≤0.8	8.0	12	16	23	33	46	66	93	131
	0.8<m_n≤1.0	9.0	12	18	25	35	50	70	100	141
	1.0<m_n≤1.5	10	14	19	27	38	54	76	108	153
	1.5<m_n≤2.5	11	16	22	32	45	63	89	126	179
	2.5<m_n≤4.0	14	20	28	39	56	79	112	158	223
20≤d≤50	0.2<m_n≤0.5	9.0	13	19	26	37	52	74	105	148
	0.5<m_n≤0.8	10	14	20	28	40	56	80	113	160
	0.8<m_n≤1.0	11	15	21	30	42	60	85	120	169
	1.0<m_n≤1.5	11	16	23	32	45	64	91	128	181
	1.5<m_n≤2.5	13	18	26	37	52	73	103	146	207
	2.5<m_n≤4.0	16	22	31	44	63	89	126	178	251
	4.0<m_n≤6.0	20	28	39	56	79	111	157	222	314
	6.0<m_n≤10	26	37	52	74	104	147	209	295	417
50≤d≤125	0.2<m_n≤0.5	12	16	23	33	46	66	93	131	185

续表 4-29

（μm）

分度圆直径 d/mm	法向模数 m_n/mm	精度等级								
		4	5	6	7	8	9	10	11	12
50≤d≤125	0.5≤m_n≤0.8	12	17	25	35	49	70	98	139	197
	0.8<m_n≤1.0	13	18	26	36	52	73	103	146	206
	1.0<m_n≤1.5	14	19	27	39	55	77	109	154	218
	1.5<m_n≤2.5	15	22	31	43	61	86	122	173	244
	2.5<m_n≤4.0	18	25	36	51	72	102	144	204	288
	4.0<m_n≤6.0	22	31	44	62	88	124	176	248	351
	6.0<m_n≤10	28	40	57	80	114	161	227	321	454
125≤d≤280	0.2≤m_n≤0.5	15	21	30	42	60	85	120	170	240
	0.5<m_n≤0.8	16	22	31	44	63	89	126	178	252
	0.8<m_n≤1.0	16	23	33	46	65	92	131	185	261
	1.0<m_n≤1.5	17	24	34	48	68	97	137	193	273
	1.5<m_n≤2.5	19	26	37	53	75	106	149	211	299
	2.5<m_n≤4.0	21	30	43	61	86	121	172	243	343
	4.0<m_n≤6.0	25	36	51	72	102	144	203	287	406
	6.0<m_n≤10	32	45	64	90	127	180	255	360	509

续表 4-29

(μm)

分度圆直径 d/mm	法向模数 m_n/mm	精　度　等　级								
		4	5	6	7	8	9	10	11	12
280<d≤560	0.2≤m_n≤0.5	19	28	39	55	78	110	156	220	311
	0.5<m_n≤0.8	20	29	40	57	81	114	161	228	323
	0.8<m_n≤1.0	21	29	42	59	83	117	166	235	332
	1.0<m_n≤1.5	22	30	43	61	86	122	172	243	344
	1.5<m_n≤2.5	23	33	46	65	92	131	185	262	370
	2.5<m_n≤4.0	26	37	52	73	104	146	207	293	414
	4.0<m_n≤6.0	30	42	60	84	119	169	239	337	477
	6.0<m_n≤10	36	51	73	103	145	205	290	410	580

表 4-30　一齿径向综合偏差 f_i''（GB/T 10095.2—2008）

(μm)

分度圆直径 d/mm	法向模数 m_n/mm	精　度　等　级								
		4	5	6	7	8	9	10	11	12
5≤d≤20	0.2≤m_n≤0.5	1.0	2.0	2.5	3.5	5.0	7.0	10	14	20
	0.5<m_n≤0.8	2.0	2.5	4.0	5.5	7.5	11	15	22	31
	0.8<m_n≤1.0	2.5	3.5	5.0	7.0	10	14	20	28	39
	1.0<m_n≤1.5	3.0	4.5	6.5	9.0	13	18	25	36	50

续表 4-30

(μm)

分度圆直径 d/mm	法向模数 m_n/mm	精度等级								
		4	5	6	7	8	9	10	11	12
5≤d≤20	1.5<m_n≤2.5	4.5	6.5	9.5	13	19	26	37	53	74
	2.5<m_n≤4.0	7.0	10	14	20	29	41	58	82	115
20<d≤50	0.2≤m_n≤0.5	1.5	2.0	2.5	3.5	5.0	7.0	10	14	20
	0.5<m_n≤0.8	2.0	2.5	4.0	5.5	7.5	11	15	22	31
	0.8<m_n≤1.0	2.5	3.5	5.0	7.0	10	14	20	28	40
	1.0<m_n≤1.5	3.0	4.5	6.5	9.0	13	18	25	36	51
	1.5<m_n≤25	4.5	6.5	9.5	13	19	26	37	53	75
	2.5<m_n≤4.0	7.0	10	14	20	29	41	58	82	116
	4.0<m_n≤6.0	11	15	22	31	43	61	87	123	174
	6<m_n≤10	17	24	34	48	67	95	135	190	269
50<d≤125	0.2≤m_n≤0.5	1.5	2.0	2.5	3.5	5.0	7.5	10	15	21
	0.5<m_n≤0.8	2.0	3.0	4.0	5.5	8.0	11	16	22	31
	0.8<m_n≤1.0	2.5	3.5	5.0	7.0	10	14	20	28	40
	1.0<m_n≤1.5	3.0	4.5	6.5	9.0	13	18	26	36	51
	1.5<m_n≤2.5	4.5	6.5	9.5	13	19	26	37	53	75

续表 4-30

(μm)

分度圆直径 d/mm	法向模数 m_n/mm	精 度 等 级								
		4	5	6	7	8	9	10	11	12
50<d≤125	2.5<m_n≤4.0	7.0	10	14	20	29	41	58	82	116
	4.0<m_n≤6.0	11	15	22	31	44	62	87	123	174
	6.0<m_n≤10	17	24	34	48	67	95	135	191	269
125≤d≤280	0.2≤m_n≤0.5	1.5	2.0	2.5	3.5	5.5	7.5	11	15	21
	0.5<m_n≤0.8	2.0	3.0	4.0	5.5	8.0	11	16	22	32
	0.8<m_n≤1.0	2.5	3.5	5.0	7.0	10	14	20	29	41
	1.0<m_n≤1.5	3.0	4.5	6.5	9.0	13	18	26	36	52
	1.5<m_n≤2.5	4.5	6.5	9.5	13	19	27	38	53	75
	2.5<m_n≤4.0	7.5	10	15	21	29	41	58	82	116
	4.0<m_n≤6.0	11	15	22	31	44	62	87	124	175
	6.0<m_n≤10	17	24	34	48	67	95	135	191	270
280<d≤560	0.2≤m_n≤0.5	1.5	2.0	2.5	4.0	5.5	7.5	11	15	22
	0.5<m_n≤0.8	2.0	3.0	4.0	5.5	8.0	11	16	23	32
	0.8<m_n≤1.0	2.5	3.5	5.0	7.5	10	15	21	29	41
	1.0<m_n≤1.5	3.5	4.5	6.5	9.0	13	18	26	37	52

续表 4-30

分度圆直径 d/mm	法向模数 m_n/mm	精度等级									(μm)
		4	5	6	7	8	9	10	11	12
280<d≤560	1.5<m_n≤2.5	5.0	6.5	9.5	13	19	27	38	54	76
	2.5<m_n≤4.0	7.5	10	15	21	29	41	59	83	117
	4.0<m_n≤6.0	11	15	22	31	44	62	88	124	175
	6.0<m_n≤10	17	24	34	48	68	96	135	191	271

表 4-31 齿轮径向跳动 F_r（GB/T 10095.2—2008）

分度圆直径 d/mm	法向模数 m_n/mm	精度等级													(μm)
		0	1	2	3	4	5	6	7	8	9	10	11	12
5≤d≤20	0.5≤m_n≤2.0	1.5	2.5	3.0	4.5	6.5	9.0	13	18	25	36	51	72	102
	2.0<m_n≤3.5	1.5	2.5	3.5	4.5	6.5	9.5	13	19	27	38	53	75	106
20<d≤50	0.5≤m_n≤2.0	2.0	3.0	4.0	5.5	8.0	11	16	23	32	46	65	92	130
	2.0<m_n≤3.5	2.0	3.0	4.0	6.0	8.5	12	17	24	34	47	67	95	134
	3.5<m_n≤6.0	2.0	3.0	4.5	6.0	8.5	12	17	25	35	49	70	99	139
	6<m_n≤10	2.5	3.5	5.0	6.5	9.5	13	19	26	37	52	74	105	148
50<d≤125	0.5≤m_n≤2.0	2.5	3.5	5.0	7.5	10	15	21	29	42	59	83	118	167
	2.0<m_n≤3.5	2.5	4.0	5.5	7.5	11	15	21	30	43	61	86	121	171

续表 4-31

(μm)

分度圆直径 d/mm	法向模数 m_n/mm	精度等级												
		0	1	2	3	4	5	6	7	8	9	10	11	12
50<d≤125	3.5<m_n≤6.0	3.0	4.0	5.5	8.0	11	16	22	31	44	62	88	125	176
	6.0<m_n≤10	3.0	4.0	6.0	8.0	12	16	23	33	46	65	92	131	185
	10<m_n≤16	3.0	4.5	6.0	9.0	12	18	25	35	50	70	99	140	198
	16<m_n≤25	3.5	5.0	7.0	9.5	14	19	27	39	55	77	109	154	218
125<d≤280	0.5≤m_n≤2.6	3.5	5.0	7.0	10	14	20	28	39	55	78	110	156	221
	2.0<m_n≤3.5	3.5	5.0	7.0	10	14	20	28	40	56	80	113	159	225
	3.5<m_n≤6.0	3.5	5.0	7.0	10	14	20	29	41	58	82	115	163	231
	6.0<m_n≤10	3.5	5.5	7.5	11	15	21	30	42	60	85	120	169	239
	10<m_n≤16	4.0	5.5	8.0	11	16	22	32	45	63	89	126	179	252
	16<m_n≤25	4.5	6.0	8.5	12	17	24	34	48	68	96	136	193	272
	25<m_n≤40	4.5	6.5	9.5	13	19	27	36	54	76	107	152	215	304
280<d≤560	0.5≤m_n≤2.0	4.5	6.5	9.0	13	18	26	36	51	73	103	146	206	291
	2.0<m_n≤3.5	4.5	6.5	9.0	13	18	26	37	52	74	105	148	209	296
	3.5<m_n≤6.0	4.5	6.5	9.5	13	19	27	38	53	75	106	150	213	301
	6.0<m_n≤10	5.0	7.0	9.5	14	19	27	39	55	77	109	155	219	310
	10<m_n≤16	5.0	7.0	10	14	20	29	40	57	81	114	161	228	323
	16<m_n≤25	5.5	7.5	11	15	21	30	43	61	86	121	171	242	343
	25<m_n≤40	6.0	8.5	12	17	23	33	47	66	94	132	187	265	374
	40<m_n≤70	7.0	9.5	14	19	27	38	54	76	108	153	216	306	432

4.4.2　齿轮替代检验项目

GB/T 13924—2008 渐开线圆柱齿轮精度检验细则确定了齿轮替代检验项目,目的是为使用者提供检验依据,有利于 GB/T 10095.1、GB/T 10095.2 的贯彻执行。在齿轮量仪由机械式向坐标式自动控制方向发展的过渡时期,这些测量项目仍具有十分重要的实际意义。

齿轮替代检验项目包括公法线检验、基本偏差检验、接触线偏差检验、轴向齿距偏差检验、螺旋线波度检验、齿厚检验、齿轮副接触斑点检验、齿轮副侧隙检验。其中,公法线检验、齿厚检验、齿轮副接触斑点检验和齿轮副侧隙检验是保持平稳正常的齿轮传动最常用的替代检验项目。齿轮替代检验项目见表 4-32。

4.4.3　渐开线齿轮的公差

(1)齿轮精度等级的选用　按 GB/T 10095.1—2008 及 GB/T 10095.2—2008 规定,齿轮精度分为 13 级,分别用 0、1、2、…、12 表示,0 级精度最高,12 级最低。通常 0~2 级为待发展级,3~5 级为高精度级,6~8 级为中等精度级,9~12 为低精度级。齿轮精度见表 4-33。

齿轮精度等级要根据齿轮的用途、分度圆线速度等工作条件来选择。常见机器传动中所应用的齿轮精度等级见表 4-34;不同精度等级齿轮的适用范围见表 4-35。

(2)齿轮的公差值

①对于一个确定的渐开线齿轮,当按要求确定了精度之后,则其运动精度、平稳精度要求的齿偏差、齿廓偏差和螺旋线偏差的允许值(相应的公差)均按该精度等级选取。齿轮公差见表 4-36(a)、(b)、(c)、(d)。

对于一齿切向综合公差 f'_i,用表 4-36(a)中 f'_i/K 换算。当重合度 $\varepsilon_r < 4$ 时,系数 $K = 0.2(\varepsilon_r + 4)/\varepsilon_r$;当重合度 $\varepsilon_r > 4$ 时,取 $K = 0.4$。

②齿轮的接触斑点。不同精度的直齿轮装配后的接触斑点见表 4-37。

③齿厚偏差、公法线长度变动量可从国家标准推荐的数据表中查到,不必进行繁琐的计算,即可保证齿轮啮合时具有符合使用要求的侧隙。

表4-32　齿轮替代检验项目

项目	简 图	说 明
齿厚偏差 E_{sn} 检验	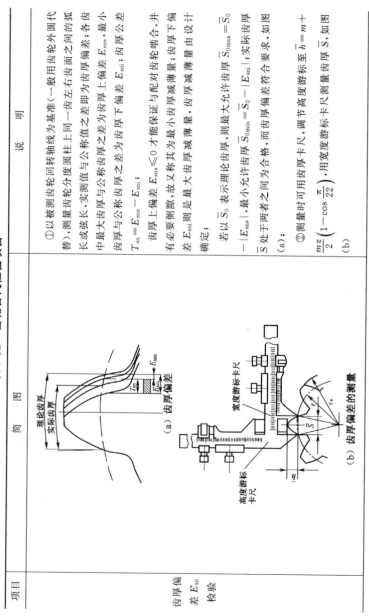 (a) 齿厚偏差 (b) 齿厚偏差的测量	①以被测齿轮回转轴线为基准(一般用齿轮外圆代替),测量齿轮分度圆柱上同一齿左右齿面之间的弧长或弦长;实测值与公称齿厚之差即为齿厚偏差;各齿中最大齿厚与公称齿厚之差为齿厚上偏差 E_{sns};最小齿厚与公称齿厚之差为齿厚下偏差 E_{sni};齿厚公差 $$T_{sn} = E_{sns} - E_{sni};$$ 齿厚上偏差 $E_{sns} \leqslant 0$ 才能保证与配对齿轮啮合,并有必要侧隙,故又称其为最小齿厚减薄量;齿厚下偏差 E_{sni} 则是最大齿厚减薄量,齿厚减薄量由设计确定; 若以 $\bar{S}_0$ 表示理论齿厚,则最大允许齿厚 $\bar{S}_{0max} = \bar{S}_0 - |E_{sns}|$,最小允许齿厚 $\bar{S}_{0min} = \bar{S}_0 - |E_{sni}|$;实际齿厚 $\bar{S}$ 处于两者之间为合格,而齿厚偏差符合符合要求,如图(a); ②测量时可用齿厚卡尺,调节高度游标尺测量齿高至 $\bar{h} = m + \frac{mz}{2}\left(1 - \cos\frac{\pi}{22}\right)$,用宽度游标卡尺测量齿厚 $\bar{S}$,如图(b)

续表 4-32

项目	简图	说明
公法线平均长度偏差 E_{wm} 检验	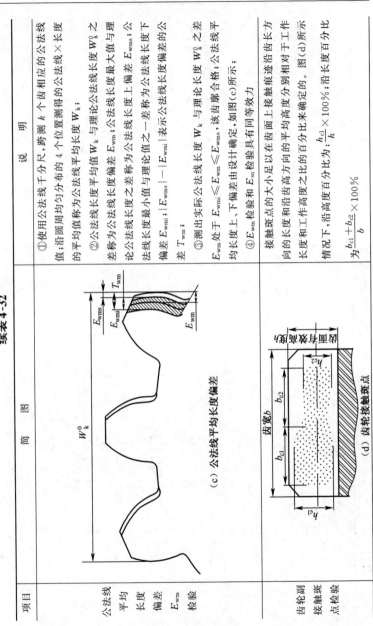 (c) 公法线平均长度偏差	① 使用公法线千分尺，跨测 k 个齿相应的公法线值；沿圆周均匀分布的 4 个位置测得的公法线平均长度的平均值称为公法线平均长度 W_k； ② 公法线长度平均偏差之差称为公法线长度最大偏差 E_{wms}；公论公法线长度最大值与理论公法线长度 W_k^0 之差称为公法线长度上偏差 E_{wms}；公法线长度最小值与理论值之差称为公法线长度下偏差 E_{wmi}；$|E_{wms}|-|E_{wmi}|$ 表示公法线长度偏差的公差 T_{wm}； ③ 测出实际公法线长度 W_{wmi} 与理论长度 W_k^0 之差 E_{wm} 处于 $E_{wmi} \leqslant E_{wm} \leqslant E_{wms}$，该齿即合格，如图(c)所示； ④ E_{wm} 检验和 E_{sn} 检验具有同等效力。
齿轮副齿接触斑点检验	(d) 齿轮接触斑点	接触斑点的大小足以在齿面上接触痕迹沿齿长方向的长度和沿齿高方向的平均高度分别相对于工作长度和工作高度之比的百分比来确定的。图(d)所示情况下，沿齿高百分比为 $\dfrac{h_{c1}}{h} \times 100\%$；沿长度百分比为 $\dfrac{b_{c1}+b_{c2}}{b} \times 100\%$

续表 4-32

项目	简 图	说 明
齿轮副侧隙检验	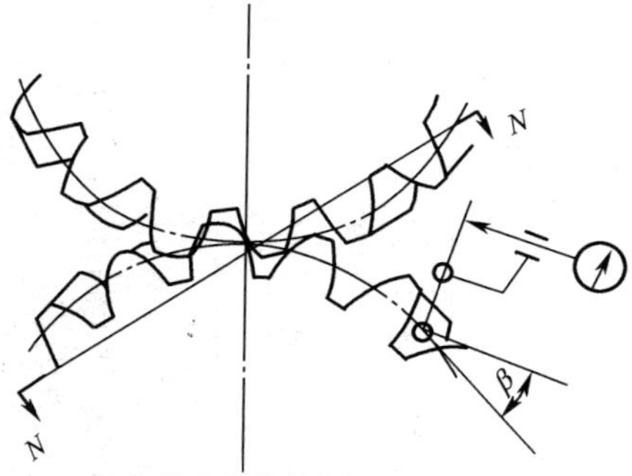 (e) 法向侧隙单点测量	单点测量法向侧隙时,在中心距与使用中心距相同的条件下,将齿轮副的一个齿轮固定,在另一齿轮垂直于齿面(法向)方向上放置一指示表,然后晃动此齿轮,从指示表读出晃动量即是该齿轮副的法向侧隙;测得的侧隙应不小于设计所确定的值

表 4-33　齿轮精度

标准号	偏差与公差项目	精度等级
GB/T 10095.1—2008	$f_{pt}, F_{pk}, F_p, F_\beta, F_a, F_i', f_i'$	0,1,2,3,4,5,6,7,8,9,10,11,12
GB/T 10095.2—2008	F_r	0,1,2,3,4,5,6,7,8,9,10,11,12
	F_i'', f_i''	4,5,6,7,8,9,10,11,12

表 4-34　常见机器传动中所应用的齿轮精度等级

产品类型	精度等级	产品类型	精度等级	产品类型	精度等级
测量齿轮	2~5	轻型汽车	5~8	起重机械	7~10
透平齿轮	3~6	载重汽车	6~9	农业机械	8~11
金属切削机床	3~7	航空发动机	4~8	矿用绞车	8~10
内燃机车	6~7	拖拉机	6~9	轧钢机	6~10
汽车底盘	5~8	通用减速器	6~9		

表 4-35　不同精度等级齿轮的适用范围

精度等级	工作条件及适用范围	圆周线速度 /(m/s) 直齿	圆周线速度 /(m/s) 斜齿	齿面的最后加工方法
3	用于最平稳全无噪声的极高速下工作的齿轮;特别精密的分度机构齿轮;特别精密机械中的齿轮;检测 5,6 级的测量齿轮	>50	>75	特精密的磨齿和珩磨、用精密滚刀滚齿或单边剃齿后的大多数不经淬火的齿轮
4	用于精密的分度机构齿轮;特别精密机械中的齿轮;高速透平齿轮;控制机构齿轮;检测 7 级的测量齿轮	>40	>70	精密磨齿;大多数用精密滚刀滚齿和珩齿或单边剃齿
5	用于高平稳且低噪声的高速传动的齿轮;精密机构中的齿轮;透平传动中的齿轮;检测 8,9 级的测量齿轮 重要的航空、船用齿轮箱的齿轮	>20	>40	精密磨齿;大多数用精密滚刀加工,进而研齿或剃齿

续表 4-35

精度等级	工作条件及适用范围	圆周线速度 /(m/s)		齿面的最后加工方法
		直齿	斜齿	
6	用于高速下平稳工作,需要高效率低噪声的齿轮,航空、汽车用齿轮;读数装置中的精密齿轮;机床传动链中的齿轮;机床传动齿轮	≤15	≤30	精密磨齿或剃齿
7	在高速和适度功率或大功率和适当速度下工作的齿轮;机床变速箱中进给齿轮;高速减速器中的齿轮;起重机齿轮;汽车及读数装置中的齿轮	≤10	≤15	无需热处理的齿轮,用精密刀具加工对于淬硬的齿轮必须精整加工(磨齿、研齿、珩齿)
8	一般机器中无特殊精度要求的齿轮;机床变速齿轮;汽车制造业中不重要齿轮;冶金、起重机械中的齿轮;通用减速器中的齿轮;农业机械中重要齿轮	≤6	≤10	滚、插即可,不用磨齿;必要时研齿或剃齿
9	用于不提精度要求的粗糙工作中的齿轮;因结构上考虑,承受载荷低于计算载荷的传动用齿轮;重载、低速、不重要工作机械中的传力齿轮;农机齿轮	≤2	≤4	不需要特殊的精整加工

表 4-36(a)　齿轮公差 （μm）

分度圆直径 d/mm	法向模数 m_n/mm	齿圈径向跳动 F_r					f_i'/K 的值					单个齿距极限偏差 $\pm f_{pt}$					齿距累积总公差 F_p				
		5	6	7	8	9	5	6	7	8	9	5	6	7	8	9	5	6	7	8	9
50~125	≥0.5~2.0	15	21	29	42	59	16	22	31	44	62	5.5	7.5	11	15	21	18	26	37	52	74
	>2.0~3.5	15	21	30	43	61	18	25	36	51	72	6.0	8.5	12	17	23	19	27	38	53	76
	>3.5~6.0	16	22	31	44	62	20	29	40	57	81	6.5	9.0	13	18	26	19	28	39	55	78
>125~280	≥0.5~2.0	20	28	39	55	78	17	24	34	49	69	6.0	8.5	12	17	24	24	35	49	69	98
	>2.0~3.5	20	28	40	56	80	20	28	39	56	79	6.5	9.0	13	18	26	25	35	50	70	100
	>3.5~6.0	20	29	41	58	82	22	31	44	62	88	7.0	10	14	20	28	25	36	51	72	102
>280~560	≥0.5~2.0	26	36	51	73	103	19	27	39	54	77	6.5	9.5	13	19	27	32	46	64	91	129
	>2.0~3.5	26	37	52	74	105	22	31	44	62	87	7.0	10	14	20	29	33	46	65	92	131
	>3.6~6.0	27	38	53	75	106	24	34	48	68	96	8.0	11	16	22	31	33	47	66	94	133

精度等级

表 4-36(b)　齿轮公差

(μm)

分度圆直径 d/mm	法向模数 m_n/mm	齿廓形状偏差 $f_{f\alpha}$					齿廓倾斜偏差 $f_{H\alpha}$					齿廓总公差 F_{α}				
		精度等级														
		5	6	7	8	9	5	6	7	8	9	5	6	7	8	9
50~125	>0.5~2.0	4.5	6.5	9	13	18	3.7	5.5	7.5	11	15	6.0	8.5	12	17	23
	>2.0~3.5	6.0	8.5	12	17	24	5.0	7.0	10	14	20	8.0	11	16	22	31
	>3.5~6.0	7.5	10	15	21	29	6.0	8.5	12	17	24	9.5	13	19	27	38
>125~280	>0.5~2.0	5.5	7.5	11	15	21	4.4	6.0	9.0	12	18	7.0	10	14	20	28
	>2.0~3.5	7.0	9.5	14	19	28	5.5	8.0	11	16	23	9.0	13	18	25	36
	>3.5~6.0	8.0	12	16	23	33	6.5	9.5	13	19	27	11	15	21	30	42
>280~560	>0.5~2.0	6.5	9.0	13	18	26	5.5	7.5	11	15	21	8.5	12	17	23	33
	>2.0~3.5	8.0	11	16	22	32	6.5	9.0	13	18	26	10	15	21	29	41
	>3.5~6.0	9.0	13	18	26	37	7.5	11	15	21	30	12	17	24	34	48

表 4-36(c) 齿轮公差 (μm)

分度圆直径 d/mm	法向模数 m_n/mm	精度等级									
		径向综合总公差 F_i''					一齿径向综合公差 f_i''				
		5	6	7	8	9	5	6	7	8	9
50<d≤125	>1.5~2.5	22	31	43	61	86	6.5	9.5	13	19	26
	>2.5~4.0	25	36	51	72	102	10	14	20	29	41
	>4.0~6.0	31	44	62	88	124	15	22	31	44	62
125<d≤280	>1.5~2.5	26	37	53	75	106	6.5	9.5	13	19	27
	>2.5~4.0	30	43	61	86	121	10	15	21	29	41
	>4.0~6.0	36	51	72	102	144	15	22	31	44	62
280<d≤560	>1.5~2.5	33	46	65	92	131	6.5	9.5	13	19	27
	>2.5~4.0	37	52	73	104	146	10	15	21	29	41
	>4.0~6.0	42	60	84	119	169	15	22	31	44	62

表 4-36(d)　齿轮公差

(μm)

分度圆直径 d/mm	齿宽 b/mm	螺旋线总公差 F_β 精度等级					螺旋线形状公差 $f_{f\beta}$ 螺旋线倾斜极限偏差 $\pm f_{H\beta}$ 精度等级				
		5	6	7	8	9	5	6	7	8	9
50<d≤125	20<b≤40	8.5	12	17	24	34	6.0	8.5	12	17	24
	40<b≤80	10	14	20	28	39	7.0	10	14	20	28
	80<b≤160	12	17	24	33	47	8.5	12	17	24	34
125<d≤280	20<b≤40	9.0	13	18	25	36	6.5	9.0	13	18	25
	40<b≤80	10	15	21	29	41	7.5	10	15	21	29
	80<b≤160	12	17	25	35	49	8.5	12	17	25	35
280<d≤560	20<b≤40	9.5	13	19	27	38	7.0	9.5	14	19	27
	40<b≤80	11	15	22	31	44	8.0	11	16	22	31
	80<b≤160	13	18	26	36	52	9.0	13	18	26	37

表 4-37   不同精度的直齿轮装配后的接触斑点   （%）

精度等级按 GB/T 10095	b_{c1}占齿宽的	h_{c1}占有效齿面高度的	b_{c2}占齿宽的	h_{c2}占有效齿面高度的
≥4	50	70	40	50
5,6	45	60	35	30
7,8	35	50	35	30
9～12	25	50	25	30

注：b_{c1}为接触斑点的较大长度；b_{c2}为接触斑点的较小长度；h_{c1}为接触斑点的较大高度；h_{c2}为接触斑点的较小高度。

④齿坯公差。齿坯公差见表 4-38。

表 4-38   齿坯公差

齿轮精度等级	孔		轴		顶圆直径	基准面的径向跳动	基准面端面跳动
	尺寸公差	形位公差	尺寸公差	形位公差			
1	IT4	IT1	IT4	IT1	IT6	0.1a	0.1a
2	IT4	IT2	IT4	IT2			
3	IT4	IT3	IT4	IT3	IT7	0.25a	0.25a
4	IT4		IT4				
5	IT5		IT5			0.40a	0.40a
6	IT6						
7	IT7		IT6		IT8	0.63a	0.63a
8							
9	IT8		IT7		IT9	1a	1a
10							
11	IT8		IT8		IT11		
12							

注：①IT 为标准公差值。

②$a=0.04d+25$，单位为 μm，其中 d 为齿轮分度圆直径，单位为 mm。

　　⑤齿轮的表面粗糙度。齿轮表面粗糙度算术平均偏差 Ra 的推荐极限值见表4-39。

表4-39　齿轮表面粗糙度算术平均偏差 Ra 的推荐极限值（μm）

精度等级	齿轮模数		
	$m<6$mm	$6≤m≤25$mm	$m>25$mm
1		0.04	
2		0.08	
3		0.16	
4		0.32	
5	0.50	0.63	0.08
6	0.80	1.00	1.25
7	1.25	1.60	2.00
8	2.00	2.50	3.20
9	3.20	4.00	5.00
10	5.00	6.30	8.00
11	10.0	12.5	16.0
12	20.0	25.0	32.0

　　⑥中心距极限偏差和轴线平行度。中心距极限偏差 $±f_a$ 见表4-40。

表4-40　中心距极限偏差 $±f_a$

齿轮精度等级	f_a	齿轮精度等级	f_a
1～2	1/2 IT4	7～8	1/2 IT8
3～4	1/2 IT6	9～10	1/2 IT9
5～6	1/2 IT7	11～12	1/2 IT11

　　轴线平行度在轴线平面内的偏差为 $f_{\Sigma\delta}=2F_{\Sigma\beta}$；在垂直平面上的偏差为 $f_{\Sigma\beta}=0.5F_{\beta}(L/b)$，其中，$L$ 为齿轮轴上两支承轴承之间的距离，b 为齿轮宽度。

　　(3)齿轮检验项目的确定　GB/T 10095.1—2008规定：切向综合

总误差 F_i' 和一齿切向综合误差 f_i' 是检验项目,但不是必检项目;齿廓和螺旋线形状偏差和倾斜偏差($f_{f\alpha}$,$f_{H\alpha}$,$f_{f\beta}$,$f_{H\beta}$),也不是必检项目,因此,评定齿轮精度,检验项目为齿距总误差、单个齿距偏差、齿廓总偏差、螺旋线总误差和齿厚偏差(或公法线长度偏差)。可能出现的检验组合如下:

①f_{pt},F_p,F_a,F_β,F_r;

②f_{pt},F_{pk},F_p,F_a,F_β,F_r;

③F_i'',f_i';

④f_{pt},F_r(10~12 级)。

4.4.4 齿轮国家标准应用示例

已知减速器从动齿轮为圆柱直齿轮,$m=3mm$,$z_2=96$,中心距 $a=174mm$,$\alpha_n=20°$,齿宽 $b=40mm$,材料为 45。传递功率 $10kW$,转速 $200r/min$,试确定该直齿轮的技术参数。

①确定齿轮的精度等级。

齿轮的圆周线速度 $v=\dfrac{\pi n z_2 m}{60\times1000}=\dfrac{\pi\times200\times96\times3}{60\times1000}=3.01(m/s)$

查表 4-35 可选齿轮精度为 8 级。

②检验项目及公差值。该齿轮精度为 8 级,使用要求不高,可以选第一组检验项目(f_{pt},F_p,F_a,F_β,F_r),其相应检验参数值由表 4-36 可查出。

表 4-36　检验参数值 　 (μm)

项目	f_{pt}	F_p	F_a	F_β	F_r
公差值	20	92	29	27	74

③齿厚偏差。查阅相应的国家标准可得该齿轮齿厚的上、下偏差 $E_{sns}=-127\mu m$,$E_{sni}=-250\mu m$,(计算过程从略)。

④中心距极限偏差。

由表 4-30 查出 $f_a=\pm\dfrac{1}{2}IT8$

$a=174mm$,对应的 $IT8=63\mu m$,

$f_a=\pm\dfrac{1}{2}\times63\mu m=\pm31.5\mu m$。

⑤齿坯公差和表面粗糙度。查表 4-38,内孔直径 IT7,顶圆直径为 IT8;内孔的径向跳动、基准面端面跳动均为 $0.63a = 0.63 \times (0.04d + 25) = 0.023(\text{mm})$。

⑥齿轮零件图如图 4-23 所示。

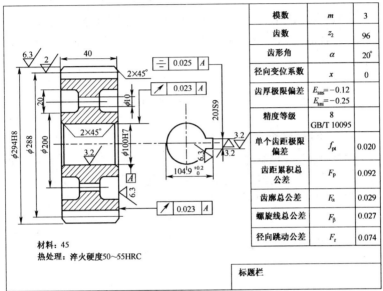

模数	m	3
齿数	z_2	96
齿形角	α	20°
径向变位系数	x	0
齿厚极限偏差	$E_{sns} = -0.12$ $E_{sni} = -0.25$	
精度等级	8 GB/T 10095	
单个齿距极限偏差	f_{pt}	0.020
齿距累积总公差	F_p	0.092
齿廓总公差	F_α	0.029
螺旋线总公差	F_β	0.027
径向跳动公差	F_r	0.074
标题栏		

材料:45
热处理:淬火硬度50~55HRC

图 4-23 齿轮零件图

从图中技术参数表可知,齿轮参数仅有齿厚极限偏差可用齿轮游标卡尺测量外,其余参数均要在专用的齿轮检测仪上进行测量。

5 尺 寸 链

在进行技术测量时,往往需要用尺寸链方法,用某个可以直接测量的尺寸取代那些无法用量具直接测量的尺寸,从而保证尺寸精度的要求。

5.1 尺寸链的组成

5.1.1 尺寸链概念

在零件加工或机器装配过程中,总有一些相互联系的尺寸按一定顺序连接成一个封闭的尺寸系统。这个封闭的尺寸系统称为一个尺寸链。图 5-1 所示某零件的轴向尺寸 A_1、A_2、A_0 三者构成一个封闭的系统,形成了一个尺寸链。图 5-2 所示车床顶尖高度尺寸,机床装配时,沿高度方向的尺寸 A_1、A_2、A_3、A_0 也组成一个尺寸链。

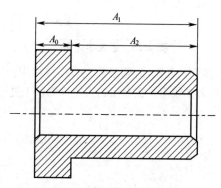

图 5-1　零件的轴向尺寸

尺寸链有三种形式:

①零件尺寸链。全部组成环为同一零件的设计尺寸所形成的,如图5-1 所示。

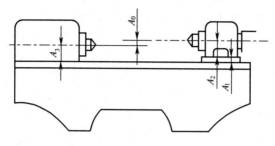

图5-2 车床顶尖高度尺寸

②装配尺寸链。全部组成环为不同零件上设计尺寸所形成的,如图5-2所示。

③工艺尺寸链。全部组成环为同一零件的工艺尺寸所形成的,如图5-3所示。在工艺尺寸链图上不必画出零件形状。

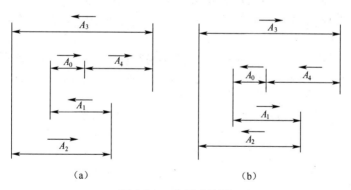

（a） （b）

图5-3 工艺尺寸链图

5.1.2 尺寸链的特点

①封闭性。相互关联的一组尺寸按一定顺序首尾相接组成封闭图形。

②并联性。尺寸链中某一尺寸变化将影响其他尺寸的变化。

③封闭环唯一性。尺寸链中只有一个封闭环,其大小受其他尺寸的支配,不能独立。

5.1.3　尺寸链的组成

尺寸链由环组成,组成尺寸链的每一个尺寸都称为环。如图 5-1、图 5-2 中所示的各尺寸都称为环。环按性质不同分为组成环和封闭环两种。

①封闭环是指尺寸链中最后形成的一环,如图 5-1 所示的 A_0 即是封闭环。它是在零件加工过程中最后形成的一环(加工时,只测量 A_1 和 A_2 而形成 A_0)。图 5-2 所示中 A_0 也是封闭环,它是在装配完成后自动形成的尺寸。封闭环在尺寸链中只有一个。

②除去封闭之外,其他的组成尺寸统称为组成环。有增环和减环两类组成环:某组成环的尺寸增大会使尺寸链封闭环增大的称为增环;反之为减环。在图 5-1 中 A_1 为增环,A_2 为减环;在图 5-2 中 A_1、A_2 增环,A_3 为减环。

5.1.4　尺寸链图

绘制尺寸链图时,可从某一加工(装配)基准出发,按加工(装配)顺序依次画出各个环,环与环之间不得间断,最后用封闭环构成一个封闭尺寸链图,如图 5-3 所示。

在尺寸链图上,利用箭头方向很容易判断增环和减环,其规则是从封闭环 A_0 开始任意选定一个箭头方向,在各组成顺着箭头指向依次画成一个封闭的箭头链。然后观察各组成环;箭头与 A_0 一致的为减环;箭头相反的为增环。如图 5-3 所示,A_2、A_4 为减环,A_1、A_3 为增环。

5.2　用极值法解尺寸链

解尺寸链的基本任务是解出封闭环或某个组成环的尺寸及其上下偏差。

5.2.1　用极值法解尺寸链的步骤

①绘制尺寸链图;

②确定封闭环;

③确定增环和减环;

④进行封闭环或组成环的计算;

⑤校验计算结果。

5.2.2 尺寸链的基本公式

设一个尺寸链有一个封闭环 A_0 和 n 个组成环组成。其中,增环为 m 个,其尺寸为 A_1,A_2,$\cdots$,A_m($m<n$),减环为 $(n-m)$ 个,其尺寸为 A_{m+1},A_{m+2},$\cdots$,An。则它们之间存在如下关系:

①封闭环基本尺寸 A_0 等于各增环基本尺寸之和减去减环基本尺寸之和,即

$$A_0 = \sum_{i=1}^{m} A_i - \sum_{j=m+1}^{n} A_j$$

②封闭环最大极限尺寸等于增环最大尺寸之和减去减环最小尺寸之和;封闭环最小极限尺寸等于增环最小尺寸之和减去减环的最大尺寸之和,即

$$A_{0\max} = \sum_{i=1}^{m} A_{i\max} - \sum_{j=m+1}^{n} A_{j\min};$$

$$A_{0\min} = \sum_{i=1}^{m} A_{i\min} - \sum_{j=m+1}^{n} A_{j\max}。$$

③封闭环上偏差等于所有增环上偏差之和减去各减环下偏差之和;封闭环下偏差等于所有增环下偏差之和减去所有减环上偏差之和,即

$$\text{ES}_0 = \sum_{i=1}^{m} \text{ES}_i - \sum_{j=m+1}^{n} \text{EI}_j;$$

$$\text{EI}_0 = \sum_{i=1}^{m} \text{EI}_i - \sum_{j=m+1}^{n} \text{ES}_j$$

式中,ES_0、EI_0 为封闭环上、下偏差;ES_i,EI_i 为增环上、下偏差;ES_j,EI_j 为减环上、下偏差。

④封闭环的公差 T_0 等于所有组成环公差之和,即

$$T_0 = \sum_{i=1}^{n} T_i。$$

由此可见,封闭环的公差比任何一个组成环的公差都来得大,因此,在尺寸链中应选择最不重要的尺寸作为封闭环,但在装配尺寸链中,因封闭环是装配后的技术要求,故无选择的余地;减少组成环的数目有利于减小封闭环的公差。

5.3　尺寸链应用示例

5.3.1　尺寸链正计算的应用示例

已知各组成环的基本尺寸和极限偏差，求封闭环的基本尺寸和极限偏差，称为尺寸链正计算问题。

一轴套零件尺寸链如图 5-4 所示，先车外圆 A_1 至 $\phi 70_{-0.08}^{-0.04}$，后镗孔 A_2 至 $\phi 60_0^{+0.06}$，内、外圆同轴度公差 A_3 为 $\phi 0.02\text{mm}$，求壁厚。

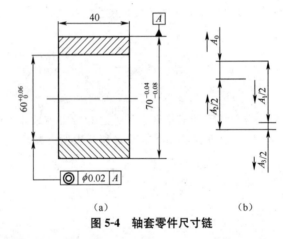

（a）　　　　　　　　　　　　　（b）

图 5-4　轴套零件尺寸链

①绘制尺寸链图。由于轴套尺寸 A_1、A_2 和同轴度 A_3 相对于加工基准（轴线）具有对称性，取其半值画尺寸链。

以外圆圆心为基准，按顺序先画 $A_1/2$、$A_3/2$、$A_2/2$，并用 A_0 把它们连成封闭图形，如图 5-4(b) 所示。

②确定封闭环。壁厚 A_0 为最后自然形成的尺寸，故作为闭环。

③确定增环和减环。在尺寸链上按顺时针方向画箭头，按箭头方向可制定：$A_1/2$、$A_3/2$ 为增环；$A_2/2$ 为减环。且 $A_1/2 = \phi 70_{-0.08}^{-0.04}/2 = \phi 35_{-0.04}^{-0.02}$，$A_3/2 = \phi 0.02/2 = \phi 0.01$，$A_2/2 = \phi 60_0^{+0.06}/2 = \phi 30_0^{+0.03}$。

④计算封闭环尺寸。

壁厚基本尺寸 $A_0 = (A_1/2 + A_3/2) - A_2/2$

$$=35+0-30$$

$$=5(mm)$$

壁厚上偏差 $ES_0 = (ES_{A_1/2} + ES_{A_3/2}) - EI_{A_2/2}$

$$= [(-0.02) + (+0.01)] - 0$$

$$= -0.01(mm)$$

壁厚下偏差 $EI_0 = (EI_{A_1/2} + EI_{A_3/2}) - ES_{A_2/2}$

$$= [(-0.04) + (-0.01)] - (+0.03)$$

$$= -0.08(mm)$$

⑤校验计算结果

$$T_0 = ES_0 - EI_0 = (-0.01) - (-0.08) = 0.07(mm)$$

$$T_0 = T_{A_1/2} + T_{A_3/2} + T_{A_2/2}$$

$$= (ES_{A_1/2} - EI_{A_1/2}) + (ES_{A_3/2} - EI_{A_3/2}) + (ES_{A_2/2} - EI_{A_2/2})$$

$$= [(-0.02) - (-0.04) + (+0.01) - (-0.01) +$$

$$(+0.03) - 0]$$

$$= 0.07(mm)$$

通过校验,可知所计算的结果是正确的。

5.3.2　尺寸链中间计算的应用示例

已知部分组成环与封闭环的基本尺寸及极限偏差,确定某一组成环间的基本尺寸与极限偏,称为尺寸链中间计算问题。

轴的工艺尺寸链如图 5-5 所示。在轴上铣一键槽,加工顺序为:车外圆 A_1 $\phi70.5_{-0.1}^{0}$,铣键槽深 A_2,磨外圆 A_3 $\phi70_{-0.06}^{0}$,要求磨完后,保证键槽深 A_0 $62_{-0.2}^{0}$,求铣键槽的深度 A_2。

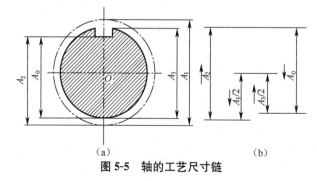

图 5-5　轴的工艺尺寸链

①绘制尺寸链图。相对于轴线、对称线(面)对称分布的尺寸,尺寸链图的起点为轴线、对称线(面)。选圆心 O 为基准,按加工顺序依次画出 $A_1/2$(向下)、A_2(向上)、$A_3/2$(向上),并用 A_0 把它们连成封闭图,如图 5-5(b)所示。

②确定封闭环。由于磨完外圆后形成的键槽深 A_0 为最后自然形成的尺寸,故其为封闭环,且已知 $A_0=62_{-0.3}^{\;0}$。

③确定增环和减环。按箭头方向判断,增环为 A_2、$A_3/2$,减环为 $A_1/2$,A_2 待求。

$$A_3/2=\phi70_{-0.06}^{\;0}/2=\phi35_{-0.03}^{\;0},$$
$$A_1/2=\phi70.5_{-0.1}^{\;0}/2=\phi35.25_{-0.05}^{\;0}$$

④计算铣键槽深度 A_2 的基本尺寸和偏差。

A_2 基本尺寸由 $A_0=(A_2+A_3/2)-A_1/2$

$$A_2=A_0-A_3/2+A_1/2=62-35+35.25=62.25(\text{mm})$$

A_2 上偏差由 $\text{ES}_0=(\text{ES}_{A_2}+\text{ES}_{A_3/2})-\text{EI}_{A_1/2}$

$$\text{ES}_{A_2}=\text{ES}_0-\text{ES}\,A_3/2+\text{EI}\,A_1/2=0-0+(-0.05)$$
$$=-0.05\text{mm}$$

A_2 下偏差由 $\text{EI}_0=(\text{EI}_{A_2}+\text{EI}_{A_1/2}-\text{ES}_{A_3/2})$ 得

$$\text{EI}_{A_2}=\text{EI}_0-\text{EI}_{A_1/2}+\text{ES}_{A_3/2}$$
$$=(-0.3)-(-0.08)+0=-0.27(\text{mm})$$

⑤校验计算结果。由已知条件,$T_0=\text{ES}_0-\text{EI}_0=0-(-0.3)=0.3(\text{mm})$

由计算结果,$T_0=T_{A_2}+T_{A_3/2}+T_{A_1/2}$
$$=[(-0.05)-(-0.27)]+[(0)-(-0.03)]+$$
$$[0-(-0.05)]$$
$$=0.3(\text{mm})$$

校核结果说明计算无误,铣槽深度为 $A_2=62.25_{-0.27}^{-0.05}$ 或 $A_2=62.25_{-0.22}^{\;0}$。

5.3.3 尺寸链反算的应用示例

反算问题是已知封闭环基本尺寸和上、下偏差,要求确定各组成环的公差和上、下偏差,最后进行校核,常用于装配尺寸链的计算。

反算法的基本做法是将封闭环的公差平均分配给各组成环,如有需要可在此基础上加以修正。但由于各组成环的尺寸相差较大,采用等公差法分配法时,从加工工艺上看并不合理。因此,采用等精度法分配各组成环的公差,是反算法的基本思路。

(1)等精度法反算的方法

①国家标准规定标准公差计算公式。国家标准规定,对于在IT5~IT18的标准公差 T 由下式计算

$$T = a \times i$$

式中,a 为公差等级系数;i 为公差因子,不同尺寸 D 的公差因子 i 用下式计算

$$i = 0.45\sqrt[3]{D} + 0.001D$$

②为计算方便,标准公差因子 i 的值见表 5-1。

表 5-1 标准公差因子 i 的值

尺寸段 D/mm	公差因子/μm	尺寸段 D/mm	公差因子/μm
1~3	0.54	>80~120	2.17
>3~6	0.73	>120~180	2.52
>6~10	0.90	>180~250	2.90
>10~18	1.08	>250~315	3.23
>18~30	1.31	>315~400	3.54
>30~50	1.56	>400~500	3.89
>50~80	1.86		

③公差等级系数 a 的值见表 5-2。

表 5-2 公差等级系数 a 的值

公差等级	系数 a	公差等级	系数 a
IT8	25	IT1	400
IT9	40	IT15	640
IT10	64	IT16	1000
IT11	100	IT17	1600
IT12	160	IT18	2500
IT13	250		

④等精度法反算步骤。设各组成环的公称尺寸已知 $A_1, A_2, \cdots,$ A_n，它们公差等级系数分别为 $a_1, a_2 \cdots, a_n$。按等精度要求，有

$$a_1 = a_2 = \cdots = a_n = a$$

式中，a 为待求组成环的等精度系数。

a. 计算等精公差等级系数 a。由尺寸链公差公式可知，封闭环的公差 T_0 等于各组成环的公差之和，即

$$
\begin{aligned}
T_0 &= T_1 + T_2 + \cdots T_n \\
&= a_1 i_1 + a_2 i_2 + \cdots a_n i_n \\
&= a \sum_{j=1}^{n} i_j ,
\end{aligned}
$$

故有

$$a = T_0 / \sum_{j=1}^{n} i_j$$

式中，i_j 为各组成环的公差因子，由各组成环的基本尺寸查表 5-1 确定。

b. 根据所得 a 值，从表 5-2 中查出对应的公差等级，根据加工的难易程度确定各组成环的公差等级。

c. 根据组成环基本尺寸和公差等级查出其公差值，并进行核算。

d. 确定各组成环的上、下偏差。

(2)等精度法反算示例　齿轮箱局部装配尺寸链如图 5-6 所示，根据使用要求，应保证间隙 A_0 在 $1.00 \sim 1.75$mm。已知各相关零件的基

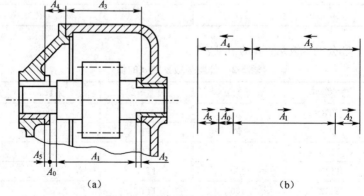

（a）　　　　　　　　　　　　　　　（b）

图 5-6　齿轮箱局部装配尺寸链

本尺寸：$A_1 = 140\text{mm}, A_2 = A_5 = 5\text{mm}, A_3 = 101\text{mm}, A_4 = 50\text{mm}$。试确定各环的尺寸公差和极限偏差。

①画尺寸链图，确定增环与减环。图 5-6(b) 为尺寸链图，间隙 A_0 是装配后得到的，故为封闭环。根据箭头方向判断：A_3、A_4 为增环，A_1、A_2、A_5 为减环。

②计算封闭环的基本尺寸，确定其公差 T_0

$$A_0 = (A_3 + A_4) - (A_1 + A_2 + A_5)$$
$$= (101 + 50) - (140 + 5 + 5)$$
$$= 1 (\text{mm})$$

故封闭环的尺寸为 $A_0 = 1^{+0.75}_{0}\text{mm}, T_0 = 0.75\text{mm}$。

③计算各组成环的公差。

a. 由表 5-1，各组成环的标准公差因子为：

$$i_1 = 2.52, i_2 = i_5 = 0.73, i_3 = 2.17, i_4 = 1.56$$

b. 计算各组成环的公差等级系数 a

$$a = T_0 / \sum i = 0.75/(2.52 + 0.73 + 2.17 + 1.56 + 0.73)$$
$$= 0.097\text{mm} = 97\mu\text{m}$$

c. 确定组成环尺寸精度级别。

由表 5-2，查出 $a = 97$ 时，尺寸精度在 IT10～IT11。各组成环尺寸精度级别可根据其工艺情况不同予以选择。箱体加工较难，有关尺寸的精度选低一点；衬套尺寸容易控制，其精度可高一点。故 A_1、A_3、A_4 选 IT11 级；A_2、A_5 选为 IT10 级。

d. 由标准公差表，分别查出各组成环的公差。

$$T_1 = 0.25\text{mm}, T_2 = T_5 = 0.048\text{mm}, T_3 = 0.22\text{mm}, T_4 = 0.16\text{mm}$$

④校核封闭环的公差

$$T_0 = \sum T_j = 0.25 + 0.048 + 0.22 + 0.16 + 0.048 = 0.726 (\text{mm})$$

实际的公差 0.726mm 小于理论的封闭环公差 0.75mm，说明按上述步骤所确定各组成环的公差是合用的，即能保证实现 $A_0 = 1^{+0.75}_{0}$ 的要求。

⑤确定各组成环的极限偏差。减环尺寸 A_1、A_2、A_5 相当于轴，其上偏差为零，即

$$A_1 = 140_{-0.25}^{0} \text{mm}$$

$$A_2 = A_5 = 5_{-0.048}^{0} \text{mm}$$

增环 A_3、A_4 均为平面间的距离,将 A_4 作为调整环,取 A_3 的下偏差为零,则

$$A_3 = 101_{0}^{+0.22} \text{mm}$$

A_4 的下偏差可通过计算得到。由公式

$$\text{EI}_0 = \sum_{i=1}^{m} \text{EI}_i - \sum_{j=m+1}^{n} \text{ES}_j$$

可知

$$0 = (0 + \text{EI}_4) - (0 + 0 + 0)$$

即 $$\text{EI}_4 = 0$$

由于 $T_4 = 0.16\text{mm}$,故 $A_4 = 50_{0}^{+0.16} \text{mm}$。

校核封闭环的上偏差

$\text{ES}_0 = (\text{ES}_3 + \text{ES}_4) - (\text{EI}_1 + \text{EI}_2 + \text{EI}_5)$

$= (+0.22 + 0.16) - (-0.25 - 0.048 - 0.048) = +0.726\text{mm}$

结果符合要求。

⑥确定各环尺寸如下:

$$A_0 = 1_{0}^{+0.726} \text{mm},$$

$$A_1 = 140_{-0.25}^{0} \text{mm},$$

$$A_2 = A_5 = 5_{-0.048}^{0} \text{mm},$$

$$A_3 = 101_{0}^{+0.22} \text{mm},$$

$$A_4 = 50_{0}^{+0.16} \text{mm}。$$

6 实用测量技巧

6.1 半径和直径的测量

6.1.1 利用小量程卡尺测量大外圆直径

利用小量程卡尺测量大外圆直径如图 6-1 所示。

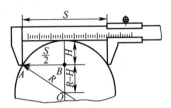

图 6-1 利用小量程卡尺测量大外圆直径

测量时，先将卡尺口张大，把尺身靠在被测外圆上，保持尺面与被测外圆轴线垂直，然后轻轻移动游标，使两卡爪的尖角与被测外圆接触，读出卡尺上的读数 S。根据几何关系可计算出被测外圆的半径和直径如下：

$$R=\frac{H}{2}+\frac{S^2}{8H} \quad 或 \quad D=H+\frac{S^2}{4H}$$

式中，H 为两卡爪尖角处到尺身间的距离，一般由卡尺的结构确定。

6.1.2 利用改制卡尺直接测量外圆弧的半径

图 6-2 是用普通游标卡尺改制的测量圆弧半径的专用卡尺。它是把游标卡尺的量爪测量面磨成与主尺基面成 $\alpha=126°51'12''$ 的角度，然后用 $\phi10$mm、$\phi14.6$mm、$\phi19.2$mm、$\phi25.8$ 的标准圆柱对改制卡尺进行校对。经研磨修正使卡尺读数的示值误差符合标准要求，之后就可测量使用了。图 6-3 所示为副尺的移动距离 a 与被测圆弧半径 R 之间的几何关系。

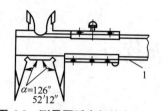

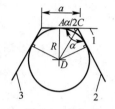

图 6-2　测量圆弧半径的专用卡尺
1. 主尺基面

图 6-3　几何关系
1. 主尺基面　2. 固定量爪　3. 活动量爪

$$\tan(\alpha/2) = \frac{a/2}{R}$$

当要求 $a=R$ 时,则 $\alpha=126°52'12''$。α 即是卡尺改制后量爪测量面与主尺基面的夹角。

6.1.3　利用自制量具测量大尺寸内、外圆的直径

图 6-4 所示为自制简易大直径量具,可用于测量大尺寸内、外圆的直径。图 6-5 为该量具的关键零件固定架体。

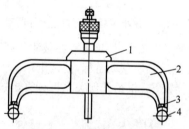

图 6-4　简易大直径量具
1. 深度千分尺　2. 固定架体　3. 螺栓　4. 量针

衬套采用 T8,量针采用 40Cr,并对衬套、量针进行淬火处理。固定架体采用 HT250。在制作量针时,待外径加工成活后再切断制成两件。铸造固定架体毛坯时,将左、右两处半圆孔铸成圆孔,并以 $Ra0.4\mu m$ 面及 $\phi10mm$ 孔定位加工该孔,保证与量针有适当的过盈量;然后再将圆孔加工成半圆孔,待量针装入固定架体,衬套压入 $\phi10mm$ 孔后,再以两量针轴线为基准定位配磨 $Ra0.4\mu m$ 面及衬套端面,并保证尺寸 $H6$。衬套孔 d 可按量杆直径配制,保证配合间隙为

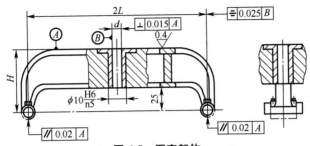

图 6-5 固定架体

0.01～0.02mm。

测量内孔和外圆直径时的测量参数如图 6-6 所示。测量内孔时的直径 D 为

$$D = \frac{L^2 + (h-H)^2 - r^2}{(h-H) - r}$$

测量外圆的直径 D 为

$$D = \pm \frac{L^2 + (h-H)^2 - r^2}{(h-H) - r}$$

式中，L 为一对量针之间中心距的一半；h 为深度千分尺的理论测量值；H 为固定架体上平面到量针中心的距离；r 为量针的半径。

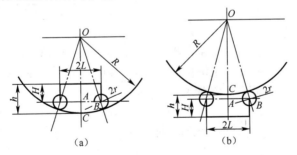

图 6-6 测量参数

(a)测内孔 (b)测外圆

当深度千分尺的测量杆为平头时，测量内孔的 h 值有误差 Δh

$$\Delta h = R - \sqrt{R^2 - d_0^2}$$

式中，d_0 为测量杆的直径。

$$h=h_{实测}+\Delta h$$

当深度千分尺的测量杆为圆头时，无论是测内孔还是测外圆，均没有测量误差 Δh，可按 $h_{实测}$ 代入公式进行计算。

6.1.4   利用自制鞍形量具测量内、外圆弧

图 6-7 所示为鞍形量具测内圆弧。鞍形件中央的竖直套筒内装有测量杆，两端对称地装有直径为 d 的圆轮，两轮中心相距为 S。测量时，测量杆下端和两小圆轮下端的距离 H 可在测量杆的刻度上读出。根据几何关系何计算出内圆弧的半径 R 和直径 D，即

$$R=\frac{1}{2}\left(H+d+\frac{S^2}{4H}\right)$$

$$D=H+d+\frac{S^2}{4H}$$

图 6-8 所示鞍形量具测外圆弧时，测量杆下端和两小圆轮下端距离 H 可在测量杆刻度上读出，工件外圆弧半径 R 和直径 D 分别为

$$R=\frac{1}{2}(H-d+S^2/4H)$$

$$D=H-d+S^2/4H$$

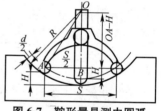

图 6-7   鞍形量具测内圆弧

自制鞍形量具通常用于测量大直径构件，如各种钢板卷弯尺寸。直径在 4000mm 以下的圆弧，鞍形量具的距离 S 在 $200\sim500$mm。

6.1.5   间接测量外径的方法

图 6-9 所示为少半圆工件或大型工件间接测量外径 D 的方法。测出两圆柱外侧间的尺寸 M，则工件直径 D 为

$$D=(M-d)^2/4d$$

式中，d 为圆柱体的直径。

6.1.6   滚柱法测量汽车制动蹄缺圆圆弧半径

图 6-10 所示为汽车制动蹄，其外圆为缺圆。可采用图 6-11 所示的滚柱法测量缺圆圆弧半径 R。

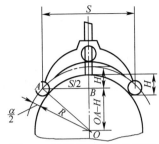

图 6-8　鞍形量具测量外圆弧

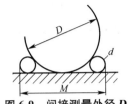

图 6-9　间接测量外径 *D*

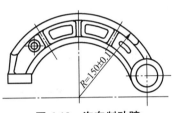

图 6-10　汽车制动蹄

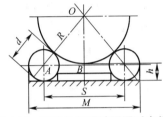

图 6-11　滚柱法测量缺圆圆弧半径 *R*

　　具体方法是在平板上放一尺寸大小合适的块规,在块规的两头放上两个直径为 d 的标准滚柱,用挡铁挡在两滚柱的外侧以防滚柱滚动。把要测的汽车制动蹄的缺圆放在两标准滚柱 d 上,测量出缺圆最低点至平板的高度 h,通过测量两标准滚柱外侧的尺寸 M 计算出两标准滚柱的中心距 S,则缺圆的半径 R 为

$$R=\frac{S^2}{8(d-h)}-\frac{h}{2}$$

6.1.7　端面环槽直径的测量方法

　　在机械加工中,常遇到端面环槽的车削加工或镗削加工,端面环槽如图 6-12 所示。当环槽的某一直径有严格的公差要求时,如 $\phi70_{-0.025}^{\ 0}$ mm,用普通的游标卡尺很难准确测量这一尺寸。为提高产品的装配精度,必须准确测量环槽的直径并加以控制。这时可借用 50～75mm 的齿轮公法线千分尺来测量环槽的 $\phi70_{-0.025}^{\ 0}$ mm 直径,测量方便又准确,从而可控制 $\phi70_{-0.025}^{\ 0}$ mm 的尺寸,使装在环槽中的密封圈张力合

适,密封可靠。图 6-13 所示为端面环槽的测量。

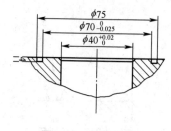

图 6-12 端面环槽

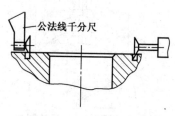

图 6-13 端面环槽的测量

6.1.8 小孔径的钢球测量法

在检测小批量的小孔直径时,用专用量具不太经济,用普通的卡尺测量时,因小孔圆弧面曲率大,卡尺卡爪的宽度使测得数值有较大的误差,孔径越小,误差也越大。这时可采用钢球测量法,如图 6-14 所示。

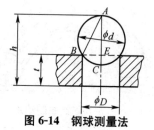

图 6-14 钢球测量法

把要测的小孔孔口毛刺去掉,但不能倒角,否则会影响测量精度。把一直径为 d 的光滑钢球放在小孔上,然后用卡尺或高度尺等量具测量出图中所示的 h 值和 t 值,代入公式

$$D = 2\sqrt{(d-h+t)(h-t)}$$

该钢球测量法简单实用,测量精度也较高,钢球直径应大于孔径。

6.1.9 自制的小孔量具

图 6-15 所示为一种自制小孔量具。该量具由百分表 1、定位体 2、测量体 6、测量爪 7 和定位爪 8 等组成。定位体 2 装在百分表 1 的表杆上,由调整螺钉 3 紧固,在定位体中心槽与测量体中心凸键吻合后,可根据测量的需要任意调整方位。去掉百分表 1 的触头后,把测量体 6 装在百分表 1 的表端触头位置上并由联接螺钉 5 联接,组成一个完整的测量体系。定位爪 8 与测量爪 7 分别装在定位体 2 与测量体 6 上,分别起基准定位与测量作用。制造后的两爪必须尺寸一致,装配后必须与百分表 1 的中心线垂直相交,偏差≤0.003mm。定位体 2 上端(附

件1)定位爪伸出部位中心
处开有精密键槽,并与测量
体6上端(附件2)测量爪相
配合,以控制测量体6作定
向水平滑动,从而使定位爪
8和测量爪7实现测量。

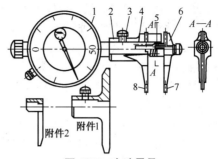

测量前,让定位爪8与
测量爪7重合,再用块规与
块规附件作基准尺寸定位、
校准,也可用环规校准,但
尽量不用外径千分尺,以避
免引入测量误差。在其最

图 6-15　小孔量具

1. 百分表　2. 定位体　3. 调整螺钉　4. 弹簧
5. 联接螺钉　6. 测量体　7. 测量爪　8. 定位爪

大值时,将百分表指针调零,定位基准尺寸确定后,再重复进行一次,以
检查示值有无误差。

测量时,先使定位爪8和测量爪7重合,轻轻插入被测孔中,然后
放松两爪,并轻微摆动,于是,利用百分表的回转和弹簧的平衡,使量具
在径向找到被测孔的最大值,此时百分表上指针所指示的读数,即为孔
的实际测量尺寸。

6.1.10　大直径内孔环槽直径的间接测量法

图 6-16 所示的大直径油缸的内孔直径为 $\phi380^{+0.119}_{+0.062}$ mm,孔内的环

形密封槽直径为 $\phi392.3^{+0.110}_{0}$
mm,测量这样大的环槽直径,需
用较大尺寸的专用量具,测量比
较困难。为此,可用间接测量法,
通过测量环槽的深度来判断出环
槽的直径和公差是否合格。

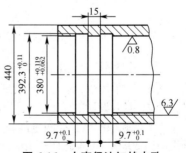

首先计算出环槽的单边深
度,由内孔直径 $\phi380^{+0.119}_{+0.062}$ mm 和
环槽直径 $\phi392.3^{+0.110}_{0}$ mm,可推

图 6-16　大直径油缸的内孔

算出相应的双边槽深为 $12.3^{+0.048}_{-0.119}$ mm,单边槽深为 $6.15^{+0.024}_{-0.0595}$ mm。这
样,只要测量单边槽深 $6.15^{+0.024}_{-0.0595}$ mm 就可判断环槽直径 $\phi392.3^{+0.110}_{0}$

mm 是否合格,把测量大尺寸转化为测量小尺寸,相应的量具也可用小的。按此测量法设计制作的槽深量具如图 6-17 所示。该量具主要由紧固螺钉 1、半圆块表座 2、百分表 3、黄铜橡胶夹套 4、手柄 5 和标准量块 6 组成。

测量前,把量具放在标准量块上,根据要测的槽深尺寸 H 调整百分表的安装高度并让百分表的测头接触到标准量块上的槽底,并让百分表测头有一定的压缩量,拧紧紧固螺钉,把百分表指针调零。

如图 6-18 所示,槽深测量时,把半圆块表座和在标准量块上对表时一样,放在被测槽的两边上,百分表测头插入槽内,通过半圆块自动找正中心,使百分表的测头方向经过环槽的直径,如图 6-18 所示。百分表指针的读数就是槽深相应的误差值,用相对测量法间接测出槽深,在 $6.15^{+0.024}_{-0.0595}$ mm 范围内,则环槽直径 $\phi 392.3^{+0.110}_{0}$ mm 合格。

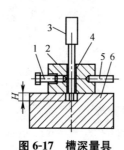

图 6-17　槽深量具

1. 紧固螺钉　2. 半圆块表座　3. 百分表
4. 黄铜橡胶夹套　5. 手柄　6. 标准量块

图 6-18　槽深测量

6.1.11　孔内精密凹槽直径的测量方法

图 6-19 所示为工件孔内精密凹槽直径测量。为准确地测量该凹槽直径 $\phi 80$H6,设计制作了图 6-20 所示的专用量具。

为确保孔内凹槽直径测量准确,应采用相对测量法。首先把一千分尺调到 80mm,并准确对零,用来对等臂测杆的尺寸 A 进行校对,此时将等臂测杆另一端固定的数字游标卡尺调零。然后就可以用来测量了。

测量时,把等测杆的测量端伸到 $\phi 80$H6($^{+0.019}_{0}$)凹槽内,使等臂测

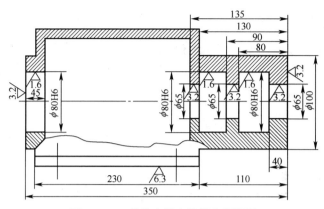

图 6-19 工件孔内精密凹槽直径测量

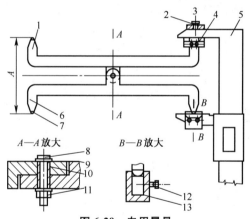

图 6-20 专用量具

1,6. 测杆 2. 螺栓 3. 固定卡槽 4. 铆钉 5. 数显卡尺 7. 钢球
8. 螺钉 9. 垫圈 10. 套 11. 螺母 12. 顶丝 13. 导向槽

杆的中心线与被测孔中心线重合,并转动等臂测杆,使其测出最大值,即测到直径位置上,若数显卡尺显示小于零,且在 $0\sim0.019\text{mm}$ 范围内,则被测凹槽直径 $\phi80\text{H6}(^{+0.019}_{0})$ 合格,若数显卡尺显示大于零,则为不合格。注意,显示值即为实际偏差值,但方向相反。该测量方法测量准确、方便、迅速。

6.1.12　钳式高精度内孔环槽底径检测仪

图 6-21 是一种钳式高精度内孔环槽底径检测仪结构。该检测仪主要由调节爪 1、钳体 3、4，轴 5，压簧 6，限位长螺钉 7，千分表 8，表架杆 9、11 和手柄 12 等组成。调节爪 1 用螺钉紧固在钳体 3、4 的端面上，一对调节爪 1 的长度可根据被测内孔环槽底径的大小系列化，即做成多种，随时可更换。

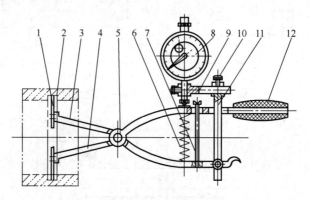

图 6-21　检测仪结构

1. 调节爪　2. 紧定螺钉　3,4. 钳体　5. 轴　6. 压簧　7. 限位长螺钉
8. 千分表　9,11. 表架杆　10. 锁紧螺钉　12. 手柄

如图 6-22 所示为工件内孔环槽，根据 D 的大小，选装一对合适长度的调节爪于检测仪的钳体上，用一大小相应的外径千分尺校对检测仪，先把外径千分尺调整到工件要求的最小尺寸，使千分表对准零位，再把千分表调到工件要求的最大尺寸，这时记住千分表指针所指数值 n，检测时被测尺寸在千分表上显示的数值在 $0 \sim n$ 范围内，环槽底径 $D^{+\Delta D}_{0}$ 就合格。由于采用千分尺对零，量具的主要误差应是千分尺误差，即 ± 0.002mm（0 级千分尺）。

调节爪的基本形状和尺寸如图 6-23 所示。可根据工件内孔环槽的形状和结构设计制作相应的调节爪，以满足特殊的测量要求。l 尺寸可系列化，做成多种长度，材料可用 T8A、T10A 等，淬火 55～60HRC。

图 6-22　工件内孔环槽

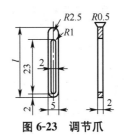

图 6-23　调节爪

6.1.13　固定剪式内径量具

图 6-24 是一种固定剪式内径量具。该内径量具主要由 V 形块 2、垫块 3、铰轴 4、动臂 5、台阶式底座 6、固定臂 7 和扭簧 8 等组成。

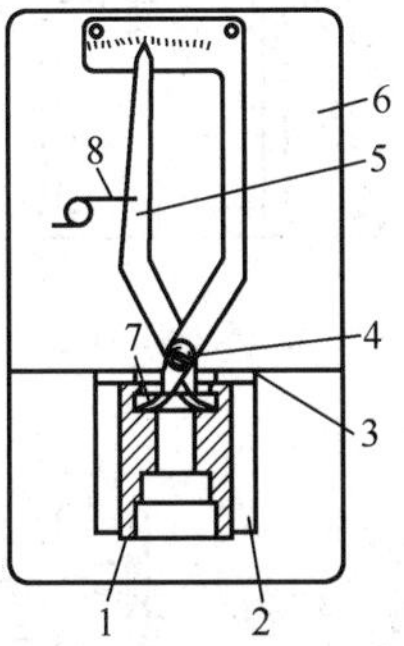

用铰轴 4 把动臂 5 和固定臂 7 铰接在一起,用螺钉把固定臂 7 固定在台阶式底座 6 的上平面。要检测内径的工件 1 放在 V 形块 2 上,V 形块 2 的高度使工件 1 的中心线与量具的两活动和固定臂等高,确保测头测到孔径的最大值。在单件小批生产中,可不用 V 形块 2,找一平垫辅支承工件即可。扭

图 6-24　固定剪式内径量具

1. 工件　2. V 形块　3. 垫块
4. 铰轴　5. 动臂　6. 台阶式底座
7. 固定臂　8. 扭簧

簧 8 提供测量力,使测量头始终与被测内孔壁接触良好。在固定臂 7 的尾部刻有刻度,可直接读数。

6.1.14　深孔环槽直径测量仪

在机械加工中常遇到加工孔内环槽的缸体工件,如图 6-25 所示。离孔口较近的孔内环槽 A 可用测槽游标卡尺测量,而离孔口较深的深孔环槽 B 则无法使用测槽游标卡尺,用内径卡钳也不方便。有时还会遇到如图 6-26 所示的同轴孔工件,工件上的两孔 $\phi 48^{+0.08}_{0}$ mm 和 $\phi 52^{+0.052}_{0}$ mm 是两个轴承孔,有 $\phi 0.05$mm 的同轴度要求。为了保证同轴度 $\phi 0.05$mm,加工工艺常要求一次定位夹紧,车出两孔。这样造成孔 $\phi 48^{+0.08}_{0}$ mm 无法用通量具测量。为解决上述这类问题,可设计制作

图 6-27 所示的深孔环槽直径测量仪。

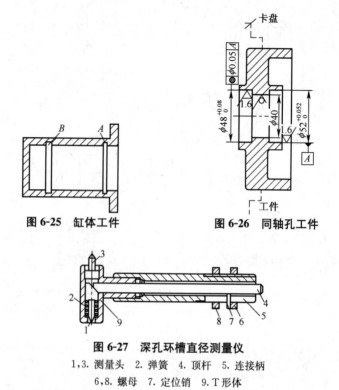

图 6-25   缸体工件

图 6-26   同轴孔工件

图 6-27   深孔环槽直径测量仪

1,3. 测量头   2. 弹簧   4. 顶杆   5. 连接柄

6,8. 螺母   7. 定位销   9. T 形体

该测量仪主要由测量头 1、3,弹簧 2,顶杆 4,连接柄 5,螺母 6、8,定位销 7 和 T 形体 9 组成。其中,连接柄 5 和顶杆 4 的长度决定着所能测量的环槽在孔内的深度。测量头 1、3 的头部可做成不同的形状,以测量不同形状的孔内环槽。

(1)测量方法

①将螺母 6 向上旋,使测量头 3 缩回,然后放置所测的孔或槽中。

②把螺母 6 向下旋,即可带动定位销 7 使顶杆 4 把测量头 3 顶出直至旋不动为止。

③把螺母 8 从下向上旋至和定位销 7 相靠并旋不动为止。

④松开螺母 6 使测量头 3 在弹簧作用下缩回。

⑤把量具拿出工件后,再重新把螺母 6 向下旋至测量时的位置(即使定位销与螺母 8 压靠在一起)。

⑥使用游标卡尺或千分尺测两测量头的长度,即可知所测尺寸的大小。

若在测量仪连接柄 5 上刻上尺寸刻度并进行校对,则可直接从刻度上读取尺寸大小。

(2)注意事项

①测量时一定使量具轴线和被测孔径或槽的中心线平行,必要时可自制一辅具。

②测量时螺母 8、6 和定位销 7 一定要紧靠在一起,使用前多练习几次。

③该量具装配时要保证测量头 1 和 3 之间的平行度。

6.1.15 利用卡钳测量毛坯件的壁厚和型腔

对铸、锻和焊接结构的毛坯检验时,可设计制作图 6-28 所示测量毛坯件壁厚和型腔的卡钳。图 6-28(a)是固定式测壁厚卡钳;图 6-28(b)是固定式测型腔卡钳;图 6-28(c)是可调式测壁厚卡钳;图 6-28(d)是可调式测型腔卡钳。

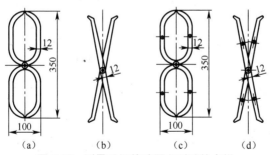

图 6-28　测量毛坯件壁厚和型腔的卡钳

图 6-29 是卡钳测量示例,图 6-29(a)是用固定式测壁厚卡钳与游标卡尺配合测内孔壁厚;图 6-29(b)是用固定式测型腔卡钳与钢板尺配合测内孔的直径。

制作卡钳的材料是 3mm 左右厚的中碳钢钢板,根据所制卡钳的形状和尺寸划线,在立铣床上压紧后用小直径立铣刀按划线铣出。制出一对钳臂后,用压板压紧完全重叠在一起的一对钳臂,按划线尺寸和样冲孔钻、铰 ϕ5mm 铰轴孔,保证与 ϕ5mm 铆钉的小间隙配合,孔口倒角 0.5×45°。先用 M5 螺钉和螺母把两钳臂装配在一起,按要求的尺寸对卡钳的测量脚进行修锉和整形,使两卡钳的测量脚对齐并让其连线通过铰轴孔,且两边的臂长相

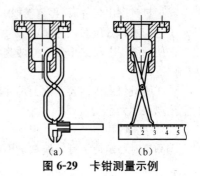

(a)　　　　(b)

图 6-29　卡钳测量示例

等,然后淬火 40～50HRC,淬火后再整形、法兰或电镀。最后加垫片铆接至两卡钳臂松紧适度即可。

可调式卡钳的可调卡钳脚部分用螺钉和螺母紧固,根据被测尺寸大小进行调整。

6.1.16　工件上等分奇数圆弧段直径的测量方法

图 6-30 所示的工件上有三等分均布的圆弧段,三段圆弧的共同直径是 $\phi200^{+0.06}_{0}$mm,由于是不连续的奇数等分,在没有三点内径千分尺的情况下,可采用图 6-31 所示的测量方法测算出三段圆弧的共同直径。

图 6-30　工件

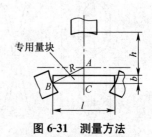

图 6-31　测量方法

首先制作一专用量块,其长度 l、厚度 b 要严格控制,宽度据实际工件的情况而定,注意 l 尺寸两端不能倒角。按图放置专用量块并测量出 h 尺寸之后,根据几何关系可得出

$$R=\sqrt{\left(\frac{l}{2}\right)^2+(h+b-R)^2}$$

式中, R 为三段圆弧的半径; l 为专用量块的长度; b 为专用量块的厚度; h 为测量值。

6.1.17 利用深度千分尺测量凹圆弧的半径

在机械加工过程中遇到有些较大较重的零件上,采用深度千分尺测量内圆弧比较方便,如图 6-32 所示,其测量原理如图 6-33 所示。

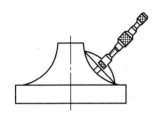

图 6-32 深度千分尺测量内圆弧

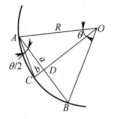

图 6-33 测量原理

计算方法为设千分尺的底脚长 $AB = 2a$,这可用外径千分尺准确测量出,设千分尺底脚长 AB 对应的圆弧 $\overset{\frown}{AB}$ 的弦高 $CD = b$,这可在深度千分尺上直接读出,设需要测出的圆弧半径为 $OA = OB = R$,则 R 为

$$R = \frac{a^2 + b^2}{2b}$$

6.1.18 内腔直径的双球测量法

图 6-34 所示的零件内腔直径大于通孔孔径,无法直接测量。采用图示双球测量法,通过计算可得到准确的内腔直径 D。

具体方法是:选择两个直径大小不等的钢球 d_1 和 d_2,且 $d_2 > d_1$,并满足条件 $D < d_1 + d_2 < H$,H 为内腔的高度或长度。把大小两钢球依次放入工件内腔后,用深度尺测出大、小钢球最高点到工件外端面的深度 a 和 b,代入公式

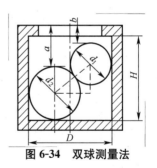

图 6-34 双球测量法

$$D = \frac{d_2 + d_1}{2} + \sqrt{\left(\frac{d_2 + d_1}{2}\right)^2 - \left[\left(a + \frac{d_2}{2}\right) - \left(b + \frac{d_1}{2}\right)\right]^2}$$

6.1.19　外圆内球零件的内球直径测量法

图 6-35 所示为外圆内球零件，外圆
直径为 D_2，内部加工有球面 $S\phi D$。为
了测量 $S\phi D$ 的直径 D，选择一精密钢
球，其直径为 d_0，把钢球 d_0 放进球面
内，钢球会自动滚到球面的最低点，测
量出尺寸 $(t+d)$，可知道 t 的大小，则 D
$= D_2 - 2t$。这样就测量出了球面的
直径。

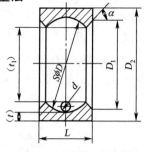

图 6-35　外圆内球零件

6.1.20　测半内球面的直径

图 6-36 所示的工件上部有一个半内球面，半内球面的直径为
$S\phi 25.7_{-0.02}^{0}$ mm，半径为 $SR12.85_{-0.01}^{0}$ mm。半内球面加工完成后要求
准确测量其直径 $S\phi 25.7_{-0.02}^{0}$ mm。用普通量具和常规手段无法准确测
量其直径 $S\phi 25.7_{-0.02}^{0}$ mm，这时可用间接测量方法进行测量，如图 6-37
所示。选一个 $S\phi 27$mm 的钢球，其圆度误差应控制在 0.002mm 内。
测量时，把杠杆千分表安装在磁性表座上，用块规将杠杆千分表调好后
吸附在 0 级平板上，把擦净并去毛刺的工件放在平板上，把钢球也擦干
净后放在被测内半球上。移动工件分别测出 H_2 和 H_1 值，计算出 H
值（$H = H_2 - H_1$）。若 H 值在（$\sqrt{13.5^2 - 12.85^2} + 13.5$）～
（$\sqrt{13.5^2 - 12.84^2} + 13.5$）mm，即 H 值若在 17.638～17.669mm 范围
内，则内半球直径 $\phi 25.7_{-0.02}^{0}$ mm 合格。

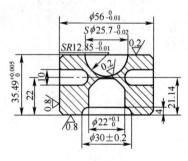

图 6-36　工件

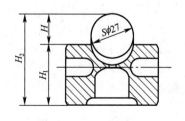

图 6-37　间接测量方法

6.2 锥面参数和角度的测量方法

6.2.1 大直径内锥角环规的正弦规测量法

对于直径和长度均较大的环规锥孔,用锥度塞规检验锥角极为不方便,改用正弦规测量有助于提高检测精度。如图 6-39 所示,利用三角形外角等于不相邻两内角之和的测量原理,可以精确测定大锥孔的锥角,工件的锥度 $\alpha=\beta+\gamma$。

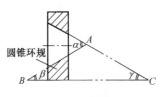

图 6-38 测量原理

测量方法如图 6-39 所示。测量用的工量具有:平板 1、正弦规 2、量块组 3、测微表 5 和表架 6 等。测量 β 角时,按图 6-39(a)安装被测圆锥环规 4 和正弦规 2,在正弦规 2 左侧的圆柱下垫入量块组 3,通过调整量块组 3 的高度 h,使圆锥环规 4 圆锥面的下母线与平板 1 平行。方法是用测微表 5 测量圆锥环规 4 圆锥面下母线的两端,若两端的示值相等,则说明已经平行。这时,根据正弦关系有 $\beta=\arcsin(h/L)$,则可求出 β 角。在测量 γ 角时,在正弦规 2 的右侧圆柱下垫入量块组 3,如图 6-39(b)所示,通过调整量块组高度 h_1,使圆锥环规 4 的圆锥面的上母线平行于平板 1。同样用测微表 5 检测上母线的两端,若两端的示值相等,则说明已经平行。这时,根据正弦关系有 $\gamma=\arcsin(h_1/L)$,则

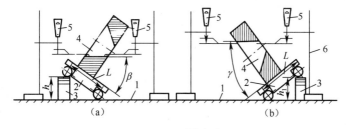

图 6-39 测量方法

(a)测量 β 角 (b)测量 γ 角

1. 平板 2. 正弦规 3. 量块组 4. 被测圆锥环规
5. 测微表 6. 表架

可求出 γ 角。圆锥环规的内锥角 $\alpha=\beta+\gamma$。

上述测量内锥角的方法简单,易于操作,测量精度高。

6.2.2 测量内锥大径的简易方法

在机械加工中,常需加工内锥面,而内锥面
尺寸一般标注是大端直径 D 和锥角 α,如图 6-40
所示。用普通的量具无法准确测量出内锥面的
大端直径 D。测量内锥面大径的方法如图 6-41
所示。用磁力座 1 和固定弹簧夹 3 装夹一大量
程百分表 2,百分表 2 下固定专用测头 4。专用
测头 4 为外锥体,锥角为 $126°52'$。专用测头 4
与内锥面接触后,接触点到测头 4 顶点的距离为
C,则

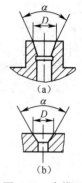

**图 6-40 内锥面
尺寸标注**

$$D =2C \cdot \tan(126°52'/2)$$
$$=2C \cdot \tan63°26'=4C。$$

测量时,使专用测头 4 的尖部(保持尖锐)先接触 B 面,然后再移动
工件 5,使测头 4 插入锥孔,用百分表 2 测出 C 值,$4C$ 则为内锥大径。

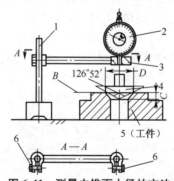

图 6-41 测量内锥面大径的方法

1. 磁力座 2. 大量程百分表 3. 固定弹簧夹
4. 测头 5. 工件 6. 螺钉

6.2.3 测量外锥小径的简易方法

在车削或磨削外锥面时,若外锥面尺寸标注是小径尺寸 d,如图 6-
42 所示,则应检测其小径尺寸 d。用普通量具很难准确测量出外锥面

小径 d。测量外锥面小径的方法如图 6-43 所示。在磁力座 1 和固定弹簧夹 3 上固定一块大量程百分表 2,在百分表 2 的下端测量杆上固定一专用测量头 4,专用测量头 4 具有内锥面,其锥角为 $126°52'$,其大底直径为 D,并将 D 值刻写在外锥面(F 面)上。测量时,先把测头 4 底面 C 放置于工件 B 面上,将百分表调零,再移动测头到图示测量位置,读出百分表示值 C,则工件 5 的小径 $d = D - 2C \cdot \tan 63°26' = D - 4C$。

图 6-42 外锥面尺寸标注

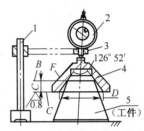

图 6-43 测量外锥面小径的方法

1. 磁力座 2. 大量程百分表 3. 固定弹簧夹 4. 专用测量头 5. 工件

6.2.4 测量圆锥孔锥角和大径的方法

在测量圆锥孔的锥角和大端直径时,常用两个大小直径的精密钢球和普通量具来测量。当钢球直径不合适时,可采用附加圆柱体的方法完成测量。

(1)**方法一** 方法一如图 6-44 所示,在小端钢球侧面附加圆柱体 d_0,则圆锥孔的锥角 α 和大径 D_L 可按下式计算

$$\sin\left(\frac{\alpha}{2}\right) = (d_1 - d_2 - 2d_0)/2(M - N) - (d_1 - d_2)$$

$$D_L = 2\tan\left(\frac{\alpha}{2}\right)\left(N + \frac{d_1}{2}\right) + d_1/\cos\left(\frac{\alpha}{2}\right)$$

式中,d_1 为大钢球直径;d_2 为小钢球直径;d_0 为圆柱体直径;M 为小钢球上面到大锥口端面的距离;N 为大钢球上面到大锥口端面的距离。

(2)**方法二** 方法二如图 6-45 所示,在大端钢球侧面附加圆柱体 d_0,则圆锥孔的锥角 α 和大径 D_L 可按下式计算

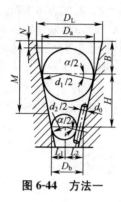

图 6-44　方法一

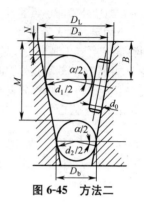

图 6-45　方法二

$$\sin\left(\frac{\alpha}{2}\right)=d_1-d_2+2d_0/2(M-N)$$
$$-(d_1-d_2)$$
$$D_L=2\tan\left(\frac{\alpha}{2}\right)\left(M+\frac{d_2}{2}\right)+\frac{d_2}{\cos\left(\frac{\alpha}{2}\right)}$$

（3）方法三　方法三如图 6-46 所示，在大端钢球侧面附加圆柱体 d_{01}，在小端钢球侧面附加圆柱体 d_{02}，则圆锥孔的锥角 α 可按下式计算

$$\sin\left(\frac{\alpha}{2}\right)=d_1-d_2+2(d_{01}-d_{02})/$$
$$2(M-N)-(d_1-d_2)$$

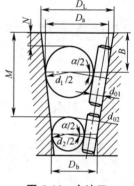

图 6-46　方法三

作为特例，若 $d_{01}=d_{02}=0$，即不附加圆柱体，仅用大、小两钢球测量时，锥孔的锥角为

$$\sin\left(\frac{\alpha}{2}\right)=d_1-d_2/2(M-N)-(d_1-d_2)$$

锥孔大端直径 D_L 为

$$D_L=2\tan(\alpha/2)(M+d_2/2)+d_2/\cos(\alpha/2)$$

6.2.5　锥孔锥度的圆环测量法

车工车出大的锥孔后用钢球或锥度样棒检测大锥孔的锥度都不方

便。而用两个圆环就能测出大锥孔的斜角 α 和锥度 K,测量环如图 6-47 所示。

两测量环要一大一小,其半径差为 ΔR,两测量环在两边要有 r 倒圆,r 是倒圆半径,其值必须小于测量环与锥孔接触点处的锥孔截面半径。为使用方便,可在测量圆环侧面安装小手把。

测量方法如图 6-48 所示,测量出两圆环的高度差 h 后,就可计算出锥孔的斜角 α 和锥度 K

$$a=\arcsin[\Delta R/(h-\Delta R)]$$
$$K=2\tan\alpha$$

图 6-47　测量环

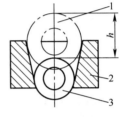

图 6-48　测量方法
1. 大测量环　2. 工件
3. 小测量环

6.2.6　外圆锥锥角的套环测量方法

外圆锥的锥角可在正弦规上测量,若没有正弦规,或测量安装在机器上的零件外圆锥的锥角,则可用简易的外圆锥锥角套环测量法,如图 6-49 所示。

为测量外圆锥的锥角,可制作多个不同内径的套环。测量时,选择一大一小两个套环套在被测外锥面上,两个套环的内径尽可能差别大些,以使测量更准确,还必须使套环的中心线与锥体的中心线同轴,即要套正套环。由于套环的内径 d、D 和厚度 L_2 都是已知的,可用电笔刻在套环的平面上。因此,只要测出 L_1 值就可计算出 α 角,$\tan\alpha=(D-d)/2(L_1-L_2)$,外圆锥的锥角即为 2α。注意测量 L_1 时要测量均布的三处,求平均值后代入公式,以使测量更准确。

6.2.7　测量外锥面锥角的简易方法

采用正弦规测量外锥面的锥角比较麻烦。利用图 6-50 所示的简易量具,也可以精确地测定外锥面的锥角。该量具仅由三部分组成,即测量基面板1、垫铁2和固定测量柱3。垫铁高度 H 和固定量柱直径 D 都是定值。

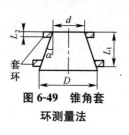

图 6-49　锥角套环测量法

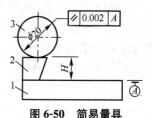

图 6-50　简易量具

1. 测量基面板　2. 垫铁

3. 固定测量柱

测量方法如图 6-51 所示,测量时,把锥体的大端朝下放在测量基面板1上,紧贴锥体放固定测量柱3在测量基面板1上,用卡尺测量出 M 值。然后,在测量基面板1上放好垫铁2,把固定测量柱3放在垫铁2上并靠紧锥体,这时,用卡尺测量出 M_1 值。

通过测得的 M 和 M_1 值及已知的垫铁高 H 和固定测量柱的直径 D 就可计算出锥体的半角 α 和大、小头的尺寸 L。

由于

$$O_1O = \frac{M-M_1}{\sin 2\alpha} = \frac{M-M_1}{2\sin\alpha\cos\alpha}$$

$$O_1O = \frac{H}{\cos\alpha} = \frac{M-M_1}{2\sin\alpha\cos\alpha}$$

所以有 $2H\sin\alpha\cos\alpha = (M-M_1)\cos\alpha$

$$2H\sin\alpha = M-M_1$$

$$\alpha = \arcsin\frac{M-M_1}{2H}$$

$$L = \frac{M}{\cos\alpha} - D\left[\cot\left(45° \pm \frac{\alpha}{2}\right)\right]$$

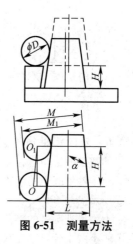

图 6-51　测量方法

式中,取"+"号,L 为锥体大头尺寸,取"−"号,L 为锥体小头尺寸。

6.2.8 用钢球和深度千分尺测量锥孔的锥角

用钢球和深度千分尺测量锥孔特别是小直径锥孔的锥角操作简单,测量精度高。深度千分尺上的测量杆头头是圆弧形的,在与钢球的最高点接触时会产生测量误差,因此,要制作三根测头为平面的可换测量杆,如图 6-52 所示。三根可换测量杆的长度为 0~25mm、25~50mm 和 50~75mm,其他尺寸应与原相应的可换测量杆的尺寸相同。自制的三根可换测量杆

图 6-52 可换测量杆

的材料选优质碳素工具钢 T10A,测量头 10mm 长一段淬火,硬度为 56~60HRC。要研磨其端面,保证测量面与测量杆轴线垂直。25~50mm 长度的测量杆长度偏差小于 $\pm 3\mu m$,50~75mm 长度的测量杆长度偏差应小于 $\pm 5\mu m$。把制好的三根测量杆分别装在深度千分尺上,按照深度千分尺的技术要求,用五等或二级量块在 2 级平晶或研磨面的 0 级平板上进行示值误差的检定,合格后才可使用。

测量方法如图 6-53 所示,测量的锥孔端面应无毛刺且垂直于锥孔的轴线。把被测锥体小端朝下放置在 0 级平板上,在锥孔内放置一适当大小的小钢球 d,深度千分尺上换上适当长度的自制可换测量杆,测量出深度尺寸 H_1,然后取出小钢球再放进一个适当直径的大钢球 D,最高点不可高出锥孔大端面,在深度千分尺上换上适当长度的自制可换测量杆,测量出另一深度值 H_2。锥角 2α 为

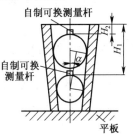

自制可换测量杆

自制可换测量杆

平板

图 6-53 测量方法

$$2\alpha = 2\arcsin[D-d/2(H_2-H_1)-(D-d)]。$$

6.2.9 外锥面大端直径和锥角的测量方法

外锥面的测量如图 6-54 中所示,要求测量外圆锥面的大端直径 D 和外圆锥面的锥角 2α。用圆柱量块法来完成其参数的测量。

把工件放在平板上,在工件的 A 面上的外圆锥面两侧放上两个等径的圆柱 d,保证两圆柱 d 相对外圆锥轴线对称,且紧贴外圆锥面和 A 面。然后用较精密的长度量仪测出两圆柱 d 外侧的尺寸 L。接着在两

圆柱 d 下面垫上等高的量块,其高度为 h,同样在保证两圆柱 d 与外锥面和量块紧密接触的情况下,用较精密的长度量仪测出两圆柱 d 外侧的尺寸 L_1。根据图 6-55 所示的参数关系,先求出外锥面的半锥角 α 和外锥面的大端直径 D

$$\alpha = \arctan \frac{L-L_1}{2h}, 2\alpha = 2\arctan \frac{L-L_1}{2h}$$

$$D = L - \left[1 + \frac{1}{2}\text{tg}(90° - \alpha)\right]d$$

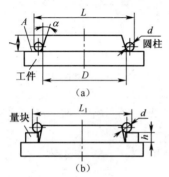

(a)

(b)

图 6-54   外锥面的测量

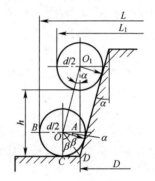

图 6-55   参数关系

6.2.10   用大、小两钢球测量锥孔的锥度和大小直径

设锥孔大、小端的直径分别为 A 和 B,锥孔深度为 T,大、小两钢球的直径分别为 D 和 d,测量方法如图 6-56 所示。

测量时,先把小钢球 d 放入锥孔中,用深度尺测量出大孔口端面到小钢球 d 最高点之间的距离 H,然后把大钢球 D 放入锥孔中,用深度尺测量

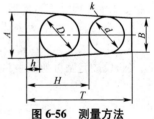

图 6-56   测量方法

出大孔口端面到大钢球 D 最高点之间的距离 h,则锥孔的锥度 k、大端孔口直径 A 和小端孔口直径 B 的具体数值可分别按公式计算出

$$k = \frac{1}{\dfrac{H-h}{D-2} - \dfrac{1}{2}}$$

$$A=\frac{h}{\dfrac{H-h}{D-d}-\dfrac{1}{2}}+\frac{2D}{2-\dfrac{D-d}{H-h}}$$

$$B=\frac{2d}{2-\dfrac{D-d}{H-h}}-\frac{T-H}{\dfrac{H-h}{D-d}-\dfrac{1}{2}}$$

6.2.11 磨削加工过程中测量锥面精度的方法

检具和工件如图 6-57 所示,锥面的大端直径为 $\phi160mm$,半锥角为 7°。在批量加工锥面前,应先加工好该标准样件,放进锥面检具 1 后保证样件端面到检具大孔端的距离为 4mm±0.005mm。锥面测量方法如图 6-58 所示。把样件按实际加工位置装夹进行对表,百分表 7 固定在量具体 2 上,把量具体 2 放在心轴 1 上并紧靠台阶端面,百分表 7 的测头落在样件 3 的锥面左半部即可,但不要太靠近大端处,这时使百分表的指针调"0",然后即可进行批量加工并进行测量了。

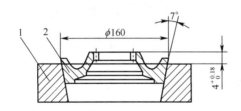

图 6-57 检具和工件

1. 检具 2. 工件

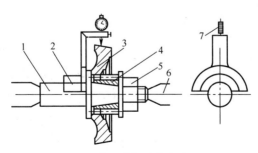

图 6-58 锥面测量方法

1. 心轴 2. 量具体 3. 样件 4. 胀套 5. 压紧螺母 6. 机床顶尖 7. 百分表

由于零件锥面磨削后最终要求的尺寸为 $4^{+0.18}_{0}$ mm,公差为0.18mm,这是轴向的变化量,而百分表 7 测到的是锥面径向的变化量,所以应按正切关系换算

$$x_变=0.18×\tan 7°=0.022(\text{mm})$$

即百分表指针在沿逆时针方向转过不超过 2 小格时,零件的锥面为合格。

当操作者在加工中没有磨到合格尺寸时,百分表 7 的指针定会在"0"线左侧的某个位置上,下次磨削的进给量就是使百分表 7 的指针顺时针转到"0"线。使用该测量方法,不用卸下零件就可测量,效果良好。

6.2.12 利用钢球测量锥孔大径的方法

图 6-59 所示的零件在直径为 $\phi 7$mm 的圆柱孔内有一 90°锥孔,其大端直径为 $\phi 2.3$mm±0.05mm。由于是在孔内的锥孔,无法直接测量大端直径,只能用钢球法间接测量。一般可按图 6-60 所示的测量方法,把直径为 r 的钢球放入锥孔,测出钢球最高点到锥孔端面的距离 H_1,在已知锥角为 2α 的条件下,锥孔大端直径 D 为

$$D=2\left[\left(\frac{1}{\sin\alpha}+1\right)r-H_1\right]\tan\alpha$$

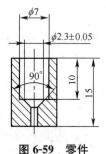

图 6-59 零件   图 6-60 测量方法

6.2.13 利用分度头和百分表测量曲轴曲柄间的夹角误差

用分度头和百分表测量曲轴曲柄间夹角误差的方法如图 6-61所示。

把分度头和可调高度 V 形块放在平板上,用分度头的三爪卡盘夹持住曲轴的一端支承轴颈,另一端支承轴颈放在可调高度 V 形块上,调整 V 形块的高度使曲轴支承轴颈中心线和平板平行。转动分度头,

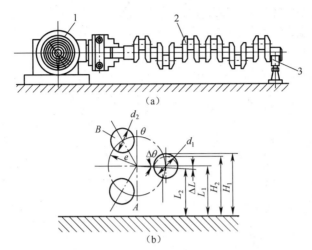

图 6-61 用分度头和百分表测量曲轴曲柄间夹角误差的方法
1. 分度头 2. 曲轴 3. 可调高度 V 形块

使要测夹角的两组曲柄中的一组转到水平位置,用百分表测量该组曲柄颈的最高点相对平板的高度 H_1;然后,按两组曲柄间的标注夹角再次转动分度头,用百分表测量另一组曲柄颈的最高点相对平板的高度 H_2,则两组曲柄间的夹角误差 $\Delta\theta$ 为

$$\Delta\theta = \arcsin(\Delta L/e)$$
$$\Delta L = L_1 - L_2$$
$$L_1 = H_1 - (d_1/2)$$
$$L_2 = H_2 - (d_2/2)$$

式中,ΔL 为被测两组曲柄颈中心相对平板的高度差,mm;e 为两组曲柄的偏心距,mm;d_1,d_2 为被测两组曲柄的直径实际测量值,mm。

6.2.14 内燃机曲轴连杆轴颈 120°夹角及其误差的测量方法

图 6-62 曲轴连杆轴颈夹角为 120°,内燃机曲轴轴颈的位置分布如图。该曲轴加工完毕后,要求对连杆轴颈间的夹角 $120° \pm 10'$ 进行检测,以确保内燃机的工作性能,具体方法如下。

把曲轴两端主轴颈分别支承在一对可调 V 形架上,并调整两端 V 形架,同时用百分表测量主轴颈上母线,使主轴颈的轴线与平板平行。

然后把曲轴转到图 6-63 所示曲轴连杆轴颈夹角测量位置,并在一个连杆轴颈下面垫入量块,量块的高度 h 可按下式计算

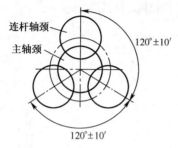

图 6-62　曲轴连杆轴颈夹角

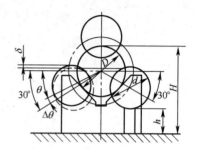

图 6-63　曲轴连杆轴颈夹角测量位置

$$h = H - \frac{1}{2}(D + e + d)$$

式中,H 为主轴颈上母线到检测平台的高度;e 为实际偏心距;D 为主轴颈的实际尺寸;d 为连杆轴颈的实际尺寸。

垫 h 高量块的目的是使该连杆轴颈中心与主轴颈中心的连线与检测平台水平面成 30°角。

量块垫好后,通过百分表测量出此连杆轴颈左侧(或右侧)连杆轴颈外圆顶点的读数,并与垫入量块连杆轴颈外圆顶点的读数相比较,如果两者读数相同,则说明这两个连杆轴颈中心的夹角为 120°。反之,两者读数不同,说明两者的夹角有误差。

角度误差的计算方法是先利用百分表测量出无量块处与有量块处连杆轴颈外圆顶点的实际高度误差 δ。再通过 δ 求出无量块处连杆轴颈与主轴颈中心的连线对平板平面间的夹角 θ,即可得出两连杆轴颈的角度误差 $\Delta\theta = 30° - \theta$(见图 6-63)。

θ 值的计算见三角函数剖析,如图 6-64所示。由图可知,此连杆轴颈外圆顶

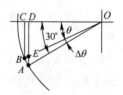

图 6-64　三角函数剖析

O—主轴颈中心位置

A—连杆轴颈中心理论正确位置

B—连杆轴颈中心实际位置

点的高度误差 δ 即是 B、A 的垂直距离 AE,即 $AE=\delta$。

又因 $OA=OB=e$

所以

$$\sin\theta=\frac{BC}{OB}=\frac{AD-AE}{OB}$$

$$=\frac{e\sin30°-\delta}{e}=\frac{1}{2}-\frac{\delta}{e}$$

$$\theta=\arcsin\left(\frac{1}{2}-\frac{\delta}{e}\right)$$

应注意的是,当此连杆轴颈外圆顶点的读数比垫量块处连杆轴颈外圆顶点的读数小时,δ 应取负值。

则两连杆轴颈夹角的角度误差为 $\Delta\theta=30°-\theta$,当 $\Delta\theta>0$ 时,说明两连杆轴颈夹角大于 120°,反之,当 $\Delta\theta<0$ 时,说明两连杆轴颈夹角小于 120°。

[例] 已知 $D=104.95\text{mm}$,$d=91.95\text{mm}$,$e=70\text{mm}$,并测得 $H=180\text{mm}$,则垫入量块高度

$$h=180-\frac{1}{2}(104.95+70+91.95)=46.55(\text{mm})$$

若测得 $\delta=+0.05\text{mm}$,则

$$\theta=\arcsin\left(\frac{1}{2}-\frac{\delta}{e}\right)=\arcsin\left(\frac{1}{2}-\frac{0.05}{70}\right)$$

$$=29°57'10''$$

$$\Delta\theta=30°-29°57'10''=2'50''$$

说明所测两连杆轴颈夹角为 $120°2'50''$。

6.2.15 转向节主销孔倾角的检验方法

图 6-65 是汽车转向节,转向节主销孔的直径 $2-\phi25^{+0.021}_{0}\text{mm}$,主销孔的轴线相对于转向节主线垂线的倾角是 $7°30'\pm15'$,倾角公差仅有 30′,因此,对该零件倾角必须严格检测。

图 6-66 是为检测 $7°35'\pm15'$ 主销孔倾角而设计制作的专用检具。该专用检具主要由底板 1、圆柱心轴 2、检具体 3、定位销 4、测试心轴 5、百分表 6、定位套 7 和可调支承 8 组成。定位套 7 与检具体 3 采用过盈配合,定位套 7 的内孔与转向节的轴颈采用小间隙配合,测试心轴 5 与转向节主销孔也采用小间隙配合,且测试心轴 5 要做的长一些,以提高

测量精度。

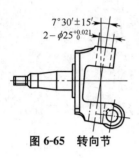

图 6-65   转向节

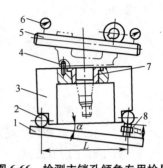

图 6-66   检测主销孔倾角专用检具

1. 底板   2. 圆柱心轴   3. 检具体
4. 定位销   5. 测试心轴   6. 百分表
7. 定位套   8. 可调支承

测量前,把底板 1 放到测量平板上,按图布置好圆柱心轴 2 和检具体 3。测量时,把测试心轴 5 插入转向节的主销孔中,两端露出的长度大致相等。然后把插有测试心轴 5 的转向节插入检具体 3 上的定位套 7 中,周向用定位销 4 定位,以使测试心轴 5 的轴线垂直于圆柱心轴 2 的轴线。用百分表 6 检测测试心轴 5 两头的高度,并根据其差值微调可调支承 8,最终使其差值为零。然后即可抽出转向节和测试心轴 5,拿走检具体 3 和圆柱心轴 2,测量出可调支承 8 上平面的高度 H,用公式

$$\alpha = \arcsin \frac{H}{L}$$

可计算出转向节主销孔轴线相对主轴线垂线的倾角实际值。与图样上的标注值比较,就可判定其是否合格。

6.2.16   利用四销法测量斜面的斜角

图 6-67 是用四销法测量斜面斜角的方法。在底板 1 上用过盈配合固定两个圆柱销 2,其中心尺寸为 L。在底板 1 上铣两个长平行槽 4,其中心通过两圆柱销 2 的中心,在两平行槽 4 中各自用蝶形螺母 5 固定两个活动销 3。

测量时,用两块等高的垫铁从下面支承住底板 1,把要测斜角的工

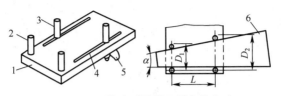

图 6-67 四销法测量斜面斜角的方法

1. 底板 2. 圆柱销 3. 活动销 4. 长槽 5. 蝶形螺母 6. 工件

件6插到固定圆柱销2和活动销3之间,调整活动销3使其紧贴工件6的斜面后用蝶形螺母5固定。然后拿走工件6,用千分尺测出 D_1 和 D_2 两个尺寸,则工件6斜面的斜角为

$$\alpha = \arctan \frac{D_2 - D_1}{L}$$

6.2.17 自制的测量倾角水平仪

图6-68是一种自制的测量倾角水准仪。它主要由底板2、水平板3、半圆仪4和水平仪6等组成。半圆仪4上有 $0° \sim 90°$ 的刻度线,用螺钉固定在底板2的侧面。水平板3与底板2通过铰轴7铰接在一起。在水平板3的中间位置固定一个水泡式水平仪6。

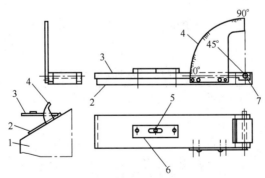

图 6-68 测量倾角水准仪

1. 工件 2. 底板 3. 水平板 4. 半圆仪
5. 气泡 6. 水平仪 7. 铰轴

测量斜面的倾角时,把该水准仪底板2朝下放在被测斜面上,使其

方向与角度方向一致,然后向上扳起水平板 3,使水平仪 6 中的气泡 5 处于中间位置,这时,水平板 3 扳起的角度就可从半圆仪 4 上读出,也就是被测斜面的倾角。

6.3　螺纹参数的测量

6.3.1　三针测量法

图 6-69 所示为螺纹三针测量法原理。测量时,在螺纹的凹槽内放置同样直径 D 的三根量针,然后用千分尺测量尺寸 M 的大小后,即可判断出与理论值比较所加工的螺纹中径是否合格。

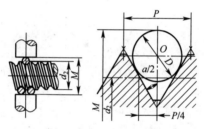

图 6-69　螺纹三针测量法原理

根据螺纹的牙型角可以从表 6-1 中选择对应的计算公式,从而即可计算出 M 值。

表 6-1　不同牙型角的螺纹理论 M 值

螺纹牙型角 α	简 化 公 式
60°	$M = d_2 + 3D - 0.866P$
55°	$M = d_2 + 3.166D - 0.960P$
30°	$M = d_2 + 4.864D - 1.866P$
40°	$M = d_2 + 3.924D - 1.374P$
29°	$M = d_2 + 4.994D - 1.933P$

注:d_2 为螺纹理论中径;P 为螺距;　D 为三针直径。

三针直径 D 的选择可根据螺纹的牙型角,见表 6-2。

表6-2 三针直径 D 的选择

螺纹牙型角 α	简化公式	螺纹牙型角 α	简化公式
60°	$D=0.577P$	40°	$D=0.533P$
55°	$D=0.564P$	29°	$D=0.516P$
30°	$D=0.518P$		

6.3.2 自制曲别针代替三针测量螺纹的中径

根据被测螺纹螺距 P，由表6-2选择对应直径 D 的钢丝弯成曲别针形式卡在外螺纹上代替三针进行测量是非常方便的，自制曲别针测量螺纹中径如图6-70所示。

图6-70 曲别针测量螺纹中径
1. 自制曲别针 2. 外螺纹

自制曲别针下面的两段钢丝间的距离应制成与外螺纹的螺距 P 相等，上面的一根钢丝的应位于下面两钢丝之间的对称位置上。曲别针卡在螺纹上，不易掉落，测量 M 值，从而判断其中径是否合格。

6.3.3 利用钢球和外径千分尺测量大直径内螺纹中径的方法

对具有直径为 L 的外圆柱面的大直径内螺纹，可用直径为 d 的钢球放入螺纹槽中，用千分尺测出钢球顶至外圆柱面的距离 x，通过下式算出内螺纹中径 d_2。

$$d_2 = L - 2(x - 1.5d + 0.433P) \quad （牙型角 \ \alpha=60°）$$

或

$$d_2 = L - 2(x - 1.583d + 0.48P) \quad （牙型角 \ \alpha=55°）$$

测量方法如图6-71所示。

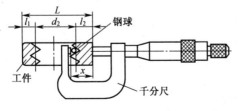

图6-71 测量方法

对于牙型角为 α 的螺纹,内螺纹中径 d_2 的计算原理如图 6-72 所示,其计算式为

$$d_2=L-2x+d\left[1+\frac{1}{\sin(\alpha/2)}-\frac{P}{2}/\tan(\alpha/2)\right]$$

确定测量已知螺纹的中径 d_2 时,千分尺的读数正确的 x 应该为

$$x=(L-d_2)/2+1.5d-0.433p\text{(牙}$$
型角 $\alpha=60°)$

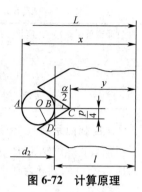

图 6-72　计算原理

或 $x=(L-d_2)/2+1.583d-0.48p$
(牙型角 $\alpha=55°$)

[例]　内螺纹小径 $d_1=193.505^{+0.700}_{0}$ mm,中径 $d_2=196.103^{+0.370}_{0}$ mm,$p=6$ mm,$\alpha=60°$,外径尺寸 $L=\phi295$ mm,计算用 $d=5$ mm 的钢球和外径千分尺测量时,千分尺的读数 $x=?$

根据公式 $x=(L-d_2)/2+1.5d-0.433p$

$$x=(295-196.103)/2+1.5\times5-0.433\times6$$
$$=54.35\text{(mm)}$$

x 的偏差可根据 $d_2=196.103^{+0.370}_{0}$ mm 的偏差确定,即 $x=54.35^{0}_{-0.185}$ mm。

螺纹内径按 $d_1=193.505^{+0.700}_{0}$ mm 加工,牙型角用牙规检查合格后,测量 x 值在 $54.35^{0}_{-0.185}$ mm 范围内,即可满足中径 $d_2=196.103^{+0.370}_{0}$ mm 要求。

6.3.4　在游标卡尺上安装内螺纹测头测量内螺纹中径

检测较大尺寸内螺纹中径时,可在游标卡尺上安装螺纹千分尺所用的测头和百分表,与外径千分尺配合使用。这种改装游标卡尺测量内螺纹中径的方法,测量方便,测量范围大,能满足一般紧固、联接用螺纹的精度要求。卡尺上安装内螺纹测头如图 6-73 所示。

先制作两个相同的测头座 5,用螺钉紧固在 C 型或 D 型卡尺上,把螺纹千分尺上的一对测头卸下,安装在两测头座 5 中,即 V 形测头 4 和圆锥测头 6。两测头安装后中心要同轴并与卡尺的尺身平行。然后把卡尺辅助游标的微调螺杆和螺母卸去再倒装在尺身上,再在其上加装

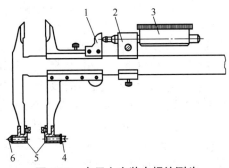

图 6-73 卡尺上安装内螺纹测头

1. 测砧 2. 表夹 3. 百分表 4. V 形测头

5. 测头座 6. 圆锥测头

表夹 2,在表夹 2 上固定好百分表 3。最后,在尺框上固定一个测砧 1。具体的测量方法和步骤如下:

①按图 6-74 测量出每组测头的差值。

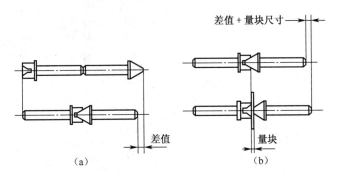

图 6-74 测量每组测头的差值

②按被测工件内螺纹的螺距选择对应的一组测头,安装在测头座 5 上,其中的 V 形测头能自由转动。

③在记录表中查出该组测头的差值,加上被测螺纹的理论中径就得出外径千分尺的调整值。

④把配合用的外径千分尺调整好后作为校表尺寸,这时把游标卡尺上的测头两端面与外径千分尺的测量面接触,给百分表一适当的压

缩量后固定辅助游标,把表针调"0",移动尺框就可以直接测量内螺纹的中径了。

6.3.5 用螺纹梳刀作测头的内螺纹量具

图 6-75 是一种用螺纹梳刀作测头的内螺纹量具,主要由弹簧 1,螺钉 2、6,滑杆 3、5,管 4、夹头 7、千分尺 8、加长测杆 9 和测头 10 组成。由螺纹梳刀改制的测头如图 6-75 所示,把有 4、5 个牙的两段螺纹梳刀磨成 3mm 厚,牙尖外磨成 0.04mm 厚,两端头也磨平。把磨好的两段螺纹梳刀装入夹头 7 内。测量时,先用螺钉 6 固定好一端的测头 10,移动滑杆 3,并把量具放入内螺纹孔内,当测头 10 与内螺纹接触好后,用螺钉 2 固定滑杆 3,再由有加长杆 9 的千分尺就可用相对法测量内螺纹的尺寸。

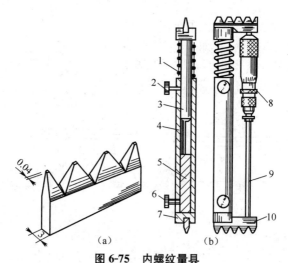

图 6-75 内螺纹量具

1. 弹簧   2,6. 螺钉   3,5. 滑杆   4. 管   7. 夹头

8. 千分尺   9. 加长测杆   10. 测头

6.3.6 在车削过程中利用半齿形样板控制齿形和齿距

在加工梯形螺纹和齿条过程中,齿距、齿形半角和齿厚是无法用样板测量的,因而难以控制加工质量。可用半齿形样板解决这一问题。半齿形样板如图 6-76 所示。梯形螺纹的车削过程为粗车-半精车-精

车。在半精车时,由于螺距根据车床的控制手柄已经选好和确定,所以,在半精车时,齿槽已经可容纳半齿形样板了,即可用半齿形样板对齿形进行控制和检查。梯形螺纹工件如图 6-77 所示,齿形的精度即齿形半角、齿距和齿厚可按如下的方法控制:先车出底径,然后车出一齿面,用半齿形样板即可测量齿形半角和齿距,再车另一齿面时,用齿厚卡尺测量齿厚,这样就实现了在车削过程中对齿形和齿距的控制。该半齿形样板制造简单,使用方便,控制精度可靠。

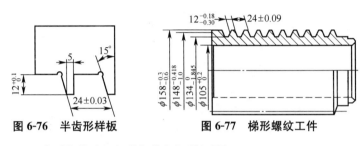

图 6-76 半齿形样板　　**图 6-77 梯形螺纹工件**

6.3.7 滚珠螺杆螺母副滚道直径的测量

汽车方向机构中转向螺杆、螺母如图 6-78 所示。加工完毕后,检测螺杆、螺母的中径 d 加工误差可采用图 6-79 所示改制的带表的内、外卡规来进行。

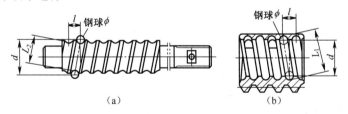

（a）　　　　　　　　（b）

图 6-78 转向螺杆和螺母

(a)螺杆　(b)螺母

改制带表内、外卡规时,把原有的测头改为与螺旋滚道轴向截面直径相同的钢球 ϕ。测量时,利用已有标准的转向螺杆或螺母对带表内外卡进行校对。将卡爪螺杆或螺母圆槽内,调节卡规上的百分表指零位,即可用于测量滚道的直径(中径)误差。将校正好的卡规卡在被螺

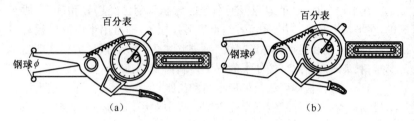

图 6-79　改制的带表内、外卡规

(a)带表内卡规　(b)带表外卡规

杆或螺母上,百分表的指针偏离零位的示值,即是滚动中径的误差值。

6.4　齿轮的测量

6.4.1　齿条齿厚的间接测量方法

齿条齿厚可以用齿厚卡尺直接测量,也可以采用间接测量法。间接测量齿厚原理如图 6-80 所示。

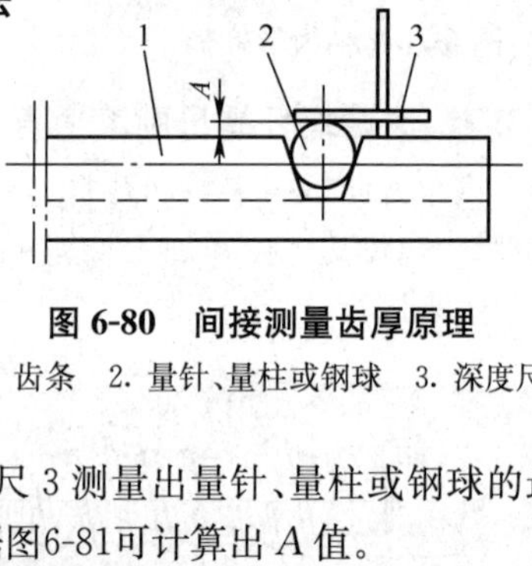

测量时,根据齿条模数 m 的大小,选择合适直径 d_p 的量针、量柱或钢球 2 置于齿条的齿槽

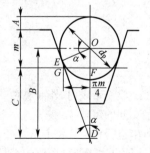

图 6-80　间接测量齿厚原理

1. 齿条　2. 量针、量柱或钢球　3. 深度尺

中,需要高出齿条 1 的齿顶,用深度尺 3 测量出量针、量柱或钢球的最高点到齿条齿顶的高度尺寸 A,根据图6-81可计算出 A 值。

$$A = B - C + d_p/2 - m$$

$$A = d_p/2\sin\alpha - \pi m\cot\alpha/4 + d_p/2 - m$$

式中,d_p 为量针或量柱或钢球的直径;m 为齿条模数,斜齿条为法向模数;α 为齿条的压力角。

当压力角 $\alpha = 20°$ 时,A 为

$$A = 1.9619d_p - 3.15786m$$

为了判定齿条齿厚是否合格,还必须根据齿厚的偏差来计算出 A 值的偏差,

图 6-81　A 值的计算

如图 6-82 所示。齿厚的上、下偏差分别为

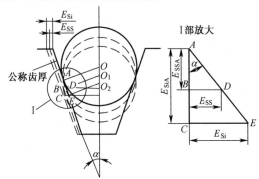

图 6-82 A 值偏差的计算

$$E_{SSA} = \frac{E_{SS}}{\tan\alpha}$$

$$E_{SiA} = \frac{E_{Si}}{\tan\alpha}$$

E_{SS} 和 E_{Si}，则 A 值的上、下偏差分别为 E_{SSA} 和 E_{SiA}，当 $\alpha = 20°$ 时，$E_{SSA} = 2.7475E_{SS}$，$E_{SiA} = 2.7475E_{Si}$。把测出的 A 值与理论计算出的 $A_{E_{SiA}}^{E_{SSA}}$ 值相比较，当测出的 A 值在 $A_{E_{SiA}}^{E_{SSA}}$ 范围内时，则齿条的齿厚合格。

该间接测量法也可推广到阿基米德蜗杆和蜗轮等的检测中，既简单、方便，又测量准确。

［例］ 有一直齿齿条，模数 $m = 10mm$，压力角 $\alpha = 20°$，齿数 $Z = 135$，精度等级为 $7-6-6$，相应的齿厚上偏差 $E_{SS} = -0.16mm$，下偏差 $E_{Si} = -0.26mm$。用量棒或钢球及深度尺间接测量齿厚时，其 A 值的理论值是多少？

根据齿条的模数 $m = 10mm$，选择量柱的直径 $d_p = 20.706mm$，把 d_p 和 m 值代入齿条压力角 $\alpha = 20°$ 的 A 值计算公式

$$A = 1.9619d_p - 3.15786m$$
$$= 1.9619 \times 20.706 - 3.15786 \times 10$$
$$= 9.045(mm)$$

A 值的上、下偏差为

$$E_{SSA} = 2.7475E_{SS} = 2.7475 \times (-0.16) = -0.4396(mm),$$

$$E_{SiA} = 2.7475 E_{Si} = 2.7475 \times (-0.26) = 0.7144 (\text{mm})$$

因此,理论 A 值为 $A = 9.045^{-0.4396}_{-0.7144}$ mm,实测 A 值在 $9.045^{-0.4396}_{-0.7144}$ mm 之间时,齿条齿厚合格。

6.4.2 用万能角度尺与百分表组合测量锥齿轮的轮冠距

在锥齿轮毛坯的车削过程中,需要检测锥齿轮坯的轮冠距,即锥齿轮的理论外径到安装基面间的距离。在没有轮冠距专用量仪和工装的情况下,用通用量具很难准确测量出轮冠距。为解决这一问题,可按图 6-83 所示,把万能角度尺 1 与百分表 4 组装成轮冠距量具。

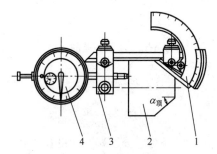

图 6-83 组装的轮冠距量具
1. 万能角度尺 2. 工件 3. 表夹 4. 百分表

自制一个表夹 3,把其安装在万能角度尺 1 上。选一量程在 0～10mm 的百分表 4,把其固定在表夹 3 上,利用相对法测量锥齿轮的轮冠距。

测量前,选定一标准锥齿轮坯,用工具显微镜测量出标准锥齿轮坯的轮冠距的实际值,并把该实际值打印在标准锥齿轮坯的端面上。

测量时,若锥齿轮坯的锥角是 2α,则按 $180° - \alpha$ 调整万能角度尺的角度。然后调整表夹 3 和百分表 4 的位置,使百分表测量头有约 1mm 的压缩量。把调好的量具靠紧在标准锥齿轮坯的顶锥面及轮冠距外圆柱面上,并使量具测量位置在标准锥齿轮坯的轴向中心截面内,这时把百分表 4 的指针调到零位,同时拧紧各紧固螺钉,再测量一次标准锥齿轮坯,百分表 4 的指针仍在零位为准,量具即可用来测量。按量具调零时的方法,把量具靠紧在被测锥齿轮坯上,百分表 4 上的读数即为被测锥齿轮坯相对标准锥齿轮坯的轮冠距偏差值。为保证相对测量的精度,被测锥齿轮坯的理论外径和顶锥角都应很好地保证。本量具组装简单,在一定范围内有通用性,使用方便,测量精度高。

6.4.3 直齿圆锥齿轮支撑端距的检轴量块测量法

图 6-84 是一轴间交角为 $\Sigma=90°$ 的标准直齿圆锥齿轮。在车制齿坯时,需要测量圆锥齿轮的支撑端距 H_1,即齿轮顶锥与背锥的交点到支撑端面的轴向距离。它直接影响直齿圆锥齿轮的安装距 A,因此对支撑端距 H_1 的尺寸精确度要求较高。在没有专用量具时,可采用图 6-85 所示的检轴量块测量法测量 H_1。

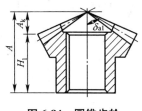

图 6-84 圆锥齿轮

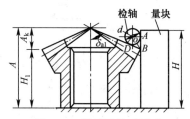

图 6-85 检轴量块测量法

将直齿圆锥齿轮放置在平台上,使尺寸适当的量块紧靠直齿圆锥齿轮的大端外圆直径,再把直径为 d 的检轴放置于直齿圆锥齿轮的齿顶圆锥和量块之间。要求齿轮、量块和检轴三者之间必须同时接触(如图 6-85 所示),然后用高度尺测量出图 6-85 中的尺寸 H。为了使测量的数据准确,必须测量出检轴直径 d 的真值,并将其打印在检轴的端面上。

根据图 6-85 中检轴与量块间的相互位置关系和检轴的实际直径 d、直齿圆锥齿轮的顶锥角 δ_{a1} 以及测量出的总高度 H,就可计算出支撑端距 H_1。

$$H_1=H-d/2[1+1/\text{tg}(\delta_{a1}/2)]$$

从而准确判断该直齿圆锥齿轮在实际使用时的安装位置。

6.4.4 改制游标卡尺测量小蜗杆齿高

图 6-86 是一小直径蜗杆的局部视图和其轴向齿形。该小直径蜗杆的齿形部分长 $24^{+0.1}_{0}$ mm,齿顶圆直径为 $d_a=8.5^{0}_{-0.01}$ mm,螺旋升角为 $\lambda=12°5'41''$,该蜗杆的齿形是在螺纹磨床上一次磨削成形的。

在磨削过程中由于砂轮磨损较快,齿形的齿高常会小于 1.65mm,

满足不了图纸要求。为了及时了解砂轮的磨损情况以便修整砂轮,必须及时测量齿形高度。这可用一把 0~150mm、精度为 0.05mm 的游标卡尺改制,改制尺寸如图 6-87 所示。

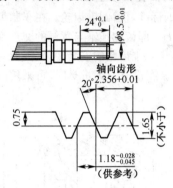

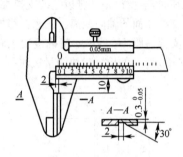

图 6-86 蜗杆及轴向齿形　　　　**图 6-87 改制尺寸**

使用时将改制的薄爪顺着螺旋升角的方向卡在齿根部,另一个宽爪卡在相对应面的齿顶圆上,从卡尺上测得的数值用 n 表示,用公式 d_a $-n=$ 齿高,只要齿高不小于 1.65mm,就能保证装配没问题。

6.4.5 滚切蜗轮时滚刀杆位置的检测

蜗轮与蜗杆的装配要求如图 6-88 所示。该蜗轮与蜗杆的装配关系要求是蜗杆中心到蜗轮大端面的距离尺寸为 20mm±0.036mm。要保证该尺寸,只能在滚切蜗轮时靠检测蜗轮坯端面到滚刀杆中心的距离尺寸来保证,滚刀杆位置的检测如图 6-89 所示。先在滚齿机上安装

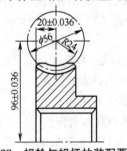

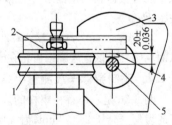

图 6-88 蜗轮与蜗杆的装配要求　　**图 6-89 滚刀杆位置的检测**
1. 蜗轮　2. 平直尺　3. 滚齿机
4. 量块　5. 滚刀杆

好蜗轮坯,再装好滚刀杆并准确量测滚刀杆的直径,用平直尺贴靠蜗轮坯的端面并伸出到滚刀杆之上,把已计算好的量块塞进滚刀杆与平直尺之间,间隙为零即可。然后装上滚刀就可滚切出合格尺寸的蜗轮。

6.4.6 奇数齿直齿圆柱齿轮齿顶圆直径的测量及计算

由于奇数齿直齿圆柱齿轮在直径上是齿对齿槽,因此无法直接测量出该种齿轮的齿顶圆 d_a,而只能测到一个齿的齿顶到对面齿槽齿顶圆弦的距离 H,如图 6-90 所示。现介绍一种弓高弦长法来测量奇数齿直齿圆柱齿轮的齿顶圆 d_a,如图 6-91 所示。根据弓高弦长法的计算公式

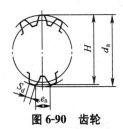

图 6-90 齿轮

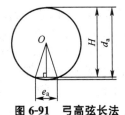

图 6-91 弓高弦长法

$$\left(\frac{d_a}{2}\right)^2 = \left(\frac{e_a}{2}\right)^2 + \left(H - \frac{d_a}{2}\right)^2$$

整理得到

$$d_a = H + \frac{e_a^2}{4H}$$

从上式中可以看出,只要测量出尺寸 H 和齿顶圆齿槽弦齿宽 e_a 就可计算出齿顶圆直径 d_a。

(1)尺寸 H 的测量 尺寸 H 的测量可以采用多种工具,如游标卡尺、公法线千分尺、外径千分尺或杠杆千分尺等。在使用外径千分尺或杠杆千分尺测量 H 值时,应先在图 6-92 所示的齿间外侧配置一量块,然后再用量具测量。

(2)尺寸 e_a 的测量 事先准备好一尺寸适当的铅块,将其放入被测齿轮的齿间内,在铅块外加一块平行钢垫板,并放在台虎钳上加压,使铅块充满齿槽空间,当铅体从齿顶处溢出并刚好切断时取下,此时将得到一个与齿间形状相同的铅块,如图 6-93 所示,其底边长度 e_a 值,可

用游标卡尺或公法线千分尺测量出来。

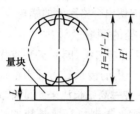

图 6-92　H 值的测量

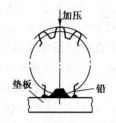

图 6-93　e_a 值的测量

6.4.7　用卡板间隙法判断锥齿轮的轮冠距

如图 6-94 所示，锥齿轮齿坯在齿加工前应车好诸如顶锥角、背锥角、外径和轮冠距等重要角度和尺寸，使各角度和尺寸均在公差范围内，即均为合格。其中轮冠距是较难加工和测量的一个重要尺寸。为准确方便地判断轮冠距 H 是否合格，可设计制作一套点接触式锥齿

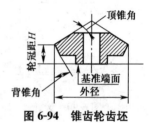

图 6-94　锥齿轮齿坯

轮轮冠距测量卡板，该套卡板有下限卡板和上限卡板两种，分别按轮冠距尺寸 H 的最小值 H_{min} 和最大值 H_{max} 来制造。

测量轮冠距的点接触式卡板如图 6-95 所示。当用下限卡板测量时，如图 6-95(a)、(b)所示，若顶锥面有间隙 $\triangle$，则 H 不合格；若背锥面有间隙 $\triangle$，则 H 不超差；再用上限卡板测量一次，若顶锥面有间隙 $\triangle$ 合格，如图 6-95(c)所示，若背锥面有间隙 $\triangle$ 则超差，如图 6-95(d)所示。

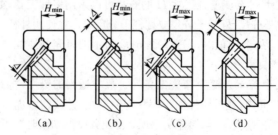

(a)　　　　(b)　　　　(c)　　　　(d)

图 6-95　测量轮冠距的点接触式卡板

6.4.8 测量标准齿轮公法线长度跨测齿数的快速计算方法

标准齿轮公法线长度是最基本的检测项目,在测量前应首先计算跨齿数,目的是使测量用量具的测量工作面测在齿形的分度圆附近,使测量值更加精确。

对于标准齿轮,其测量公法线用的跨齿数计算公式为

$$n = \frac{\alpha}{180}Z + 0.5$$

式中,n 为跨齿数;α 为压力角;Z 为齿轮齿数。

常见的齿轮压力角 $\alpha = 20°$,则 $n = \frac{Z}{9} + 0.5$,但这样计算的 n 有小数,不易记忆。这时可取其近似值并概括为一句话"齿数除以 9,整数商加 1"。既好计算又好记忆,也不影响测量精度。如齿轮齿数 $Z = 50$,则"齿数除以 9,整数商加 1"后的跨齿数是 $5 + 1 = 6$。

6.4.9 用分度头辅助测算斜齿轮螺旋角

用分度头辅助测算斜齿轮的螺旋角简单可靠,特别是在测算修正齿轮时不易出错。

测量方法如图 6-96 所示,把被测斜齿轮装于分度头上,将百分表的表座吸附在铣床某一固定位置上,并让百分表的测头接触斜齿轮靠近端面和顶圆处的齿面上的某一点,记下百分表的读数后,称动工作台,让百分表的测头与齿面接触点脱离,铣床工作台带着分度头和被测斜齿轮一起移动一段距离 $h(h < $ 齿宽),转动分度头手柄,使齿面上对应的点与百分表测头慢慢接触,压表数与上次接触相同,再记下分度头所转过的角度 α'。若该分度头的定数为 40,则分度头上的被测斜齿轮所转过的角度 $\alpha = \frac{\alpha'}{40}$,$h$ 值则为导程的一部分,α 角则为 h 所对应的角度值,计算原理如图 6-97 所示,2π 为齿轮转一圈的角度值(单位:rad),H 为斜齿轮的导程,β' 为任意圆上螺旋线的螺旋角。根据相似三角形的比例关系可得

$$\frac{H}{h} = \frac{2\pi}{\alpha} \text{ 或 } \frac{H}{h} = \frac{360°}{\alpha}$$

则

$$H = \frac{2\pi h}{\alpha} \text{ 或 } H = \frac{360h}{\alpha}$$

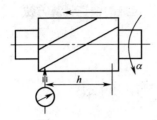

图 6-96   测量方法

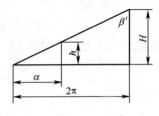

图 6-97   计算原理

那么斜齿轮的螺旋角 β 为

$$\sin\beta=\frac{\pi m_n Z}{H}=\frac{\pi m_n Z\alpha}{360h}=\frac{\pi m_n Z\alpha}{2\pi h}$$

式中，β 为斜齿轮的螺旋角；m_n 为斜齿轮的法向模数；Z 为斜齿轮的齿数。

[**例**]   一斜齿轮法向模数 $m_n=4$，齿数 $Z=20$，测算该斜齿轮的螺旋角 β。

为避免某一齿的齿形误差影响测量的准确性，在斜齿轮上均选 3 个齿，用上述方法分别测量。3 次测量 h 值均为 30mm，分度手柄在 54 孔的孔盘上分别转过 36 孔、36.5 孔、36.5 孔，分度头手柄平均转过的孔数为

$$\frac{36+36.5+36.5}{3}=36.33\ 孔$$

相当于转过的角度为

$$\alpha'=\frac{36.33}{54}\times360°=242.22°$$

实际上被测齿轮只转过了

$$\alpha=\frac{\alpha'}{40}=\frac{242.22°}{40}=6.06°$$

$$H=\frac{360h}{\alpha}=\frac{360\times30}{6.06°}=1782.18$$

$$\sin\beta=\frac{\pi m_n z}{H}=\frac{3.1416\times4\times20}{1782.18}=0.1410$$

$$\beta=8°06'25''$$

6.5 几何误差的简易测量法

6.5.1 在平台上使用可调整高度的靠表测量垂直度误差

在测量箱体类零件的侧面与底面的垂直度时,常以箱体的底面为基准,放置在测量平台上,通过测量侧面的倾斜量的大小来确定垂直度的值。普通的方法是用直角尺靠在箱体侧面上用塞尺确定最大间隙来测量出垂直度,但精度不高。图 6-98 所示的在平台上使用可调整高度的垂直度靠表方法可以弥补其不足。

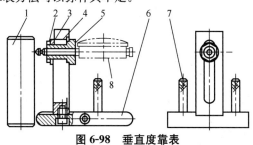

图 6-98 垂直度靠表

1. 校对圆棒 2. 螺母 3. 垫圈 4. 表架 5. 表夹 6. 表座 7. 把手 8. 百分表

该垂直度靠表由校对圆棒 1、螺母 2、垫圈 3、表架 4、表夹 5、表座 6 和把手 7 组成。使用时将百分表 8 装在表夹上,根据工件被测面的高度调整百分表的高低位置,然后用螺母紧固表夹。然后把垂直度靠表紧靠在校对圆棒的一侧,使百分表表头接触校对圆棒外表面,调整百分表指针到零位,即可以检测侧面对底座平面的垂直度。检测时,将靠表移至被测箱体侧面处,使靠表触头和靠表表座下端均与被测面上、下两处接触。此时,靠表的读数即是在相应高度上箱体的垂直度误差。

6.5.2 自制测量两轴平行度的简易量具

在机器装配过程中,经常需要测量两轴的平行度,用卡尺或千分尺测量两轴侧的距离来评判两轴的平行度既不科学也不准确。对于在水平面、垂直面和倾斜面内的两根轴,可分别设计制作图 6-99 所示的两轴平行度测量仪。

测量时,先测量两轴两端及中部的直径尺寸,并算出相对左端或右

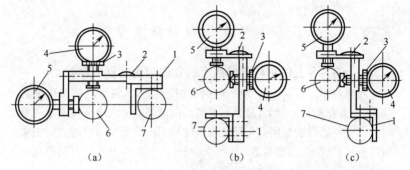

图 6-99　两轴平行度测量仪

（a）测水平面轴的平行度　（b）测垂直面轴的平行度　（c）测倾斜面轴的平行度

1. 测量架　2. 水平气泡　3. 调水平螺钉　4,5. 千分表　6. 被测轴　7. 基准定位轴

端直径变化的差值。然后测量平行度,把测量仪放在两被测轴左端或右端上,旋转调水平螺钉,使水平气泡处于中间位置,说明测量仪已经水平。让千分表的测量头接触被测轴的上母线和侧母线,并沿轴向移动测量仪,记录下两千分表指针的最大变化值。分析和评判平行度误差大小的方法如下:

①当基准定位轴与被测轴的直径变化很小时,即轴的锥度很小时,直径变化的影响可以忽略不计,这时两轴的平行度误差就等于测量值。

②当被测轴直径无变化,而基准定位轴直径变大或变小时,两轴平行度误差值等于测量值加上或减去基准定位轴直径增大或减小值的一半。

③当基准定位轴直径无变化而被测轴直径增大或减小时,两轴平行度误差值等于测量值减去或加上被测轴直径增大或减小值的1/2。

④当基准定位轴与被测轴直径同时增大或减小相等的数值时,两轴平行度误差值等于测量值变化的最大值;当基准定位轴直径增大值大于被测轴直径增大的数值时,两轴平行度误差等于测量值加上基准定位轴直径增大值与被测轴直径增大值差的1/2;当基准定位轴直径增大值小于被测轴直径的增大值时,两轴平行度误差等于测量值减去被测轴直径的增大值与基准定位轴直径增大值差的1/2。

⑤当基准定位轴增大或减小,而被测轴直径减小或增大时,两轴平行度误差值等于测量值加上或减去基准定位轴的增大或减小与被测轴

直径减小或增大值和或差的 1/2。

6.5.3 测量活塞销孔轴线对裙部轴线垂直度的量具

图 6-100 所示为测量活塞销孔轴线对裙部轴线垂直度的专用量具。该量具主要由测量块 1、固定表架 2、销轴 3、转动体 5、测爪 6 和底座 7 等组成。底座 7 为直角结构，可铸成也可用钢板焊接，但都应进行去应力退火处理，并在粗加工后放置一段时间再精加工，以保证加工后的精度不变。销轴 3 的轴线平行于底座 7 的底面，测爪 6 的平面平行于销轴。转动体两端转轴同轴度为 $\phi0.01mm$，转动体与转轴的配合为 H7/h6，并平行于底座的基准底面，转动、移动灵活。测量块的测量面与转轴轴线平行度误差为 0.005mm，切点母线至转轴中心与千分表测头接触点至转轴中心距为 1:1。

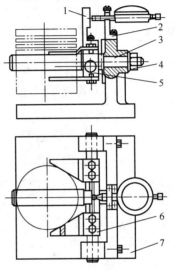

图 6-100 测量活塞垂直度专用量具
1. 测量块 2. 固定表架 3. 销轴
4. 螺母 5. 转动体 6. 测爪 7. 底座

测量前，将校正件套入销轴上，按要求调整 4 个半 V 形测爪的位置，使测爪与校正件外圆紧密贴合，同时校正测爪平面使其平行于销轴轴线，构对校正件顶面使其平行于转轴轴线，调整千分表读数位置，再将校正件旋转 180°，同上操作校验一次即调整完毕。

将被测活塞套入销轴上，使裙部外圆与测爪由自由浮动到紧密贴合。在此同时，测量块随之做前后微动，带动千分表测杆显示检测值。将活塞旋转 180°同上操作。两次测量差值的 1/2 即为该活塞销孔轴线对裙部轴线垂直度误差值。不同品种的活塞只需更换适当的销轴，调整测爪的位置即可进行测量。

本检具经生产使用实践证明，具有量值反映准确、直观、测量精度高、性能稳定可靠，调整方便，检测时操作也方便，且不受裙部外圆曲线、鼓形、锥形形状的限制,能适应多品种活塞的检测和小批量转变快的生产需要,也适合计量总检和主机厂验收产品之用,是一种较理想较经济的单项目检测器具。

6.5.4　内燃机气缸套外圆素线对中心线平行度的检测

内燃机气缸套属于薄壁零件,在加工中容易变形,通常用套筒将气缸套套在一起来进行检测,检测方案如图 6-101 所示。

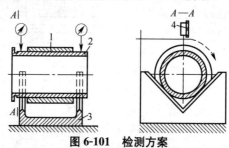

图 6-101　检测方案

1. 套筒　2. 气缸套　3. 刃口状双 V 形架　4. 千分表

把加工好的气缸套 2 压入一个刚性较大的套筒 1 内,使变形的气缸套 2 恢复正圆形状。套筒 1 的长度要短于气缸套 2 的长度,并使气缸套 2 两端露出的长度相等或接近相等。然后在测量平板上放置一个刃口状双 V 形架 3,把气缸套 2 两端搭放在刃口状双 V 形架 3 上。在测量平板上放置两带座的千分表 4,让两千分表 4 的测头接触到气缸套 2 两端的最高点,转动气缸套 2,取同一轴向截面内的最大读数差值的一半作为气缸套 2 外圆表面素线对中心线的平行度误差值。

6.5.5　齿轮安装孔与端面垂直度的检测

齿轮、轮铣刀及其他带中心通孔的回转体,需满足中心通孔轴线对端面垂直度的要求。图 6-102 所示为检测中心通孔轴线对端面垂直度的测量方法。

测量时,将齿轮坯的基准平面紧贴在方箱 7 的侧面上,用压板 2 压紧。然后,把装有百分表 6 的表

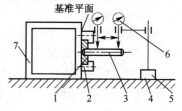

图 6-102　测量方法

1. 齿轮　2. 压板　3. 心轴　4. 平板
5. 表座　6. 百分表　7. 方箱

座 5 放在平板 4 上,按照不同的需要进行测量。

①在给定的一个方向上:在工件孔内插入适当的心轴,用百分表沿心轴上母线在给定长度 L 上测量,百分表的最大读数与最小读数之差即为给定的一个方向上的垂直度误差 Δ。

②在给定的两个方向上:将误差值 Δ 作为 Δ_x,再将方框角尺翻转 90°,重复上述测量步骤即可测得误差值 Δ_y。

③在任意方向上:按上述步骤测得 Δ_x 和 Δ_y 后再进行矢量合成,找出在 360°范围内最大误差值的大小和方向,即

$$\Delta_{max} = \Delta_x + \Delta_y$$

$$|\Delta_{max}| = \sqrt{|\Delta_x|^2 + |\Delta_y|^2}$$

式中,Δ_{max} 为 360°范围内孔中心线对平面垂直度最大误差矢量;Δ_x、Δ_y 分别为 X 和 Y 方向上孔中心线对平面垂直度误差矢量(即 Δ_{max} 在 X 和 Y 方向上的投影);$|\Delta_{max}|$ 为 Δ_{max} 的绝对值;$|\Delta_x|$、$|\Delta_y|$ 分别为 Δ_x 和 Δ_y 的绝对值。

6.5.6 利用方箱和千分表检测垂直度

图 6-103 所示为用方箱和千分表以相对法检测垂直度。所用到的量具和辅具有:心棒一根、方箱一件、游标高度尺一件和千分表一个。

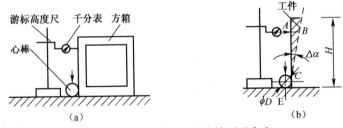

图 6-103 用方箱和千分表检测垂直度
(a)对表 (b)测量

对表时,把心棒固定在检测平板上,轻推方箱,使其一边紧靠心棒的一侧母线。在游标高度尺上固定一千分表,移动游标高度尺对准方箱测量部位,使千分表有适度压表量后调零。重复移动方箱几次,使表指针稳定在零位为宜。

移开方箱,其余按原位不动,把工件的测量部位对准表的测头,轻

轻推入紧靠心棒侧母线,看表旋转方向,并记录读数 a。移开工件,再次用方箱检测指示表的零位,若无偏移,说明检测数据可靠。

若工件高度为 H,则可根据比例关系计算出工件全高上的垂直度值 Δ,如图 6-103(b)所示。

$$\Delta = a\frac{H}{AC}$$

式中,a 为千分表的读数值;AC 为千分表测头到心棒母线间的距离。

6.5.7　孔与端面垂直度的简易测量装置

在测量孔与端面垂直度时,若采用心轴定位测端面垂直度,则需对每一种孔都配心轴,这是很不经济的。其次,心轴与孔之间有间隙,尤其对于较短的孔而言,测量误差偏大。图 6-104 所示的检测装置用于测量孔与端面的垂度可以避免上述两方面的难题。

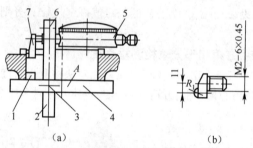

图 6-104　检测装置

1. 定位块　2. 测量杆　3,6. 紧固螺钉　4. 基础板　5. 测量表　7. 触头

(1)**检测装置的结构**　检测装置的结构如图 6-104(a)所示。定位块 1 对工件孔壁起定位作用。定位块固定于基础板 4 上。测量杆 2 用紧固螺钉 3 固定在基础板上,其上端安装测量表,用紧固螺钉 6 固定在测量杆上。触头 7 安装于测量表的测杆上,调整后与工件的孔壁紧密接触。工件放置在基础板 4 上,孔壁紧靠于定位块 1 上。转动工件即可进行测量。

(2)**使用说明**

①根据被测孔的长度按图装配并固牢。

②基础板 4 和定位块 1 分别与端面和内孔接触后,调整测量表,保证测量触头与定位块在孔的同一条母线上;孔大于测量表时,可直接用

测量表触头。

③基础板、定位块充分与端面和内孔接触后,工件沿内孔旋转一周,记取测量表最大读数和最小读数值(记取在 180°方向上的两个数值)。若两读数值在零位同侧时,孔与端面垂直度误差是最大读数值减去最小读数值差的一半。若读数值在零位两侧,孔与端面垂直度误差是两读数绝对值之和的一半。

6.5.8 导轨燕尾面平行度的测量

燕尾面平行度的测量如图 6-105 所示。图 6-105(a)是燕尾导轨及其平行度的检验棒测量法。燕尾导轨长 800mm,燕尾面的平行度要求在全长上<0.03mm。检验棒测量法是用两根直径相等的圆棒放在燕尾两侧,用千分尺测量尺寸 L,在导轨全长上移动检验棒,可测得 L 的多个值,其最大值与最小值之差即为燕尾面的平行度误差 Δ,即 $\Delta = L_{max} - L_{min}$。该测量方法虽用具简单,但受检验棒圆度和直线度误差及测量力的不同等因素的影响,测量精度不高。为此可设计燕尾面平行度检具,如图 6-105(b)所示。用导向轴 8 卡于导轨一侧作为测量基准,千分表夹于支承杆 5 上,表测头指向导轨中部高度处。钢球 6 一面磨平,用黏结剂与支承杆 5 黏结在一起。

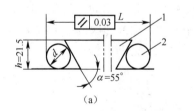
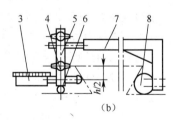

(a) (b)

图 6-105 燕尾面平行度的测量

(a)燕尾导轨及检验棒测量法 (b)燕尾面平行度检具

1. 燕尾导轨 2. 检验棒 3. 千分表 4. 紧固螺母 5. 支承杆
6. 钢球 7. 支架 8. 导向轴

测量时,使导向轴 8 靠在一侧导轨上,调整千分表,使其具有适当的测量力,并调整表盘使指针指零。然后轻轻用力推动检具沿一侧导轨移动,并保持钢球 6 与导轨水平面接触,观察百分表示值变化,示值的最大代数差即为平行度误差。

6.5.9 连杆两孔平行度的测量

连杆孔平行度的测量如图 6-106 所示。两孔 ϕD_1 与 ϕD_2 之间的平行度为 ϕt。按国标中给出的多种测量方案都可进行测量,本例的测量方法不必调整基准轴线与平板平行,而是在测量的基础上通过计算求出平行度误差值。

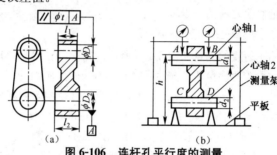

图 6-106 连杆孔平行度的测量

(a)连杆 (b)测量方法

①如图 6-106(b)所示将心轴 2 与孔成无间隙配合地插入孔中,测量被测孔模拟心轴 1 上长度为 L_1' 的 A、B 两点的高度代数差 Δ_{BA}。设 OO' 为 X 轴,Y 轴与 X 轴垂直,则 $\Delta_{BA} = y_B - y_A$,测量基准孔模拟心轴 2 两端长度为 L_2' 的 C、D 两点高度代数差 $\Delta_{CD} = y_C - y_D$,如果忽略心轴制造误差可以认为 Δ_{BA}、Δ_{CD} 为对应孔中心的高度差,但如果对测量精度有较高要求,心轴误差要加以考虑,对 Δ_{BA} 及 Δ_{CD} 进行修正。

②通过计算对应 X 方向 AB 及 CD 延长线的夹角 $\alpha + \beta$ 求出 X 方向误差 $f_x = l_1 \sin(\alpha + \beta)$,其中 l_1 为被测孔长,

$$\alpha = \arcsin(\Delta_{BA}/L_1') \quad (-90° \leqslant \alpha \leqslant 90°)$$

$$\beta = \arcsin(\Delta_{CD}/L_2') \quad (-90° \leqslant \beta \leqslant 90°)$$

③然后把被测零件翻转 90°,在对应 X 方向的测量位置测量,方法同上,可以求出 Y 方向误差为 $f_y = l_1(\alpha' + \beta')$,$\alpha'$、$\beta'$ 的计算方法同 α、β。

④数据处理。AB 对 CD 轴线的平行度误差 f

$$f = \sqrt{f_x^2 + f_y^2} = l_1 \sqrt{\sin^2(\alpha + \beta) + \sin^2(\alpha' + \beta')}$$

平行度误差是由工件自身因素($\alpha + \beta$,$\alpha' + \beta'$,l_1)决定的,平行度测量误差受($\alpha + \beta$)、($\alpha' + \beta'$)、l_2 测量误差的影响,如心轴制造误差、指示

仪表测量线与平板垂直与否、指示表在心轴两端测量位置准确与否,均会影响 $\alpha+\beta$、$\alpha'+\beta'$ 的准确性,也影响了平行度测量误差。当 $\beta=0°$、$\beta'=0°$ 时即基准轴线在 X 方向、Y 方向平行于平板,按公式 $f=\sqrt{(l_1\sin\alpha)^2+(l_1\sin\alpha')^2}$,$l_1\sin\alpha$、$l_1\sin\alpha'$ 为 X 方向、Y 方向被测孔轴线两端高低差,这和 GB 1958—80 推荐方法相一致。

本方法特别适用于不便于支承的零件、大型零件,以及形位公差要求较高的复杂零件在测量其他项目后不加任何调整,即可计算出平行度误差。

6.5.10 在车床上检测大型十字轴的垂直度和对称度

图 6-107 是一大型十字轴。十字轴的两对轴线间有垂直度要求 0.20mm,两轴端对中心有对称度要求 0.12mm。由于该十字轴尺寸大,无法在一般检测形位误差的仪器上检测上述的垂直度和对称度。为此,可采用在 C6180 车床上来检测。

(1)检测大型十字轴的垂直度 检测十字轴垂直度的方法如图 6-108 所示。

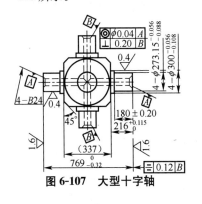

图 6-107 大型十字轴

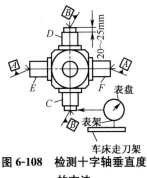

图 6-108 检测十字轴垂直度的方法

该十字轴的工艺路线为:锻造(退火)→车侧面定位基准孔→铣端面、初打中心孔(4−A12)→粗车外圆(留足够余量)→打中心孔(4−B12)→测量垂直度和对称度→半精车外圆→精车外圆→钻孔→渗碳淬火→研磨中心孔→粗磨外圆→精磨外圆。

在半精车时应检测两轴线垂直度是否符合要求。具体步骤如下:

①半精车前,在 C6180 车床上用顶尖顶中心孔 B—B,半精车 C、D 两轴头外圆,从轴端起长 20～25mm,用千分尺测量 C、D 两轴头的半精车外圆尺寸 a、b,尽可能使 a、b 相同。

②在 C6180 车床上用顶尖顶中心孔 A—A,将千分表固定在走刀架上,按图 6-108 位置放置,校准千分表读数,转动十字轴轴头,千分表齿杆触头垂直于 C 轴头半精车外圆处。千分表触头在 C 轴头半精车外圆处最大读数为 c,转动十字轴 180°,千分表在 D 轴头半精车外圆处的最大读数为 d。

③计算垂直度数值 x

$$x=|c-d|-\left|\frac{a-b}{2}\right|$$

若 x 满足 $0 \leqslant x \leqslant 0.20$mm,则十字轴垂直度满足技术要求。

[例]　图 6-107 所示十字轴垂直度的测量。

①半精车 C、D 轴径,用千分尺测得 C、D 轴头半精车尺寸分别为 a $=\phi274.87$mm,$b=\phi274.62$mm。

②在 C6180 车床上用顶尖顶中心孔 A—A,用千分表测量 C、D 轴头,读数分别为 $c=0.020$mm,$d=0.32$mm。

③计算十字轴垂直度 x

$$x=|c-d|-\left|\frac{a-b}{2}\right|=0.05 \text{(mm)}$$

$x=0.05$mm,所测的十字轴垂直度满足技术要求。

(2)检测十字轴的对称度　检测十字轴对称度的方法如图 6-109,其步骤如下:

①在 C6180 车床上用顶尖顶中心孔 A—A,将千分表用表架固定在车床走刀架上,如图 6-109 所示。校准千分表,转动十字轴轴头,千分表齿杆触头垂直于 C 轴头端面,千分表的读数为 e,转动十字轴 180°,千分表齿杆触头垂直于 D 轴头端面,千分表的读数为 f。

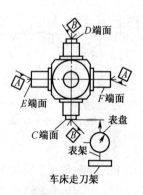

图 6-109　检测十字轴对称度的方法

②计算十字轴对称度数值 y

$$y=|e-f|$$

若 y 满足 $0 \leqslant y \leqslant 0.12$mm,则十字轴对称度满足技术要求。

③不满足十字轴对称度要求的处理办法如下:

a. 若 $e>f$,则 C 轴头端面应切削掉 $(e-f)$;

b. 若 $e<f$,则 D 轴头端面应切削掉 $(f-e)$。

重新测量十字轴对称度,方法同上。

④在车床上用顶尖顶中心孔 $B—B$,按上述①、②、③步骤测量 E、F 轴头端面的对称度。

[**例**]　图 6-107 所示十字轴零件对称度的测量。

①在车床上用顶尖顶中心孔 $A—A$,千分表齿杆触头垂直于 C 轴端面的读数 e 为 0.02mm,千分表齿杆触头垂直于 D 轴端面的读数 f 为 0.24mm。

②计算十字轴对称度 y

$$y=|e-f|=0.22(\text{mm})$$

$y=0.22$mm,不能满足十字轴对称度技术要求。

③不满足十字轴对称度技术要求的处理办法如下:

因为 $e<f$,所以在 D 轴头端面切削掉 $(f-e)=0.22$mm。重新测量十字轴对称度,达到了十字轴对称度的技术要求。

6.5.11　测量连杆结合面与联接螺纹孔垂直度的方法

柴油机连杆与连杆盖是用两个螺栓联接的,在连杆上有两个联接螺纹孔,要求两个联接螺纹孔的轴线与连杆结合面垂直,垂直度 0.02mm。若间接测量该垂直度误差,测量误差较大。现介绍一种用分档小锥体螺纹定位心轴打表法来进行测量,保证了测量精度,测量方法如图 6-110 所示。

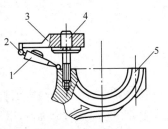

图 6-110　测量方法

1. 杠杆千分表　2. 调整螺钉

3. 旋转表架　4. 定位轴　5. 工件

具体测量方法是:把小锥体螺纹定位心轴 4 旋入要测垂直度的连杆螺纹孔中。拧紧无间隙后,将图中的旋转表架 3 插入定位心轴内,再将杠杆千分表 1 与调整螺钉 2 调整到适当位置,采用旋转打表法进行测量。杠杆千分表的读数差,即为螺纹对结合面的垂直度误差。因在测量时,一般实际长度 L_1 不等于给定的长度 L,应按下面的公式计算出螺孔全长上的垂直度误差值

$$\Delta = \frac{L}{L_1}\Delta_1$$

式中,Δ 为螺纹对端面的垂直度误差;Δ_1 为在长度 L_1 上测得的垂直度误差;L_1 为实测长度;L 为螺孔的全长。

6.5.12　测量薄壁套外圆素线平行度的简易方法

气缸套外圆素线平行度测量如图 6-111 所示,气缸套属于薄壁套,磨削外圆后要求外圆素线相对气缸套中心线的平行度为 0.0125mm。为了保证气缸套的实际中心线与模拟理想中心线重合,提高检测精度,避免误判,可设计制作图 6-111(b)所示的简易检测装置。

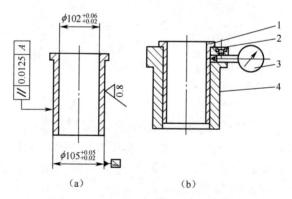

图 6-111　气缸套外圆素线平行度测量

(a)气缸套　(b)检测装置

1. 薄壁气缸套　2. 螺钉　3. 百分表　4. 模拟套

该简易检测装置由螺钉 2、百分表 3 和模拟套 4 组成。缸套外径与模拟套 4 内径采用过渡配合,用分组选配法来保证配合间隙或过盈量 <0.005mm。缸套外圆应倒角,以保证套装顺利和不损坏模拟套 4 的内孔。

测量时,首先将缸套下端压入模拟套内,使其下端越过百分表座

孔,然后将百分表固定于座孔内,并使之有 0.15～0.25mm 的摆动量。继续施压于缸套使之下行,缸套下行过程中百分表的最大摆幅即为缸套外圆素线对其中心线平行度的最大误差值。

6.5.13 利用楔块测量键槽对称度的方法

轴上键槽的检测如图 6-112 所示,测量键槽对称度一般是测量键槽两侧面到轴中心线的距离 A_1 和 A_2,但测量较困难。若按图测出键槽两侧面到外圆上的距离 B_1 和 B_2,求出 B_1 与 B_2 的差值 α,按公式 $f=(h/G)\alpha$,就可计算出键槽对称度误差值 f。

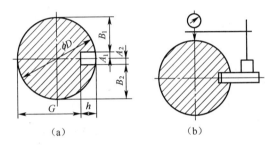

图 6-112 轴上键槽的检测

(a)轴 (b)测量方法

测量方法如图 6-112(b)所示。用一可调厚度尺寸的楔块无间隙地插入键槽,选一底面光滑平整的表座和一百分表,把表座放置在楔块上就可测量,测量 B_1 后,转动轴 180° 再测出 B_2,读取百分表的差值 α,按公式计算键槽的对称度误差值 f。

楔块如图 6-113 所示。该楔块由两块楔角相同的楔板反向贴合并由两夹板使其对齐。两楔板的楔角应小于 14°,在压入键槽后,两楔板可以自锁而不至于松开。楔块的最小厚度尺寸 b 按键槽的最大尺寸设计,且偏差为正值,这样的楔块易于在键槽中压紧,楔块的长度 L 应等于键槽的长度。楔块可用 45 钢制作,淬火硬度为 45～50HRC,两工作面的平行度误差<0.01mm,工作面及结合面的表面粗糙度为 $Ra0.8\mu m$。

在键槽长向测量时,也可用该楔块辅助测量,最后取截面测量和长向测量的较大值作为键槽对称度误差。该测量键槽对称度的方法简便易行,效率较高。

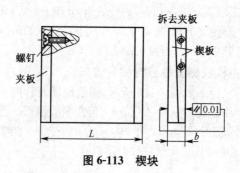

图 6-113 楔块

6.5.14 检测键槽对称度的综合量规

图 6-114 所示的圆套工件上有一键槽 $12^{+0.043}_{0}$ mm，并要求该键槽与内孔 $\phi40^{+0.025}_{0}$ mm 中心对称，对称度误差不超过 0.02mm，并把最大实体原则应用于被测要素。为准确判定工件的对称度是否在所要求的误差范围之内，可设计制作图 6-115 所示的键槽对称度综合量规，该量规由定位销 1、底板 2、螺钉 3、校准块 4、定位板 5 和销 6 组成。

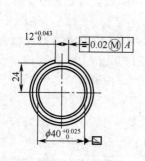

图 6-114 圆套

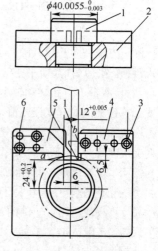

图 6-115 对称度综合量规

1. 定位销 2. 底板 3. 螺钉
4. 校准块 5. 定位板 6. 销

按工件上标注的对称度要求,当最大实体原则应用于被测要素时,则被测要素的形位公差值是在该要素处于最大实体状态时给定的。如被测要素偏离最大实体状态,则形位公差值允许增大,其最大增加量(即最大补偿值)为该要素的最大实体尺寸与最小实体尺寸之差。当键槽 $12^{+0.043}_{0}$ mm 为最大实体尺寸 12mm 时,使用平口刀口尺,如图 6-117 所示。当键槽 $12^{+0.043}_{0}$ 为最小实体尺寸 12.043mm 时,被偿值最大,为 0.043mm,此时,经补偿后的键槽对称度公差为 0.063mm(实效边界)。因此,图 6-117 所示的台阶刀口尺公差为 0.063mm±0.003mm。

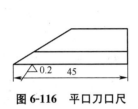

图 6-116　平口刀口尺

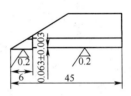

图 6-117　台阶刀口尺

测量对称度前,应检测键槽的宽度尺寸 $12^{+0.043}_{0}$ mm 合格。然后把圆套工件套装在综合量规的定位销 1 上,使键槽的一侧面紧靠在定位板 5 的 a 面上,用平口刀口尺的刀口紧贴在校准块 4 的 b 面上。这时,若平口刀口尺的刀口与工件键槽的另一侧面接平或键槽有间隙,则说明键槽的该一侧面与靠在定位板 5 的 a 面上的侧面对称或向外偏移;再用台阶刀口尺的前端台阶紧贴在用平口刀口尺检测过的键槽侧面上,注意是紧贴在键槽侧面上,若台阶刀口尺与校准块 4 的 b 面有间隙,则说明被测键槽侧面向外偏移的还不够多,没有超出 0.063mm 的范围,工件键槽的对称度合格。若台阶刀口尺的上部与校准块 4 的 b 面接触,台阶刀口尺的台阶部分与键槽侧面仍有间隙,则说明键槽的对称度超差,不合格。

6.5.15　铣轴键槽用的对刀器对称度的测量方法

图 6-118 是一根长轴,车完后铣键槽。键槽的对称度公差要求较小,铣削时要有严格的对刀要求。为此可设计图 6-119 所示的 V 形块以定位长轴的两端。用两个这样的 V 形块,安装在铣床的工作台同一个 T 形槽内。由于 V 形块下面的键与 V 形面有很高的对称性,当把长

轴放在 V 形面上后,键的两面也对称于长轴的中心线,也可以说,长轴的中心线就在 T 形槽的对称面内。

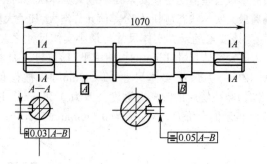

图 6-118　长轴

这样一来,只要保证键槽铣刀的中心线也在 T 形槽的对称面内就可保证键槽铣刀与长轴中心线对正,为此设计制作了图 6-120 所示的对刀器。该对刀器下面也有一长凸起,相当于长键,长键的宽度等于 T 形槽的宽度,安装在与 V 形块相同的 T 形槽内。对刀器上端有按键槽铣刀直径大小钻铰的孔,孔与下面的长键中心对称。这样,只要把键槽铣刀安装在刀柄中后再插入相应大小的对刀孔中就完成了对刀,简单、方便,而且准确。

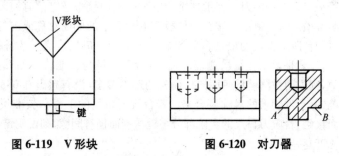

图 6-119　V 形块　　　　　**图 6-120　对刀器**

6.5.16　改制旧千分尺测量轴键槽的对称度

图 6-121 是用旧千分尺改制的测轴上键槽对称度量具。该量具主要由接杆 1、调整螺钉 2、垫片 3、平键 4、旧千分尺 6 和销 7 组成。把旧千分尺 6 从尺架的中部截断,用两个销 7 把接杆 1 与保留的尺架部连接起来。在尺架端面与接杆 1 形成的矩形孔中放入平键 4 和垫片 3 并

用调整螺钉 2 顶紧垫片 3 和平键 4。平键 4 的厚度根据键槽宽度确定并保证无间隙配合,平键 4 的两工作平面与千分尺的中心线垂直并与千分尺测杆的端面平行。为了保证上述的各位置要求,在千分尺的尺架被截断后要对截断面精心加工,保证截断面与千分尺的中心线垂直,即也与千分尺测量杆的端面平行。测量前要根据被测轴的直径和

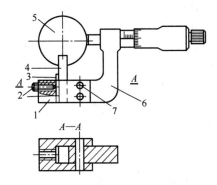

图 6-121 键槽对称度量具
1. 接杆 2. 调整螺钉 3. 垫片 4. 平键
5. 被测轴 6. 旧千分尺 7. 销

键槽的深度来调整平键 4 的伸出长度,目的是使被测轴的水平直径与千分尺的中心线大致重合,确保测量的精度。

测量时,确保调整螺钉 2 已顶紧了垫片 3 和平键 4,然后把平键 4 推进被测轴的键槽内并与被测轴中心线垂直,旋转千分尺,让测杆端面接触被测轴,记下读数,然后拔出量具并转 180° 后测量被测轴的另一侧,也记下读数,求出两次读数的差值 a,按公式计算出键槽的对称度误差 f

$$f=\frac{ah}{d-h}$$

式中,f 为键槽截面对称度误差;h 为键槽深度;d 为被测轴直径。

若被测轴直径已定,只测一侧就可以了。

6.5.17 测量缸套同轴度的量具

内燃机缸套的生产常是大批量的,而缸套的内孔和外圆有严格的同轴度要求,缸套如图 6-122 所示,为准确且迅速方便地测量出每一个缸套的同轴度,可设计制作图 6-123 所示的缸套同轴度测量仪。

该同轴度测量仪采用测量缸套壁厚差的方法间接测量出同轴度。该测量仪底座 1 上的 V 形工作台 2 用于使缸套定位,在底座 1 后部的立柱 12 上装有一个可以上下调整位置的支臂 11,测量装置就装在支

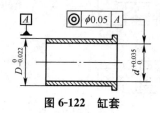

图 6-122 缸套

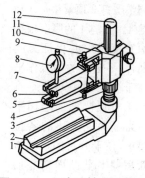

图 6-123 缸套同轴度测量仪
1. 底座 2. 工作台 3. 升降螺母
4. 压力钮 5. 下测臂 6. 测头
7. 上测臂 8. 显示表 9. 限程钉
10. 旋钮 11. 支臂 12. 立柱

臂 11 上,测量装置的下测臂 5 上装有可调整位置的硬质合金固定球面
测头 6,在上测臂 7 的 ϕ8mm 垂直孔中安装显示表,可以是机械式百分
表或千分表,也可是数显百分表或千分表。固定球面测头 6 与显示表
8 的活动测头同轴,并与 V 形工作台 2 的 V 形中心面对称,与两 V 形
面的长度方向垂直。为了使上、下测臂 7、5 浮动和给固定测头 6 提供
测量力,采用了平行弹簧片结构。测量力还可利用支臂 11 下面的压力
钮 4 来调整。支臂 11 上端装有限程卡板,调整限程钉 9 的位置,可控
制测量装置的浮动量。通过旋转升降螺母 3 可使支臂 11 和测量装置
在立柱 12 上水平升降,锁紧旋钮 10 可固定支臂 11 和测量装置的
位置。

测量前,把缸套放在 V 形工作台上,在调整好高低后,将下测臂 5
伸进缸套孔中,使固定测头 6 接触孔壁,再上升支臂 0.3~0.5mm,使
固定测头 6 与孔壁的接触压力大于显示表的测量力。然后调整显示
表,使其下面的测头与被测缸套的外圆接触,并使显示表调零,然后就
可测量了。

测量时,应测缸套的两端和中间的三个截面圆,三个截面圆处壁厚
差最大值就是被测缸套的同轴度误差值。

若要在生产线上测量,可以使测量仪的 V 形工作台 2 与生产线的高度相等,等被测缸套滚动过来后,可直接推到 V 形工作台上,省去了抬起缸套的动作和力量,减轻了检验人员的劳动强度。但注意不要让缸套把测量仪撞坏。

6.5.18 液压缸装配后位置度误差的测量

图 6-124 中所示的是液压装载机上的两种油缸位置度公差要求。图 6-124(a)所示的油缸,要求活塞杆中心线相对铰轴中心线的垂直度为 3mm;铰轴两端面相对活塞杆中心线的对称度为 1mm;图 6-124(b)所示的油缸,要求活塞杆中心线相对铰轴孔中心线的垂直度为 3mm;铰轴孔两端面相对活塞杆中心线的对称度为 1mm。这些位置要求,是为了防止油缸在工作状态受力后与相邻零件发生干涉和保证装配过程的方便。为了准确测量上述这些位置公差,可设计制作图 6-125 所示的油缸测量装置。

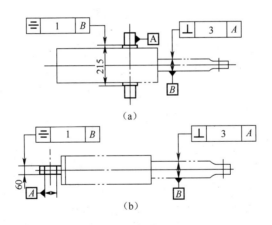

图 6-124 油缸位置度公差

该测量装置主要由底板 1、垫板 2、心轴 5、多用深度游标卡尺 6、磁力表座架 8 和 V 形铁 9 等组成。一对 V 形铁 9 用来支承图 6-124(a)中油缸的两铰轴,或用来放置心轴 5 来支承图 6-124(b)中的油缸。在底板 1 的侧面上,按油缸的长度刻上多条刻线,以标定测量位置。以图 6-124(b)中的油缸为例,第 1 条刻线刻在铰轴孔座与缸筒的焊接线处,

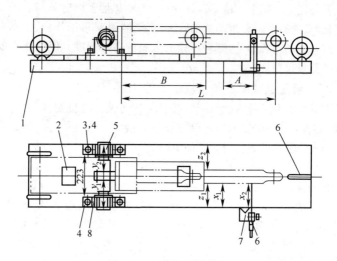

图 6-125　油缸测量装置

1. 底板　2. 垫板　3、4. V 铁固定装置　5. 心轴

6. 多用深度游标卡尺　7. 磁力表座架　8. V 形铁

第 2 条刻线刻在与缸筒右端面相对的位置,第 3、4 条刻线刻在相对伸长活塞杆部分的任意位置,但要相隔一定距离,不能太近,第 5 条刻线刻在与活塞杆铰轴孔中心相对的位置上。总之,刻线位置的选定是根据位置公差的要求,能准确、方便地测量出相关的数值,并能方便地计算出相应的位置误差值。

测量前,把多用深度游标卡尺 6 固定在磁力表座架 7 上,并使其主尺身与磁力表座架吸附面垂直。在要测量的油缸 b 的铰轴孔中穿上心轴 5 后,放在一对 V 形铁 8 上。把已固定好多用深度游标卡尺 6 的磁力表座架先后吸附在与被测油缸相对应的各刻线处,用多用深度游标卡尺测量出相应的数值 x_1、x_2、y_1、y_2、z_1 和 z_2,并测量出相应刻线间的长度值 L、A 和 B,把上述测量值代入下面的公式,就可计算出要测量的油缸的垂直度误差和对称度误差。

垂直度误差　$x = |L(x_2 - x_1)/A|$

对称度误差　$y = |(z_2 - y_2) - (z_1 - y_1) - 2B(x_2 - x_1)/A|$

上面油缸垂直度误差和对称度误差的测量方法简单、准确,可测量结构相同的多种油缸。

6.5.19 改制公法线千分尺测量轴键槽的对称度

测量轴键槽对称度的方法有多种,若通过改制公法线千分尺测量轴键槽对称度,不但测量精度高,而且操作简易。

测量方法图 6-126 所示,取一量程大于所测键槽轴半径的公法线千分尺,把自制的长条片 2 用 502 胶水粘接在固定测砧上,并用 M3 螺钉 3 紧固加强。自制长条片 2 的厚度为 3mm,长度以粘接后超过轴的半径 10mm 为宜,宽度与固定测砧的直径相等。自制长条片 2 要求用 T10A 工具钢制作,硬度为 55~60HRC,淬火后磨平。根据键槽的深度确定自制圆片 4 的直径,以能测到槽底而又

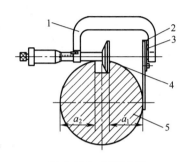

图 6-126 测量方法

1. 公法线千分尺 2. 自制长条片
3. M3 螺钉 4. 自制圆片
5. 被测工件

不使测杆与轴干涉为宜。也用 502 胶水把自制圆片 4 粘接在活动测砧上。粘接固定后,自制圆片 4 和自制长条片的测量工作面应平行。这样,一把轴类键槽对称度专用千分尺便改制完毕。但这时,该专用千分尺的零位已不再是原来的零位了,因为已将原来公法线千分尺的固定测砧粘接上长条片,活动测砧粘接上锥形体圆片,所以被调整到了毫米刻度尺上的某一数值。又因在测量中只取 a_1、a_2 之间的差值,而此差值在正常加工中不会太长,故可满足检测要求。若要校对此专用千分尺的零件,必须要在其读数中减去这个数值,故改制后的专用千分尺最好于尺身上能标出这个数值,若要使改制后的专用千分尺更完善些,则必须根据改制后的零位,重新调整微分筒的刻线。

测量的方法,原理上是根据国家标准 GB 1958—2004 对称度误差检测面对轴线的方法,利用改制后的专用千分尺对键槽的两侧面分两步进行测量。

(1)截面测量 在同一截面内分别测出尺寸 a_1、a_2,则该截面上两对应点的读数值差 $a=|a_1-a_2|$,该截面上键槽对称度误差 $f_{截}$ 按公

式为

$$f_{截}=\frac{a\,\dfrac{h}{2}}{R-\dfrac{h}{2}}=\frac{ah}{D-h}$$

式中,R 为被测轴的半径,$R=\dfrac{D}{2}$;h 为键槽深度。

(2)长向测量　沿所测键槽的长度方向,取其两点中的最大读数差为长向对称度误差 $f_长$

$$f_长=a_大-a_小$$

最后,取上述截面和长向两个误差中的最大值,作为该零件键槽对称度的实测误差值。

6.5.20　轴键槽对称度的简易测量法

图 6-127 是轴上平键槽对称度检测法。它仅需要定位块、测量架和测量表三种工具。

测量时,把定位块无间隙地插进轴上键槽中,把装有测量表的测量架放在定位块上进行截面测量和长向测量。

图 6-127　平键槽对称度检测法

(1)截面测量　沿径向移动表架,使表指示为最大,再将被测件旋转 180°重复上述测量,测出同一截面两对应点的读数差 a,则该截面对称度误差为

$$f_1=ah/(d-h)$$

式中,h 为键槽深度;d 为轴的直径。

(2)长向测量　沿径向称动表架,使表指示为最大,再沿键槽长度方向移动,取长向两点的最大读数差为长向对称度误差。取以上两个方向测得误差的最大值作为该零件的对称度误差。现将检测工具介绍如下:

①定位块。如图 6-128 所示,要求定位块与键槽之间无间隙,以保证测量精度。为此宜将定位块的厚度 H,按键槽公差分为各相差为 0.01mm 的几块,测量时适用与键槽实际宽度最接近的作为定位块。

$l=10\text{mm}$,$N\geqslant$ 键槽深度

$B=50\text{mm}$,H 为键槽宽度(配合)

$L=$ 键槽有效长度 $+20$（mm）

表面粗糙度 $Ra0.4\mu m$，上下两平面的平行度允差为 $0.003mm$。

②测量架及指示仪表如图 6-129 所示，测量表为杠杆千分表或百分表，测量架与定位块接触面为 $Ra0.4\mu m$。

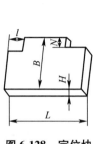

图 6-128　定位块

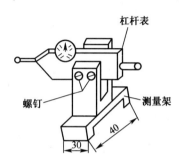

图 6-129　测量架及指示仪表

本测量法由于不用平台、V 形块，测量时不需调整定位块与平台平行，因而大大提高了检测速度，是平台法检测速度的 20 倍，使检验人员劳动强度大大减少，为提高产品质量创造了可靠的前提。

6.5.21　利用精密圆柱滚轮支承测量大工件的同轴度

图 6-130 是一大型缸套。缸套两端外径为 $\phi460mm$，内孔直径为 $\phi400^{+0.036}_{0}mm$，长为 1100mm。要求内孔与缸套两端外圆中心线同轴度公差为 $\phi0.04mm$。为准确方便地测量出缸套的同轴度误差值，可采用精密圆柱滚轮支承法来支承缸套，如图 6-131 所示。测量步骤如下：

①将工件 A、B 两处置于双滚轮上。

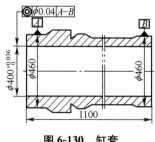

图 6-130　缸套

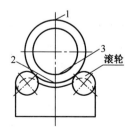

图 6-131　滚轮支承法

②在测量截面的外圆最高点、最低点(图 6-131 中第 1 点、第 2 点)两处分别铅垂放置杠杆千分表,旋转工件,分别找出最高点及最低点的平均中心,分别调于零位。

③按照弦高法原理,将步骤②中的最高点及最低点的零位,作为测量外圆的平均尺寸零位。

④在图 6-131 中的第 3 点铅垂放置一块杠杆千分表。

⑤旋转工件,在不同的位置记录第 1 点、第 2 点、第 3 点的千分表读数,根据第 1 点、第 2 点两块千分表记录的读数计算出测量基准中心位移量。将第 3 点千分表的读数减去基准中心位移量,就是第 3 点实际对外圆轴心线的跳动量,此实际跳动量的最大值与最小值之差,就是实测的同轴度值。

采用滚轮支承法测量内、外圆的同轴度,由于存在外圆的圆度误差,使图 6-131 中第 3 点的读数并不是内圆对外圆的真实跳动,而是附加了外圆的圆度误差。如何将外圆的圆度误差对内圆圆柱度测量值的影响减少到最低程度,一直是大工件同轴度测量的难题。

按照测量的阿贝原则,将外圆的圆度误差的内接圆和外接圆的平均圆的圆心作为外圆的中心零点,其测量装置安放在被测量尺寸的直线线段的延长线上,减少一次方微小误差的出现,采用双弦高法测量的均值表示中心零点的位移量,将图 6-131 中第 3 点内圆的测量值减去基准中心位移量,就获得了较为准确的内圆对外圆轴心的实际跳动量。此跳动量的最大值与最小值之差就是实际比较准确的内、外圆同轴度误差值。

6.5.22　测量均布圆孔位置度的检具

图 6-132 所示的工件有 8 个均布的圆孔 $\phi 12.5$mm,8 个孔相对于中心线 A 和底面 B 的位置度为 $\phi 0.2$mm。为检测这 8 个孔的位置是否合格和能否顺利装配,特设计制作了图 6-133 所示的位置度检具。

该检具主要由检具体 1、测量部位 2、导向部位 4、弹簧 5、钻套 6 和定位部位 7 等组成。检具体 1 嵌有 8 个间隙定位配合的钻套 6,测量部位 2(心轴)与钻套采用间隙最小的间隙配合,导向部位 4(莫氏锥面)法兰盘用限位螺钉 3 固定在检具体上,定位部位 7(顶尖)装入配合间隙最小的检具体中间孔内,顶尖中部装在压力弹簧 5 圈内受外力挤压后能在导向部位空挡处伸缩。

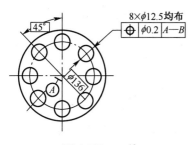

图 6-132 工件

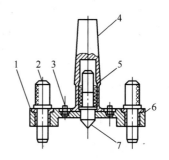

图 6-133 位置度检具

1. 检具体 2. 测量部位 3. 限位螺钉
4. 导向部位 5. 弹簧 6. 钻套
7. 定位部位

定位部位(顶尖)锥面对基准的圆跳动不得大于 0.005mm,导向部位(莫氏锥面)按标准涂色法检验,接触面积不得少于 80%。

检测时先将导向部位 4(莫氏锥柄)插入偏摆仪顶尖套内,然后把零件两端中心孔用顶尖顶起转动零件,零件孔与检具孔相对应再用测量部位 2(心轴)一个一个插入孔内,心轴能顺利通过就保证了零件的装配。

6.5.23　检测花盘中心与尾座中心同轴度的方法

图 6-134 是一种花盘中心与车床尾座中心同轴度的检测方法。首先制作一长方体千分表表座 2,可选用 45 钢材质,在表座 2 的一端钻通孔并在孔两端倒角。在表座 2 的另一端铣槽、钻孔后固定一千分表 1。花盘 6 装于车床主轴前端后,在花盘 6 孔中安装一顶尖 5,使其与车床尾座顶尖 4 一起顶紧表座 2 上的倒角孔。把千分表 1 调"0"后,慢慢转动表座 2,千分表 1 跟着一起转动。若前、后两顶尖 5、4 存在着同轴度误差,则千分表 1 上的指针有一摆动范围,其最大值的方向也可确定,也就是两顶尖 5、4 的偏移方向,再根据 L 值,就可计算出两顶尖的偏移量,从而知道其同轴度误差。

6.5.24　车削端面平面度的简易测量方法

在车削平面的过程中,对平面度往往是用直尺加塞尺的方式进行测量。其测量结果误差较大,而且不易操作。对平面的波动规律也无法了解。在生产过程中,可用图 6-135 所示的方法测量端面平面度。
这种测量方法不仅可以直接读数,而且对平面的波动规律也一目了然。
同时还可以测出横刀架(中滑板)横向移动对主轴轴线的垂直度误差。

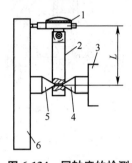 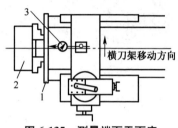

图 6-134   同轴度的检测   图 6-135   测量端面平面度
1. 千分表   2. 表座   3. 尾座   1. 工件   2. 夹头   3. 百分表
4. 尾座顶尖   5. 顶尖   6. 花盘

当平面车削后,将横刀架摇向操作者这边。然后,利用磁性表座装
上百分表,并使表的量杆与被测平面垂直。表头高度应对正工件的中
心高。在横向则表头的初始位置应该超过车床主轴的轴线,如图所示
(这一点是关键,如果不超过轴线,则表头走过的轨迹与车刀尖的轨迹
一致,百分表读数将始终为零)。然后,摇动床鞍,使百分表与被测平面
接触,并使其压缩一圈以上。锁定床鞍。这时再摇动横刀架,表上读数
的 1/2 就是平面度的误差(其中另 1/2 的数值大约等于横刀架横向移
动对主轴轴线的垂直度偏差)。

6.5.25   用锥度心轴定位测量外回转面跳动

图 6-132 是一回转件,有中心通孔 ϕ,要求外圆柱面和外锥面对中
心通孔 ϕ 的中心线圆跳动很小,均为 $\phi t = 0.02$mm。若用两头带顶尖
孔的圆柱心轴定心插进 ϕ 孔中,两端用顶尖顶住,让工件转动来测量圆
跳动,由于存在着心轴与 ϕ 孔之间的间隙,测量结果有误差。若改用图
6-133 所示的锥度心轴来定心工件,则可消除心轴与 ϕ 孔之间的间隙,
锥度心轴的锥度可根据工件内孔 ϕ 公差的大小而不同,一般控制在
1∶300、1∶400 或 1∶500 左右。

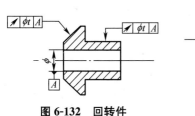

图6-132 回转件

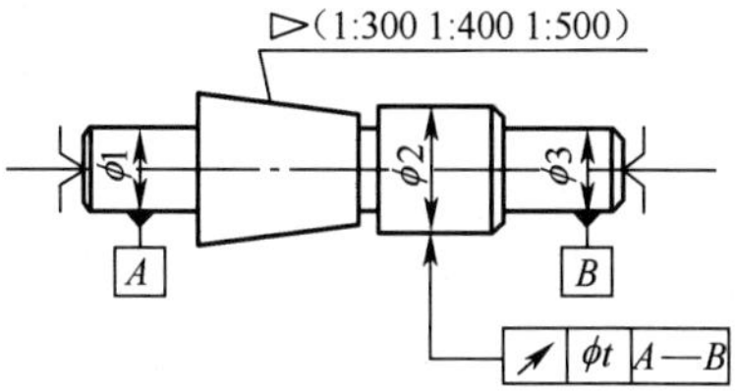

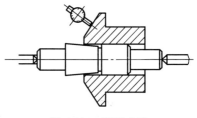

图6-133 锥度心轴

测量方法如图6-134所示,步骤如下:

①把测轴及工件内孔擦净,然后配入塞紧。

②把测量体放在两顶尖架上,校正,使其整体能转动。

③百分表头与工件斜面(外圆)接触,转动锥轴,则工件的斜面(外圆)的圆跳动误差直接从百分表上显示出来。

图6-134 测量方法

6.5.26 检测小模数薄片齿轮径向跳动

图6-135是一小模数薄片齿轮,其内孔直径 d 小于4mm,厚度 δ 小于1mm,加工精度要求很高,其中齿圈径向跳动误差0.015mm是要检测的重要项目。

对于这类中间有孔的薄片类零件的跳动值的检验,一般是采用内孔穿入带轴肩的圆柱心轴或小锥度心轴使其径向定位,但该零件精度太高,且又小又薄,检测效果不佳。

针对上述情况和问题,可以设计制作图6-136所示的专用检具。该检具主要由支承座1、定位轴2、顶尖轴5、弹簧6、弹钉7和挡圈8等组成。顶尖轴5的锥度顶尖(锥角 $\alpha=40°\sim60°$)插入零件内孔,使零件径向定位,零件的左侧面紧靠定位轴2的右端面,使零件实现轴向定位。测量时用手轻轻转动零件,用百分表或千分表就可检测出零件齿圈的径向跳动。

该检具的设计与制造要保证两点:一是要保证装定位轴2与装顶尖轴5的孔要同轴,同轴度要小于0.02mm;二是顶尖轴5与其孔的配合间隙要小于 0.005mm,尽可能多地消除间隙对测量精度的影响,提高测量精度。

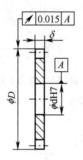

图 6-135　小模数薄片齿轮

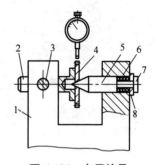

图 6-136　专用检具

1. 支承座　2. 定位轴　3. 顶紧螺钉
4. 齿轮　5. 顶尖轴　6. 弹簧
7. 螺钉　8. 挡圈

6.5.27　精密轴承孔圆度、圆柱度误差的测量

当内燃机、变速箱等精密壳体类零件的轴承孔有圆度和圆柱度误差时,由于这类孔本身的尺寸和形状位置精度较高,用测量精度较低的量表以两点法测量,测量不准确。为此,可设计制作一套卧式回转轴式圆度、圆柱度测量装置,如图 6-137 所示。

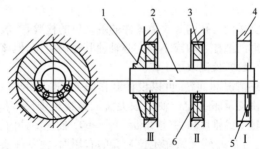

图 6-137　测量装置

1. 分度盘　2. 精密回转轴　3. 定中心套
4. 机体轴承座　5. 传感器　6. 滚珠

该测量装置主要由分度盘1、精密回转轴2、定中心套3、传感器5和滚

珠6等组成。定中心套3外圆柱面(不全形面)与机体孔是无间隙接触,定中心套3内圆柱面有6个精密滚珠6以支承精密回转轴2。支承精密回转轴2实际是两个截面,有很高的精度,其安装极方便,不用做调整。分度盘1很方便地按所需位置固紧在轴上且与定中心套3端面用磁柱连接,即可转动又不脱离接触且无轴向移动,分度盘1有72个分度。

(1)测量方法 具体的测量方法和步骤如下:

①将机体底板条朝上即仰式,将孔擦干净。

②测第1孔,把两个定中心套放在Ⅱ与Ⅲ孔中,由于定中心套为不全形的,因此,能很方便地进入孔中又能确保与孔是无间隙接触,定心精度很高。

③6个滚珠预先安装在定中心套内孔的下面,轴能方便进入并使轴中心线与孔中心线重合。由于定中心套、滚珠、精密回转轴尺寸是按机体孔的基本尺寸作出的,回转轴的轴心线与机体两孔轴心线在一般情况下有一极小的角度(一般不大于11.5″)。

④传感器装在回转轴的一端并可调整位置,使其与机体Ⅰ孔接触。

⑤松开分度盘固紧螺母,穿入回转轴并与Ⅲ孔中定中心套端面接触,让磁柱起作用,固紧螺母,转动轴便可进行测量了,每转动一个位置后,按一下数据采集钮,数据进入计算机主机。

⑥由于数据计算系统中 A/D 转换器有数据显示,因此可随时发现输入的问题。

⑦圆柱度误差的测量是在测完一个截面的圆度误差后,松开分度盘固紧螺母,使回转轴轴向移动一个长度,然后紧固螺母,进行第二截面圆度误差测量,一般取三个截面。

(2)精度要求 对主要零部件的精度要求如下:

①该测量装置结构简单,精密回转轴精度是误差的主要来源,精密回转轴是一根 $\phi70\text{mm}\times600\text{mm}$ 尺寸的光轴,圆度、圆柱度误差不大于 $0.5\mu m$。

②滚珠是支承精密轴的,它的精度直接影响轴的回转精度,选用尺寸误差不大于 $0.5\mu m$,圆度误差不大于 $0.1\mu m$ 也完全能做到。

③传感器误差,当量程选在 $30\mu m$ 挡时,其误差为 $0.5\mu m$。

6.5.28 检测内、外径跳动量

图 6-138 所示轴承座,内孔 $\phi140^{+0.04}_{0}\text{mm}$、外径 $\phi195^{0}_{-0.046}\text{mm}$ 和

$\phi 280^{\ 0}_{-0.052}$ mm 相对于基准 A 均有 0.05mm 的跳动量要求。由于工件尺寸较大,三个跳动量要求较小,检测较困难。为此设计制作图 6-139 所示专用检测装置。

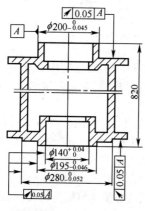

图 6-138　轴承座

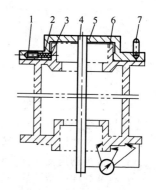

图 6-139　专用检测装置
1. 紧定螺钉　2. 弹簧　3. 钢球
4. 导柱　5. 止口胎
6. 轴承座　7. 手柄

该装置主要由紧定螺钉 1、弹簧 2、钢球 3、导柱 4、止口胎 5 和手柄 7 等组成。止口胎 5 与轴承座 6 之间的配合公差为 $\phi 200$F8/h7,导柱 4 焊接在止口胎 5 上,钢球 3 通过紧定螺钉 1 和弹簧 2 顶在轴承座 6 的止口面上。

测量时,先将轴承座 6 支承在适当位置上,然后将检测器具装在轴承座 6 上,再将百分表固定在导柱 4 的合适位置上,并调整百分表复零位。手握手柄 7,旋转止口胎转动一周,百分表的摆幅即为轴承座所测位置的跳动误差。

在制作该检测器具时,要注意导柱 4 的材料选用要有足够的刚性。另外,在测量过程中,旋转检测器具时,不要用力向外拉手柄。因为止口胎 5 与轴承座 6 之间存在着配合间隙,如果用力向外拉,则有可能导致百分表所测数值不准确。

6.5.29 箱体上大尺寸孔几何误差的测量

图 6-140 所示的箱体尺寸较大,箱体上的主轴孔不但直径尺寸大,而且具有较高的圆度和同轴度误差要求,左侧孔的内端面还有端面跳动要求。为准确、方便地测量上述几何误差,可设计制作图 6-141 所示的专用检具。

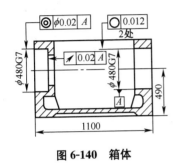

图 6-140 箱体

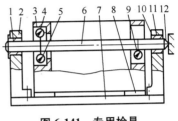

图 6-141 专用检具

1,10. 偏心套 2,11. 支架

3. 箱体 4,5,9. 千分表

6. 转轴 7. 底座 8. 定位板

12. 钢球

专用检具主要由偏心套 1、10,支架 2、11,千分表 4、5、9,转轴 6,底座 7,定位板 8 和钢球 12 等组成。在底座 7 上用螺钉固定两个支架 2、11,该两支架上的孔一次镗出,以确保两孔的等高性。在两孔中各放一个偏心套 1、10,通过调整偏心的方向,使两偏心套孔 1、10 的同轴度小于 0.008mm,且其中心线到定位板 8 上平面的距离等于箱体的两孔中心高 490mm,其中心线也平行于两定位板 8 的上平面。转轴 6 支承于两偏心套 1、10 中,转轴 6 的外径根据偏心套 1、10 的内孔配磨,并保证配合间隙为 0.005mm 左右,表面粗糙度为 $Ra0.4\mu m$。

测量圆度和同轴度时,把千分表 5、9 固定于转轴 6 的方槽中,并使表触头指向左、右端孔径的水平方向,然后调整箱体,使表在水平方向前后两个读数相等,并使表对零位,此时转轴位于箱体孔的中心。均匀转动转轴 6 并每隔 45°依次记录下表 5、9 的读数,记录数据时要注意同时记录下各数据所在的相位。测量端面圆跳动时,把表 4 指向被测端面,转轴 6 右端中心孔放一钢球 12,并靠在一固定面上,使转轴向右端轻轻加力并转动,在一周内表的读数变化量即为端面圆跳动误差。

根据测量圆度、同轴度时的记录数据在圆坐标纸上作图,如图 6-142 所示,得到两内孔的实形圆,然后分别做这两个实形圆的内外包容同心圆,则两包容圆的半径之差即为孔的圆度误差,左、右孔包容圆圆心距离的二倍即为同轴度误差。图中内圆为左端孔实形圆,其圆度误差 $\Delta_{左} = 0.0075mm$,外圆为右端孔实形圆,其圆度误差 $\Delta_{右} = 0.012mm$,两孔同轴度误差 $\Delta = 2, \overline{O_{左} O_{右}} = 2 \times 0.009 = 0.018 (mm)$。

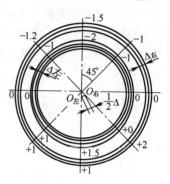

图 6-142 圆坐标记录

6.5.30 气缸套支承肩端面跳动的测量

图 6-143 是一气缸套,壁厚仅有 1.5mm,属于薄壁套。在车磨这类薄壁工件时,要有专门的夹具,以防变形而影响加工精度。但在加工完毕从夹具中卸下后;在检测气缸套的支承肩端面圆跳动时,由于气缸套的变形,使检测结果很不准确,常常误差过大而报废,造成不必要的损失。测量方法如图 6-144 所示,根据气缸套在加工和使用过程中的实际状态,可设计制作一模拟套 3,模拟套 3 与气缸套采用过渡配合,施加一定的力压入后,气缸套回到加工时和使用时的状态,可测量出气缸套支承肩端面圆跳动的真实误差。除模拟套 3 外,还要设计制作定

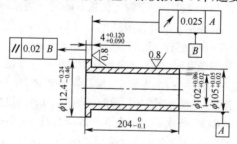

图 6-143 气缸套

位支承装置,如图 6-144 所示,主要由支承块 2、定位挡板 4、底板 5 和 V 形架 6 等组成。

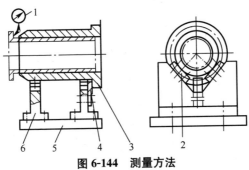

图 6-144 测量方法

1. 杠杆表 2. 支承块 3. 模拟套

4. 定位挡板 5. 底板 6. V 形架

测量时,把气缸套压入模拟套 3 后,把模拟套 3 放到 V 形架 6 上,由两个支承块 2 支承,轴向由定位挡板 4 定好位后,调整杠杆表 1, 在测头接触到气缸套支承肩端面后调"0"。然后用手转动模拟套 3,转一周后,杠杆表 1 的摆幅即是气缸套支承肩的端面圆跳动误差,小于 0.025mm 即为合格。

注意,模拟套 3 的材料应与气缸套相同,防止在压入时把气缸套划伤;压入气缸套时,模拟套 3 下面放一限位挡铁,以保证支承肩下端面与模拟套 3 端面留有 5mm 左右的测量间隙。

6.5.31 高效检测盘类零件跳动量

图 6-145 是盘类零件,其端面和外圆相对中心孔 $\phi 40H9mm$ 分别有 0.5mm 和 0.2mm 的圆跳动量要求,在批量较大时,用穿锥度心轴在两顶尖间检测圆跳动量的方法显示得效率低下,而且劳动强度大,不能适应较大批量的生产。可设计一种由电动机驱动的盘类零件圆跳动量高效检测装置,如图 6-146 所示。在平台 5 下面有电动机和减速器相连,减速器轴垂直于平台 5 并与测量头 4 相连,工件 2 套在测量头 4 上,上面用辅助心轴 3 支承,被测工件 2 被带动旋转后,用两个百分表 1 就可分别检测端面和外圆的圆跳动量。可实现不停机装卸,效率大大提高。

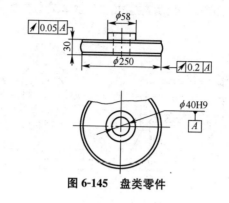

图 6-145　盘类零件

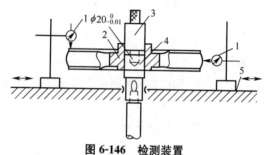

图 6-146　检测装置

1. 百分表　2. 工件　3. 辅助心轴
4. 测量头　5. 平台

6.5.32　大平面平面度的检测

当要检测一个大尺寸平面的平面度时,可用图 6-147 所示的自制平面度检具进行检测。该检具主要由侧立板 1、检具体 2、千分表座 3、千分表 4 和销子 5 等组成。检具体 2 是由铸铁件制成的长方体件,经退火去应力处理后,再经自然时效处理,然后精磨上下两面,保证上下面的平行度,再在检具体 2 上钻、铰等距的小孔,放入等长的销子 5,销子 5 侧面有槽,用螺钉从侧面拧入槽中使其上下可动但不会掉落。两块侧立板 1 的上面与检具体 2 底面平行并支承着千分表表座 3。把检具放到被测平面上后,用千分表 4 检测每一个销子 5 的顶面,由各销子深度的差值就可测知平面度的数值。

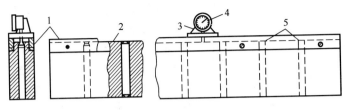

图 6-147　平面度检具

1. 侧立板　2. 检具体　3. 千分表座　4. 千分表　5. 销子

6.6　其他测量

6.6.1　利用方箱改制成多用途检测台

利用方箱改制成的多用途检测台如图 6-148 所示,可以检测尺寸、平面度、平行度和垂直度。

图 6-148 是用 200mm 方箱改制成的多用途检测台。该检测台主要由方箱 1、百分表 2、固定套 3、磁性表架 4、固定块 5、横杆 7 和定位板 11 等组成。制作时,在方箱 1 一平面的中部攻出一个 M16 螺纹孔,在螺纹孔中旋入固定套 3,固定套 3 中带有台阶孔和顶丝孔。用螺钉 10 固定一块薄的钢板作为定位板 11(钢板可用钢板尺或截取其一部分),两磁性表架 4 连接好横杆 7 后吸附在方箱 1 的两侧面上,把固定块 5 用螺钉 6 固定在横杆 7 的中部位置。

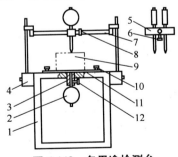

图 6-148　多用途检测台

1. 方箱　2. 百分表　3. 固定套　4. 磁性表架　5. 固定块　6,8,10,12. 螺钉
7. 横杆　9. 工件　11. 定位板

①检测尺寸时,在固定块 5 上再用螺钉 8 固定一块百分表,两百分表的测头应平行且垂直于方箱 1 的上表面。把按被测尺寸自制的标准量块放置在方箱 1 的上表面,使上面的一块百分表留有足够的压缩量后,校正两块表的零位。把要被检测尺寸的工件放在标准量块处,两块百分表读数的代数和加上量块数值,即为被测工件的高度尺寸。

②检测平面度时仅用下面的百分表 2,把被测平面朝下放在方箱 1 上的百分表 2 测头下,大幅度移动工件,百分表的示值即为被测面的平面度。

③检测平行度时,工件平行度的基准面朝下放在方箱 1 的上面,大幅度移动工件,上面百分表的读数即为工件上面对基准面(下面)的平行度。

④检测垂直度时,下移两磁性表架 4,并使两磁性表架 4 向后面方向倾斜一定的角度,使横杆 7 高度降低并向后移动一定的距离。在固定块 5 上再固定一块百分表,并使两块百分表的测头处于水平方向,测头间的距离约为工件的高度。把垂直度标准块规放在方箱 1 的上平面上,靠紧定位板 11,让两块百分表的测头接触到垂直度标准块规的侧面,把两块百分表调零。然后把要测量的工件放在方箱 1 的上表面,靠紧定位板 11,则两块百分表上的读数差值就是被测面相对基准面(底面)的垂直度误差值。

用类似检测垂直度的方法,还可检测出倾斜度误差。

6.6.2 多功能游标卡尺的应用

图 6-2 是多功能游标卡尺的结构。夹框 3 用夹框螺钉 4 紧固在主尺 5 的左端。夹框 3 中有方截面通槽,可用制动螺钉 2 紧固各种 I 型测量杆 13~16。在游标尺框 7 下部卡脚端面加工一通孔,用以安装各种 II 型测量杆 17~20,上述 I、II 型测量杆均可向下调整伸出的长度,而 II 型测量杆可用游标量杆制动螺钉 10 通过其内部楔块锁紧机构锁紧。为方便该卡尺的校验、读数、测量和尺寸计算,游标与卡脚之间应能进行适当的相对移动。为使其移动准确,在游标 8 与游标卡脚 11 之间的配合面处设计出一与键槽相类拟的结构,在游标底面加工出一凸台,在卡脚上加工一通槽,使两者通过侧面相配合。另在游标 8 上加工出两腰形槽,以便安装游标制动螺钉 9。当需要将游标 0 刻线与主尺

上某一整数刻线对齐时,先松开两个制动螺钉9,调节游标的位置,调好后再拧紧两个制动螺钉9使游标位置固定,如图6-150所示。

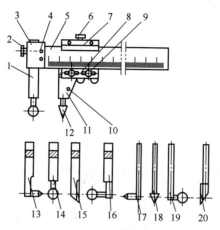

图6-149 多功能游标卡尺的结构

1. Ⅰ型测量杆 2. 制动螺钉 3. 夹框 4. 夹框螺钉 5. 主尺

6. 螺钉 7. 游标尺框 8. 游标 9. 游标制动螺钉 10. 游标量杆制动螺钉

11. 游标卡脚 12. Ⅱ型游标测量杆 13. Ⅰ型钩式顶尖测量杆

14. 球头测量杆 15. 刃口测量杆 16. Ⅰ型外向钩式球头测量杆

17. Ⅱ型钩式顶尖测量杆 18. 锥头定心测量杆 19. Ⅱ型外向钩式球头测量杆

20. Ⅱ型刃口测量杆

测量前用千分尺对游标卡尺进行校验,如图6-151所示。几种典型的测量实例如图6-152所示。

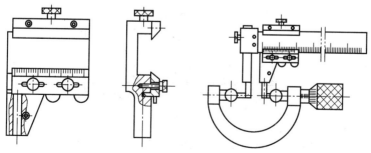

图6-150 游标位置固定　　　　**图6-151 校验游标卡尺**

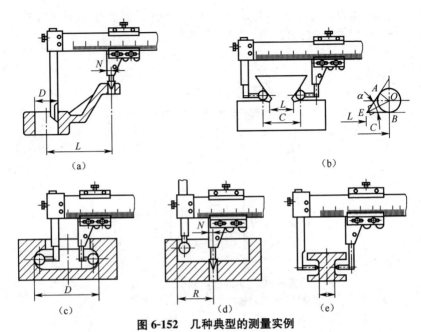

图 6-152 几种典型的测量实例

(a)测高低孔距　(b)测燕尾　(c)测内腔　(d)测孔边距　(e)测工字钢

6.6.3 自制大尺寸百分表量具

在有些重、大型机械设备中，关键零件的尺寸不但大而且精度高，用一般的钢板尺或卷尺测量不能保证精度，可设计制作如图 6-153 所示的测大尺寸百分表量具。

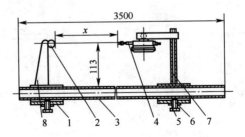

图 6-153 测大尺寸百分表量具

1. 定位座　2. 钢球　3. 导柱　4. 百分表　5. 螺栓　6. 螺母　7. 支架　8. 立板

该量具主要由定位座 1、钢球 2、导柱 3、百分表 4、支架 7 和立板 8 等组成。该量具的测量范围是 300～3000mm。测量时,将定位座 1 与导柱 3 用螺栓 5 固定在一起,根据要测量的尺寸大小,调整百分表 4 的测头与钢球 2 之间的距离 x,应使百分表测头有一定的压缩量后再用螺栓 5 把右边的定位座 1 与导柱 3 固定在一起,两个螺栓 5 均用螺母 6 背死,以防松动,然后就可以测量工件了,并从百分表上直接读取零件的长度值。

6.6.4 自制两米精密游标卡尺

图 6-154 所示为自制的两米精密游标卡尺。利用该卡尺可方便地测量有精度要求的接近 2m 的零件尺寸,且读数精度达 0.02mm。

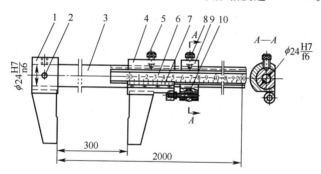

图 6-154 两米精密游标卡尺

1. 固定量脚 2. 圆锥销 3. 主尺杆 4. 活动脚
5,8. 滚花螺钉 6. 刻度尺 7. 副游标尺 9. 支架 10. 螺杆

主尺杆 3 用普通的 45 钢制造。刻度尺 6 用旧的钢卷尺改制,副游标尺 7 采用精度为 0.02mm 的旧游标尺改制。把用旧钢卷尺改制的刻度尺 6 用金属黏结剂粘固在一起,注意粘后的旧钢卷尺与主尺杆 3 平行且平整。

测量时,把该卡尺平放在平台上,把要测量的零件也放置在平台上。然后将滚花螺钉 5、8 稍稍松开,使活动脚 4 和支架 9 能在主尺杆 3 上自由滑动,将其调到所需测量的长度,然后拧紧滚花螺钉 8,转动螺杆 10 上的螺母,由于螺母不能轴向移动,从而拉动螺杆 10 和活动脚 4 移动,可实现微调,直至使固定量脚 1 和活动脚 4 的测量工作面平行地与被测长度的两端面接触，从主尺杆 3 和副游标尺 7 上读出被测长度的数值。

该量具的测量范围为 300～2000mm，制造装配时，可用标准 300mm 校验棒校验定位固定量脚 1，并用固定量脚 1 上侧的螺孔和螺钉锁紧，合格后，再配钻定位圆锥销 2。

6.6.5　卡尺与百分表组合做高精度相对测量

一般游标卡尺的精度最高为 0.02mm，对于具有 0.01mm 精度要求的工件是无法测量的。如图 6-155 所示，若把游标卡尺和百分表组合起来，组成具有 0.01mm 精度的量具，则可解决这一测量难题。卡尺的测量爪既可测量外圆、长度尺寸，也可测量内孔和孔内槽尺寸。

测量前应先用环规或千分尺校对该卡尺，即按被测尺寸的基本尺寸制作环规或调整千分尺，然后用该卡尺去测量环规的内径或千分尺的量砧与测量杆间的距离，并固定卡尺的游标。接着移动百分表夹持夹 2 带着百分表 3 向游标靠近，使百分表 3 的测头接触到游标的端面，继续移动一点距离后使百分表 3 的测头有一定的压缩量，并用下面的紧定螺钉紧固百分表夹持夹 2，使百分表 3 调零。再校对一次看百分表 3 的指针是否指在零位。

在用校对好的卡尺测量孔径或孔内槽直径时，若百分表 3 的指针顺时针转动 1 个格，说明该孔比基本尺寸大了 0.01mm，可写成 $D_0^{+0.01}$ mm，若沿顺时针方向转动了 2.5 个格，可写成 $D_0^{+0.025}$ mm，即所测孔或孔内槽的直径是 $D_0^{+0.010}$ mm 或 $D_0^{+0.025}$ mm。若表针逆时针转动，则可写成 $D_{-0.01}^{0}$ mm 或 $D_{-0.025}^{0}$ mm。D 即是校对卡尺的基本尺寸，如 $\phi50_0^{+0.036}$ mm 尺寸的孔，校对卡尺的基本尺寸是 50mm。

测量外圆或长度尺寸时的步骤与上述校对和测量方法基本相同，校对件是标准圆柱或组合后的块规。

6.6.6　滚动轴承径向间隙的测量

轴承的径向游隙是轴承精度的重要指标，需要准确测量。在没有专用测量仪器的情况下，可自制图 6-156 所示的滚动轴承径向间隙测量仪。

该测量仪主要由指示仪 1、可调支承 2、螺栓 4、心轴 5 和平行底座

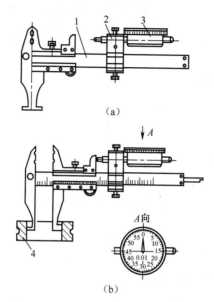

（a）

（b）

图 6-155　游标卡尺与百分表组合

1. 测内槽专用卡尺　2. 百分表夹持夹

3. 百分表　4. 环规或千分尺（螺旋测微计）

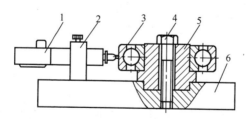

图 6-156　滚动轴承径向间隙测量仪

1. 指示仪　2. 可调支承　3. 轴承

4. 螺栓　5. 心轴　6. 平行底座

6 组成,指示仪 1 可选用千分表。测量时,让指示仪 1 的触头对准轴承外圈中部并在轴承的直径方向上,扶住外圈并平行地轻推外圈,使之与内圈和球在图示的右方保持接触,并在此位置上下反复移动和做平行振动,使球到达沟道底部,直至指示仪读出最大读数,记下。相反,不改变外圈的大体位置,扶住外圈使之与内圈和球在图示的左方保持接触,操作同前,直至指示仪读出最小读数,并记下。两读数之差即为被测轴承的径向间隙。

如需补偿直径的圆形偏差,可采用改变外圈与内圈不同角度位置进行多次测量,取几次读数的平均值作为测量结果。

该测量仪结构简单,使用方便,更换不同直径的心轴 5,可测量相应规格的轴承径向间隙,适于轴承装配时的检测。注意心轴 5 与平行底座 6 及轴承的配合最好为过渡配合或小间隙配合,以减少间隙对测量精度的影响。

6.6.7　配合件的同轴度、偏心距及长度尺寸的检测

图 6-157 是一对配合件。左图中的 $\phi 14^{+0.027}_{0}$ mm 孔与右图中的 $\phi 30^{0}_{-0.05}$ mm 外圆相对于 $A—B$ 有同轴度 $\phi 0.05$ mm 的要求。左图中的 $\phi 14^{+0.027}_{0}$ mm 尺寸是拧进右图所示配合件后加工的。为测量出上述同轴度和图中的偏心距 2mm ± 0.04mm 及两件的长度尺寸 $106^{+0.18}_{0}$ mm 和 $30^{+0.15}_{0}$ mm,制作或改进了部分量具。

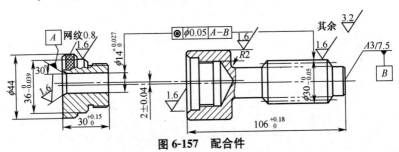

图 6-157　配合件

①图 6-158 所示的量具是用于测量同轴度。卸下 125～150mm 外径千分尺的测砧,换上尖头顶尖,在螺纹测杆前端装一个顶尖,顶住装配后的工件。把外径千分尺的尺架夹紧在小台虎钳上,再把小台虎钳固定在测量平板的边缘,平板上放有两个带磁性表座的百分表,让百分表的测头垂直于工件中心并接触被测部位,用手轻轻转动工件,观察两百分表指针的摆动范围,在 0.05mm 之内则同轴度合格。

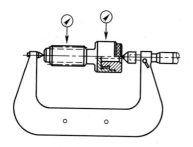

图 6-158　测量配合件同轴度

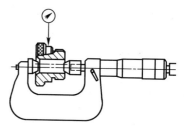

图 6-159　测量单件偏心距

②测量单件偏心距如图 6-159 所示。把图 6-157 左图工件装于千分尺上,千分尺的夹紧与固定同图 6-158。用手轻轻转动工件,用百分表测量 $\phi36_{-0.039}^{\ 0}$ mm 外圆处,百分表上的最大和最小读数之差的一半即是该工件的偏心距。

测量两配合件长度如图 6-160 所示。先制作一个标准块,高 106mm、宽 70mm、厚 50mm 再在上部切去高 30mm、宽 50mm、厚 50mm 一部分,将分表夹持于游标高度尺杆上,标准块和右边工件同时放置在平板上,左图工件放置于标准块切去的部位。移动高度

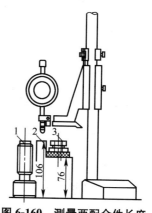

图 6-160　测量两配合件长度
1,3. 工件　2. 标准块

尺,使其百分表测头与标准块平面接触,留有一定压缩量,校正零位。移动高度尺,使其百分表测量头与工件上平面接触,其表上的读数分别为工件的长度误差。

6.6.8　卧式车床溜板箱与床身之间的装配测量

在卧式车床的装配中,溜板箱与床身之间的间隙精度要求很高。它关系着溜板移动的精度,也关系着床身上齿条与溜板箱中齿轮轴的啮合间隙。有些装配要加厚度 H 的垫片。加装垫片以补偿参与装配的尺寸的累积误差。H 的测量如图 6-161 所示,通常测量 H 值应用塞

尺 4 来测量,需要配制由上片 1 和下片 3 组成的辅具,测量比较费时费力,影响装配效率。改进措施是设计一 V 形槽通用测量块,配合游标卡尺直接测量 A 面到 B 的尺寸,算出垫片厚度,如图 6-162 所示新测量法。假设装配时要求 A、B 之间的距离在卡尺上示值为 X 时,垫片厚度为 H;如卡尺示值偏离 X 的数值为 δ,则 H 应向反方向增加或减少 δ 值。例如假设 AB 的距离为 55 时,调整垫片 H 值为 1.2;如果卡尺示值 X 为 54.8,那么 δ 等于 0.2,调整垫片 H 值增加到 1.4;如果卡尺示值为 55.3,那么 δ 等于 0.3,调整垫片 H 值减少 0.9。

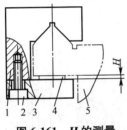

图 6-161 H 的测量
1. 上片 2. 螺钉 3. 下片
4. 塞尺 5. 床身

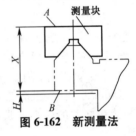

图 6-162 新测量法

这种测量块制造简单,操作方便,省时省力,通用性强,使用效果好。

6.6.9 机床主轴轴承的预紧和测量

通过施加一定的载荷给机床主轴轴承,可消除轴承间隙,并使其产生预变形,从而提高机床主轴的部件刚度、回转精度和抗振性能。但施加给轴承的载荷过大会使轴承变形过大,磨损严重,产生大量的摩擦热,影响轴承寿命和回转精度。因此准确测量机床主轴轴承的预紧量是机床装配工作中的一个关键问题。

图 6-163 是一精密卧式车床主轴前端支承的组装结构。其轴承的预紧方法是在第二与第三个轴承内外圈之间放置不同厚度的内、外隔套 4、5,借助内、外隔套 4、5 的厚度差值以得到不同的预加载荷。因此,准确确定和测量内、外隔套 4、5 的厚度差值是一关键,而该厚度差值由两轴承内外圈的相对轴向位移量所决定,因此,准确测量轴承内外圈间的轴向相对位移量就可准确确定内、外隔套的厚度差值。

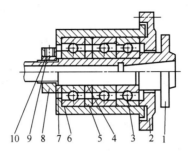

图 6-163 主轴结构

1. 主轴　2. 压盖　3. 轴承　4, 5. 内、外隔套
6. 轴承座　7. 挡圈　8. 螺母　9. 压块　10. 螺钉

图 6-164 就是专门测量轴承内外圈间轴向相对位移量的轴承预紧测量仪。该测量仪主要由龙门架 2、螺杆和加载机构 3、钢球 4、三等标准测力机 5、测力表 6、压套 7、心轴 8、杠杆式百分表 9 和底座 11 等组成。

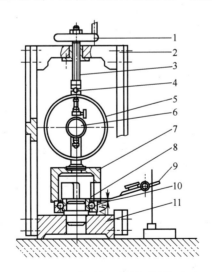

图 6-164 轴承预紧测量仪

1. 手轮　2. 龙门架　3. 螺杆和加载机构　4. 钢球
5. 三等标准测力计　6. 测力表　7. 压套　8. 心轴　9. 杠杆式千分表
10. 单列向心推力球轴承　11. 底座

测量时将轴承 10、开口压套 7 和三等标准测力计 5 依次安装。转动手轮 1 使螺杆 3 下旋,即可施加所需的预紧量。所加载荷量值通过测力表用数据表示出来,用杠杆千分表 9 在轴承端面相间 120°的圆周上检测内外圈端面的高度差 Δh,其差值取三种位置测量的平均值。第一个轴承测量后,再用同样的方法测量另一个与之相配对的轴承。其两轴承内、外圈端面的高度差值的总和,即为两隔套厚度之差 ΔL。

该测量仪适用性强,更换不同的心轴和压套就可测不同规格的轴承。

6.6.10 车床主轴综合精度的斜面支承测量法

车床主轴的精度测量常用 V 形块支承基准外圆,用千分表来测量重要外圆的径向跳动和重要端面的端面跳动,对其前端莫氏锥孔的测量则常用一带相应莫氏锥度的标准检验棒来检测其距轴端 300mm 处的径向跳动和靠近轴端的径向跳动量。不同型号和精度的机床主轴,具体给定的跳动量范围不同。图 6-165 所示主轴在轴端前 300mm 处是 0.040mm,在轴端处是 0.012mm。为了方便和准确地进行测量,可按图 6-166 制作测量支承装置,用斜面上的两 V 形块 6 支承在主轴的 A、B 基准处,小端处用钢珠 2 顶在角铁 4 的硬质合金片 3 上。用杠杆千分表即可测出各处的圆跳动量。

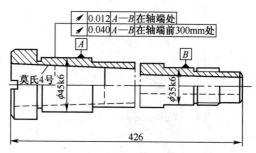

图 6-165 主轴

6.6.11 测量汽车前桥部分尺寸

图 6-167 是汽车的前桥。图中只给出了主要尺寸,图样要求两端 X 点到左、右弹簧座平面距离为 83mm±0.5mm,同时主销孔端面相对弹簧座平面还有 $7°±15'$ 和 $2°±10'$ 的倾斜角,两主销孔 X 点的距离为

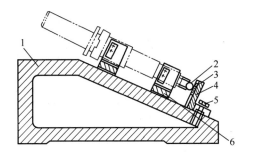

图 6-166 主轴的斜面支承测量法

1. 支架体 2. 钢珠 3. 硬质合金片 4. 角铁 5. 螺栓 6. V 形块

1490mm±3mm。这些尺寸用常规方法检测,难度比较大,为此设计了专用检具,如图 6-168 所示,检测其 X 点到平面距离,两 X 点之间距离及倾斜角度,效果很好。

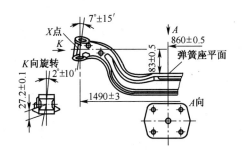

图 6-167 前桥

该检具主要由底座 9,支承座 5、8,斜块 4 等件组成的。底座 9 比较长,上面铣有 T 形槽,支承座 5 和 8 可以在底座上移动,用于调整所需要的距离,然后由 T 形螺栓固定在底座 9 上,支承座 5 和 8 的上端面分别沿轴线方向(纵向)和垂直于轴线方向(横向)有 7° 和 2° 斜角,并有"十"字形花键槽。两斜块 4 通过定位键与支承座 5 和 8 连接,使斜块在纵向和横向都能定位,斜块 4 上有定位轴 3,另一个斜块上有削边销 6,两斜块相对底座 9 在纵向倾斜 7°,横向倾斜 2°,检测轴 2 是用来检测角度的。检具上的各主要尺寸通过投影和三角计算求出。

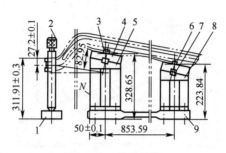

图 6-168　检具结构

1. 方铁　2. 检测轴　3. 定位轴　4. 斜块
5,8. 支承座　6. 削边销　7. 定位键　9. 底座

用该综合检具检测前轴工件时,首先把前轴倒放在综合检具上,使弹簧座中心孔与定位轴接触,另一弹簧座中心孔与削边销接触,形成一面两孔的定位。由于综合检具上的斜块有 7°、2°的倾斜角,所以前轴主销孔端面平行于平台,这时用高度尺检测前轴主销孔端面到平台距离为 311.91mm±0.244mm 即为合格。

当检测角度时,主销孔的端面平行于平台,则主销孔的中心线就垂直于平台,把检测轴插入主销孔里,使检测轴的一端与方铁 1 接触,方铁是自制的量块,把万能角度尺放在方铁上,在前轴轴线的方向(纵向)测量检测轴的倾斜角度,其值就是 7°倾斜角的误差;把万能角度尺放在垂直于前轴轴线方向(横向)测量检测轴的倾斜角度,其值就是前轴 2°倾斜角的误差,合格角度误差值分别为 ±10′和±5′。

检测前轴主销孔上两个 X 点之间距离时,用游标卡尺测量检测轴到前支承座 5 侧面 N 的距离,由于前支承座上定位轴中心线与弹簧座平面的交点的垂线到前支承座端面的距离为 50mm±0.1mm,卡尺另一端如包含检测轴,则测量尺寸应减去检测轴的半径 $\phi 30/2$mm,然后加上 50mm,其值为 291.98mm±1.08mm 即为合格。

6.6.12　用多功能表架找正工件

在机加工之前,常需要在机床上找正工件的位置。找正的方法很多,大都是单一功能的。图 6-169 所示为一种多功能表架找正器具。

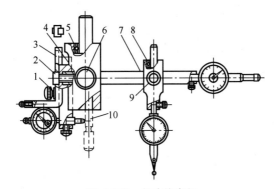

图 6-169 多功能表架

1. 调整螺钉 2. 拉紧螺钉 3. 升降表架 4. 定位块
5. 主体 6. 导向体固定螺钉 7. 导向体
8. 滑动表座 9. 固定螺钉 10. 定位销

该多功能表架主要由升降表架 3、定位块 4、主体 5、导向体 7、滑动表座 8、定位销 10 和几个不同功能的螺钉等组成。该多功能表架轻便灵活,适合于工件在铣床、钻床、镗床等机床上的找正。

主体 5 上端是直柄装夹,改变了传统的莫氏锥体结构。由于装夹直柄与轴承过盈配合,使得找正旋转轻快、灵活。导向体 7 可以在主体 5 的中心孔中移动,一端与定位块 4 垂直相接,一端则有横向孔,装入径向千分表便可实现较大孔径找正测量。为了适应不同加工需要,导向体 7 可做成多种规格备用。

松开滑动表座 8 的固定螺钉 9,滑动表座 8 便可在导向体 7 上移动。表座下方装的杠杆千分表,可根据工件相对主轴中心位置移动、调整,来完成找正测量工作。大工件可调换导向体 7。由于直接采用了杠杆千分表,省去了杠杆传动装置,所以传递误差小,读数精度很高。

另外,滑动表座 8 的上端也是圆柱直柄与轴承配合。结构设计与主体相似。所以,从导向体 7 上取下便能直接装夹在主轴上的钻夹头等辅具上进行找正与测量。利用杠杆千分表测杆可以转动的特性调整测头方向,即可对各种小型工件的小孔、小槽、面等进行找正、测量。

在主体 5 左侧、定位块 4 下方装有测边千分表,专门用来找正工件的直角边或圆柱体边沿相对于主轴中心位置。表触头相对主轴中心位置调零由表与定位销 10 实现(定位销 10 的左边沿即为主轴中心)。测量精度可达 0.01mm。如果配专用组合尺架使用,可实现与基准边具有位置精度要求的孔、槽、面等加工,从而扩大了铣床的加工能力,这也是该表架的特殊功能。

定位块 4 上还备有升降表架 3,松开调整螺钉 1,表架即落下。卸下测边千分表,装入表架孔中,即可对工件平面、工作台台面进行测量。

6.6.13 利用普通量具制作钻头主切削刃夹角的检具

在机械加工中钻孔时,钻头的刃磨一般是手工刃磨、刃磨后仅凭目测很难保证钻头的两主切削刃的偏角相等和两主切削刃等长,这使钻孔时,特别是在钻深孔时,引偏钻头,使孔钻歪,给后面的扩、铰孔工序带来麻烦。为此,可设计制作图 6-170 所示的刃磨钻头用的组合量具。具体方法如下。

①把量角器 3 的圆心与钢卷尺段 2 的某带“0”位的刻线对齐,两者的下边沿也对齐,然后钻小孔,用铆钉 4 把量角器 3 和钢卷尺段 2 铆在一起。

②在钢直尺 1 的 50mm 处钻一个小孔,用铜钉穿过小孔和量角器 3 圆心处的小孔,轻轻铆上并可转动。在钢直尺 1 的上方铣掉 20mm 的缺口后就可测量钻头主切削刃的偏角和长度了。

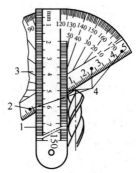

图 6-170　组合量具
1. 钢直尺　2. 钢卷尺段　3. 量角器　4. 铆钉

参 考 文 献

[1] GB/T 22095—2008.

[2] JJG 194—1992.

[3] JB/T 8047—2007.

[4] GB/T 21389—2008.

[5] GB/T 21388—2008.

[6] GB/T 21390—2008.

[7] GB/T 1216—2004.

[8] GB/T 8016—2004.

[9] GB/T 1217—2004.

[10] GB/T 1218—2004.

[11] GB/T 10932—2004.

[12] GB/T 8177—2004.

[13] GB/T 6314—2004.

[14] GB/T 1219—2008.

[15] GB/T 18761—2007.

[16] GB/T 8122—2004.

[17] GB/T 8123—2007.

[18] GB/T 6092—2004.

[19] GB/T 6315—2008.

[20] GB/T 3934—2003.

[21] GB/T 1957—2006.

[22] GB/T 6060.2—2006.

[23] JB/T 7980—1999.

[24] GB/T 22523—2008.

[25] GB/T 1800.1—2009.

[26] GB/T 1800.2—2009.

[27] GB/T 1801—2009.

[28] GB/T 1804—2000.

[29] GB/T 1182—2008.

[30] GB/T 1958—2004.

[31] GB/T 4249—2009.

[32] GB/T 1184—1996.

[33] GB/T 16671—2009.

[34] GB/T 3505—2009.

[35] GB/T 1031—2009.

[36] GB/T 131—2006.

[37] GB/T 6093—2001.

[38] GB/T 17163—2008.

[39] GB/T 3177—2009.

[40] GB/T 10095.1—2008.

[41] GB/T 10095.2—2008.

[42] GB/T 192—2003.

[43] GB/T 1095—2003.

[44] GB/T 1144—2001